Karine Giebel

Karine Giébel a été deux fois lauréate du Prix Marseillais du Polar : en 2005 pour son premier roman *Terminus Elicius,* et en 2012 pour son sixième livre *Juste une ombre,* également Prix Polar francophone à Cognac. *Les Morsures de l'ombre* (Fleuve Noir, 2007), son troisième roman, a reçu le prix Intramuros, le prix polar SNCF et le prix Derrière les murs.

Meurtres pour rédemption est considéré comme un chef-d'œuvre du roman noir.

Ses livres sont traduits dans plusieurs pays, et pour certains, en cours d'adaptation audiovisuelle.

Purgatoire des innocents (Fleuve Noir, 2013) est son septième roman.

JUSQU'À CE QUE
LA MORT NOUS UNISSE

DU MÊME AUTEUR
CHEZ POCKET

KARINE GIEBEL

JUSQU'À CE QUE
LA MORT NOUS UNISSE

Fleuve Noir

© 2009, Éditions Fleuve Noir, département d'Univers Poche.
ISBN : 978-2-266-21400-1

À mes chers parents

À l'origine, ce roman s'intitulait L'Ancolie, *fleur de montagne aussi belle que toxique, élégante empoisonneuse. Celle qu'on regarde, mais qu'on ne touche pas…*

Prologue

Le 15 juin.

La scène était insoutenable.

Il avait pris dans ses bras le corps cassé, martyrisé, comme s'il voulait le consoler.

Ce pantin avec qui elle avait joué, qu'elle s'était amusée à disloquer.

Un cadavre, déjà froid. Déjà loin. Déjà absent et pour toujours.

Il serrait contre lui cet être si cher.

Entre colère et désespoir, il demeurait immobile, impuissant.

Il se surprit alors à haïr celle qu'il aimait tant.

Qu'il aimerait toujours.

Elle qui venait pourtant de dévorer un de ses enfants.

1

Un mois et demi plus tôt... le 3 mai.

Le jour qui filtre déjà au travers des rideaux.

Dehors, les premières joutes musicales des oiseaux.

Malgré l'absence de réveil, Vincent jugea qu'il était environ 7 heures ; l'instinct, probablement. Quelques secondes durant, il écouta ce matin ordinaire, savourant cet instant hors du temps, de l'espace, des contraintes. Presque hors de la vie.

Que le jour est beau, au sortir des ténèbres...

Sur sa droite, la silhouette de celle qui avait partagé sa nuit.

Sa nuit, mais pas ses cauchemars.

Personne, désormais, ne serait assez intime pour fouler son infernal jardin secret.

Vincent se leva sans la réveiller, malgré les gémissements plaintifs du parquet en bois.

Un étage plus bas, il s'exila sur la terrasse, une tasse de café à la main, suivi de près par Galilée, son fidèle berger des Pyrénées. La journée s'annonçait magnifique, le soleil testait déjà ses premiers rayons sur les cimes encore enneigées. Une légère brise balayait la vallée, souffle bienfaisant qui avait le don de nettoyer l'âme autant que le ciel. Vincent la laissa donc dissiper les images nocturnes, venimeuses, s'attardant encore dans sa tête, tels ces nuages cramponnés aux sommets.

Rien de prévu aujourd'hui ; aucun client, aucune course. Mais beaucoup de travail ici même...

Le grincement de la porte l'arracha brutalement à sa contemplation ; à sa solitude, si chère. Patricia, visage ensommeillé, cheveux emmêlés, lui sembla beaucoup moins désirable que la veille au soir. Normal, il avait eu ce qu'il voulait, n'attendait plus rien d'elle.

La jeune femme se lova contre lui, passa ses bras autour de son cou.

Deux serpents tièdes, doux.

Deux chaînes sensuelles.

Suffocantes.

— Il fait froid ! murmura-t-elle dans un frisson.

Sa voix, pourtant enveloppée de notes lascives, ne lui fit aucun effet.

Ni dans la tête, ni dans le froc.

— Tu veux pas rentrer et me réchauffer ?

— Si t'as froid, couvre-toi, répondit-il en se dégageant doucement.

— T'es de mauvaise humeur ?

— Non... Tu as faim ?

Elle le suivit à l'intérieur, s'attabla devant un petit déjeuner tandis qu'il demeurait debout, adossé contre le plan de travail. Bras croisés, paré à l'offensive.

Prêt à mordre à pleines dents dans la chair si tendre de sa proie encore chaude.

— On passe la journée ensemble ? proposa Patricia. Je ne bosse pas aujourd'hui...

— Moi si... Alors vaut mieux que tu t'en ailles.

— Ah bon, t'as des clients ?

— Non mais... beaucoup de boulot.

Elle le dévisagea avec désarroi.

— Ce soir, alors ? essaya-t-elle en désespoir de cause.

— Désolé, j'ai déjà un truc de prévu.

Une flamme de lucidité éclaira ses yeux de victime consentante.

— C'était juste pour cette nuit, c'est ça ?

Vincent ne broncha pas.

— C'est ça ? répéta-t-elle avec hargne.

— Faut pas le prendre mal, tu sais... Avec moi, c'est comme ça.

Les mâchoires qui se crispent sur un rictus amer, le visage qui se durcit ; elle abandonna son café, remonta à l'étage.

Vincent se sentit tout à coup soulagé. Mission accomplie ; il venait de se débarrasser d'un poids encombrant.

Patricia réapparut dix minutes plus tard, tout habillée.

— Je me tire ! annonça-t-elle sur un ton mélodramatique.

Impassible et silencieux, Vincent soutint le dernier regard assassin qu'elle lui décochait. Il ne lui avait rien promis, après tout. Ne parvenait pas à se sentir coupable de quoi que ce soit.

Au comble de l'humiliation, elle lui tourna le dos avant de disparaître. Définitivement sans doute. Mais rien n'était sûr avec les femmes. Malgré cette douche

13

froide matinale, il arrivait parfois qu'elles reviennent se prendre dans ses filets. À croire qu'il possédait un talent particulier ! Cette idée ébaucha un sourire sur ses lèvres, il se confia tout naturellement à Galilée qui se toilettait avec soin devant la cheminée.

— Tu vois, mon vieux, toutes les mêmes ! Elles croient que je vais les épouser parce qu'elles m'ont fait un petit câlin !

Galilée le toisa fixement, remua la queue. Avant de replonger le museau dans sa toison beige et touffue, écoutant d'une oreille distraite le bruit de la voiture qui s'éloignait rageusement.

*
* *

Le moteur fatigué du Toyota cracha un épais nuage de fumée noire avant de s'élancer sur la piste en terre, seul lien avec la civilisation.

Premier samedi de mai, ciel d'un bleu profond, dénué de pollution. Ou presque.

Les mélèzes oubliaient les affronts de l'hiver, reprenant avec une étonnante rapidité leur belle couleur verte ; ce vert si tendre, succédant à l'orange éclatant de l'automne et au gris funèbre de décembre.

Le pick-up plongeait régulièrement dans les ornières remplies d'une boue collante et froide.

Au bout de dix minutes, Vincent coupa le contact puis récupéra une paire de jumelles dans la boîte à gants pour observer un groupe de chamois qui s'ébattaient au milieu d'une plaque de neige gelée sur l'autre versant ; profitant eux aussi des premières largesses du soleil après la nuit encore rude. Spectacle dont jamais il ne se lasserait. Cette nature sauvage, généreuse mais cruelle, ne le trahissait jamais, lui offrant chaque jour ce que personne n'avait su lui donner.

Non, personne.

Le pick-up repartit, laissant de côté le village d'Allos pour emprunter la départementale qui descendait à Colmars-les-Alpes, neuf kilomètres plus bas.

Une route large, propice à la vitesse, suivant les courbes capricieuses du Verdon.

Quelques instants plus tard, le fort de Savoie apparut dans la lumière matinale ; séculaire et imposant témoignage des guerres ancestrales.

Village très animé, ce matin. Près des remparts, quelques voitures de touristes, encore rares en cette saison. Le beau temps les avait sans doute attirés jusqu'ici ; les ponts du mois de mai marquaient souvent le début de la saison d'été, des profits.

Il abandonna son 4×4 le long des fortifications érigées par Vauban et commença par une visite de courtoisie à l'office de tourisme. Sa directrice, Michèle Albertini, quinquagénaire avenante, était assise derrière son guichet, plongée dans la lecture du quotidien local.

— Salut, Vincent ! Comment va ce matin ?

— Très bien, ma belle ! répondit-il en l'embrassant. Quelque chose pour moi ?

— Non, rien pour le moment. Je t'appellerai si jamais on te demande ! J'ai aperçu des vacanciers... Qui sait, tu auras peut-être une course pour demain ?

Vincent allait prendre congé lorsqu'une jeune inconnue sortit d'un bureau du fond. Une apparition... Grande, formes généreuses, avec de magnifiques cheveux châtains coulant en reflets brillants jusqu'au creux de ses reins. Et des yeux...

Vraiment charmante, quasiment parfaite. Vincent en aurait presque salivé d'avance.

— Tu nous présentes ? pria-t-il.

— Myriam, notre nouvelle recrue pour la saison.

— Enchanté, mademoiselle. Moi, c'est Vincent...

Il lui serra la main un peu fort, la percuta d'un sourire aguicheur, d'un regard direct.

— Je compte sur vous pour faire ma pub, mesdames ! lança-t-il en riant. Bonne journée !

Il disparut aussi vite qu'il était venu ; Michèle observait son assistante, apparemment subjuguée.

— C'est qui ?

— Vincent Lapaz... Il bosse avec nous. Quand un client cherche un guide, on l'envoie vers lui... Ses cartes de visite sont là, dans le tiroir. Et en été, on organise avec lui des sorties à la journée pour les touristes.

Myriam continuait à fixer la porte ; pourtant, Vincent était loin déjà. La directrice soupira.

— On dirait que t'as vu la Vierge ! Retourne bosser au lieu de rêvasser...

— T'énerve pas... je trouve juste qu'il est craquant, c'est tout !

— Ouais, il est mignon, je te l'accorde. Mais dangereux.

— Dangereux ? Il n'a pas l'air méchant, pourtant !

— J'ai pas dit *méchant*, j'ai dit dangereux ! ricana Michèle. Nuance...

— Dangereux comment ?

— Oublie ce que je viens de dire ! conclut la directrice en se replongeant dans la lecture de son journal.

Le plein de victuailles, juste avant le plein d'essence à la station. Vincent pouvait remonter chez lui, maintenant.

Il reprit la grand-route, la seule, celle menant aux stations de sports d'hiver ; celle amenant l'argent, le travail.

Et les invasions barbares.

Juste avant le village, il bifurqua en direction du lac d'Allos. Encore trois kilomètres de goudron sinueux, suivis d'un quart d'heure de piste caillouteuse et boueuse. La piste de l'Herbe Blanche. Là, au bord de ce chemin, se trouvait son chalet, l'Ancolie.

Son royaume, son domaine, qu'il n'avait jamais pu abandonner malgré les mauvais souvenirs qui refusaient d'abdiquer ; ce parfum de trahison et d'échec, ondoyant dans l'air, incrusté dans les murs, les paysages. Pourtant, impossible de s'éloigner de cet endroit, comme s'il y était enchaîné pour l'éternité.

Assis sur les marches en compagnie de Galilée, Pierre Cristiani l'attendait.

— Qu'est-ce que tu fais là ? s'étonna Vincent.

— Je monte au lac, j'en ai profité pour m'arrêter un peu…

Pierre, l'ami d'enfance, le frère que la vie lui avait offert.

Inestimable cadeau.

Ils partagèrent un café dans la cuisine. Ils parlaient peu, n'avaient jamais été de grands bavards. Et depuis que Laure l'avait quitté, Vincent se montrait encore plus taciturne qu'avant.

Envolée, cinq années auparavant. Partie avec un autre homme. Un Parisien, en plus ! Sur un coup de tête ou un coup de foudre, elle, l'enfant de la vallée, l'as des sommets, ou lasse des sommets, était allée se perdre dans la capitale. Personne ne l'avait plus jamais revue dans le coin.

Depuis ce jour maudit, Vincent avait cessé d'aimer. Replié sur lui-même d'abord, dans une chrysalide de souffrance, il avait lentement repris le dessus pour redevenir l'homme fort qu'il était avant ce douloureux épisode.

En apparence du moins. Car Pierre savait que cette plaie ne se refermerait jamais. Il suffisait d'observer la manière dont Vincent malmenait les femmes ayant le malheur de croiser sa route ; jouant de son charme pour les attirer dans le piège, comme l'araignée capture les proies dans sa toile aux reflets argentés.

Leurre mortel.

Ça ne le rendait pas heureux, ça ne guérissait pas la blessure. Ça n'arrêtait même pas l'hémorragie.

Seulement une vengeance. Dérisoire, illusoire.

Elles payaient toutes pour Laure.

— Pourquoi tu vas au lac ? questionna Lapaz.

— Y a quelques touristes, paraît… Le chef m'a demandé d'y faire un tour à la mi-journée, histoire de vérifier que tout se passe bien. Ça te dit de venir avec moi ?

— J'ai du boulot…

— Tant pis !

Pierre enfila son blouson polaire sur sa combinaison grise. Tenue officielle des gardes du Parc national du Mercantour. Avant, ils étaient vêtus de vert. Mais depuis quelques années, ils étaient passés au gris. Un peu triste, cette couleur. Et qui augurait peut-être de l'avenir ? Tandis que son ami prenait congé, Vincent se demandait…

Gris, nouvelle couleur de l'écologie ?

Gris comme le béton, l'acier. Les pierres tombales.

Et pas grand monde pour s'en indigner. Ou au moins s'en inquiéter.

Comme si la nature telle qu'elle est ne leur suffisait plus. Ils veulent la rendre plus fréquentable ; la goudronner, la baliser, l'aménager ; la citadiniser, la désauvagiser.

L'humaniser.

Il leur faut – ou on les persuade qu'il leur faut – des parkings, des aires pour leurs camping-cars, des tables de pique-nique, des routes. Bientôt, il leur faudra des ascenseurs pour grimper jusqu'aux sommets !

— Tu penses à quoi ? interrogea Pierre.

Vincent quitta un peu brutalement ses pensées.

— À rien, s'empressa-t-il de répondre.

— À rien, t'es sûr ?

Lapaz consentit à dérouler sa déprimante réflexion aux pieds de son ami.

— *Des ascenseurs pour grimper jusqu'aux sommets ?* répéta Pierre. T'es con, mon vieux ! Je te signale qu'il en existe déjà. Téléphériques, cabines, tire-fesses… !

— C'est vrai, je suis con, soupira le guide.

— Tu veux te tirer une balle tout de suite ou attendre un peu ? demanda Pierre en lui serrant la main.

Ils ne s'embrassaient jamais, comme le font parfois les très bons amis. Mais leurs poignées de main étaient longues, puissantes.

— J'ai pas de flingue, rappela Vincent. Mais tout un tas de cordes d'escalade !

— Arrête tes conneries !… Bon, j'y vais. Au fait, tu veux passer à la maison, ce soir ? On a invité Baptiste et Cédric.

— Avec plaisir… je suis libre comme l'air !

Cristiani remarqua un paquet de Marlboro sur la commode qui trônait près de la porte.

— Tu fumes ça, maintenant ?

— Tu rigoles ! C'est à Patricia…

— Quelle Patricia ?

Lapaz hésita un instant.

— Celle qui bosse à la maison de pays, finit-il par avouer.

Pierre eut un pincement au cœur : une de plus au tableau de chasse ! Une fille sympa, cette Patricia. Elle ne méritait pas ça, sans doute…

Vincent regarda la voiture de son ami s'éloigner dans un nuage de poussière avant de retourner à l'intérieur. Au passage, il attrapa le paquet de cigarettes pour le jeter à la poubelle.

Trop fortes pour lui. Et peut-être l'avait-elle oublié là comme un prétexte pour revenir ? Non, ridicule ! Elle avait sans doute plus d'imagination que ça…

Quoi qu'il en soit, il ne voulait plus jamais qu'elle réapparaisse. Elle ne lui avait pas donné assez de plaisir pour se voir accorder une seconde manche.

*
* *

Fourmis dans les jambes.

Une heure et demie que Servane se tenait debout, au bord de la route. Juste là pour effrayer les automobilistes imprudents, les premiers vacanciers.

Épouvantail en uniforme.

Elle lorgna du côté du maréchal des logis-chef, Christian Lebrun, aussi raide qu'elle, qui scrutait l'interminable ligne droite le long du Verdon.

Servane aurait aimé pouvoir discuter un peu, histoire de passer le temps. Mais le maréchal des logis n'était pas très causant. Pas avec elle, en tout cas.

De toute façon, depuis son arrivée à la caserne de Colmars, une semaine auparavant, les hommes ne lui parlaient guère. Certainement surpris par cette présence féminine inhabituelle en leurs murs. Mais les choses s'arrangeraient, avait promis l'adjudant-chef Vertoli. Un homme bien, le patron. Il avait accueilli cette nouvelle recrue avec tous les égards possibles, se montrant particulièrement chaleureux. Lui au moins n'était pas misogyne ! Mais visiblement, ce n'était pas le cas de tout le monde. *Laissez-leur le temps de s'habituer !* avait conseillé Vertoli. *Ils ne sont pas méchants mais ils vont vous tester d'abord.*

Un utilitaire blanc marqué du logo du Parc stoppa non loin d'eux. Un homme en descendit, serra la main de Lebrun et adressa un sourire à cette inconnue en uniforme.

— Je te présente le brigadier Servane Breitenbach, dit Christian. Elle vient d'être nommée à la caserne... Servane, voici Julien Mansoni, le chef de secteur du Parc.

Les politesses terminées, Christian et Julien s'éloignèrent un peu, abandonnant Servane sur le bord de la chaussée. Ils ne voulaient certainement pas parler devant cette étrangère au visage pâle et aux yeux d'un bleu soutenu.

Servane se concentra donc sur sa tâche, préférant ignorer cette nouvelle marque de méfiance. Elle se répéta qu'elle était heureuse d'avoir obtenu ce boulot. Depuis des jours, elle tentait de s'en persuader. Bien sûr, elle aurait préféré atterrir ailleurs que dans cette vallée où elle n'avait jamais mis les pieds. Dépaysement garanti ! Mais ce travail, en plus d'être sûr, se révélerait certainement passionnant. Quoique…

Doit pas se passer grand-chose dans ce trou perdu !…

Le chef de secteur remonta peu après dans sa voiture, repartant sans prendre la peine de saluer Servane. Sans prendre la peine, non plus, de boucler sa ceinture. Le maréchal des logis reprit sa place de vigie, ajusta ses jumelles. Quelques minutes plus tard, il cria victoire :

— En voilà un qui n'a pas sa ceinture ! On va se le faire… C'est un Marseillais, tu m'étonnes !… Brigadier, faites-lui signe de s'arrêter !

— Oui, chef !

Comme quoi il y avait deux poids, deux mesures ici. Le tout étant de le savoir.

*
* *

Vincent arriva un peu en avance.

Chaumie semblait déjà dormir. De toute façon, ce hameau sentait l'exode rural à plein nez. Perdu entre Colmars et Allos, il survivait un peu par miracle, certains ayant trouvé là le havre de paix idéal… Pierre Cristiani faisait partie de ces irréductibles et avait décidé de sauver de la ruine une ferme sans âge. Un travail de forçat jamais terminé, auquel Lapaz avait eu l'amicale faiblesse de participer, passant des week-ends entiers les mains dans le ciment pour aider son ami à en faire une résidence d'abord décente puis finalement très agréable.

Nadia avait eu de la patience. Et beaucoup de courage. Accepter de s'installer dans ce taudis, d'y élever deux enfants !… Oui, une épouse admirable, songea Vincent en descendant de son pick-up. Nadia, qui avait tout plaqué pour venir s'enterrer ici. Il avait suffi d'un séjour de quelques semaines dans la vallée. Suffi que son regard croise celui de Pierre pour qu'elle abandonne son confort citadin, son agence bancaire de Nice et se lance avec succès dans un métier improbable : apicultrice. Passer de l'oseille au miel… L'amour conduit parfois sur d'incroyables traverses.

Ce fut Émeline qui ouvrit la porte. Elle embrassa son parrain puis le précéda dans l'étroit corridor qui menait à l'immense salle à manger.

— C'est Vincent ! hurla-t-elle.

Lapaz adorait cette gamine, elle le lui rendait bien.

Douze ans, un brin pimbêche ; déjà mignonne, encore puérile. Elle prenait de l'assurance depuis qu'elle était pensionnaire au collège d'Annot, le bourg le plus proche.

Jalousée par Adrien, son jeune frère, qui fréquentait encore l'école primaire de Colmars. Pressé sans doute de jouer dans la cour des grands, lui aussi.

On est toujours tellement impatient de vieillir à cet âge-là. On appuie sur l'accélérateur, en vain. Jusqu'au jour où on se surprend à chercher la pédale de frein… En vain.

Vincent fut chaleureusement accueilli, comme à chacune de ses visites. Il était un peu chez lui, ici.

Sa famille d'accueil en quelque sorte. Heureuse, unie et sans histoire, qu'il ne pouvait s'empêcher d'envier dans les moments où la solitude devenait pesante.

Un remake de *La Petite Maison dans la prairie*, la niaiserie en moins, songea-t-il en se vautrant dans le canapé.

Pourquoi lui, n'avait-il pas eu cette chance ?

En même temps, il ne s'imaginait guère flanqué de deux mouflets agités et bruyants.

Non, finalement, c'est moi qui ai de la chance…

Un étrange duo ne tarda pas à faire irruption, extirpant Vincent de ses fantasmes d'ex-futur père de famille.

Cédric et Baptiste, les deux autres gardes-moniteurs de ce secteur du Parc, collègues et amis de Pierre. Les voir côte à côte était assez cocasse tant ils étaient différents.

Cédric, jeune diplômé en biologie. Bavard, énergique, impulsif et encore nourri d'espoir et d'utopies.

Baptiste, l'aîné du groupe, qui faisait office de grand sage… Un ours mal léché, solitaire, avare de paroles. Qui n'avait guère fréquenté les salles de classe et ressemblait pourtant à une encyclopédie vivante.

Une équipe hétéroclite mais efficace. Un groupe soudé dont Vincent ne faisait pas officiellement partie ; il y tenait cependant une place de choix.

La soirée s'annonçait plaisante, comme chaque fois qu'ils se retrouvaient. Sauf que leur hôte semblait préoccupé, absent. Pierre buvait beaucoup, ce n'était pourtant pas dans ses habitudes. Vincent le remarqua bien vite mais se retint de le questionner en public sur les raisons de son malaise. Ce fut donc Nadia qui meubla la conversation en parlant de ses abeilles. Son cheptel de fidèles travailleuses qui transformaient le végétal en sucre, disait-elle avec son accent indéfinissable, venu de nulle part. Tandis qu'elle parlait, Vincent l'observait : toujours aussi attirante malgré les années ou les épreuves. Pas vraiment belle, non. Mais un visage où les défauts s'alliaient à la perfection pour créer un charme envoûtant.

Nadia finit tout de même par s'alarmer du mutisme de son mari.

— Juste un peu fatigué, prétendit Pierre. Rien de grave…

— C'est ton chef qui t'emmerde ? supposa Vincent.

— Julien ? Non, qu'est-ce que tu vas chercher…

— Moi, je trouve qu'il est chiant comme mec, insista Lapaz. Très pro, c'est vrai, mais… Si je bossais constamment avec lui, je crois qu'y a longtemps que je lui aurais mis mon poing dans la gueule !

Le jeune Cédric se manifesta, tenant apparemment à assurer la défense de son supérieur.

— Tu sais, Julien, faut juste savoir le prendre… J'avoue qu'il est emmerdant mais il connaît son boulot. De toute façon, on n'a pas le choix : c'est lui le boss !

— Et puis c'est pas pour ça que Pierre est crevé, révéla Baptiste sur le ton de la confidence. C'est sa maîtresse qui l'épuise !

Nadia fut la première à rire de cette boutade. Pierre se contenta de sourire.

Un de ces sourires forcés que Vincent ne lui avait jamais connus auparavant.

Vers 1 heure du matin, Lapaz regagna sa voiture. Il poussa Galilée qui s'était installé au volant mais ne mit pas le contact immédiatement, échafaudant diverses hypothèses quant au mal mystérieux qui rongeait son meilleur ami.

Enfin, au rythme des *Quatre Saisons* de Vivaldi, *L'Hiver* était sa préférée, il reprit le chemin de l'Ancolie.

2

Servane poussa un soupir de soulagement. Ces quelques kilomètres de piste défoncée lui avaient mis les nerfs à vif ; à chaque seconde, peur de crever sur une pierre saillante ou de casser un cardan.

Dès qu'elle posa un pied à terre, Galilée fonça droit sur elle en aboyant. Elle hésita à remonter en voiture puis tenta de se maîtriser.

Je vais pas me laisser impressionner par un cabot qui m'arrive à peine aux genoux !

D'ailleurs, il s'arrêta à cinquante centimètres, se mit à remuer frénétiquement la queue. Pas bien méchant, le clébard ! Elle le caressa, il se coucha à ses pieds.

— Bon chien… Voilà, c'est bien…

Elle actionna la cloche suspendue à l'entrée.

Il pourrait installer une vraie sonnette ! Y a l'électricité au moins ?…

Personne ne se manifesta, elle crut soudain avoir parcouru tout ce chemin pour rien. Mais le bruit régulier d'une hache lui redonna espoir. Derrière la maison, elle découvrit Vincent en train de couper du bois.

Pas de tronçonneuse ? Je rêve ! On n'est pourtant plus au Moyen Âge…

Elle s'éclaircit la voix pour lui signifier sa présence, il se retourna enfin. Le soleil tapant dur aujourd'hui, il était torse nu. Déjà bronzé alors qu'elle était d'une pâleur effrayante.

Il posa sa hache, la toisa avec curiosité.

— Bonjour ! lança-t-elle en armant son plus joli sourire. Je cherche M. Lapaz.

— Vous l'avez devant vous.

— On m'a dit que vous étiez guide…

— On vous a dit vrai. Qu'est-ce que je peux faire pour vous ?

— Eh bien, je viens d'arriver dans le coin et je cherche quelqu'un pour découvrir la région…

— Je suis guide de haute montagne, précisa-t-il. Pas guide touristique !

— Oui, je sais… Mais en fait, c'est bien la montagne que je veux découvrir…

— Vous êtes en vacances ?

— Non. Je viens d'être affectée ici… Je suis gendarme.

— Gendarme ? répéta-t-il en attrapant son tee-shirt.

Il semblait de plus en plus intrigué.

— Et qu'est-ce que vous voudriez faire, exactement ? demanda-t-il en se rhabillant.

— J'aimerais connaître un peu mieux la montagne. J'suis pas d'ici et…

— Ça, j'avais entendu ! Vous venez d'où ?

— De Colmar… Dans le Haut-Rhin !

— C'est marrant !

— J'ai pensé qu'il fallait que je fasse quelques progrès… Je risque d'en avoir besoin pour le boulot. J'ai deux jours de libres par semaine. Ça ira ?

— Moi ça me va ! Vous connaissez mes tarifs ?

— Quinze euros la journée, je crois…

— Cent cinquante, rectifia-t-il avec un sourire caustique. C'est cent cinquante euros la journée.

Les yeux de la jeune femme s'arrondirent de surprise.

— Vous semblez étonnée… Pourtant, c'est le tarif syndical !… Évidemment, pour une personne seule, ça fait un peu cher.

— C'est beaucoup plus que je ne peux me permettre, avoua-t-elle d'un air embarrassé. Je croyais que… À l'office du tourisme, ils m'ont parlé de quinze euros par randonnée.

— Ça, c'est le tarif de groupe. Mais les touristes n'étant pas encore là, je n'organise pas de sorties en groupe en ce moment. Ça ne commencera qu'en juillet. Quoi qu'il en soit, une journée c'est cent cinquante euros.

— Je crois vous avoir dérangé pour rien, alors…

— Pas grave, dit-il en reprenant sa hache.

Il ne se donna pas la peine de la raccompagner et elle rebroussa chemin, maudissant ces abrutis de l'office du tourisme. Il lui fallait désormais parcourir la piste en sens inverse. Sa vieille Mazda était très fatiguée, les amortisseurs à l'agonie. Mais elle n'avait pas le choix et reprit la route, les mains crispées sur le volant, considérablement gênée par le soleil qui, bien sûr, la percutait pleine face.

Cent cinquante euros par course, il ne s'emmerde pas, celui-là !

Premier virage en épingle, négocié avec succès.

Mille balles pour une journée et il n'a pas assez de fric pour s'acheter une tronçonneuse… ?

Nouvelle ligne droite chaotique. Servane prenait de l'assurance, se détendit, accéléra. Mais au moment où sa vigilance retombait, un grand bruit la força à freiner brutalement. Certainement une pierre ayant touché la carrosserie. Elle marmonna quelques injures avant de repartir de plus belle.

Vincent alla se rafraîchir à la source qui coulait non loin du chalet. Une eau glacée, d'une exceptionnelle pureté, s'évanouissait dans une petite fontaine qui n'était autre qu'un tronc de mélèze coupé et creusé. Il but plusieurs gorgées, s'aspergea le visage et le torse. Sensation des plus agréables… Puis il retourna à sa tâche de forçat, plaça une énorme bûche sur le billot qui lui servait d'appui. Il commençait à ressentir la fatigue mais voulait finir aujourd'hui.

— Excusez-moi, monsieur !

Il sursauta et tapa à côté de sa cible. La jeune femme au visage pâle se tenait à nouveau derrière lui.

— Vous avez changé d'avis ? s'étonna-t-il.

— Non, c'est pas ça…

Elle était un peu essoufflée, des gouttes de sueur perlaient sur son front.

— Ma voiture est en panne, sur cette putain de piste !

— *Cette putain de piste ?* Vous savez, je ne suis pas mécano… Je suis guide, vous vous rappelez ?

Elle le considéra avec une colère contenue, il accentua son sourire.

Vas-y, fous-toi de ma gueule… !

— Je peux peut-être au moins téléphoner ? suggéra-t-elle sèchement. À condition que vous ayez le téléphone, bien sûr ! Vu que vous n'avez pas de tronçonneuse, rien n'est moins sûr…

Cette réplique fit marrer le guide.

— Les tronçonneuses, c'est comme les bagnoles, ça tombe en panne ! C'est justement ce qui est arrivé à la mienne… Alors, qu'est-ce qu'elle a, votre voiture ?

— J'en sais rien ! J'ai entendu un bruit bizarre et un peu plus loin, je me suis arrêtée parce qu'un voyant clignotait… Il y a sans doute quelque chose de cassé, toute l'huile se répand sur la route !

— Aïe ! Vous avez dû péter le carter.

— Le quoi ?

— Le carter. Vous avez pris une pierre sous la carrosserie et pété le carter…

— Qu'est-ce que je peux faire ?

— Absolument rien !

Il se rhabilla à nouveau, tout en se dirigeant vers le Toyota.

— Il y a un garagiste dans le coin ? interrogea-t-elle.

— Évidemment ! Mais on va aller voir ça avant de l'appeler… Car figurez-vous que oui, j'ai le téléphone, mademoiselle ! J'ai aussi l'électricité, l'eau courante et même le Net ! Vous venez… ?

Elle pinça les lèvres, lui emboîta le pas jusqu'au pick-up.

— Je suis désolée de vous déranger, reprit-elle d'une voix mielleuse. Mais il n'y a personne d'autre dans les parages…

— Non, personne !…. Votre caisse est loin ?

— Je sais pas. En remontant à pied, j'ai eu l'impression que c'était à dix kilomètres, mais ça doit être moins !

Ils s'élancèrent sur la bande caillouteuse. Évidemment, avec un 4×4, le trajet semblait facile.

— Ça fait longtemps que vous êtes là ? demanda soudain Lapaz.

— Trois semaines environ.

— Et ça vous plaît ?

— Ben, je n'ai pas trop quitté la caserne pour l'instant...

Il ne desserra plus les mâchoires et Servane admira le paysage, un peu embarrassée de se retrouver en tête à tête avec cet inconnu qui la mettait mal à l'aise. Une sorte de rustre qui ne devait guère avoir de conversation.

La Mazda apparut enfin, au détour d'un virage. Vincent s'allongea à côté de la voiture puis ausculta le dessous de la carrosserie. Il ne s'était pas trompé.

— C'est ça, annonça-t-il simplement.

— Et merde ! Si j'avais su, je n'aurais pas pris cette saloperie de chemin !

— Surtout que vous êtes montée pour rien, n'est-ce pas ?

— Arrêtez de vous foutre de moi ! s'emporta-t-elle brusquement. C'est vraiment pas drôle !

— Du calme, sinon, je vous laisse ici !

— Je peux très bien descendre au village et aller chercher le garagiste !

— Vous pouvez, oui. Il vous reste quatre kilomètres à parcourir, mais remarquez, c'est que de la descente... Et puis pour le remorquage, il vous prendra environ... En tout cas, plus cher que moi !

Elle se mura dans un silence agacé.

— Alors ? Je vous remorque ?

— Si ça ne vous dérange pas trop !

— Ils ont tous aussi mauvais caractère que vous dans le Haut-Rhin ?

Elle haussa les épaules tandis qu'il attrapait une barre de remorquage à l'arrière du pick-up. Il amarra la Mazda au Toyota, solidarité nationale, avant de reprendre le volant. Puis il attendit que Servane soit installée dans sa voiture pour démarrer.

Ils entamèrent leur périlleuse descente, sous l'œil curieux de Galilée, fidèle vigie à l'arrière du pick-up.

Au bout d'une demi-heure, ils arrivèrent enfin à Allos. C'est là que se trouvait le garage le plus proche. Si on pouvait appeler ça un garage. Devant une vieille baraque délabrée, dormait une dépanneuse d'un autre âge, au milieu d'un amoncellement de carcasses de voitures accidentées.

Un homme corpulent sortit de cet antre infâme ; Patrick Lefort, le tenancier du bouge.

— Salut, Vincent ! Comment va ?

— Bien, répondit le guide en serrant le poignet plein de cambouis du mécanicien. J'ai une urgence pour toi...

Servane fut contrainte de prendre à son tour la main rebutante qui lui était tendue.

— Elle a pété le carter sur la piste, expliqua Vincent.

Le mécanicien regarda sous les jupes de la Mazda. Puis il se remit debout avec difficulté, s'épongea le front, y laissant une énorme marque noire.

— Ouais, y a pas à dire, il est pété...

— Vous pouvez réparer ? s'impatienta Servane.

— Ouais, mais faudra me la laisser une petite semaine.

La jeune femme soupira une fois encore.

Journée de merde...

— Vous me prêtez un véhicule de courtoisie ?

Une grimace étonnée enlaidit encore plus le visage ingrat de Lefort.

— Un quoi ?

— Une voiture de rechange…

— Ah non ! J'ai pas ça ici.

Le garagiste s'essuya les mains sur un chiffon graisseux avant de se rouler une cigarette.

— Combien ça va me coûter ?

— Ben… À vue de nez, je dirais… Six cents euros.

— Six cents ? s'étrangla Servane.

— Eh oui… Y a pas mal de boulot. Mais si vous payez en liquide, on peut voir…

Vincent fixa le mécanicien, se racla la gorge à plusieurs reprises.

— On peut faire sauter la TVA, continua Patrick, étanche aux signaux d'alerte.

— Mademoiselle est nouvelle ici, s'empressa d'ajouter le guide. Et elle est gendarme…

Le garagiste resta interloqué quelques instants, tandis que Servane le considérait d'un air sévère.

— Moi, j'disais ça… C'était juste pour vous rendre service…

— Je veux une facture ! Et je paierai par chèque.

— Pas de problème… Y a pas de problème ! Moi, j'disais ça… Juste pour vous arranger…

— OK, conclut Servane. Je peux vous appeler dans trois jours ?

— Vous savez, faut le temps que je me procure les pièces… On n'est pas en ville, ici !… Disons cinq, ça sera plus sûr.

Le mécano retourna dans sa masure, Servane vers le pick-up.

— En tout cas, merci, dit-elle en regardant Vincent. Pour le remorquage…

— C'est rien… Ce voleur vous aurait pris au moins cent euros de plus !

— Y a un bus qui descend à Colmars ?

— Il y a une navette qui passe le matin, le midi et le soir.

— Bon, je vais attendre midi, alors… Où est l'arrêt ?

— Là-bas, sur la place du village.

Elle semblait complètement abasourdie, comme si une catastrophe s'était abattue sur ses frêles épaules. Vincent eut soudain pitié d'elle.

— Je vous dépose quelque part ?

— Je ne voudrais pas abuser de votre temps. Vous avez déjà été sympa et…

— Allez, montez !

Elle s'exécuta sans attendre, de peur qu'il ne changeât d'avis.

— Vous ne travaillez pas aujourd'hui ? demanda-t-il.

— Jour de repos…

Il quitta le village, mais, au lieu de prendre la direction de la caserne de Colmars, il s'engagea sur la route du lac d'Allos.

— Où on va ?….

— Vous vouliez faire une rando, non ?

— Mais… Je ne peux pas ! Surtout maintenant, avec ce qui vient de se passer…

— J'ai envie de me dégourdir les jambes, dit-il en souriant. Alors vous pouvez m'accompagner… Si ça vous dit, bien sûr !

Elle le dévisagea avec étonnement.

— Hors de question !

— Vous n'avez plus envie ?

— C'est pas ça... Mais il n'y a aucune raison que je...

— Disons que c'est un essai gratuit !

— En plus, je n'ai rien. Pas de chaussures adaptées, pas de sac, pas de...

— J'ai tout ce qu'il faut en haut.

Elle n'osa plus le contrarier, garda le silence tandis qu'ils remontaient vers l'Ancolie.

Vincent se demandait pourquoi il venait de faire une telle proposition à cette étrangère un peu revêche. Même pas jolie, en plus ! En tout cas, pas du tout son genre. Ce n'était donc pas là la raison de son geste.

Un gendarme, ça peut toujours servir. Mieux valait s'en faire une alliée. Surtout qu'il n'était pas en très bons termes avec l'adjudant-chef Vertoli.

— Ça se passe bien à la caserne ? Ils ne vous font pas trop chier ?

Il venait de résumer la situation à la perfection.

— Un peu, avoua-t-elle.

— Ils ne sont pas très accueillants, je me trompe ?

— Non, pas très...

Elle avait soudain perdu la parole, très impressionnée par ce personnage atypique. Elle ne se sentait guère rassurée. Et si cet homme avait une pensée derrière la tête ? S'il voulait la faire payer en nature ? Il l'emmenait dans un coin perdu, où personne ne passait.

Mais elle était gendarme et il le savait. Cette idée la réconforta.

*
* *

36

— Voilà, on y est…

Vincent gara son pick-up sur le bord de la route.

— C'est barré juste après, à cause de la neige… On continue à pied.

Ils n'avaient parcouru que quelques kilomètres en voiture depuis le chalet et pourtant, l'air était plus froid ici. Comme un souffle sauvage qui dévalait des sommets, lui faisant légèrement tourner la tête. Servane prit son sac à dos à l'arrière du 4×4, le mit sur ses épaules.

— Pas trop lourd ? s'inquiéta Vincent.

— Non, ça va…

Elle regarda ses chaussures de marche, prêtées par le guide, tout comme le sac. Du vrai matériel de pro… Vincent s'équipa à son tour, Servane en profita pour détailler les alentours. Ils étaient au milieu de nulle part, sur une petite route qui serpentait au cœur d'une forêt de mélèzes.

— Pourquoi vous n'avez pas amené votre chien ?

— Parce que nous allons en ZC…

— En quoi ?

— En zone centrale. C'est la partie la plus protégée du Parc, les chiens y sont strictement interdits.

— Même pour vous ?

— Même pour moi… On y va ?

Ils attaquèrent la balade, cheminant au beau milieu de la route.

— Au fait, c'est quoi, votre nom ?

— Servane Breitenbach.

— Breiten… Disons Servane !… Moi c'est Vincent…

— Je sais… L'office du tourisme m'a filé votre carte.

— C'est un joli prénom, Servane… Pas commun, en tout cas !

Il ne marchait pas très vite, finalement ; elle le suivait sans problème. Quelques centaines de mètres plus loin, un grand panneau indiqua l'entrée en zone centrale. Servane s'arrêta pour lire les recommandations y figurant : *chasse interdite, camping interdit, cueillette interdite, chiens interdits même tenus en laisse, survol interdit…*

— Dites donc, qu'est-ce qu'on a le droit de faire dans ce Parc ?

— Admirer, répondit-il en souriant. Et c'est déjà beaucoup !

Ils entamèrent une pente raide où les chaussures crissaient sur les fines plaques de neige durcie.

— On peut monter en voiture, l'été ?

— Oui. D'ailleurs vous serez amenée à y aller souvent. C'est un endroit très fréquenté entre juillet et août… des centaines de personnes chaque jour. Voire des milliers.

— Tant que ça, vraiment ? Pourquoi ici ?

— Attendez d'être en haut et vous comprendrez !

Elle commençait à s'essouffler dans cette côte mais tenta de ne rien laisser paraître. Immense ravin à gauche, barre rocheuse à droite, sommets enneigés en face ; ils prenaient de l'altitude. Ils continuèrent leur ascension dans un silence religieux et, fort heureusement, la pente se radoucit quelque peu.

— Ça va ? vérifia le guide.

— Impeccable !

Surtout, ne pas lui montrer qu'elle peinait. Question d'amour-propre.

Pierre Cristiani abandonna sa voiture à côté de celle de Vincent. Il récupéra sa radio sur le siège passager, puis entama la montée. Il constata que son ami n'était pas seul. À en juger par les traces de pas subsistant sur les rares parcelles de neige, il était accompagné d'un bipède qui devait chausser environ du 38. Une femme, sans aucun doute. Il sourit tristement tout en continuant son chemin, plongé dans ses pensées. Pas de mission particulière aujourd'hui. Il avait fini de préparer la sortie scolaire qu'il organisait le lendemain avec des élèves d'une école de Sisteron et avait juste envie de marcher un peu. Cette rencontre avec les gamins lui aurait fait plaisir, habituellement. Mais aujourd'hui, il n'avait pas la tête à être heureux. Même la beauté de sa montagne ne suffisait pas à apaiser ses angoisses.

Des nuits entières sans sommeil ; peuplées de tumulte, de tourments.

Depuis longtemps déjà, il jouait à des jeux dangereux. Parce qu'il avait toujours aimé le risque. Comme Vincent.

Combien de fois avaient-ils frôlé la mort, côte à côte ?

Sauf que là, ça n'avait rien d'un jeu.

À la jumelle, il observa une harde de mouflons qui paissaient en toute tranquillité sur l'Ubac de Champ Richard, non loin de deux bergeries en ruine. Un spectacle rassurant auquel il n'était pas étranger.

Toute sa vie était là : protéger ce fragile équilibre de la folie meurtrière des hommes. Éduquer, préserver, étudier. Jamais il ne s'en lasserait. Même aujourd'hui où son cœur était d'humeur morose. Il prolongea son observation pendant une bonne dizaine de minutes avant de se remettre en marche.

Il fallait qu'il purifie son âme, qu'il prenne une décision.

Parler ou se taire.

Parler, c'était risquer de tout perdre.

Se taire, risquer de se perdre lui-même.

Et seule la montagne pourrait l'aider, le conseiller face à ce dilemme.

Elle, la sagesse, la grandeur. La vie.

*
* *

Après deux heures de marche, Servane et Vincent arrivèrent sur une aire de stationnement aménagée au beau milieu de la forêt.

— Le parking du Laus, indiqua Vincent. Vous verrez, l'été, ça ressemble à un parking de supermarché !

Faudrait peut-être pas exagérer ! pensa la jeune femme. Il y avait quoi ? Trois ou quatre cents places, à tout casser… Mais à cette altitude, cela avait tout de même de quoi surprendre.

— On est à combien ici ?

— Environ 2 000… Vous voulez faire une petite pause ?

Elle en rêvait !

— Oui, pourquoi pas ! répondit-elle d'un air détaché.

Il s'arrêta sur le perron d'un minuscule chalet, point d'accueil du Parc encore fermé en cette saison. Après s'être désaltérée, Servane s'assit sur les planches en bois, parcourant du regard les chaînes montagneuses. Lui était resté debout, sans doute pressé de repartir. Il posa cependant son sac, y chercha quelque chose. Il finit par trouver une casquette qu'il tendit à la jeune femme.

— Mettez ça, ordonna-t-il. Pour le soleil... Et ça aussi...

Il lui donna un tube d'écran total, elle refusa d'un signe de tête.

— Il ne fait pas très chaud...

— Oui, mais vu votre teint, j'ai comme l'impression que vous allez cuire en moins de deux ! Avec la réverbération de la neige, vous risquez de prendre un sacré coup de soleil. Croyez-moi.

Elle s'exécuta à contrecœur, se badigeonnant le visage.

— Vous pensez à tout !

— L'habitude...

Ils reprirent rapidement la marche sur un large sentier en pente douce où la neige fondait à vue d'œil, créant petits ruisseaux joyeux et flaques de boue. Les arbres se faisaient de plus en plus rares, Vincent marchait de plus en plus vite. Non, c'était bien Servane qui commençait sérieusement à traîner les pieds. Lui n'avait pas changé de rythme.

— Le lac est loin ? s'inquiéta-t-elle.

— Non, à peine une demi-heure...

Il n'était pas très loquace mais cela convenait à la jeune femme. Si seulement il pouvait ralentir un peu, ce serait mieux. Et si ses chaussures ne lui faisaient pas si mal, ce serait parfait. Elle s'efforça de dissimuler la fatigue qui s'était emparée d'elle. Elle n'allait pas renoncer si vite, ce n'était pas dans son caractère !

Le chemin cessa soudain de monter, elle aperçut d'abord d'imposants sommets qui se découpaient dans le ciel. Pierre noire sculptée de neige.

Et soudain, elle s'arrêta net, le souffle coupé.

Jamais encore elle n'avait vu quelque chose d'aussi beau.

— Le lac d'Allos et ses tours, annonça Vincent.

Il scrutait le visage de Servane, devinant ses pensées. Subjuguée par cette éblouissante vision.

— C'est vraiment magnifique ! murmura-t-elle.

Quelques larges plaques de glace étincelante dérivaient à la surface, vestiges de l'hiver si rude à cette altitude. Le ciel et les tours se reflétaient dans ce lac-miroir, y dessinant un relief inattendu.

— On descend ? proposa Vincent.

Elle le suivit, ne pouvant détacher ses prunelles de cette splendeur naturelle. Grandiose.

Ils longèrent une vieille maison, se délestèrent de leurs sacs tout près de l'eau.

— C'est profond ?

— Environ cinquante mètres au milieu…

— C'est vraiment magnifique, répéta-t-elle. Je ne m'attendais pas à ça.

— Content que ça vous plaise.

Posée sur un rocher, elle ne se lassait pas d'admirer cet envoûtant spectacle. Un calme extraordinaire se dégageait de l'endroit. Une sorte de magie, féerie pour les sens. Pour tous les sens…

— C'est quoi, cette baraque ?

— Un restaurant d'altitude et un refuge qui ouvre pendant les deux mois d'été. Les touristes viennent voir le lac et déjeunent sur la terrasse. Il y a beaucoup de monde parce que c'est une balade facile... Même pas une heure de marche depuis le parking.

— Vous amenez vos clients ici ?

— Non, trop court comme rando ! Mais je les conduis sur les sommets alentour...

Il les nomma l'un après l'autre en les désignant du doigt. Le col de l'Encombrette, les Tours du lac, le Trou de l'Aigle, le mont Pelat... Plus de 3 000 mètres d'altitude.

— C'est le plus haut ?

— Oui. Mais il y a aussi le Cimet derrière... Un autre 3 000.

— Ça fait longtemps que vous faites ce boulot ?

— Vingt ans.

— Et vous arrivez à en vivre toute l'année ?

— C'est pas évident, mais ça peut aller. Je fais quelques vacations pour le Parc et puis l'hiver, j'emmène mes clients plus bas dans la vallée. Ou ailleurs...

— Ailleurs ?

— Je bosse parfois pour des agences de voyages qui me demandent d'organiser des treks... En Corse, à la Réunion, en Autriche, en Écosse, au Canada... Ou dans d'autres pays !

— Génial !

Et dire qu'elle aurait juré qu'il n'avait jamais quitté sa vallée !

— Et vous ? Ça fait longtemps que vous êtes gendarme ?

— Non, c'est mon premier poste. J'étais au chômage et puis j'avais envie de bouger un peu alors j'ai postulé au recrutement... Je ne m'attendais pas à tomber ici !

Le pire, c'est quand ils m'ont appelée pour m'annoncer mon affectation : *caserne de Colmars*... J'ai cru que c'était Colmar !

— Vous avez quel âge, si c'est pas indiscret ?

— Vingt-six. Et vous ?

— Beaucoup plus ! dit-il en riant. Tout juste quinze ans de plus !

Il ne les faisait pas. Pendant qu'il préparait le déjeuner, elle l'observa. Certes, il avait le visage légèrement marqué, sans doute à cause du soleil ; assez grand, costaud, le dos large et les jambes solides, il avait d'épais cheveux presque aussi noirs que ses yeux.

Ses yeux, où se lisait tant de souffrance en filigrane.

Tout en savourant son repas sommaire, elle admira le lac qui frissonnait sous les assauts d'un vent léger. De petites vaguelettes venaient mourir à ses pieds, leur clapotis rythmant le temps qui semblait soudain fort ralenti.

Brusquement, un sifflement strident la fit sursauter.

— C'était une marmotte, c'est ça ?

— Gagné ! railla le guide. Vous en avez déjà vu ?

— Ben oui !... Quand j'étais gamine, j'allais toujours en colo en Savoie !

Mais elle n'est encore qu'une gamine, songea Vincent. À son tour, il la regarda avec plus d'attention. En fait, elle n'était pas si moche que ça. Pas moche du tout, même. Grande mais un peu trop maigre à son goût ; un visage doux aux traits fins. Les cheveux mi-longs, d'un blond très clair, les yeux d'un bleu pur, la peau blanche. Seule sa voix un peu grave détonnait avec sa silhouette gracile.

— Si vous avez grandi en Alsace, vous devez connaître un peu la montagne, non ?

— J'allais skier de temps en temps, et puis j'ai fait quelques balades avec des amis. Mais à vrai dire…

— C'est souvent comme ça, expliqua Lapaz. Il y a des tas de gens qui vivent à Nice et n'ont jamais posé le pied sur un sommet alors que le massif du Mercantour n'est qu'à quelques dizaines de kilomètres de chez eux… Souvent, ils viennent passer une semaine par an en station et ça leur suffit. Pour eux, comme pour la plupart des gens, la montagne se résume à ça… Louer un clapier, une paire de skis, parfaire leur bronzage hivernal et parfois… se péter les ligaments croisés !

Elle rigola et sortit un paquet de cigarettes de sa poche.

— Ah, c'est pour ça ! ricana Vincent.

— Pour ça, quoi ?

— Que vous avez tant souffert à la montée…

— Souffert ? Pas du tout ! répliqua-t-elle, piquée au vif. Et puis je ne fume pas beaucoup !

— Avec votre asthme, ce n'est peut-être pas très indiqué…

— Comment vous savez que je suis asthmatique ?

— Je l'ai entendu à votre façon de respirer…

— C'est très léger, se défendit-elle. Rien de bien méchant.

Elle alluma sa Peter, tendit le paquet à son guide. Un peu provocatrice, en plus ! Il refusa d'un signe de tête.

— Évidemment ! Vous, vous ne fumez pas !

— Ça m'arrive, avoua-t-il. Mais c'est plutôt rare.

Il fit quelques pas, s'allongea dans l'herbe à l'ombre d'un mélèze égaré à cette altitude et ferma les yeux.

— Vous allez dormir ? s'étonna Servane.

— Sans aucun doute !... Vous pouvez en faire autant.

Elle termina tranquillement sa clope, les yeux aimantés par ce décor de carte postale. Des nuages effilés s'épandaient dans le ciel et elle s'étendit à son tour, bercée par le souffle mélodieux du vent mêlé au chant délicat de l'eau. Quelques insectes à peine éclos se ruaient sur la vie et bourdonnaient près de ses oreilles en alerte. Au bout de quelques minutes, les paupières closes, elle se laissa aller à cette sieste improvisée ; étonnante langueur, repos complet auquel elle n'avait pas goûté depuis fort longtemps. Elle nageait dans une eau pure et claire ; se sentait tellement bien, tellement détendue.

Si loin de tout, si près de l'essentiel.

— Hé ! réveillez-vous... Allez, brigadier ! Debout !

Une légère caresse effleurait son visage. Servane ouvrit les yeux sur Vincent, assis à côté d'elle, qui chatouillait sa joue avec un brin d'herbe.

— J'ai dormi longtemps ? s'inquiéta-t-elle.

— Une bonne heure...

— Ah oui ? Je ne m'en suis pas aperçue.

— On continue ?

Ils récupérèrent leurs sacs et Servane commença à gravir la pente pour rejoindre le sentier. Mais Vincent ne bougeait pas.

— Vous n'oubliez rien ? demanda-t-il.

Il lui désigna quelque chose du doigt et elle fit demi-tour. Là, elle aperçut son mégot de cigarette écrasé dans la terre.

— Ma clope ? Qu'est-ce que vous voulez que j'en fasse ?

— Ce que vous voudrez ! Mais en tout cas, elle ne reste pas ici.

Elle pinça légèrement les lèvres, ramassa son mégot et le glissa dans la poche de son jean. Vincent put enfin se mettre en route.

— Dites donc, vous êtes maniaque ! lança-t-elle en essayant de le rattraper.

— *Maniaque ?* Vous avez vu cet endroit ? Vous croyez qu'il a besoin de votre pollution ?

— N'exagérez pas ! Ce n'était qu'un mégot de cigarette ! C'est biodégradable, non ?

— Au bout de plusieurs mois, oui, admit-il. Mais ça ne vous a pas coûté grand-chose de le ramasser.

— Si ça peut vous faire plaisir...

— Mes clients ne laissent jamais de trace !

Ils empruntèrent une sente qui surplombait le refuge, passèrent non loin d'une vieille chapelle au toit rouillé, nichée au milieu d'énormes éboulis. Servane, qui peinait pour ne pas se laisser distancer, pria pour que ce nouveau sentier ne monte pas trop. Mais fort heureusement, ils arrivèrent très vite sur du plat et elle put cheminer juste derrière lui.

Ils étaient cernés par un paysage lunaire ; beaucoup de rochers qui semblaient tombés du ciel, de la neige çà et là et quelques mélèzes tordus par l'altitude.

Subitement, Vincent s'arrêta. Servane, légèrement distraite, faillit percuter son sac à dos.

— Regardez ! chuchota-t-il.

Elle tourna la tête dans tous les sens et il la fit venir à ses côtés en la prenant par le bras.

— Quoi ? demanda-t-elle à voix basse.

Il pointa son doigt vers la droite, elle scruta le paysage mais ne vit toujours rien.

— Qu'est-ce qu'il y a ?

— Chut ! murmura-t-il. Regardez bien...

Enfin, elle les vit. Un sourire de petite fille illumina son visage.

— Qu'est-ce que c'est ?

— Des chamois...

Les deux magnifiques animaux prirent soudain la fuite avec une agilité et une élégance étonnantes. Si beaux, si sauvages.

Si près.

Servane les suivit longtemps du regard. Fascinée, une fois encore.

— Ils étaient juste à côté et je ne les ai pas vus ! s'étonna-t-elle.

— C'est parce que vous êtes aveugle...

— Aveugle ? Non, j'ai une excellente vue !

Le sourire de Vincent s'élargit.

Vraiment bizarre, ce guide !

Servane fit quelques enjambées rapides pour le rejoindre.

— Pourquoi dites-vous que je suis aveugle ?

— Parce que vous ne savez pas encore regarder...

— Regarder ?

— Oui, regarder. Ça s'apprend. Comme marcher ou parler...

Le silence reprit ses droits ; Servane se surprit à méditer les dernières paroles de son guide. Finalement, il avait de la conversation. Certes, il n'était pas très volubile, mais choisissait ses mots. Comme s'il ne voulait pas les gaspiller.

Leur chemin croisa celui d'une marmotte encore amaigrie par le jeûne hivernal, Servane s'émerveilla une fois de plus. Elle posait des tas de questions, s'intéressait à chaque chose. Il répondait de bon cœur. Elle était plus réceptive qu'il ne l'aurait cru.

Arrivé sur un grand plateau moucheté de neige, Vincent lui accorda une pause. Elle l'avait bien méritée après s'être fatigué les chevilles sur le canevas d'éboulis. La jeune femme se laissa tomber sur l'herbe humide et vida sa gourde.

Elle toucha ses joues, brûlantes. Vincent consentit à s'asseoir près d'elle.

— Vous avez pris le soleil, constata-t-il. Vous allez avoir des couleurs, ça ne vous fera pas de mal !

— Je ne bronze pas… Je cuis et après, je pèle !… C'est quoi, ce sommet ? demanda-t-elle en désignant une cime enneigée.

— Le mont Pelat… Je vous l'ai déjà montré, tout à l'heure, près du lac.

Elle n'avait pas encore mémorisé la cartographie exacte des lieux et le considéra avec un petit sourire espiègle.

— Oh ! Excusez-moi, *maître* ! Je vous oblige à vous répéter !

Il partit à rire, elle en fut étonnée. Elle aurait cru qu'il ne riait jamais.

— J'ai réussi ! dit-elle fièrement.

— Réussi ?

— À vous faire rire…

Il détourna son regard, replia ses jambes.

— Ça m'arrive, dit-il simplement.

Elle ne savait peut-être pas regarder, mais savait lire dans les âmes. Une sorte de don ou de faculté exacerbée. Et cet homme était en souffrance. Une détresse érigée en bouclier, en armure.

Un rocher brisé.

— On va avoir de la visite, annonça-t-il en scrutant le versant d'en face. Pierre Cristiani, un garde du Parc... Et un ami.

— Ah... Qu'est-ce qu'il fait là ?

— Son boulot, brigadier !

— Comment vous savez que je ne suis que brigadier ?

— J'en sais rien ! Vous êtes peut-être un peu jeune pour être officier, non ?

Pas forcément. Elle enleva sa casquette et essaya de se recoiffer. Ce fut un échec.

— Il est marié, précisa Vincent d'un ton ironique. Et vous êtes très bien...

— Hein ? Pourquoi vous me dites ça ?

— Pour rien...

Elle remit sa casquette, observa l'homme en uniforme gris qui approchait rapidement. Il était pourtant si loin, l'instant d'avant.

— Et vous ? Vous êtes marié ?

— Moi ? Quelle drôle d'idée !

— Ben quoi ? Vous pourriez très bien être marié !

— J'ai trop mauvais caractère pour qu'une femme me supporte ! Et puis j'aime tellement ma liberté !

À nouveau, cette souffrance derrière la fronde. Servane préféra ne pas enfoncer le couteau dans la plaie et se remit debout pour accueillir leur visiteur.

— Salut ! lança Pierre. Tu nous présentes ?

— C'est Servane Breit...

— Breitenbach, ajouta la jeune femme en lui tendant la main. Servane Breitenbach...

— Une cliente, précisa Vincent. Mademoiselle est nouvelle dans la vallée... Elle est gendarme.

— Ah oui ! Julien m'en a parlé...

Servane considéra Cristiani avec étonnement. Quelqu'un avait parlé d'elle ?

— Julien Mansoni, mon chef... Je crois qu'il vous a déjà rencontrée, non ?

— Effectivement, je m'en souviens... Un grand type châtain, maigre, avec de petits yeux clairs, c'est ça ?

— Excellent portrait-robot !

Pierre s'assit à côté de Vincent, lui vola sa gourde pour étancher sa soif.

— Qu'est-ce que vous avez fait ? demanda-t-il.

— Le lac. Elle ne connaissait pas...

— Ça vous a plu ?

— Beaucoup ! acquiesça la jeune femme. C'est vraiment extraordinaire... Et puis j'ai un bon guide ! Un peu maniaque, mais un bon guide quand même !

— *Maniaque ?* s'étonna Pierre. Comment ça, *maniaque ?*

— J'ai osé laisser mon mégot par terre et il a fallu que je le mette dans ma poche !

— Ne vous
plaignez pas : à sa place, je vous aurais verbalisée, en plus ! plaisanta Cristiani.

— Tu redescends avec nous ? proposa Vincent.

— Non... Je ne rentre pas tout de suite.

Le guide et sa cliente se levèrent, Servane serra à nouveau la main de Pierre.

— À bientôt, peut-être, dit-elle.

— Sans aucun doute ! Vous savez, c'est petit, ici... Et puis nous serons amenés à travailler ensemble prochainement, avec l'arrivée des touristes... Nous avons parfois recours à vos services pour les contrevenants les plus récalcitrants.

— Ça sera avec plaisir... Au revoir !

Elle prit la direction du sentier tandis que Pierre échangeait quelques mots avec son ami.

— Ta nouvelle conquête ?

— Mais non ! répliqua Vincent. Je la connais depuis ce matin !

— Et alors ? Il te faut moins de temps que ça d'habitude !

— Arrête, Pierre... De toute façon, c'est pas mon genre...

— Vraiment ? Elle est pas mal, je trouve. Mieux que l'adjudant Vertoli, en tout cas !

Le guide s'éloigna à son tour pour rejoindre Servane qui patientait cent mètres plus loin.

— Ça fait longtemps que vous le connaissez ? demanda-t-elle.

— Depuis toujours !

— Il est sympa... Et je crois que ça va me plaire de m'occuper des *contrevenants récalcitrants* !

— Tant mieux ! En route, maintenant... Parce que dans deux heures, l'orage éclate.

— Comment vous le savez ?

Il ne répondit pas, continuant à avancer.

— Ah oui, ajouta-t-elle. Vous, vous n'êtes pas aveugle... Mais peut-être un peu sourd !

3

Il était à peine plus de 7 heures ; seuls les sommets coiffés de neige recevaient l'obole d'un soleil qui promettait de taper fort.

En entrant au siège du Parc, Vincent y trouva Julien Mansoni en train de feuilleter *Le Monde*.

— Pierre n'est pas arrivé ? s'étonna le guide.

— Non, pas encore… J'ai fait du café, ça te dit ?

— Volontiers.

Vincent s'installa derrière le bureau de Cristiani.

Le QG des hommes du Parc était plutôt agréable ; une pièce lumineuse grâce à une large baie vitrée. Chaque garde avait son bureau mais il y avait seulement deux ordinateurs et une imprimante pour les quatre fonctionnaires que comptait le secteur du Haut-Verdon. Au mur, une immense carte en relief du massif du Mercantour. Une petite photocopieuse, un scanner, trois étagères de livres scientifiques et de publications du Parc complétaient l'ensemble. Sur la gauche, un réduit servant à stocker le matériel : skis, cordes, mousquetons, longues-vues et outils en tout genre. Sans oublier le fusil, même s'il ne servait presque jamais. Ce n'était pas très spacieux, mais les agents étaient le plus souvent sur le terrain et ne se plaignaient jamais de leurs conditions de travail. On endosse l'habit de garde comme celui de moine : par vocation, par passion.

Vincent travaillait parfois pour le Mercantour durant ses périodes creuses. Pour les opérations scientifiques telles que les comptages d'animaux où les gardes n'étaient pas assez nombreux ; ou, comme aujourd'hui, pour réparer une passerelle en bois permettant de traverser un torrent et qui menaçait de s'écrouler. L'opération s'annonçant acrobatique, Julien avait dû faire appel à lui.

— T'as eu des clients, dernièrement ? bavarda Mansoni.

— Non, rien depuis Pâques.

— Y vont pas tarder à arriver... Encore un mois et demi à tenir !

— Je ne suis pas pressé, confia Vincent. J'aime bien cette saison.

— Moi aussi... Tiens, voilà Pierre.

Quelques secondes plus tard, Cristiani fit son entrée et Vincent remarqua instantanément sa mine sombre.

Depuis plusieurs semaines, il avait vraiment du mal à sourire. En plus de trente ans d'amitié, Vincent ne l'avait jamais vu dans cet état.

— Excuse-moi, vieux ! Je suis à la bourre...

— Pas grave ! Ton chef m'a fait patienter avec un café... Julien, tu viens avec nous ?

— Non, je ne peux pas.

— Tu parles, il a mieux à faire ! laissa échapper Pierre.

— Qu'est-ce que ça veut dire ? rétorqua Mansoni avec hargne.

— Laisse tomber !

Les deux hommes se tournèrent le dos, Vincent leva les yeux au ciel.

— On se tire, marmonna Pierre.

Après avoir chargé le matériel à l'arrière du pick-up, ils quittèrent le parking pour s'aventurer sur une piste rocailleuse montant vers le village du Bouchier. Vincent essaya une fois encore de connaître la raison du malaise de Pierre.

Malaise, pour ne pas dire mal-être.

— Je croyais que ça se passait bien avec Mansoni… Ça m'a l'air plutôt tendu !

— C'est rien, prétendit Cristiani. Mais il pourrait un peu relever ses manches, de temps en temps.

— C'est lui le boss, ça a ses avantages… Et puis on sera plus tranquilles !

— T'as raison…

Ils continuèrent à gravir la piste en direction du hameau, habité seulement pendant les mois d'été. Le soleil avait enfin daigné descendre jusqu'à eux et une douce chaleur envahit soudain l'habitacle du Toyota.

— Nadia, ça va ?

— Oui… Elle est très occupée, elle prépare la transhumance.

— Si vous avez besoin d'un coup de main…

Chaque été, les ruches étaient déménagées vers les alpages et Vincent participait souvent à cette migration qui n'était pas sans rappeler celle des brebis.

Ils arrivèrent au village fantôme ; trois fermes abandonnées, une église et un minuscule cimetière. Quelques vieilles empreintes humaines, nichées au cœur d'un paysage grandiose.

Les deux hommes laissèrent le Toyota en contrebas du hameau et placèrent les outils dans les sacs à dos. Ils allaient être chargés, pas loin de vingt kilos chacun, mais en avaient l'habitude. Une fois leur fardeau sur les épaules, ils entamèrent la montée, sur un sentier abîmé par les intempéries hivernales.

Ils n'échangèrent que quelques mots, Pierre gardant apparemment quelque chose en travers de la gorge.

Après une heure et demie de marche, ils trouvèrent la passerelle à réparer. Une des attaches menaçait de se désolidariser du rocher et un rondin avait roulé au fond du ravin. Ils se mirent au travail immédiatement, accompagnés par les coups de bec d'un pic épeiche qui martelait inlassablement le tronc d'un pin noir.

L'opération dura trois heures, sans pause ni discours ; le pont fut sécurisé, les randonneurs pouvaient désormais s'y aventurer sans risque.

— On fait le grand tour ? proposa Vincent.

Passer du temps avec lui, pour lui donner l'occasion de s'épancher.

— Si tu veux, acquiesça Pierre. Je ne suis pas pressé.

Ils se remirent en marche, aussi à l'aise que deux chamois sur ces dévers périlleux, même si les sacs leur semblaient plus lourds que le matin. N'ayant pas emprunté ce sentier depuis l'automne dernier, ils retrouvaient avec plaisir ces paysages d'altitude encore vierges en cette saison.

Ils avaient toujours aimé marcher ensemble et, depuis leur enfance, ne s'étaient jamais éloignés très longtemps de cette vallée. De toute façon, ni l'un ni l'autre n'envisageaient de vivre ailleurs qu'au sein de cette montagne nourricière. Ils la respectaient, l'aimaient plus que tout. Et elle le leur rendait bien. Aucune lassitude dans leur cœur ou leurs yeux ; tant à voir et à apprendre. De quoi occuper une vie de passion.

Midi avait sonné depuis plus d'une heure lorsqu'ils arrivèrent aux cabanes de Talon. Deux vieux abris de bergers transformés en maisons forestières. Endroit stratégique, à la croisée de plusieurs itinéraires, avec une source à proximité et le torrent du Bouchier qui descendait en contrebas. Ils s'arrêtèrent pour casser la croûte au soleil et Vincent profita de cette pause pour revenir à la charge.

Il fallait qu'il sache.

Ce n'était pas de la curiosité malsaine ; juste qu'il ne pouvait supporter de voir Pierre sombrer sans essayer de l'aider.

— Je te trouve bizarre, ces derniers temps... Qu'est-ce que tu as ?

— Rien, éluda Cristiani.

— À d'autres ! Je te connais trop bien...

— Ça va, je t'assure. Quelques soucis, c'est vrai. Mais rien d'important.

— T'es pas obligé de m'en parler. C'est juste que si je peux faire quelque chose...

Vincent sentait que son ami avait envie de se confier, préféra pourtant ne pas insister. Il avait toujours respecté le silence et la pudeur, deux qualités primordiales à ses yeux.

Il réessaierait plus tard...

Allongé à l'ombre d'un pin, il s'endormit rapidement, bercé par le souffle mélodieux du vent du nord qui s'engouffrait entre les sommets pour rejoindre la vallée.

Pierre ne put trouver le repos, l'esprit taraudé par mille et une interrogations. Il regardait dormir Vincent, enviant son apparente sérénité. Puis il laissa son regard errer sur le versant d'en face, au milieu d'un enchevêtrement de mélèzes abattus par les avalanches.

Déracinés, brisés.

Morts avant l'heure… Comme lui, bientôt ?

Ciel voilé, vent froid, électricité dans l'air ; la soirée serait orageuse.

Pierre et Vincent descendaient rapidement en direction du bois de Vacheresse, admirant au passage la cascade du Pich où l'eau se jetait dans le vide depuis des temps immémoriaux. Ils n'allaient pas tarder à quitter la zone centrale pour atteindre une piste carrossable, lorsque soudain, ils aperçurent un attroupement de corbeaux, toujours à l'affût du moindre morceau de chair en putréfaction.

— Il doit y avoir une carcasse, supposa Pierre en attrapant ses jumelles.

Les deux hommes montèrent vers le lieu du rassemblement funèbre. Le cadavre d'un chamois les y attendait.

— Putain ! murmura Cristiani en serrant les poings. Encore un…

Vincent partageait la colère de son ami devant cette scène écœurante. L'animal avait été abattu par un chasseur qui avait emporté seulement la tête, abandonnant le reste aux charognards. Un mâle dans la force de l'âge, joli pactole pour les braconniers.

Pierre s'attarda sur l'impact de gros calibre au milieu du poitrail.

— C'est récent, conclut-il. Hier ou avant-hier… C'est le cinquième en deux semaines !

— Tu ne m'avais rien dit… Vous avez essayé de les serrer ?

— Tu parles, on est quatre pour surveiller tout le secteur ! Mais le jour où j'en chope un…

Ils regagnèrent lentement le sentier.

— Tu crois que c'est des gars du coin ? demanda Vincent.

— J'en sais rien… plutôt des professionnels. Des mecs de la Côte ou d'Italie… Ils ont trouvé le moyen de se faire du fric, ces enfoirés !

— Je peux vous aider à planquer, si tu veux…

— Le chef voudra jamais. Trop dangereux ! Ces fumiers sont capables de tout pour éviter la taule. Et eux, ils sont armés. Pas nous.

Pierre parlait en connaissance de cause. Deux ans auparavant, il avait essuyé des tirs de carabine en essayant de coincer un groupe de braconniers. Il avait reçu une balle dans le bras et n'avait dû sa survie qu'à sa rapidité et sa parfaite connaissance du terrain. Un trophée de chamois valait cher et la sanction encourue était la prison. Les chasseurs étaient donc prêts à tout pour échapper à la justice.

Même à tuer un garde-moniteur ou un garde-chasse.

Après avoir déposé Pierre au bureau du Parc, Vincent fit une halte au centre d'Allos. En empruntant la rue commerçante, sous un ciel de plus en plus menaçant, il aperçut Servane scotchée devant la vitrine de la boutique d'articles de sport.

— Alors, brigadier, on fait les magasins ?

Elle se retourna promptement, agréablement surprise.

— Bonjour, Vincent ! Comment allez-vous ?

— Bien, merci… Et votre voiture ?

— Je l'ai récupérée hier soir.

Ils allaient tous les deux faire quelques achats à l'unique supérette, décidèrent de s'y rendre ensemble. Ils longèrent un bistrot à la terrasse duquel était attablée une poignée d'hommes bruyants et joyeux. Quelques sifflements saluèrent le passage de Servane, elle feignit de ne pas les entendre. Mais ils s'en prirent ouvertement à Vincent dès qu'il eut dépassé le troquet.

Tiens, voilà le cocu !

Ouais ! Et apparemment, il se console avec une jolie petite blondinette !

Servane se retourna, effarée. Vincent fit mine d'ignorer superbement ces quolibets.

Eh ! Attention, mademoiselle ! Ne restez pas avec ce type !

Venez plutôt boire un verre avec nous !

Eh, le cocu ! T'es devenu sourd ?

Vincent continua à marcher tandis que Servane le dévisageait avec stupeur.

— Qu'est-ce qui leur prend ?

— Ne les écoutez pas, ordonna sèchement le guide.

Il accéléra le pas, ils bifurquèrent en direction du petit supermarché ; elle ne put retenir ses questions plus longtemps.

— Pourquoi ces types vous en veulent ?

— Parce que je bosse pour le Parc. Ce sont des chasseurs et le Parc les emmerde. Voilà pourquoi.

— Ils font pareil avec les gardes ?

— Bien pire...

— Quels cons ! conclut-elle.

Vincent semblait fortement contrarié par l'incident. Face à son silence, Servane ne savait trop quel comportement adopter.

— Au fait, dit-elle, je voulais encore vous remercier pour la randonnée... C'était vraiment très sympa !

— Content que ça vous ait plu. On recommencera, un de ces jours...

— Oui, très volontiers... Mais j'attends que vous organisiez des sorties de groupe... À cent balles !

Il sourit enfin, elle fut soulagée.

— Vous savez, si je recroise ces types, je n'hésiterai pas à leur répondre, ajouta-t-elle.

— Ne faites pas ça. Surtout sans votre uniforme !

— Pourquoi ? Ils ne me font pas peur !

— Moi non plus. Mais leur répondre, c'est leur donner de l'importance. Et ils n'en ont aucune.

— C'est pas faux. Pourtant, je ne sais pas comment vous faites pour garder votre calme...

— L'habitude.

Il la fixa droit dans les yeux.

— Vous finirez par l'apprendre, alors autant que ce soit moi qui vous le dise : depuis que ma femme s'est tirée avec un touriste, mes ennemis m'appellent ainsi. Le *cocu* du village, c'est moi. Mais ça ne me touche plus à présent. Et puis aucun d'entre eux n'osera jamais me le dire en face... Seul à seul en tout cas !

Elle bégaya quelques mots.

— Je suis... désolée, je ne... savais pas...

— Pas grave. C'est de l'histoire ancienne.

Elle venait enfin de comprendre ce qui rongeait cet homme, la raison de cette souffrance à peine voilée.

La raison, ou une des raisons…

Ils se séparèrent bien vite, un peu plus proches que l'instant d'avant.

4

Myriam ramena ses cheveux en arrière puis se remit à étudier la carte. Quant à Vincent, il avait déjà choisi son menu, ce soir. Il observait la jeune femme assise en face de lui avec un soupçon de prédation au fond des yeux.

Vraiment ravissante ; un visage tout en arrondis, des yeux verts, des cheveux qui n'en finissaient pas. Avec le charme naturel de ses vingt ans.

Il avait été facile de l'inviter à dîner, tout comme il serait facile de l'emmener plus loin. Un numéro de séduction que Vincent maîtrisait à la perfection. Passer à l'office du tourisme pendant que Michèle s'en était absentée... discuter un petit moment avec la demoiselle... lui proposer une soirée en tête à tête. Elle ne connaissait personne, ici ; se sentait un peu perdue. Si seule...

Pour leur premier rendez-vous, Vincent avait réservé une table dans un restaurant au cœur de la station de La Foux qui tournait encore au ralenti en cette saison. Cadre chaleureux, intime : feu de cheminée, boiseries, lumière tamisée ; très romantique. Car Myriam était sans doute romantique. Ça lui passerait, avec l'âge et les désillusions.

Elle reposa la carte à côté de son assiette, adressa un sourire timide à Vincent. Il le lui rendit, appuyé d'un regard sans équivoque.

— Votre travail vous plaît ? demanda-t-il.

— Oui, beaucoup… Michèle est sympa et c'est intéressant.

— Vous faites quoi, le reste du temps ?

— J'ai décroché un BTS de tourisme l'an dernier mais c'est mon premier boulot.

La patronne se présenta pour prendre les commandes. Elle évita de dévisager cette jeune inconnue. Tout comme elle évita de trop regarder Vincent dont le sourire de futur vainqueur ravivait en elle de douloureuses réminiscences adultérines. Elle faisait partie de la longue liste des victimes mais ne regrettait rien. Mieux vaut des souvenirs qui font mal que pas de souvenirs du tout. Elle s'éloigna enfin alors que Lapaz reprenait ses stratégies d'approche.

La mettre en confiance.

— Tu étais déjà venue dans la vallée ?

Ce tutoiement rapide dérouta un peu Myriam, mais elle retrouva bien vite la parole.

— Oui, en vacances, avec mes parents… Quand j'étais gosse. J'aime beaucoup la montagne.

Classique. Que dire d'autre pour séduire un guide ?

— Tu aimerais t'installer dans le coin ?

— Pourquoi pas !

— Tu dis ça parce que tu n'y as jamais vécu longtemps ! L'hiver est rude, ici… Et il n'y a pas grand-chose à faire.

— Et vous… Toi, tu y vis bien, non ?

— Moi c'est différent… Je suis né ici. Et puis la montagne, c'est mon métier, ma passion. Il faut avoir ça dans le sang. Sinon, c'est dur de tenir.

Un long silence succéda à cette mise en garde. Les paroles d'un sage.

— J'ai entendu parler de toi ! lança soudain Myriam.

— Vraiment ?

— Oui ! Et tu n'as pas que des amis dans le coin…

— Je n'en ai même que très peu. Mais ce n'est pas un problème. Qu'as-tu entendu sur moi ?

Pourquoi avait-elle balancé cela ? Elle ne pouvait plus éluder la question, désormais.

— Ben… Certains disent que tu es…

Elle hésitait encore, il l'encouragea.

— Que je suis… ?

— À la solde du Parc.

Il ne put retenir un petit rire.

— C'est pas vraiment une insulte, non ? Je suis sûr que tu as entendu bien pire !

— C'est vrai, admit-elle.

— Tu verras, les gens aiment bien échanger des potins, par ici ! Rien à voir avec l'anonymat dont on peut profiter dans les grandes villes… Profiter ou souffrir, d'ailleurs.

— Sans doute. Cela dit, les ragots ne m'intéressent pas… J'ai l'impression qu'il y a deux clans dans la vallée : les pro et les anti-Parc…

— Il y a plus que deux clans ! Mais tu as raison, certains n'ont pas digéré l'arrivée du Parc.

— Pourquoi tant d'animosité ?

— Parce que les hommes ont toujours cru que la nature leur appartenait, que ses richesses étaient inépuisables. Sans le Parc, il ne resterait pas grand-chose, ici.

Mais ça, ils refusent de l'entendre. Ils ne peuvent plus se servir, chasser comme ils veulent, faire paître leurs brebis où ils veulent... Ils ne peuvent pas construire où ils veulent... Tu imagines les possibilités immobilières si le Parc n'existait pas ? Le nombre de pistes skiables qui seraient ouvertes dans le coin ? Le nombre d'immeubles sortis de terre ? Tout ce fric que certains auraient pu se faire ? Sans songer un instant aux conséquences, au gâchis...

Elle l'écoutait avec une attention grandissante, buvant ses paroles comme un délicieux sirop sucré. Il avait une voix si chaude, si sensuelle, une telle passion dans l'expression de ses convictions, tant d'amour pour ce lieu... Elle vivait ses phrases comme une aventure, plongeait dans son univers.

Hypnotisée, envoûtée. Ensorcelée.

Comment ces crétins ont-ils pu dire du mal de lui ? Comment peut-on ne pas l'admirer ?

Elle ne vit pas passer les heures et, lorsqu'il la raccompagna, elle espéra qu'il ne resterait pas en bas de l'escalier. Mais il se contenta de l'embrasser sur la joue et d'effleurer son visage.

Un simple geste, un simple regard. Pourtant, en montant les marches qui menaient à son studio, Myriam se mit à rire comme une enfant. Sentiment étrange, inédit.

Brutal.

Coup de foudre, coup de cœur ou simplement coup de chance.

Sur la route, Vincent écoutait *L'Été* de Vivaldi. Il n'était pas pressé, il avait tout le temps. Car dans la chasse, le meilleur moment est celui où le gibier vous appartient.

Celui où l'on sait que l'on a gagné.

*
* *

Une pluie fine harcelait la vallée depuis le milieu de la nuit, la température avait subitement rechuté. Il devait neiger, en haut.

Vincent sortit sur la terrasse pour saluer son univers ; ce matin, les sommets restaient invisibles, drapés dans un épais manteau nuageux. Même les arbres de la forêt toute proche n'étaient plus que de fantomatiques silhouettes.

Galilée s'élança, la truffe collée à l'herbe mouillée, décryptant les odeurs laissées par la nuit et ses habitants. Vincent retourna à l'intérieur, s'offrit un autre café. Il n'avait pas de projet particulier, aujourd'hui. Et c'était cela aussi, son bonheur : pas de maître, de patron ni d'emploi du temps à respecter. Vivre à son propre rythme, au gré de ses envies. Il n'y avait que pendant les deux mois d'été où il devait s'astreindre à une certaine discipline : répondre à la demande des clients, organiser les randonnées. Gagner suffisamment d'argent pour le reste de l'année. C'est pour cette raison qu'il n'avait jamais voulu intégrer les effectifs du Parc ; pour ne pas perdre ce qui était le plus cher à ses yeux : la liberté. Celle qui n'a pas de prix, qui compte plus que tout.

Brusquement, Galilée le prévint d'une visite. En lorgnant par la fenêtre, il vit se garer le vieux C15 de

Ghislaine Mansoni, l'épouse de Julien. Il ouvrit la porte, un peu surpris.

— Salut, Vincent, je te dérange ?

— Pas du tout, entre…

Elle s'avança en enlevant son coupe-vent dégoulinant.

— Un café ?

— Volontiers ! Il gèle, ce matin…

— Tu ne bosses pas, aujourd'hui ? s'étonna Vincent.

— Ben non ! C'est mercredi…

Lapaz avait tendance à perdre la notion du temps. C'était cela aussi, son bonheur…

Ghislaine était institutrice dans la petite bourgade de Saint-André, située quelques kilomètres plus bas dans la vallée.

— Je viens te voir pour une excursion avec mes mômes, annonça-t-elle. J'aimerais qu'on fasse la réserve géologique de Haute-Provence comme sortie de fin d'année… Il faut qu'on fixe une date en fonction de ton emploi du temps.

— J'ai pas grand-chose de prévu, avoua Vincent. Seulement une course d'un week-end en vallée des Merveilles, la première semaine de juin.

Il décrocha un calendrier du mur et ils se mirent d'accord pour un vendredi, avant d'établir un programme sommaire. Pour le reste, c'était le boulot de Vincent. Chaque année, Ghislaine faisait appel à lui pour une ou plusieurs sorties avec ses élèves de CM2. Il lui en était reconnaissant parce qu'il ne roulait pas sur l'or et aimait ce contact avec les enfants. Ils partagèrent un deuxième café, discutant de choses et d'autres. Ghislaine était aussi expansive que son mari était intériorisé. Un de ces couples improbables qui génèrent l'étonnement.

— Comment va Julien ? s'enquit Vincent.

— Ça va… Il a quelques soucis avec ces braconniers de merde… T'es au courant ?

— Oui. J'ai vu un chamois, l'autre jour, avec Pierre…

— C'est vraiment dégueulasse ! J'espère qu'ils vont les choper avant qu'ils ne changent de vallée… Mais paraît qu'ils ont le même problème en Vésubie. Là-bas, c'est les bouquetins qui perdent la tête.

Ils continuèrent à deviser quelques instants puis Ghislaine prit congé. Elle courut jusqu'à sa voiture avant de démarrer en trombe. Piste boueuse, visibilité mauvaise, mais la vieille guimbarde était adaptée à ce genre de difficultés.

Elle reprit la route qui descendait vers Colmars, un peu fébrile.

Comme chaque fois qu'elle partait rejoindre son amant.

Rencontres assez rares, mais tellement agréables. Qui la faisaient rajeunir de vingt ans. Le risque, sans doute.

Ces rendez-vous clandestins avaient lieu dans son logement de fonction qu'elle n'occupait quasiment jamais, sauf en plein hiver quand l'état des routes ne lui permettait pas de remonter jusqu'à Allos. Le mercredi, l'école étant déserte, aucun témoin gênant ne venait les déranger. Elle arriva au bout d'une demi-heure à Saint-André. Elle traversa la petite ville paisible, se gara derrière l'école endormie, à l'abri des regards.

Juste à côté de la voiture de Pierre Cristiani.

Myriam quitta l'office de tourisme d'un pas rapide. Elle remonta le col de son blouson, cala les mains au fond de ses poches.

Cheminant par les venelles de Colmars, elle ne croisa quasiment personne. Arrivée à l'entrée de la maison de village qui abritait son studio, elle jeta un œil dans sa boîte aux lettres, n'y trouva que du vide. Elle pénétra dans son réduit froid et humide. Pas très accueillant. Le propriétaire n'avait pas prévu de chauffage pour la saison d'été et la vieille bâtisse accusait une température hivernale. Elle trouva malgré tout le courage de se déshabiller pour plonger dans un bain chaud, agréable sensation de délassement. Puis elle s'emmitoufla dans un peignoir et s'étendit sur son lit. Juste à côté d'elle, sur la table de chevet, un petit morceau de papier qu'elle ne pouvait quitter des yeux. Celui où Vincent avait inscrit son numéro de téléphone. *Appelle-moi quand tu veux.*

Allait-elle le faire dès ce soir ? Ou devait-elle se laisser désirer un moment ? Au risque de le voir s'intéresser à une autre !…

Elle s'attarda longuement sur l'écriture acérée du guide. La nuit précédente, elle n'avait pas beaucoup dormi, trop excitée pour trouver le repos. Le visage de Vincent l'avait poursuivie jusque dans le moindre recoin de ses rêves. Alors que pourtant, il ne s'était encore rien passé entre eux. Mais nul besoin de coucher avec lui pour savoir qu'elle venait de tomber amoureuse.

Pas une de ces idylles sans importance ou sans lendemain. Un sentiment puissant emportant tout sur son passage, une véritable lame de fond.

N'y tenant plus, elle récupéra son portable. D'une main tremblante, elle composa la série de chiffres qui allaient la relier à lui. Mais elle raccrocha avant la première sonnerie, se leva, tourna en rond autour du lit. Avant d'y tomber à nouveau.

Courage, je suis sûre qu'il espère mon coup de fil !

Elle appuya sur la touche bis. Son cœur battait si vite et si fort qu'elle pouvait l'entendre dans le combiné. Jusqu'à ce que la voix de Vincent comble tout l'espace.

— C'est moi, Myriam…

— Bonsoir… Comment vas-tu ?

— Bien… Je voulais juste te dire que j'ai passé une très agréable soirée, hier…

Un court silence les rapprocha un instant.

— Moi aussi, répondit-il enfin. Tu veux venir à la maison ?

— Maintenant ?

— Oui, maintenant.

Sa main se crispa sur le téléphone, elle se redressa d'un bond, boostée par une injection d'adrénaline.

Paraître désinvolte.

— Pourquoi pas… Mais je ne sais pas où tu habites !

— C'est pas compliqué : tu montes jusqu'à Allos et à l'entrée du village, tu prends la route qui part à droite… Celle qui mène au lac. Tu vois ?

— Oui, je connais… Ensuite ?

Il continua ses explications, elle continua à contenir son allégresse.

— D'accord… J'arrive quand je suis prête.

— Je t'attends. À tout à l'heure.

Il raccrocha, elle resta un instant pétrifiée. Puis laissa exploser une joie enfantine, suivie de près par une angoisse purement féminine. Elle se précipita dans la salle de bains, vira son peignoir et se jaugea face au miroir.

Elle enfila une robe, puis l'enleva. Avec ce temps, c'était ridicule. Elle essaya ensuite un jean avec un pull, ôta le pull et passa un tee-shirt à manches longues, avec une veste. Finalement, elle remit le pull et se maquilla légèrement. Elle se brossa frénétiquement les dents, puis les cheveux et les attacha en queue de cheval. Non, mieux valait les laisser détachés. Quoique… Après une dernière inspection dans le miroir, elle fut enfin satisfaite, attrapa son sac et redescendit les deux étages à une vitesse hallucinante. En rejoignant sa vieille Clio garée en dehors des remparts, elle respira pleinement cet air frais et pur qui écorchait les poumons. Elle avait du mal à réaliser qu'elle avait pu séduire cet homme. Cet homme si… elle ne trouvait pas les mots, aucun adjectif n'étant assez fort.

Elle sortait d'une histoire d'amour compliquée, complètement ratée, véritable désastre où elle avait noyé ses premières illusions. Vincent était seulement le deuxième à qui elle s'apprêtait à tout donner et, pendant qu'elle montait en direction d'Allos, elle réalisa qu'elle n'avait sans doute pas assez d'expérience.

Ne pas le décevoir, ne pas montrer ses peurs.

L'anxiété grandissait au fil des kilomètres, le ciel s'assombrissait chaque minute un peu plus. Mais la joie de le retrouver était la plus forte et elle appuya sur l'accélérateur.

Vincent frissonna en sortant de sa douche ; il décida d'allumer un feu dans la cheminée et s'appliqua à dresser une jolie table. Malgré ce rendez-vous précipité, il avait préparé un repas raffiné ; son invitée apprécierait.

Sur le balcon, il parcourut des yeux le paysage qui plongeait dans les ténèbres, harmonie d'images et de sons, chants d'oiseaux et bruissements de feuilles mêlés au crépuscule. Il souriait, savourant par avance la nuit qui s'annonçait. Le plaisir qui s'annonçait. Il aurait cru que Myriam mettrait plus de temps à revenir vers lui, qu'elle se laisserait espérer. Mais finalement, il n'était guère étonné, conscient de l'attraction qu'il avait exercée sur elle, personnalité jeune et influençable.

Une proie facile, en somme. Mais tellement appétissante.

Il retourna à l'intérieur, se remit aux fourneaux.

Soudain, Laure.

Son visage, son rire, ses yeux. Sa voix.

Comme si elle était là, derrière lui. À côté de lui.

Laure.

Douleur ancienne qui s'obstinait à survivre, malgré tous ses efforts pour l'anéantir.

On n'oublie pas l'amour de sa vie. La seule femme ayant réellement compté, la seule pour qui il aurait tout donné. Mais elle était partie, l'abandonnant aux affres d'une terrifiante solitude. À l'aube d'une belle nuit de mai, il avait trouvé le chalet désert et froid. Elle n'avait emporté que quelques objets personnels, quelques vêtements. N'avait laissé qu'un mot douloureusement laconique sur l'écran de l'ordinateur.

Vincent, pardonne-moi. Je te quitte. Laure.

Elle n'avait même pas pris la peine d'utiliser une feuille, un stylo. Alors Vincent avait enregistré ce message déshumanisé dans les entrailles du micro mais ne l'avait plus jamais ouvert.

Quatorze ans de vie commune ; et pour solde de tout compte, une phrase tapée à la va-vite sur un clavier.

Ce jour-là, il avait appris que le bonheur n'est jamais acquis. Il avait cherché en vain la faille, l'erreur commise. Mais aujourd'hui encore, il ne comprenait pas les raisons de cette rupture aussi brutale qu'inattendue.

De longues séances d'introspection qui n'avaient conduit qu'à de nouvelles questions.

Le bruit d'un moteur et les grognements de Galilée le tirèrent de ses pensées. Ce soir, une autre femme que Laure serait auprès de lui. Sans la remplacer. Juste une présence féminine qui lui prouverait qu'il était encore un homme.

Myriam s'avança, souriante, charmante, prête à tout pour le séduire. Il s'effaça pour la laisser entrer, referma la porte aussitôt.

Elle venait de tomber dans le piège. Plus rien ne pouvait la sauver.

— Mets-toi à l'aise…

— Il fait chaud ici ! Bonne idée, le feu dans la cheminée… C'est vrai qu'il caille, ce soir !

Pourquoi fallait-il toujours échanger des banalités sur la météo ou toutes ces choses sans importance ?

— Tu veux un verre ?… Qu'est-ce que tu prends ?

— Comme toi !

C'est là qu'il vaut mieux ne pas avoir envie d'une boisson trop forte qui pourrait brûler cette gorge fragile. Vincent servit donc deux Martini sur glace et ils s'assirent en face de la cheminée. Galilée, malgré les leçons de bonne conduite inculquées par son maître, ne put s'empêcher de venir faire connaissance avec cette nouvelle inconnue.

— Pousse-toi ou je te fous dehors ! menaça Vincent.

— Laisse ! Il ne me dérange pas... Il est mignon ! C'est quoi, son nom ?

— Galilée.

Le chien tourna la tête vers son maître.

— Pourquoi ce nom ? Bizarre pour un chien !

— Quand il était petit, il se mettait sur la terrasse à la nuit tombée et regardait les étoiles. Voilà pourquoi... Et puis c'est plus original que Rex ou je ne sais quoi...

— C'est un chien pour la chasse ?

Vincent se mit à rire.

— C'est un chien de berger ! Je ne suis pas sûr qu'il soit très efficace pour la battue ! De toute façon, il y a bien longtemps que je ne chasse plus... Mon vieux m'a emmené avec lui, quand j'avais une dizaine d'années. Au début, ça m'a amusé, je l'avoue... Mais très vite, ça m'a écœuré. À douze ans, j'ai refusé de continuer.

— Et ton père, il chasse encore ?

— Il est mort.

Myriam s'excusa.

— C'est pas grave, assura le guide. Je finis de préparer... Si tu veux un deuxième verre, sers-toi.

Il se rendit dans la cuisine et, de l'autre côté, Myriam effectua un tour d'horizon de l'univers de son hôte. Plusieurs photographies encadrées ornaient les murs recouverts de lambris. Des paysages de montagne, de la vallée ou de contrées plus lointaines ; des portraits d'animaux saisis sur le vif, d'une incroyable beauté.

— C'est toi qui les as faites ? s'extasia-t-elle.

— Quoi ?

— Les photos, c'est toi qui les as prises ?

— Oui. C'est ma nouvelle façon de chasser !

— Elles sont magnifiques…

Myriam s'attarda ensuite sur la bibliothèque où les livres s'alignaient dans un ordre imparfait. Beaucoup de romans, des recueils de photographies, des collections de livres anciens.

— T'as lu tout ça ?

Les gens sont souvent surpris qu'un montagnard puisse aimer la lecture. Certains préjugés ont la vie dure.

— C'est prêt ! répondit Vincent. Si mademoiselle veut bien se donner la peine…

Ils passèrent à table, il attendit le verdict. Mais il n'était guère inquiet : il aurait pu lui mettre à peu près n'importe quoi dans l'assiette, elle aurait fait semblant d'aimer.

— C'est délicieux ! fit-elle avec un sourire gourmand.

— Eh oui ! En plus de savoir lire, je sais cuisiner !

— Tu as beaucoup de qualités, en somme…

Et tant de défauts aussi. Mais ça, tu le découvriras plus tard. Tu as tout le temps…

Au fil du repas, Myriam parla beaucoup, dévoilant sa personnalité qu'il jugea fragile et peu équilibrée. Une jeune femme à peine sortie de l'adolescence, mais qui déjà avait souffert.

Beaucoup.

Simple constat pour Vincent qui avait enfilé son gilet pare-balles dès qu'elle avait passé le seuil de sa maison.

Elle a souffert, et alors ?… Moi aussi.

Après le repas, ils sortirent un instant sur la terrasse, accueillis par une nuit laiteuse et froide où un fragment de lune se devinait au-delà du rideau de nuages. Appuyés contre la balustrade en mélèze, ils écoutèrent un moment la lente respiration de la montagne. Puis Vincent se rapprocha de Myriam, la prit dans ses bras. Il sentit qu'elle tremblait un peu, de froid sans doute. Il caressa ses longs cheveux, flamboyants. Attrapant sa main, il l'invita à retourner à l'intérieur où ils retrouvèrent la douce chaleur du feu qui agonisait dans l'âtre.

Mais Myriam se dégagea de son emprise et s'installa sur le divan pour se servir un deuxième café. Elle aurait débarrassé la table et même fait la vaisselle ; elle aurait fait n'importe quoi pour retarder le moment que son corps invoquait pourtant avec violence mais que son esprit appréhendait démesurément.

Avait-elle conscience de la souffrance qui s'ensuivrait ?… Ou était-ce simplement la peur de ne pas être celle qu'il attendait ?

Vincent ne lui laissa pas le temps de répondre à cette question. Il l'obligea doucement à se lever, à venir contre lui.

Oublier Laure. Le temps d'un instant, d'une étreinte.

Surtout, ne pas fermer les yeux, sinon elle réapparaîtrait. S'imposerait entre eux.

Il passa ses mains sous le pull de Myriam, remonta lentement le long de son dos ; velouté exceptionnel de sa peau…

Ses lèvres se glissèrent dans son cou ; aura enivrante de son parfum, tendresse cannibale de sa bouche…

Elle frissonnait encore légèrement, ce n'était plus de froid.

Vincent aimait cette retenue, cette anxiété. Cette inexpérience, cette jeunesse.

À lui de briser ses réticences, de lui montrer de quoi elle était capable.

À lui de mener la danse vertigineuse.

Il ne tenta pas de la rassurer, juste de l'enflammer. Briser les chaînes, une à une, ouvrir les cadenas, trouver le passage défendu.

Il la déshabillait en prenant son temps, alternant les mots tendres ou crus à son oreille. En l'habituant à ses mains sur sa peau, en goûtant chaque centimètre carré de sa chair, en attisant chaque atome de son corps comme autant de petites braises.

Il se montrait à la fois délicat et autoritaire, et Myriam se révéla enfin. Osa ce que son instinct lui dictait.

Elle voulut l'entraîner vers le sofa, il la força lentement à reculer jusqu'à la table. Elle bascula en arrière, trouva appui sur ses mains et l'emprisonna entre ses jambes en une invitation un peu sauvage.

La tête penchée, les yeux fermés et les reins cambrés, elle était divine.

Elle sentit un prodigieux séisme dans son ventre ; suivi d'une violente étincelle qui pulvérisa son cœur avant de faire exploser son cerveau.

Elle lui appartenait. Pour la vie.

Il lui appartenait. Pour une nuit.

*
* *

En début de soirée, Servane avait pris sa voiture, sans destination précise. Lassée de tourner en rond dans son studio minable. À l'échelle de son existence, sans doute…

Arrêtée sur les hauteurs d'Allos, elle contemplait les lumières de la vallée, maigre consolation de l'absence d'étoiles.

Il y avait bien longtemps qu'elle ne s'était pas sentie si seule. Loin de sa famille, de ses amis.

Que venait-elle faire ici ?

Une cassette de blues se déroulait dans le vieil autoradio, accompagnant à la perfection son vague à l'âme. Elle songea soudain à son père, tenta d'imaginer ce qu'il était en train de faire à cette heure tardive. Regardait-il la télévision en compagnie de sa nouvelle femme ? Dormait-il déjà ?

Pense-t-il à moi ? Comment savoir…

Depuis deux ans, ils étaient devenus des étrangers. Séparation brutale, injuste.

Non, elle n'était pas responsable, c'était lui le coupable. Pourtant, elle avait du mal à lui en vouloir, nourrissant encore l'espoir de le revoir, de renouer un dialogue avec lui. Il lui manquait tant ce soir…

Elle appuya sa tempe sur la vitre froide, ferma les yeux pour ne pas voir ses larmes.

Elle n'y pouvait rien ; la vie avait choisi pour elle.

Elle se décida enfin à rentrer et démarra, brisant le silence de cette nuit sans chaleur. En descendant vers le village, elle remarqua soudain une lueur isolée dans la montagne ; l'Ancolie, unique point lumineux perdu au cœur des ténèbres végétales. Elle pensait souvent à Vincent, seule personne ici lui ayant accordé un peu d'attention. Non, elle était injuste de penser cela : il y avait aussi l'adjudant Vertoli qui se montrait présent. Un peu paternel, même. D'ailleurs, il lui rappelait son

79

vieux. Même stature, même âge, mêmes cheveux grisonnants. Cette idée la rassura, elle essuya ses larmes.

En croisant la route qui montait au lac, elle eut soudain envie de rendre visite au guide. Elle freina brutalement, hésita un instant. Puis se ravisa et reprit le chemin de la caserne. Elle ne le connaissait pas suffisamment pour s'autoriser à le déranger à cette heure.

D'ailleurs, elle n'avait personne à déranger ici.

Elle avala les kilomètres beaucoup trop vite et arriva rapidement à la gendarmerie qui semblait déserte. Elle se dirigea vers l'Edelweiss, le grand bâtiment qui regroupait les appartements de fonction. L'Edelweiss... Ils avaient cruellement manqué d'imagination en baptisant ce chalet ! Le studio de Servane était au quatrième et dernier étage, bien situé et ensoleillé. Mais tellement impersonnel.

Qu'est-ce que je suis venue faire ici ? se répéta-t-elle encore. Où est ma vie ?

Devant l'entrée, un de ses collègues s'était assis sur les marches pour fumer une cigarette. Matthieu, jeune brigadier d'une trentaine d'années, en poste ici depuis deux ans. Plutôt beau gosse, un peu ténébreux.

— Bonsoir, Servane ! Tu es sortie ?

— Juste allée faire un tour, histoire de prendre l'air...

— C'est dur ici, non ?

— Un peu, avoua-t-elle en s'adossant à la rampe.

Ils restèrent silencieux un moment et Matthieu lui proposa une cigarette.

— Tu sais, reprit-il, je voulais te dire... C'est bien que tu sois là... Je veux dire... Qu'on ait une femme dans l'équipe. Ça change un peu !

— Merci... Mais j'ai l'impression que je ne suis pas appréciée de tout le monde !

— Bof ! Ils ont l'air comme ça, mais ils ne sont pas méchants ! Il faut leur laisser le temps de s'habituer ! Ils jouent aux machos, c'est tout... Ça te dirait de monter boire un verre dans mon magnifique une pièce ?

Elle s'apprêtait à refuser mais songea soudain qu'elle devait saisir cette opportunité de se faire un ami.

— Avec plaisir. Mais je ne resterai pas trop longtemps.

— Comme tu voudras ! répondit-il en se dépliant. Je suis au rez-de-chaussée...

Matthieu ouvrit la porte de son jardin secret. Le même appartement que celui de Servane, mais mieux aménagé. Avec des touches personnelles qui lui conféraient une âme. Affiches de films aux murs, guitare sèche près du lit, impressionnante collection de bandes dessinées sur les étagères.

Matthieu lui servit un petit verre de génépi. Bouteille sans étiquette.

— C'est toi qui l'as fait ? supposa Servane.

— Ouais !

— C'est pas interdit de cueillir le génépi ici ?

— Ceux qui vivent dans la vallée ont le droit d'en prendre un peu chaque année. Goûte ! Tu vas voir, c'est très bon !

Elle trempa ses lèvres dans le breuvage fort et fruité. Surprenant et finalement délicieux.

Matthieu alluma la chaîne stéréo, baissa le son.

— Pourquoi t'es rentrée dans la gendarmerie ?

Elle haussa les épaules.

— Pour avoir du boulot ! Et puis j'avais envie d'un truc qui bouge, d'un travail intéressant. Un peu d'action !

— Déçue ?

— Ça ne fait pas assez longtemps que je suis là... Je peux pas encore dire.

— C'est vrai qu'il ne se passe pas grand-chose par ici ! C'est assez calme... L'été, avec les touristes, on bosse plus. Mais finalement, tu verras, il y a toujours quelque chose à faire !

Ils bavardèrent quelques minutes, de choses et d'autres.

Puis Servane termina son verre et se leva.

— Tu t'en vas déjà ?

— Oui, je vais me coucher... Je suis fatiguée.

Matthieu la raccompagna jusqu'à la porte. Il effleura sa main, remonta le long de son bras. Elle resta pétrifiée.

— Tu pourrais rester un peu...

Elle recula d'un pas. Il fut décontenancé par ce refus, un malaise inonda la pièce.

— Pardonne-moi, dit-elle.

— Non, c'est moi... Excuse-moi... Tu me plais et j'ai cru que...

— C'est pas grave ! assura-t-elle. Mais je préfère ne pas tout mélanger... Merci pour le verre et à demain.

Elle se rua dans l'escalier, prenant la fuite tel un gibier traqué. C'est alors qu'elle bouscula Vertoli au détour d'un couloir.

— Pardon, mon adjudant-chef !

— Qu'est-ce qui vous arrive, Breitenbach ? Vous vous entraînez pour le marathon ou quoi ?!

Il distingua une sorte d'effroi au fond de ses prunelles claires.

— Ça ne va pas, mon petit ?

— Si, ça va, je vous assure… Bonne nuit !

Servane chercha les clefs de son appartement dans son sac, d'une main tremblotante. Elle les trouva enfin et se précipita à l'intérieur avant de s'enfermer à double tour.

5

Myriam ouvrit les yeux sur un rayon de soleil qui traversait la chambre, telle une épée de lumière.

En se retournant, elle constata qu'elle était seule.

Une agréable odeur de café montait jusqu'à l'étage. Elle s'étira, se leva à son tour avant de prendre le chemin de la salle de bains. Elle était un peu fatiguée mais sourit à son reflet dans le miroir. Elle se sentait plus jolie que la veille, après cette nuit qui allait changer sa vie. Elle se recoiffa rapidement, passa de l'eau sur son visage puis s'habilla à la va-vite. Au rez-de-chaussée, elle ne trouva personne. Elle sortit sur la terrasse, mais là non plus, aucune trace de Vincent. Juste Galilée étalé au soleil, qui remua doucement la queue. Elle finit par découvrir un mot posé sur la table de la cuisine.

« *Myriam,*
Je n'ai pas voulu te réveiller. Il y a du café chaud.
Fais comme chez toi et laisse la clef dans la jardinière,
près de la porte. Je t'embrasse, Vincent. »

Elle était déçue par cette absence mais pensa qu'il avait sans doute quelque chose de prévu. Il était près de

9 heures, elle allait arriver en retard au boulot, mais prit malgré tout le temps de déguster une tasse de café. Parce que Vincent l'avait préparé pour elle. Elle mit le petit message dans sa poche, décida d'en griffonner un à son tour.

« *Vincent,*
Tu me manques déjà ! Je t'appelle ce soir. Je t'embrasse très fort. Myriam. »

Elle quitta le chalet à toute vitesse, avant de s'élancer sur la piste. Un magnifique ciel bleu couronnait les sommets.

Tout était si beau, ce matin.

Elle alluma la radio, se mit à chanter. Elle avait eu raison de venir passer son été ici. Et à présent, elle savait qu'elle ne le passerait pas seule. Peut-être même ne repartirait-elle pas. Non, elle allait rester pour vivre ici, avec lui. Une seule nuit à ses côtés et déjà, il faisait partie de son avenir.

Il était son avenir.

Balayés les déceptions, les chagrins. Les désillusions.

Comment était-ce possible ? Comment pouvait-on tomber amoureux si vite ?

Bouleversée, elle laissa éclore quelques larmes, mélange de joie et de peur, émotion incontrôlable. Elle riait et pleurait en même temps et se décida enfin à accélérer sur le chemin de son travail.

*
* *

En milieu de matinée, Vincent arriva au sommet de Rochecline. Il s'assit sur la plus haute pierre de ce majestueux sommet qui surplombait la vallée du Haut-Verdon, offrant un point de vue unique. Il braqua ses jumelles en direction de l'Ancolie : la voiture de Myriam avait disparu, il se sentit soulagé.

Il n'avait pas eu le courage d'attendre son réveil, ne voulant pas dévoiler son véritable visage. Celui d'un chasseur sans scrupule, sans remords.

Sans remords, vraiment ?

Après tout, il lui avait donné ce qu'elle attendait. Ne pouvait lui offrir plus, de toute façon.

Les pieds dans une fine couche de neige éphémère, le regard dans l'azur éclatant, il était heureux.

Avec la solitude comme seule compagne, il était heureux.

Personne ne le jugeait, ici. Personne ne l'observait. Seule la montagne gardait un œil bienveillant sur lui.

Il aurait aimé ne faire qu'un avec elle. Se fondre dans ce paysage, devenir arbre ou rocher et la suivre dans l'éternité.

Mais il n'était qu'un homme, petit humain fragile et mortel. Animal maladroit et perfectible. Des chamois passèrent à portée de regard, glissant sur la roche avec une aisance prodigieuse. Ils étaient doués d'un équilibre sans faille, parfaitement adaptés à leur milieu. Eux ne faisaient qu'un avec la montagne. Tout comme ces oiseaux noirs planant avec une facilité déconcertante au-dessus de sa tête. Vincent s'allongea pour admirer leur ballet aérien pendant de longues minutes, subjugué par la perfection de la nature.

Alors pourquoi avait-elle raté les hommes ?

Le visage de Laure apparut dans la pureté du ciel, presque flou à présent. Magnifié par cinq longues années d'absence. Il avait l'impression d'entendre sa voix, son rire en cascade. Il ferma les yeux, l'imagina dans ce décor qu'elle avait marqué au fer rouge. Elle était allongée près de lui, il pouvait sentir son parfum subtil, sa peau contre la sienne. Il oubliait déjà qu'une autre avait partagé sa nuit. Il n'avait pas le temps d'ouvrir une parenthèse que déjà, il la refermait.

C'était ainsi. Depuis cinq ans.

Surtout, ne pas risquer d'avoir mal.

Il avait déjà perdu trop de sang, ne survivrait pas à une blessure supplémentaire. Alors, il s'était forgé une armure sans faille. Qu'aucune femme ne saurait briser.

Vers 11 heures, il décida de continuer son chemin, sans but précis. Au lieu de redescendre vers l'Herbe Blanche, où sa voiture était garée, il entreprit de continuer vers le col de l'Encombrette. Personne ne l'attendait, après tout. Libre d'aller où bon lui semblait.

Libre.

Vincent aurait aimé l'être totalement. Mais on n'est jamais vraiment libre. Enchaîné par ses sentiments, ses passions, ses pulsions. Ses besoins, ses envies. Les devoirs qu'on s'impose, les prisons dont on perd la clef. Les souvenirs et les rêves.

Tout ce qui fait qu'on est vivant.

Pourtant, lorsqu'il était avec elle, qu'il vagabondait sur ses courbes charnelles, qu'il respirait à l'unisson avec elle… Lorsqu'elle le prenait, il effleurait ce sentiment à nul autre pareil. Cette sensation divine…

La liberté.

Cheminant sur les crêtes d'un pas rapide et sûr, il arriva à destination peu après 13 heures. Un vent soutenu balayait ce passage entre les sommets et il enfila une polaire. Il grignota un morceau, le cul sur un rocher, l'esprit ailleurs. Ses pensées ricochaient dans le bleu olympien du lac d'Allos.

Mais soudain, sa solitude fut brisée : une silhouette montait à sa rencontre. Il reconnut celui que tout le monde ici appelait le Stregone. Un immigré italien qui vivait depuis fort longtemps dans la région, à l'écart de tous. Durant les mois d'été, il gardait un troupeau de brebis dans les environs du lac. Le reste de l'année, il habitait une masure plus bas dans la vallée, au cœur d'un hameau désert. Sans eau ni électricité. Il ne parlait quasiment à personne et personne ne tenait à lui parler. Certains le taxaient de débilité ; d'autres de folie. Vincent n'était pas de cet avis.

Le vieil homme arriva lentement jusqu'au col et salua le guide de la main.

— Salut, Mario ! Ça va ?

— Va, va…

— Tu es allé voir ta cabane ?

Le Stregone se contenta de hocher la tête et s'essuya le front avec un énorme mouchoir à carreaux troué. Après un signe d'adieu, il passa son chemin. Vincent le regarda s'éloigner en souriant. Ce personnage atypique l'avait toujours amusé alors qu'il en effrayait beaucoup. Il lui faisait penser à un fantôme, errant dans ces montagnes à longueur d'année, comme un revenant traîne ses chaînes dans les interminables couloirs d'un château hanté. Peu de gens avaient entendu le son de sa voix et son vocabulaire semblait très limité. Peut-être n'aimait-il pas parler, tout simplement.

Vincent resta un moment assis aux quatre vents, peu pressé de rentrer. Et alors qu'il allait redescendre, il distingua une autre silhouette sur le sentier. Décidément, les lieux étaient fréquentés aujourd'hui ! Grâce à ses jumelles, il constata qu'il s'agissait d'une femme. Et lorsqu'elle fut plus près, il reconnut Servane. Elle mit longtemps à atteindre le col et, quand elle arriva à sa hauteur, essoufflée, les joues rosies par l'effort, elle lui adressa un sourire étonné.

— Qu'est-ce que vous faites là, brigadier ?

— Je me balade ! J'apprends à *regarder* !

— Vraiment ? Et vous avez vu quelque chose ?

— Ben… non !

Elle s'assit à côté de lui, sortit sa gourde. Mais elle était quasiment vide. Alors Vincent lui tendit la sienne.

— J'ai croisé un type étrange, tout à l'heure, près du lac… Un vieux barbu, très grand et plutôt costaud… J'ai voulu lui parler mais il ne m'a même pas répondu !

— C'est Mario, expliqua Vincent.

— Et il est muet, ce Mario ?

— Ça dépend avec qui !

— Ah… Il ne parle pas aux étrangers, c'est ça ?

— Il ne parle quasiment jamais. Personnellement, je n'ai échangé qu'une dizaine de mots avec lui en pas mal d'années !

— Il vit à Allos ?

— Vous menez une enquête, brigadier ?!

— Non, mais je l'ai trouvé bizarre… Un peu inquiétant même… Il m'a reluquée d'un drôle d'air.

— C'est qu'il n'a pas l'habitude de croiser des jolies filles dans le coin ! Il vit à Ondres… C'est un petit hameau en dessous de Colmars. Il n'y a que lui là-bas. Et l'été, il s'installe au Vallonet… Il garde un troupeau de brebis pour des éleveurs du coin.

— Il y a des gens curieux par ici ! Son regard m'a glacé le sang, tout à l'heure…

— Vous avez eu peur ? railla Vincent.

— Peur ? Non ! mentit-elle.

— Vous savez, beaucoup de gens ici sont superstitieux. Et Mario les effraie. Certains prétendent qu'il porte malheur ! D'ailleurs, tout le monde l'appelle le Stregone ! Ça veut dire sorcier, en italien… Certains pensent qu'il peut jeter des sorts.

— Quelle connerie !

Elle sortit un paquet de cigarettes de sa poche, Vincent la considéra avec un sourire en coin.

— Ne vous en faites pas, je mettrai le mégot dans ma poche !

— Parce que je suis là ?

— Non. Parce que j'ai compris…

Ils restèrent un moment silencieux et Vincent se surprit à apprécier la compagnie de cette femme qu'il connaissait à peine. Il sentait en elle une volonté farouche. Quelque chose de fort qui transparaissait derrière la fragilité apparente de sa silhouette.

— Vous redescendez avec moi ? espéra-t-elle.

— Ah non ! Ma voiture est de l'autre côté !

— Dommage…

— Pourquoi ? Vous avez la trouille de rencontrer Mario ? Ne vous en faites pas, il est parti en sens inverse !

— Non, c'est pas ça… J'aurais pu apprendre des tas de trucs en votre compagnie…

— *Des tas de trucs ?* Et qu'est-ce que vous aimeriez que je vous apprenne, Servane ?

Elle piqua un fard, il éclata de rire.

— C'est malin ! maugréa-t-elle.

— Vous pouvez redescendre avec moi, si vous voulez. Je vous raccompagnerai jusqu'à votre caisse…

— Vraiment ? Super ! Ça m'évite de faire le même chemin deux fois !

— Alors en route !

Il se leva et elle le regarda avec une moue boudeuse.

— Quoi ? demanda-t-il.

— J'ai même pas eu le temps de me reposer ou de profiter de la vue ! Après le mal que je me suis donné…

Il consentit à lui accorder un petit quart d'heure. Elle se mit à frissonner.

— Couvrez-vous, conseilla-t-il. Vous avez le dos trempé, vous allez attraper froid…

— J'ai oublié d'emporter mon blouson !

— Pas très prudent. Le temps change si vite, ici. Il ne faut jamais partir sans une polaire. Même en plein mois d'août.

Il lui offrit la sienne.

— Merci… C'est sympa.

— C'est rien.

— Si, c'est sympa.

De lui accorder sa présence. Juste un peu d'attention à cette étrangère qui ignorait tout de ce monde.

*
* *

L'office du tourisme de Colmars allait bientôt fermer ses portes et Michèle remettait de l'ordre dans les prospectus qui s'amoncelaient sur le guichet, tandis que Myriam passait un coup de balai. En chantonnant.

— Qu'est-ce qui t'arrive, ma belle ? demanda la directrice. Depuis quand balayer te met en joie ?

— Ça ne m'a jamais dérangée...

— Oui, mais depuis deux jours, tu es sur un petit nuage !... Comment s'appelle l'heureux élu ?

— Ça te regarde pas ! rigola Myriam.

— C'est vrai. Mais n'empêche que j'aimerais bien savoir ! Je te promets que je le garderai pour moi !

Comme la jeune femme ne semblait pas décidée à répondre, Michèle adopta une autre stratégie.

— De toute façon, il n'y a pas beaucoup de gars par ici ! Je vais finir par trouver ! À moins que ce ne soit un touriste...

— Non, c'est pas un touriste...

— Ah ! Brun ou blond ?

Myriam dévisagea Michèle avec tendresse.

— Tu es bien curieuse !

— Aussi curieuse qu'une vieille fouine ! Alors, brun ou blond ?

— Brun.

— Ton âge ou plus vieux ?

— Plus vieux.

En fait, Myriam mourait d'envie de se confier à cette femme qui aurait pu être sa mère. Surtout qu'elle n'avait plus de mère depuis longtemps.

Mais elle hésitait à révéler l'identité de Vincent, se souvenant de la mise en garde proférée par Michèle lors de leur première rencontre.

— Bon, reprit la directrice, on avance... Il est du coin, brun et plus âgé que toi... Ça nous laisse encore pas mal de possibilités... Je le connais bien ?

— Je crois...

— Il habite Colmars ?

Myriam répondit par un signe négatif de la tête.

— Allos ?

— Oui. Et je ne t'en dirai pas plus !

Mais ce n'était pas nécessaire. Michèle avait brusquement compris qui était ce mystérieux amant.

— Ne me dis pas que c'est Vincent ?

Le regard de Myriam trahit la vérité, elle se mit à sourire béatement.

— Nom de Dieu ! laissa échapper la directrice.

— Quoi ? Qu'est-ce que tu as contre lui ? C'est un mec extraordinaire !

— Ouais, extraordinaire ! répéta Michèle en reprenant son rangement.

Myriam s'approcha d'elle, tentant de renouer le contact.

— Pourquoi tu le prends comme ça ? Il y a quelque chose entre vous ?

— Tu rigoles ! Ce mec, vaut mieux l'éviter ! C'est du poison concentré !

Le visage de la jeune femme se décomposa.

— Je croyais que tu le trouvais sympa, murmura-t-elle.

Michèle essaya de trouver une formule moins brutale.

— Il est sympa, c'est pas ce que j'ai voulu dire… Mais faut que tu comprennes qu'avec les femmes, il se comporte comme un salaud. Quand il s'est bien amusé, il les jette sans aucun remords !

— Qu'est-ce que t'en sais ? s'emporta Myriam, en proie à une peur violente.

— Je le connais depuis longtemps, c'est tout.

— Tu ne le connais absolument pas ! Tout le monde dit des saloperies sur lui alors qu'il est génial !

— Écoute, j'essaie seulement de te mettre en garde… Si tu veux juste t'amuser, c'est pas grave. Mais si jamais tu as d'autres espoirs…

— Ça ne te regarde pas ! Et j'aurais jamais dû t'en parler ! Tu es jalouse, voilà tout !

— Jalouse, moi ? Mais tu dis n'importe quoi, ma petite ! Je suis mariée, je te signale !

— Ça n'empêche pas ! J'ai bien vu comment tu le regardais, la dernière fois ! Tu le bouffais des yeux ! Et parce qu'il m'a choisie, moi, tu essaies de tout casser ! C'est lamentable !

— Eh ! Du calme ! Pas la peine de te mettre dans un état pareil…

Myriam attrapa sa veste et claqua violemment la porte. Michèle regretta de n'avoir pas su trouver les mots pour la préserver du danger.

— Et merde ! bougonna-t-elle. Fais comme tu veux, après tout !

6

Il y a des matins où tout semble simple. Des réveils en douceur qui font aimer la vie. Myriam ne pouvait détacher ses yeux de la silhouette endormie à ses côtés, sculptée par la pénombre. Vincent, allongé sur le ventre, un bras replié sous l'oreiller, semblait prisonnier de ses rêves. Tandis qu'elle, assise, le contemplait avec un sourire comblé. Caressant des yeux sa peau veloutée et cuivrée, les muscles puissants de son dos.

Les quelques doutes qui avaient pu s'immiscer en elle la veille s'étaient envolés comme par magie. Une seconde nuit au-delà des rêves ; un peu moins de délicatesse seulement.

Elle se leva et, à pas de loup, quitta la chambre, direction le rez-de-chaussée. Préparer un café, un bon petit déjeuner qu'elle lui apporterait au lit.

Seul, Vincent put enfin ouvrir les yeux. Il se mit sur le dos, contempla le plafond en lambris où les dessins du bois et ses nœuds prenaient parfois l'aspect de visages torturés. Hier soir, il n'avait pas été surpris de revoir Myriam sur le pas de sa porte. Il avait hésité un instant puis l'avait invitée à entrer. Elle était si jolie, si féminine. Difficile de lui résister.

Mais ce matin, il ressentait cet étrange sentiment de destruction dans ses veines. Sensation d'étouffement, malaise familier qui s'imposait à lui comme une évidence. La liberté est synonyme de bonheur ; et cette fille qui préparait son petit déjeuner, chez lui, dans sa cuisine, était une souffrance.

Il avait lu quelque chose dans ses yeux. Il s'était vu prisonnier dans son regard.

Elle n'était pas là pour passer un bon moment ; elle lui offrait tout ce qu'elle avait.

C'était trop. Beaucoup trop.

Il descendit à son tour. Myriam s'affairait à faire griller du pain. Elle se retourna, radieuse et souriante.

— T'es réveillé ? Dommage ! Je voulais t'apporter ton p'tit déj au lit !

— Je ne prends jamais mon petit déjeuner au lit.

Elle voulut l'embrasser, il se déroba. L'angoisse transfigura alors son visage de petite fille.

— Tu ne bosses pas, ce matin ? demanda-t-il en se laissant tomber sur une chaise.

— Si, bien sûr... Mais j'ai le temps, il n'est que 7 h 30... Et puis Michèle m'attendra !

— Tu devrais y aller, tu vas être en retard. Moi aussi, d'ailleurs.

— Tu as des clients ?

— Oui.

— J'ai fait griller du pain... C'est presque prêt !

— Je n'ai pas faim, Myriam.

— Tu es de mauvaise humeur ? Tu n'as pas bien dormi ?

Elle se pencha vers lui, essayant encore de l'embrasser. Mais il tourna la tête. La peur succéda à l'angoisse.

— Qu'est-ce que tu as ? demanda-t-elle.

— Assieds-toi, s'il te plaît.

Elle s'exécuta et Vincent décida enfin d'ôter le masque.

— Tu sais, Myriam, je ne suis pas forcément ce que tu crois…

— Ce… que je crois ?

— Je veux dire que je ne suis pas fait pour la vie à deux. Je ne veux pas que tu te fasses d'illusions sur mon compte, conclut-il.

— Des illusions ? murmura-t-elle.

— Oui, des illusions. Nous deux, c'est juste histoire de s'amuser un peu. De passer des bons moments. Tu comprends, Myriam ?

Oh non, elle ne voulait pas comprendre ! Vincent détourna son regard, ne pouvant affronter la souffrance qui explosait dans ces yeux. Il avait vu juste, elle était amoureuse. Mais ça lui passerait. Deux nuits s'oublient si vite.

— Tu espérais autre chose ?

Dernier sursaut de dignité. Ne pas s'effondrer devant lui.

— Non, on se connaît à peine, répondit-elle. Je… Je vais y aller… Puisque tu n'as pas faim, inutile que je reste déjeuner avec toi.

Elle remonta à l'étage, tenta de contrôler ses tremblements nerveux. Elle enfila ses vêtements avec des gestes maladroits. Son cœur se tordait de douleur, elle était encore incapable de raisonner. Juste fuir au plus vite, ne pas chialer. Pas maintenant.

Au rez-de-chaussée, elle récupéra son sac et son blouson, posés sur une chaise. Sous le regard de Vincent qui ne semblait même pas compatir. Comme indifférent.

— J'y vais, dit-elle.

Il prit la peine de la raccompagner jusqu'à la porte, avant de l'embrasser sur la joue.

Mon Dieu, ne pas pleurer ! Pas encore.

— Je suis désolé si je t'ai blessée, mentit Vincent. Ce n'était pas mon but.

— Ça va ! répondit-elle avec un sourire forcé. Ne t'en fais pas...

— Ma porte est toujours ouverte pour toi... Tu reviens quand tu veux.

Là, il était sincère.

— D'accord, dit-elle. À bientôt...

Elle marcha jusqu'à sa voiture sans se retourner.

Tenir encore un peu.

Une marche arrière, quelques mètres en avant et la piste se présenta devant elle.

Noyée au milieu d'un torrent de larmes.

*
* *

Une journée d'entraînement au sauvetage en montagne en compagnie de ses collègues et des gardes-moniteurs du Parc national. Le tout sous la direction de Vincent. Descentes en rappel, escalade. Programme plutôt amusant. Sauf que Servane avait découvert qu'elle avait le vertige.

Sensation capricieuse qui arrivait sans crier gare, repartait peu après. Puis ressurgissait de plus belle.

Durant cet exercice, elle s'était pour la première fois sentie intégrée au groupe. Les hommes s'étaient montrés agréables et attentionnés à son égard.

Enfin, elle faisait partie de l'équipe. Elle y avait même une place à part, plutôt enviable.

Elle s'apprêtait à rejoindre son appartement lorsque Vertoli l'interpella.

— Breitenbach ! Vous pouvez me rendre un service ? Il faudrait rapporter ce matériel à son propriétaire…

Il lui désigna un tas de cordes et de mousquetons posés à même le sol.

— C'est au guide, Lapaz… Il a oublié ça dans un de nos véhicules. Je vais vous expliquer où il habite…

— Pas la peine, je le sais.

Elle regretta instantanément cette dernière répartie.

— Ah bon ? répondit Vertoli avec un petit sourire narquois.

— Oui, je suis montée une fois jusque chez lui. Je voulais faire une rando pour mieux connaître le coin…

— C'était bien ? La rando, je veux dire…

— Oui, très bien. On est allés au lac d'Allos.

— C'est beau, n'est-ce pas ?

— Magnifique !

— Bon, dans ce cas, je vous laisse faire. Prenez une des Jeep.

— D'accord. Mais s'il n'est pas chez lui ?

— Vous n'aurez qu'à déposer le matériel derrière le chalet. Ça ne craint rien, ici. Il n'y a guère de voleurs dans le coin ! Parfois, on se demande même pourquoi il y a une gendarmerie !

Il la salua et repartit vers le bâtiment d'un pas militaire.

Avec la Jeep, la piste semblait facile à parcourir. Il était 19 heures et Servane montait en direction de l'Ancolie, admirant au passage le déclin du soleil sur les sommets. À cette heure, la lumière confère une autre splendeur à la montagne, révélant de subtils reliefs ignorés le reste du temps.

Elle arriva à destination plus vite qu'elle ne l'aurait cru et Galilée se chargea de l'accueillir. Servane lui accorda quelques caresses puis frappa à la porte. Elle attendit un moment, fit le tour du chalet et, ne voyant personne, elle revint devant l'entrée et actionna la cloche. Cette fois, Vincent lui ouvrit, vêtu seulement d'une serviette de toilette nouée autour de la taille. Visiblement, elle l'avait sorti de sa douche et s'en trouva horriblement mal à l'aise.

— Brigadier ! Qu'est-ce que vous faites là ? Je ne pensais pas que c'était vous !

— Excusez-moi de débarquer sans prévenir. Je vous ramène votre matériel.

— C'était pas la peine de vous déranger, je l'aurais récupéré demain.

— Le chef m'a demandé de vous le rapporter ce soir. Et quand le chef donne un ordre…

— Je vois ! Excusez ma tenue, j'étais sous ma douche ! Vous voulez entrer ?

— Non, je veux pas vous embêter…

— Allez, entrez ! Servez-vous un verre pendant que je m'habille.

— Non, merci… je suis encore en service !

— Il y a des trucs sans alcool dans le frigo ! lança-t-il en montant les escaliers. Ça, vous avez le droit, non ?

Elle débusqua un jus de fruits dans le réfrigérateur et s'installa sur le canapé, juste à côté de Galilée.

— Bon chien, gentil chien…

Visiblement, ce clébard aimait sa compagnie.

Vincent redescendit quelques minutes après, séché et vêtu d'un jean et d'un polo. Il s'approcha du canapé et considéra son chien avec sévérité.

— Dégage, Gali !

Le quadrupède obéit à contrecœur et Vincent prit sa place. Mais il se releva tout de suite pour se servir un scotch.

— Alors, ça vous a plu, cette journée ?

— Oui, beaucoup ! répondit Servane.

Il s'assit finalement en face d'elle, la toisa des pieds à la tête avec un petit air moqueur.

— L'uniforme vous va à ravir, brigadier !

— Arrêtez de vous foutre de moi !

— Non, je vous assure, ça vous va bien ! Un peu austère, mais…

— De toute façon, que ça m'aille ou pas, je n'ai pas vraiment le choix !

— On a toujours le choix, rétorqua-t-il.

Le téléphone portable de la jeune femme se manifesta bruyamment et elle s'excusa avant de décrocher.

— Allô ?

Un court silence.

— Oui, maman, ça va… Je te rappelle tout à l'heure, je peux pas te parler maintenant… Bisous.

Elle rangea son portable et se tourna à nouveau vers le guide.

— Excusez-moi, c'était ma mère.

— J'ai entendu ! Vos parents vivent dans le Haut-Rhin ?

— Ma mère, seulement. Mes parents sont séparés depuis dix ans.

— Aïe !

— Non, ça va...

— Et votre père, il vit où ?

— Il s'est installé il y a peu sur la Côte d'Azur avec sa nouvelle femme... Sur les hauteurs de Nice.

— C'est pas loin d'ici, vous pourrez aller le voir.

Le visage de la jeune femme s'assombrit subitement.

— C'est que... Nous sommes en froid. Il ne veut plus me parler...

Pourquoi se confiait-elle ainsi à cet étranger ? Peut-être parce qu'elle en avait besoin.

— Désolé, ajouta Vincent. C'est dommage.

— Oui, c'est dommage.

— Et pourquoi ne veut-il plus vous parler ?

Elle hésita, Vincent sentit qu'elle était gênée.

— Je suis trop indiscret, pardonnez-moi...

— Disons qu'il n'a pas digéré quelque chose.

Il ne chercha pas à en savoir plus, détourna la conversation.

— Vous voilà fin prête à porter secours aux randonneurs imprudents !

— Fin prête, je ne crois pas ! J'ai encore beaucoup de progrès à faire...

— Vous vous en sortez bien, jugea-t-il. Le seul problème, c'est votre vertige.

Elle était pourtant persuadée d'avoir dissimulé à la perfection cette désagréable sensation.

— Comment vous savez ?

— Il suffisait de vous regarder !

Bien sûr. Lui savait regarder. Bien au-delà des apparences.

— J'avais jamais ressenti ça, avant. J'espère que ça passera.

— Ça passera si vous le voulez et si vous vous entraînez. C'est une peur qu'on peut apprendre à contrôler.

Tout semblait si facile, avec lui. On a toujours le choix, on peut toujours tout maîtriser.

Alors pourquoi continuait-il à souffrir ainsi ?

*
* *

Myriam coupa le moteur de sa voiture en bas de la piste. Arrivée près du but, elle était assaillie par le doute. Pourtant, elle avait réfléchi pendant des heures et croyait avoir pris sa décision. Elle ouvrit la portière, alluma une cigarette d'un geste nerveux. À la première bouffée, elle toussa violemment. Elle ne fumait quasiment jamais, mais ce soir, tout était bon pour essayer de calmer ses nerfs.

Depuis ce matin, elle était passée par les larmes, la colère et l'espoir.

Parce que non, rien n'était perdu avec Vincent. Il n'était pas amoureux d'elle mais n'avait pas exclu de la revoir. Elle avait d'abord pensé attendre qu'il reprenne contact avec elle mais c'était trop dur. Elle imaginait des jours à espérer en vain qu'il l'appelle alors qu'une heure loin de lui était déjà une torture.

Un exil.

Par les mots de ce matin, il avait simplement voulu lui signifier qu'il était encore trop tôt pour envisager autre chose qu'une aventure. Qu'il n'était pas prêt. Après tout, ils ne se connaissaient guère. Une réaction normale, finalement.

C'est la sienne qui ne l'était pas.

Mais en matière de sentiments, où est la normalité ?

Je ne suis pas folle, quand même !... Juste amoureuse.

Oui, terriblement amoureuse. Dangereusement accro...

Dès que je l'ai vu, j'ai su que c'était lui.

Pour ne pas effrayer Vincent, Myriam avait décidé de lui mentir. De lui faire croire qu'elle aussi ne recherchait que de bons moments partagés, qu'elle n'était pas dingue de lui, que son cœur ne battait pas que pour lui.

Avec le temps, il l'aimerait aussi.

Stratagème de femme éprise, manœuvre ultime pour ne pas perdre le peu d'espoir qui lui restait.

Impossible que tout cela s'arrête maintenant.

Elle savait que Vincent était l'homme qu'elle attendait ; ce coup de foudre que l'on peut espérer en vain une vie durant.

Elle écrasa son mégot dans le cendrier de la Clio, claqua la portière. Elle eut cependant du mal à reprendre la route. Peur de se tromper, de faire le mauvais choix. De toute façon, elle était prête à se plier à son jeu. À n'importe quel jeu d'ailleurs. Pourvu que ce soit avec lui. Parce que c'était toujours mieux que de ne plus le voir.

Au bout de dix minutes, elle remit le moteur en marche et s'engagea sur la piste. Celle-là même qui l'avait conduite au bonheur. Elle ressassait tout bas ce qu'elle devrait lui dire. Scène répétée avant la représentation, mensonge prémédité. Elle s'entraîna même à sourire devant le rétroviseur. Sauf que ses yeux s'obstinaient à la trahir.

Et elle arriva bien vite à l'Ancolie.

— Merde ! murmura-t-elle.

Une Jeep de la gendarmerie garée près du pick-up contrariait ses plans. Demi-tour ? Elle hésita encore, au comble de l'incertitude. Mais la porte du chalet s'ouvrit, Vincent apparut. Plus de marche arrière possible, désormais. Elle gara sa voiture contre la Jeep, sortit en essayant encore de sourire. Vincent n'avait pas bougé, debout sur le pas de sa porte, les bras croisés.

— Bonsoir, Vincent.

— Salut.

— Je te dérange ? Tu n'es pas seul ?

— Non, je ne suis pas seul. Qu'est-ce qui t'amène ?

Question stupide.

Cruelle, plutôt.

— Rien… je passais, c'est tout… J'ai eu envie de te voir. J'avais envie qu'on parle, tous les deux.

Elle restait à une distance raisonnable, tentant de maîtriser son esprit et ses tremblements. Trouver les mots face à ce visage sans amour. Ces mots pourtant répétés des dizaines de fois.

— C'est au sujet de ce que tu m'as dit ce matin, continua-t-elle à voix basse.

— On pourrait peut-être en discuter une autre fois, suggéra Vincent. Je te répète que je ne suis pas seul.

Myriam se pencha légèrement à droite et regarda par-dessus l'épaule du guide.

Choc violent en pleine tête ; elle venait d'apercevoir une jeune femme blonde, assise sur le canapé, un verre à la main.

Elle était déjà remplacée, déjà oubliée.

— Tu vois, ajouta Vincent, je ne suis pas seul. Alors repasse plus tard…

— Plus tard ? murmura-t-elle.

— Un autre jour, précisa-t-il.

Mais elle ne bougeait plus, figée dans une douloureuse stupeur.

Assommée.

— De toute façon, je crois avoir été clair, ce matin, reprit Lapaz. Non ?

— Je… Vincent, je…

Elle ne put retenir ses larmes plus longtemps et le guide ferma les yeux une seconde. Il détestait cela.

— Arrête, Myriam, pria-t-il en tirant la porte dans son dos. Arrête, s'il te plaît…

— Je peux pas ! gémit-elle. Je…

Finalement, elle ne parviendrait pas à lui mentir. Toutes ses bonnes résolutions partaient en fumée. Mais la vérité était peut-être encore plus difficile à avouer.

— Vincent, je…

— Quoi ? Tu m'aimes ? devina-t-il. Mais on ne se connaît même pas ! Qu'est-ce que tu racontes ?

Elle continuait à pleurer, il perdit patience.

— Myriam, arrête, je t'en prie… C'est ridicule à la fin.

— Je sais qu'on se connaît à peine, parvint-elle à dire. Mais j'y peux rien, je pense à toi tout le temps…

— Tu n'es plus une gamine, alors comporte-toi en adulte ! Et vu ta réaction, il est préférable que tu ne reviennes pas ici.

Chaque mot s'enfonçait tel un poignard effilé dans cette chair tendre et déjà meurtrie.

— C'est mieux qu'on ne se voie plus, conclut Vincent.

Estocade finale.

Myriam recula lentement ; elle titubait.

Vincent la laissa s'éloigner sans broncher.

Elle remonta dans sa voiture, dut s'y reprendre à plusieurs fois pour exécuter sa manœuvre.

Enfin, elle disparut sur la piste et il retourna à l'intérieur.

— C'était qui ? s'enquit Servane.

— C'était rien.

7

— Un autre !

Bertille déboucha la bouteille de Glenfiddich.

La patronne du bistrot approchait de la soixantaine, rondouillarde, affable et maternelle. Ce soir, elle semblait soucieuse pourtant ; si longtemps qu'elle n'avait pas vu Lapaz aimanté au comptoir de son bar... Elle remplit son verre, y ajouta trois glaçons.

Dehors, le soleil déclinait rapidement sur cette première journée de juin. Vincent alluma une cigarette, avala son whisky d'un trait.

— Un autre, murmura-t-il.

Bertille soupira.

— Qu'est-ce qui t'arrive, mon grand ?

— T'occupe ! Sers-moi un autre verre...

— Tu vas finir rond comme une queue de pelle !

— Et alors ? Sers-m'en un autre, j'te dis...

Elle se résigna à obéir. Inutile de rajouter des glaçons, ils n'avaient pas eu le temps de fondre. Vincent mit plus de temps à absorber cette nouvelle dose. Il n'était pas ivre ; il lui en faudrait encore beaucoup pour arriver à ses fins.

Oublier.

Cette journée aurait pu être belle. Banalement belle.

Matin calme, solitaire. Lever à 7 heures, petit déjeuner sur la terrasse, premiers rayons d'un soleil éblouissant.

Et puis, tout avait basculé.

Il desserra son poing gauche, regarda tristement le morceau de papier froissé où était inscrit son propre numéro de téléphone. Un simple bout de nappe en papier déchiré à la va-vite.

Taché de sang.

Appelle-moi quand tu veux.

Il fit un signe à Bertille ; elle ne chercha même pas à le dissuader de continuer.

— Laisse-moi la bouteille, ajouta-t-il avec difficulté.

Elle reboucha le douze ans d'âge, l'abandonna sur le zinc. Vincent ne quittait pas des yeux ce morceau de papier. Ce putain de morceau de papier.

Celui que Michèle lui avait jeté à la figure.

Elle avait ça près d'elle quand je l'ai trouvée... C'est à toi, je crois ?

Visage fou de douleur, mots qui blessent mieux que n'importe quelle arme.

Ces mots, qu'il savait si bien utiliser pour attirer ses victimes et les achever ensuite.

Non, il n'était pas un assassin, contrairement à ce que Michèle lui avait dit. Hurlé, même.

T'es qu'un salaud ! Un égoïste... Un assassin !

Non, il n'avait pas tué Myriam. Ce n'était pas lui qui avait tenu la lame qui avait tranché ces poignets si délicats.

Deux nuits, c'est rien. Rien du tout.

Elle n'avait pu se foutre en l'air pour si peu. Impossible.

Michèle n'oublierait jamais ce corps sans vie, étendu sur le lit, dans un sommeil qu'elle avait cru de plomb. Alors qu'il était d'éternité. *Allez, ma petite, tu es plus qu'en retard !*

Trop tard. Lumière éteinte, rideau tiré.

Fin de la représentation.

Elle avait vingt ans et elle est morte à cause de toi. N'oublie jamais ça !...

Pierre était là lorsque Michèle avait débarqué à l'Ancolie pour déverser sa fureur. Son regard avait été plus dur que tout ; un ami qui se transforme en juge. Procureur général prononçant sa sentence. Implacable.

Elle avait vingt ans et elle est morte à cause de toi. N'oublie jamais ça !

Oublier.

Il renouvela le contenu du verre. Pas la peine de rajouter de la glace, le goût n'avait plus aucune importance. Seul le résultat comptait.

Oublier.

S'effondrer là, dans ce troquet ringard.

Vomir ses tripes sur le sol pour évacuer toute cette merde... Pour se vider la tête.

Comment avait-elle pu l'aimer à en mourir ? L'aimer si vite, si fort.

Non, il y avait forcément autre chose. Pourtant, même s'il n'avait été qu'un détonateur...

Putain de mal à la tête ! L'émotion, peut-être. Le choc, sans doute.

Il releva les yeux sur la salle déserte où les tables attendaient la fermeture. Personne pour assister à sa déchéance.

Se tournant à nouveau vers le comptoir, il grilla une nouvelle clope.

Ça y est, il commençait à perdre la notion du temps, la mémoire, l'équilibre. Encore un effort et…

Soudain, son isolement fut rompu par des voix qu'il connaissait bien. Qu'il haïssait.

Des rires gras, des pas lourds.

Pas eux… Pas maintenant !

Regarde qui est là…

On dirait que c'est le cocu !

Eh, Bertille ! Tu reçois n'importe qui dans ton tripot…

Ces voix qui semblaient lointaines, déformées. Étouffées.

— Ne commencez pas, pria la patronne d'un ton menaçant. Je veux pas d'histoires ici !

Les nouveaux arrivants étaient au nombre de trois. Hervé Lavessières, le frère du maire de Colmars ; Portal, un employé de mairie. Et Guintoli, propriétaire d'une boucherie.

Trois inséparables.

Infernal trio, pour Lapaz.

Ils commandèrent leurs pastis, s'assirent non loin du guide qui ne daignait pas les regarder.

— Vous avez entendu parler de la petite Myriam ? attaqua Lavessières.

Vincent termina son verre tandis que Bertille apportait les trois 51 à la table. Elle posa l'addition devant Lavessières ; toujours lui qui payait.

— Oh, Bertille ! Vous avez entendu parler de la petite Myriam ? insista-t-il.

— Myriam ? Non, avoua-t-elle. C'est qui ?

— Une charmante petite nana qui bossait à l'office du tourisme… On l'a retrouvée morte ce matin, dans son studio… Les poignets tranchés.

— Oh Sainte Vierge ! laissa échapper la patronne. Oui, j'en ai entendu parler, vous pensez bien !...

Vincent chercha un billet dans la poche arrière de son jean, pressé de quitter cet endroit devenu insupportable.

Gestes saccadés, approximatifs. Légers tremblements.

— Paraît qu'elle s'est suicidée à cause d'un mec ! ajouta Guintoli.

— T'appelle ça un *mec* ? rétorqua Lavessières. D'abord, il fait fuir sa gonzesse et ensuite, il tue une gamine !

Vincent ferma les yeux. Dégoût dans ses entrailles, furieuse envie de frapper. De tuer, même.

Peut-être bien que je suis un assassin, après tout...

— Moi, je crois qu'elle a pas supporté la déception ! renchérit Guintoli. Parce qu'il l'a vraiment trop mal baisée !

— T'as raison ! enchaîna Lavessières en riant. C'est déjà pour ça que sa femme s'est tirée !

Vincent fonça droit sur lui ; regard noyé dans l'alcool, la haine. Il attrapa son ennemi juré par le col de son blouson, le décolla de sa chaise avant de lui asséner un coup de tête retentissant. Lavessières atterrit sur une table qui se brisa sous son poids. Portal et Guintoli se jetèrent alors sur le guide tandis que Bertille s'égosillait.

— Arrêtez ça ! Arrêtez de vous battre !

Mais les coups continuaient à pleuvoir avec toujours plus de brutalité et elle courut à son téléphone pour appeler la gendarmerie, située à une centaine de mètres à peine.

Vincent encaissait les chocs sans même s'en rendre compte. Les rendait avec plus de hargne encore.

Jusqu'à ce qu'il n'ait plus personne sur qui taper.

Ennemis à terre. Vainqueur par K.-O.

Le guide resta hébété quelques instants puis tituba jusqu'au comptoir. Il récupéra le petit morceau de papier. Ses poings étaient en sang, eux aussi.

Bertille le considérait avec une sorte d'étonnement craintif et il prit la direction de la sortie au moment où les gendarmes surgissaient dans le bar, Servane en tête.

*
* *

— Foutez-le en cellule de dégrisement ! ordonna Vertoli. Et dites au toubib de passer !

Matthieu et Servane s'approchèrent prudemment de Vincent qui ne montrait pourtant aucune agressivité. Mais l'image des trois blessés dans le bar les incitait à la circonspection. Ils l'accompagnèrent jusqu'à la cage, située au sous-sol.

— Le médecin arrive, dès qu'il aura quitté le bar, assura Servane d'un ton désolé.

— Allez viens, conseilla Matthieu. Laisse-le dessaouler !

— Non, je partirai lorsque le docteur sera là…

— Hors de question ! Tu ne restes pas seule avec lui !

— T'en fais pas…

Matthieu haussa les épaules avant de remonter vers les étages civilisés. Servane aida Vincent à s'allonger sur le banc et à enlever son blouson, qu'elle roula en boule sous sa nuque. Puis elle prit un mouchoir et essuya le sang qui maculait son visage.

— Ça va ? s'inquiéta-t-elle. Vous avez une belle entaille sur le front…

— Mal à la tronche ! avoua-t-il d'une voix à peine audible.

— Je ne peux pas vous donner d'aspirine sans l'accord du médecin... Vous y êtes pas allé de main morte avec ces trois connards !

— Je sais pas... Je les ai tués ?

— Non, Dieu merci ! Lavessières est parti pour l'hosto et les autres sont avec le toubib... Pourquoi vous avez fait ça, Vincent ?

Ses paupières se fermèrent lentement.

— Vincent ?

— Je suis bourré, ça se voit pas ?

— C'est à cause de Myriam ?

Il rouvrit les yeux, étincelants de colère.

— Tout le monde est au courant, c'est ça ?

— Ben... Quand Michèle Albertini nous a appelés, elle a hurlé à tue-tête que c'était pour vous que Myriam s'était foutue en l'air. Je crois que tout le village a entendu... Elle était complètement traumatisée, on n'a pas pu l'empêcher...

— Et vous ? Vous pensez que c'est à cause de moi qu'elle est morte ?

— C'est elle qui est venue chez vous hier soir... Je me trompe ?

— Non... C'était bien elle. Et je lui ai dit des choses horribles...

— Pourquoi ?

— Parce que je ne voulais plus la voir... Parce que... Parce que c'est toujours comme ça... Je suis un salaud, c'est tout.

— Vous croyez qu'elle était amoureuse de vous ?

— Je sais pas, peut-être... Oui.

114

— Et vous ne supportez pas qu'on vous aime, Vincent ?

Cette fois, il tourna la tête vers le mur. Alors Servane regretta d'avoir été aussi directe. D'avoir posé son doigt juste sur la blessure.

— Laissez-moi seul, putain… ! Laissez-moi, s'il vous plaît…

Elle s'éloigna un peu, restant derrière les grilles. Elle crut à cet instant qu'il allait se mettre à pleurer, mais il n'en fit rien.

*
* *

— Tu t'es luxé un poignet ! annonça le docteur Humbert en rangeant ses instruments de torture dans une grande mallette en cuir. Faudra que tu descendes faire une radio des côtes. Tu vas prendre ces deux aspirines, ça va te soulager… Mademoiselle ?

Servane s'approcha avec un grand verre d'eau, Vincent se rassit avec difficulté.

— Vous seriez bien inspirée de lui préparer un café serré ! ajouta le médecin.

— D'accord, docteur. Je m'en charge…

Elle remonta vers la surface, Vincent enfila sa chemise avec des gestes encore mal synchronisés. Se demandant pourquoi les boutons n'étaient soudain plus en face des boutonnières.

— Qu'est-ce qui t'a pris ? demanda le docteur sur le ton de la confidence.

— L'interrogatoire, c'est pour tout à l'heure. Merci d'être venu.

— Ça va, je m'en vais... Passe me voir quand tu sortiras.

Humbert s'éclipsa et Matthieu referma les grilles. Vincent, de nouveau allongé dans cette sombre quarantaine, tenta de reprendre ses esprits. Mais tout était si nébuleux... Orgie d'images et de bruits, mélangés dans une brume tenace. Il était encore sous le joug de l'alcool et lorsque Servane lui présenta une grande tasse de café brûlant, il fit la grimace.

— Buvez ! ordonna-t-elle.

Il soupira et consentit à avaler deux gorgées.

— Putain ! Il est dégueulasse !

— Un peu fort, mais c'est ce qu'il vous faut...

Elle s'assit à ses côtés, lui proposa une cigarette. Il accepta sans se faire prier et parvint à vider le contenu de sa tasse.

— Avec un café comme ça, aucun mec ne voudra jamais vous épouser !

— Je vois que vous allez mieux ! Il n'est peut-être pas bon, mais il est efficace...

— Capable de réveiller un macchabée, vous voulez dire !

À cet instant, ils pensèrent tous les deux à Myriam, semblèrent se recueillir un instant.

— Vous savez, murmura Servane, elle en était à sa troisième tentative...

Il la fixa avec étonnement.

— Vous la connaissiez ?

— Pas du tout. Mais il a fallu que je prévienne ses proches, ce matin... Le chef a voulu que ce soit moi qui le fasse... Il a dit qu'une femme s'en sortirait mieux.

Vincent imagina la difficulté de la tâche et considéra Servane avec compassion.

— J'ai parlé au moins une demi-heure avec sa grand-mère. C'est elle qui l'a élevée. Et c'est elle qui m'a appris qu'elle avait déjà... Elle était suicidaire.

— Vous essayez de me soulager ? C'est généreux de votre part, mais...

— Je n'essaie rien du tout, rectifia-t-elle sèchement. Je vous dis juste la vérité. Cette fille avait de gros problèmes de personnalité. Elle avait fait plusieurs séjours en hôpital psy... D'après sa grand-mère, elle a été abandonnée par son père à la naissance et sa mère s'en est rapidement désintéressée. Ça explique peut-être son geste...

— Elle m'avait pourtant parlé de ses parents ! se remémora Lapaz.

— Elle vous aura sans doute menti, ne voulant pas dévoiler son passé...

— Je n'ai même pas essayé de comprendre. Je n'ai pensé qu'à moi, qu'à mon plaisir et à rien d'autre... Hier soir, elle est venue demander du secours et je n'ai rien voulu voir, je l'ai laissée se noyer... Michèle a raison, je ne suis qu'un salaud et un égoïste...

— Vous êtes un homme ! soupira Servane.

— C'est l'idée que vous vous faites des hommes ?

— Ce que j'essaie de vous dire, c'est que vous n'êtes pas parfait, comme tous les humains... Et je crois que vous ne devriez pas vous sentir coupable. Ça ne la fera malheureusement pas revenir. À l'avenir, tâchez seulement de mieux choisir vos proies...

Il resta bouche bée devant cette analyse cynique mais tellement réaliste. Il allait répondre lorsque Vertoli se présenta devant la grille.

— Alors, Lapaz ? Tu as dessaoulé ?

Vincent tourna vers lui un visage fatigué.

— Breitenbach, conduisez-le à mon bureau, s'il vous plaît.

Il disparut et le guide se leva lentement. La tête lui tournait encore, alors Servane l'aida à marcher droit. Il s'appuya sur ses épaules, elle eut l'impression qu'il pesait une tonne.

— J'ai le vertige ! bougonna-t-il.

— C'est pas encore ça ! constata la jeune femme en grimaçant sous l'effort.

— Si je m'écroule, vous tombez avec moi, brigadier !

Ils montèrent tant bien que mal jusqu'au bureau de l'adjudant. Le maréchal des logis-chef Christian Lebrun se tenait juste à côté de Vertoli.

Charmant comité d'accueil.

Vincent se vit offrir une chaise en bois vraiment inconfortable, tandis que Servane s'installait derrière l'ordinateur pour taper la déposition.

— Bon, commença Vertoli, je vais t'annoncer la couleur, Lapaz : tu as blessé trois gars, dont un est à l'hosto avec le nez cassé… Selon le témoignage de Bertille, ces hommes t'ont provoqué. Mais cela n'excuse pas tout…

— Je peux rentrer chez moi ? coupa Vincent.

— Je ne vais pas te garder ici… Mais si Lavessières et ses amis portent plainte, tu es dans la merde !

— Ça te ferait plaisir, hein ?

Servane considéra le guide avec étonnement.

— Qu'est-ce que tu insinues ? s'emporta Vertoli.

— Que ça te ferait bander de me voir *dans la merde* ! ajouta Vincent avec un sourire enragé.

— Je crois qu'il n'a pas tout à fait dessaoulé, mon adjudant-chef ! tenta Servane.

— Taisez-vous, brigadier ! Laissez donc M. Lapaz aggraver son cas...

— Les femmes prennent toujours ma défense, *chef* ! ricana Vincent. Tu peux pas grand-chose contre ça !

Servane le foudroya du regard. Il devenait vraiment odieux et elle n'était pas certaine que l'alcool soit totalement responsable de cet état de fait.

— Ah oui ? riposta Vertoli. C'est pas ce que j'ai entendu ce matin en allant ramasser le cadavre d'une gamine !

Vincent se leva d'un bond.

— Du calme ! conseilla Lebrun. Assieds-toi...

Mais le calme n'était pas la plus grande qualité de Vincent aujourd'hui.

— Je me casse ! annonça-t-il avec défiance.

Lebrun lui barra la route.

— Pas encore. Assieds-toi !

Le guide hésita un instant et trouva assez de lucidité pour retomber sur sa chaise. À partir de ce moment-là, il fixa ses pieds.

— Bon, on va essayer de garder notre sang-froid, reprit l'adjudant. Je dois faire un rapport et je veux ta version des faits... Je t'écoute.

— J'étais au bar, seul... J'avais déjà un peu bu et...

— Un peu ? interrompit Vertoli. D'après Bertille, tu avais déjà ta dose !

— OK, j'étais saoul... C'est pas encore interdit de se saouler, non ?

— Non, pas encore. Continue...

— Ces trois enfoirés sont arrivés et ont commencé à m'insulter.

— Que t'ont-ils dit ?

Vincent garda les mâchoires soudées et, malgré sa colère, Servane eut un pincement au cœur.

— Qu'est-ce qu'ils t'ont dit ? répéta l'adjudant.

— Que ma femme… Que ma femme s'était tirée parce que…

Non, c'était trop dur.

— Parce que quoi ? insista Vertoli.

Le guide n'arrivant toujours pas à répondre, le chef ouvrit une chemise posée sur son bureau.

— Je vais te lire la déclaration de Bertille et tu vas me dire si tu approuves, ce sera plus simple. Parce qu'on va pas y passer la soirée !

Envie de partir, de fuir. De retrouver son cher silence, sa chère solitude.

Mais Vertoli ne l'entendait pas ainsi et commença sa lecture d'une voix monocorde.

— « *Ils ont traité Vincent de cocu et ensuite, ils ont parlé de la petite qui s'est ouvert les veines. Ils ont dit qu'elle était morte à cause de lui, à cause de Vincent. Ils ont été vraiment grossiers. Ils ont même dit qu'elle s'était suicidée parce qu'il l'avait mal baisée. Et que c'était déjà à cause de ça que sa femme l'avait quitté.* »

L'adjudant-chef releva les yeux vers Vincent toujours prostré sur sa chaise.

— C'est bien ce qui s'est passé ? demanda-t-il.

Plus rien ne semblait à même de le faire parler mais Vertoli semblait prendre un malin plaisir à le supplicier.

— Alors, Lapaz ? C'est bien ce qu'ils ont dit ?

Servane implora son chef du regard mais il ne céda pas d'un pouce.

— Eh, Lapaz ! Je t'ai posé une question ! C'est bien ta version des faits ?

Vincent hocha enfin la tête, au comble de l'humiliation. Puis il se pencha en avant et cacha son visage entre ses mains. Les trois gendarmes constatèrent alors avec stupéfaction qu'il était en train de pleurer.

Vertoli, soudain fort mal à l'aise, cessa son petit jeu cruel.

— Bon, je considère que tu es d'accord avec ces déclarations. Continuons…

Vincent essuya ses larmes d'un geste rageur.

— Que s'est-il passé ensuite ? C'est toi qui as frappé en premier ?

— Oui… J'ai filé un coup de boule à Lavessières et après, les deux autres me sont tombés dessus… Et… On s'est battus…

— Comment tu as fait pour mettre Portal K.-O. ? s'étonna brusquement Lebrun.

Portal, l'employé de mairie. Une sorte de colosse qui jouait dans la catégorie poids lourds.

— Je sais plus, avoua Vincent. Je crois qu'il s'est cogné la tête en tombant.

— Très bien, conclut Vertoli. Breitenbach, faites-lui signer sa déclaration. Ensuite, vous le ramènerez jusque chez lui.

— J'ai pas besoin d'elle ! grogna le guide.

— Discute pas ! Dans ton état, hors de question que tu conduises ! Je te tiendrai informé de la suite donnée à cette affaire.

*
* *

Servane descendit en premier de la Jeep, Vincent traîna les pieds jusqu'au chalet. Depuis le départ de Colmars, il n'avait pas ouvert la bouche ; Servane était plutôt embarrassée.

Il fouilla les poches de son blouson à la recherche des clefs, ouvrit la porte. Servane se faufila derrière lui.

Il fit volte-face, elle recula d'un pas.

— Vous êtes encore là ? balança-t-il. Vous pouvez retourner dans votre caserne de merde et lécher les bottes de ce connard de Vertoli !

Il frotta son poignet douloureusement paralysé, tandis qu'elle le dévisageait avec rage.

— Inutile de devenir agressif et vulgaire, monsieur Lapaz ! Ce n'est pas ma faute si tout cela est arrivé. Et si vous voulez tout savoir, je regrette le comportement de mon chef. Mais le vôtre n'est pas très brillant non plus !

— Ah oui ? Alors pourquoi vous vous acharnez à vouloir me secourir, brigadier ? Vous ne pouvez plus vous passer de moi, c'est ça ? Eh bien moi, je vais me passer de vous avec plaisir...

Elle se dirigea vers la sortie, abandonnant la partie. D'ailleurs, elle ne savait même pas pourquoi elle était descendue de la bagnole.

Mais Vincent avait soudain envie de mordre et n'avait qu'elle à se mettre sous la dent. Il lui barra la route.

— C'est ça, brigadier ? Vous en pincez pour moi ?

Elle le toisa de la tête aux pieds.

— Vous pensez qu'aucune femme ne peut vous résister ? Désolée de vous décevoir, mais ce n'est pas mon cas !

— Ben voyons !

— Je voulais juste vous filer un coup de main, mais je crois que vous n'en valez pas la peine. Bonsoir, monsieur Lapaz.

Elle se dirigea d'un pas cadencé vers la Jeep et Vincent regretta soudain son comportement. Il courut jusqu'à la voiture, au moment même où elle faisait demi-tour.

— Servane, attendez !

Elle freina brusquement, descendit la vitre.

— Quoi, encore ?

Le brouhaha du moteur était peu propice aux confidences ; Vincent tendit le bras pour couper le contact.

— Je voulais juste m'excuser, dit-il. Je… Je regrette ce que j'ai dit… Venez, je vous offre un verre…

— Vous avez assez bu, je crois ! asséna-t-elle.

Elle fixait le volant, il insista.

— S'il vous plaît, Servane… Ne partez pas.

Elle hésita, accepta finalement de descendre. Encore sur ses gardes, elle le suivit jusqu'à l'intérieur où il l'invita à s'asseoir.

— Je… Je suis sincèrement désolé de vous avoir dit toutes ces conneries, fit-il. Je crois que je n'ai pas encore tout à fait dessaoulé.

— L'alcool est un bon alibi !

Alibi. Elle parlait vraiment comme un flic. Normal, après tout.

— Vous n'êtes plus ivre à présent, continua-t-elle. Je me doute que vous êtes mal à l'aise à cause de ce qui s'est passé durant l'interrogatoire. Mais je ne vous trouve pas ridicule d'avoir pleuré.

— Pourquoi vous me soutenez ainsi, Servane ?

Elle haussa les épaules.

— Je sais pas trop. Parce que je vous aime bien, sans doute. Je vous trouve… intéressant.

— *Intéressant ?*

— Oui, intéressant. Quand vous ne jouez pas au macho ou au… grand méchant séducteur !

Elle avait retrouvé son sourire d'adolescente.

Vincent médita ces paroles quelques instants. Il s'exila dans la cuisine, revint avec les verres et une bouteille de jus de fruits. Mais lui, ne pourrait rien avaler. Neurones et estomac en vrac.

— Je m'excuse encore…

— Ça va. Votre journée a été dure, j'en suis consciente.

— Plus que dure, avoua-t-il. Heureusement que vous étiez là.

— Vous savez, je ne comprends pas pourquoi Vertoli vous a traité ainsi… J'ai beaucoup d'estime pour lui et j'ai été sidérée par la façon dont il vous a poussé à bout…

— On n'a jamais été amis, lui et moi. Mais vous avez raison de l'estimer : c'est un mec bien. Un bon professionnel, en tout cas.

— C'est ce qu'on lui demande ! Il traite tout le monde sur un pied d'égalité et il m'a très bien accueillie au sein de l'unité.

— J'ai été grossier envers vous pendant l'interrogatoire, réalisa Vincent. Je…

— Vous vous êtes déjà excusé, fit-elle remarquer. Pas la peine de s'étendre sur le sujet.

Ils restèrent silencieux un long moment.

— Vous m'emmènerez encore ? demanda-t-elle soudain.

Vincent sursauta.

— Où ça ?

— Là-haut…

— Bien sûr, si vous voulez.

— Mais je vous paierai ! précisa-t-elle.

— Je vous en prie, Servane. Je vous dois bien ça…

— Vous ne me devez rien… Rien du tout.

— Vous aimez la montagne ?

— Beaucoup… Surtout quand c'est vous qui la racontez… Ça prend une autre dimension !

Il fut ému par ce compliment, le plus beau qu'on pouvait lui offrir ; et il eut à nouveau envie de chialer, alors que ça ne lui était pas arrivé depuis des années. Cinq ans, plus exactement.

À croire qu'il avait vraiment été choqué.

*
* *

Il était déjà 22 h 30 lorsque Servane regagna la caserne. Elle rangea la Jeep au garage et se dirigea vers les appartements de fonction. C'est alors qu'elle tomba nez à nez avec Vertoli qui semblait l'attendre.

— Bonsoir, mon adjudant…

— Dans mon bureau, immédiatement !

Ce ton autoritaire l'inquiéta et elle lui emboîta le pas. Il ferma la porte de son bureau derrière elle, s'installa dans son imposant fauteuil en cuir.

Servane resta debout, mains derrière le dos.

— Il faut que nous ayons une petite discussion, tous les deux, brigadier ! annonça Vertoli d'un ton courroucé.

Ses doigts pianotaient sur le bureau, signe qu'il était sur le point d'exploser.

— Je vous écoute, mon adjudant-chef.

— Où étiez-vous ?

— Pardon ?

— Je vous demande ce que vous avez fait entre le moment où vous êtes partie avec Lapaz et maintenant…

Il consulta sa montre.

— C'est-à-dire entre 19 heures et 22 h 30. Allos n'est tout de même pas à trois heures de route !

— J'étais avec Vincent…

— Et que faisiez-vous avec lui ?

— Euh… Je… Je suis restée un peu pour lui tenir compagnie…

— *Lui tenir compagnie ?* ricana le chef. Quel genre de *compagnie* ?

Servane considéra son supérieur avec étonnement puis avec une colère à peine contenue.

— Je ne vous permets pas, mon adjudant-chef !

— Répondez à mes questions !

— Il ne s'est rien passé ! Nous avons discuté et mangé un morceau ensemble, c'est tout. Rien de plus, je vous assure.

— Je veux bien vous croire, Breitenbach… Mais je vous rappelle que vous étiez en service lorsque je vous ai demandé de raccompagner Lapaz jusque chez lui. Et votre mission ne consistait pas à *dîner* avec lui ! Je me trompe ?

— Non, admit-elle. Mais il avait besoin de parler…

Vertoli se mit à rire, Servane baissa les yeux.

— Il avait besoin de parler ? Breitenbach, vous savez que vous êtes entrée dans la gendarmerie, n'est-ce pas ? Pas dans un bureau d'aide sociale ou à SOS amitié !

— Mais…

— Taisez-vous ! Vous parlerez quand je vous le demanderai !

Il sembla se calmer un peu et l'invita enfin à s'asseoir.

— J'étais inquiet pour vous, confessa-t-il soudain. Je me demandais où vous étiez passée…

— Je suis désolée, je n'avais pas pensé à ça…

— La journée a été longue, conclut Vertoli. Vous pouvez rentrer chez vous, à présent.

— Merci, mon adjudant-chef, murmura-t-elle.

Elle se dirigea vers la sortie. Mais avant de passer la porte, elle se retourna.

— Je peux vous poser une question, chef ?

— Allez-y…

— Pendant l'interrogatoire, tout à l'heure… Pourquoi l'avez-vous humilié ainsi ?

Le visage de Vertoli se crispa mais il garda son calme.

— Je vous ai choquée ?

— Un peu…

— Vous savez, ici, je dirige une caserne dans un petit village. Et lorsque j'ai en face de moi des gens que je connais bien, voire avec qui je travaille, ce qui est le cas de Vincent, je ne peux me permettre de changer mon comportement. Il devait me donner sa version des faits sur l'incident du bar et je l'ai traité comme j'aurais traité n'importe qui d'autre. Nos amitiés ou nos préférences ne doivent pas interférer dans notre travail, Servane. J'ai mené cet interrogatoire comme j'aurais mené tout autre interrogatoire.

Et si Lapaz a craqué, je n'en suis pas responsable. D'ailleurs, je n'ai pas apprécié le soutien que vous lui avez apporté. Veillez à faire la différence entre votre travail et votre vie privée. C'est clair, Servane ?

— Oui… Très clair. Bonne nuit, chef.

— Bonne nuit, Servane.

8

Servane ôta son uniforme, comme si elle se débarrassait d'un carcan.

Elle avait subi une journée plutôt ennuyeuse, coincée à l'accueil de la gendarmerie ; transformée en potiche décorative derrière un guichet. Où était donc l'aventure tant promise ? Pas le moindre fix d'adrénaline, plutôt un goutte-à-goutte de Valium…

Elle consulta son répondeur, n'y trouva aucun message. Elle passa dans la salle de bains, resta un quart d'heure sous la douche avant de s'affaler sur son lit. Paupières mi-closes, une cigarette à la main, elle se laissa bercer par le chant de la Lance qui coulait non loin de la gendarmerie, ragaillardie par la fonte des neiges, s'empressant de s'unir au Verdon dans un tumultueux corps à corps.

Ennui larvé, ankylose des sens.

Elle écrasa sa Peter, attrapa son téléphone.

Qui je pourrais bien appeler ? Maman ? Je lui ai déjà téléphoné hier… Mon frangin ? Il n'est pas encore rentré à cette heure. Qui, alors ?

Finalement, elle raccrocha le combiné, s'engourdissant dans l'oisiveté et les songes éveillés. Trois coups frappés violemment à sa porte la réveillèrent en sursaut.

— Breitenbach ! Ouvrez !

Elle reconnut la voix du maréchal des logis, enfila à la hâte un tee-shirt et un jean. Elle découvrit son supérieur planté dans le couloir.

— Mettez votre uniforme d'intervention ! ordonna Christian Lebrun. On y va...

— Où ça ?

— Magnez-vous !

Il était déjà loin et elle ne chercha pas à en savoir davantage. Habillée en un clin d'œil, elle se rua dans les couloirs pour rejoindre le parking où trois voitures n'attendaient plus qu'elle pour partir. Elle grimpa à bord de la première Jeep, conduite par Vertoli, et le cortège s'ébranla.

19 heures, le soleil n'allait pas tarder à s'évanouir, baignant les cimes d'une lumière orangée que Servane prit le temps d'admirer.

— On va où, mon adjudant-chef ? s'enquit-elle.

— Julien Mansoni nous a appelés : un de ses gardes ne répond plus à la radio... Il était sur le terrain et aurait dû être de retour depuis plusieurs heures. On va tenter de le retrouver avant la nuit. C'est sa femme qui a donné l'alerte : elle a dit qu'il devait rentrer tôt ce soir... Ils avaient rendez-vous avec l'instituteur de leur fils mais il ne s'est pas présenté à l'école.

— Vous croyez qu'il a eu un accident ?

— Je ne crois rien, brigadier. On fait notre boulot, c'est tout. Les autres gardes ont déjà commencé les recherches... Ils sont sur place, avec Lapaz.

Elle n'avait pas revu Vincent depuis la bagarre dans le bar, deux semaines auparavant. Et elle aurait préféré le retrouver dans d'autres circonstances.

— C'est qui, le garde ? demanda-t-elle encore.

— Pierre Cristiani.

*

* *

Servane alluma une cigarette, en proposa une à Julien Mansoni qui accepta sans penser à la remercier.

Avec son groupe, elle venait de rejoindre le point de départ, sans avoir trouvé la moindre trace du disparu. La nuit était totale, maintenant ; à part la lumière crue d'une demi-lune qui brillait au travers de la cime des mélèzes. Tous les gendarmes étaient de retour ainsi que Cédric et Baptiste, les gardes. Seul Vincent manquait à l'appel.

Personne ne parlait et cette réunion insolite dans l'obscurité d'une forêt sauvage ressemblait déjà à une veillée mortuaire.

— Je vais appeler Nadia, fit Julien Mansoni. Il faut que je lui dise que nos recherches n'ont rien donné pour ce soir…

Il s'écarta légèrement du groupe pour accomplir sa délicate mission et soudain, la lueur d'une torche qui avançait vers eux leur redonna espoir.

— C'est sans doute Vincent, dit Baptiste.

Effectivement, c'était le guide. Il échangea quelques poignées de main dans un silence pesant et n'eut besoin de poser aucune question pour comprendre que Pierre demeurait introuvable.

— On arrête les recherches, décréta Vertoli. On reprendra dès le lever du jour.

— Je continue, rétorqua Vincent.

— Moi aussi, ajouta Julien Mansoni.

— Il fait nuit noire ! s'exclama l'adjudant. Ça sert foutrement à rien !

Il avait raison mais les deux hommes s'entêtaient, incapables d'abandonner leur ami à cette nuit froide et meurtrière.

— Toute manière, on y voit que dalle maintenant, les raisonna calmement Baptiste. Et on va se foutre dans le ravin…

— Tout le monde rentre chez lui, répéta Vertoli. Nous nous retrouvons ici à 5 h 30. Je vais demander l'appui d'un hélico…

Finalement, après quelques hésitations, les deux récalcitrants se décidèrent à suivre les conseils de Baptiste. Le cortège reprit la direction du village mais Vincent bifurqua vers Chaumie. Il gara son pick-up devant la ferme des Cristiani, frappa trois coups à la porte et entra sans attendre la réponse.

Nadia vint à sa rencontre et resta pétrifiée dans le couloir. Peur d'entendre ce qu'il venait lui annoncer.

Il la prit dans ses bras, l'étreignit un peu trop fort.

— On a dû arrêter les recherches, murmura-t-il. J'y retourne dès l'aube. Garde espoir, Nadia. Il va s'en sortir…

Elle ne répondit pas, s'écarta légèrement de lui.

Ce n'était pas ses bras qu'elle désirait. Ce n'était pas son corps qu'elle aurait voulu serrer.

— Où sont les mômes ? demanda Vincent.

— Dans leur chambre. Je monterai les voir, tout à l'heure… Je crois qu'ils ont réussi à s'endormir. Je leur ai dit que Pierre avait eu un problème mais rien de grave.

— Tu n'aurais peut-être pas dû… enfin, tu aurais dû leur dire que…

— Que quoi ? trancha Nadia à voix basse. On ne sait rien pour le moment. Inutile de les effrayer, non ?

— Tu as raison, admit Vincent. Demain, Pierre sera là.

Il tentait de s'en persuader, le désirait plus que tout.

Nadia remplit deux verres d'hydromel maison et s'installa sur le canapé à côté de Vincent.

— Merci, dit-elle.

— De quoi ? Pierre est mon meilleur ami, tu le sais bien… Alors je ne vois pas pourquoi tu me remercies… Si c'était moi qui manquais à l'appel, il serait parti à ma recherche.

— Je sais, Vincent. J'ai confiance en toi.

— On le retrouvera demain matin, affirma le guide. Il a tout ce qu'il faut dans son sac pour passer la nuit… Il a dû tomber et se péter une jambe ou une cheville. Et sa radio est peut-être HS ou n'a plus de batterie… Pierre est un pro, il tiendra le coup.

— Et s'il est déjà…

— Arrête, Nadia ! Ne dis pas ça…

Ils restèrent silencieux de longues minutes, l'esprit tendu vers celui qui leur manquait tant. Écoutant seulement battre leur cœur. Essayant d'entendre le sien.

— C'est bien que tu sois là, dit enfin Nadia.

— Tu veux que je reste, cette nuit ?

— Oui. T'as qu'à prendre notre chambre. Je vais rester sur le canapé… Tu as besoin de dormir. À quelle heure faut-il que je te réveille ?

— Quatre heures trente.

— Tu as mangé ?

Il répondit d'un signe négatif de la tête et elle se dirigea vers la cuisine. Il admirait son courage, la façon qu'elle avait de résister aux intempéries, de ne pas plier sous le poids de la vie. De ne pas s'effondrer. Une force de la nature incarnée dans un corps si frêle et si fragile en apparence. Mais que valent les apparences ?

Vincent s'allongea et ferma les yeux, adressant ses prières silencieuses à la montagne.

Ne prends pas mon frère.

Pas lui.

Lui qui t'aime tant.

9

Une lance qui transperce le cerveau… seulement la sonnerie entêtante du réveil.

Servane tâtonna jusqu'à l'interrupteur, s'assit immédiatement dans son lit. Surtout, ne pas se rendormir : les recherches reprenaient dans une heure.

Avant tout, avaler un copieux petit déjeuner. Prendre des forces. Mais à cette heure, la nourriture eut du mal à passer. À moins que ça ne soit pas à cause de l'heure. Cherchaient-ils un blessé ou un mort ? À cette idée, elle sentit des épines de glace pousser sur son échine. Elle pensa à Vincent, imagina sa détresse. L'autre fois, près du lac, elle avait senti une extraordinaire complicité unir ces deux hommes. Un lien vital qui menaçait ce matin d'être tranché.

Se forçant à garder espoir, elle enchaîna les gestes du matin. Se doucher, revêtir l'uniforme kaki, préparer son sac. Enfin, elle descendit rejoindre ses collègues.

Aucun ne manquait à l'appel.

Le jour pointait à peine lorsque les équipes se mirent en marche. Groupes de trois personnes qui allaient

ratisser méthodiquement les lieux sous le commandement de l'adjudant Vertoli.

Servane, en compagnie de Vincent et de Matthieu,
s'engagea sur le sentier du Pich. Le guide n'avait
pas ouvert la bouche depuis ce matin, l'angoisse se
devinait aisément sur son visage. Ils avançaient lentement, scrutant le vide, cherchant une trace, un
indice. Sur ce chemin étroit, Servane n'était guère
rassurée. Et malgré sa concentration, Vincent s'en
aperçut rapidement.

— Si ça ne va pas, faites demi-tour, ordonna-t-il
sèchement.

— Ça va ! assura-t-elle. Ne vous en faites pas pour
moi...

— J'ai pas envie que vous finissiez dans le ravin !

— Ça va, je vous dis !

Ils se remirent en quête et Servane tenta de maîtriser
son malaise. Elle essayait de regarder le ravin plus que
ses chaussures mais soudain, ce fut l'attaque-surprise :
son fameux vertige revenait à l'assaut. Elle ferma les
yeux quelques secondes et lorsqu'elle les rouvrit, le
décor se mit à danser une valse hypnotique. Elle
s'accrocha à la paroi, serra les dents. Les deux hommes
la distançaient, elle paniqua à l'idée de les perdre de
vue.

Se raisonner, combattre cette frayeur idiote, irra-
tionnelle.

Elle franchit quelques mètres, s'arrêta encore. Des
décharges électriques paralysaient ses membres,
remontant douloureusement de ses talons jusque dans
sa colonne vertébrale.

Maintenant, elle était incapable du moindre mouvement.

Vincent l'interpella.

— Alors ? Qu'est-ce que vous foutez ?

— J'arrive, murmura-t-elle. J'arrive…

Mais ses jambes refusaient encore et elle ne bougea pas d'un centimètre. Tétanisée contre la roche, embarquée sur un bateau qui ne cessait de tanguer.

Vincent fit demi-tour, se planta devant elle. Il la saisit par les épaules, la secoua assez rudement.

— Accordez-moi quelques instants ! implora-t-elle.

— Taisez-vous et regardez-moi, ordonna-t-il.

Elle leva les yeux sur le regard acéré du guide.

— Vous voulez m'aider, Servane ?

Elle hocha la tête.

— Alors suivez-moi…

Il saisit la main de la jeune femme qui se crispa dans la sienne et fit quelques pas à côté d'elle, en dehors du sentier.

— N'ayez pas peur, dit-il d'une voix douce.

— Remontez ! s'écria-t-elle. Remontez sur le chemin !

— Non… Je ne crains rien. Ayez confiance en moi…

Il continua à marcher comme si de rien n'était, la forçant à le suivre. Quelques dizaines de mètres plus tard, Servane sentit enfin son vertige se replier. Vincent la lâcha et revint en lieu sûr. Sans qu'il comprenne vraiment pourquoi, cette méthode fonctionnait en général très bien.

— Ça va mieux, maintenant ?

— Oui… Excusez-moi.

— C'est pas grave. Mais si ça ne va pas, vous pouvez vous asseoir ici et nous attendre… D'accord ?

— Non, je veux continuer !

Le cœur de Servane reprit un rythme plus calme et elle évita de trop regarder vers le bas. Pourtant, c'était là qu'il fallait chercher. Mais elle ne pouvait s'y résoudre, craignant que son malaise ne la reprenne. Ils marchaient en direction des cabanes de Talon et longeaient le ravin du Bouchier, très profond par endroits. Ils entendirent alors le bruit lointain d'un hélicoptère qui approchait du massif ; le renfort aérien promis par l'adjudant et qui allait survoler la zone en appui des troupes terrestres.

Comment peuvent-ils voir quelque chose de là-haut ? se demanda Servane.

Elle faisait de son mieux pour assumer son rôle, maudissant en silence la peur qui sourdait dans ses veines. Vincent marchait vingt mètres devant, les yeux rivés vers la pente, le pas sûr et rapide. De temps à autre, il scrutait les environs à l'aide de ses jumelles. Puis le petit groupe se remettait en route. L'Alouette passa au-dessus d'eux et continua à tracer vers le nord.

Les minutes s'écoulaient au rythme des pas sur la roche mêlée de terre, dans un petit matin triste et froid. Servane commençait à se sentir mieux. Le décor lui semblait moins hostile, ses yeux s'habituaient au vide. Elle se mit donc à regarder en direction des gorges, les mains serrées sur les bretelles de son sac, le souffle court. Elle braqua ses jumelles au fond du ravin, remonta doucement la pente.

Tu vas y arriver, Servane. Détends-toi…

C'est alors qu'elle aperçut quelque chose qui semblait étranger au paysage.

Qu'était-ce, au juste ?

On dirait…

Quelqu'un était allongé là, derrière un gros bloc de pierre, quelques dizaines de mètres au-dessus du torrent. Elle voyait seulement l'extrémité d'une jambe mais le doute n'était pas permis. Elle appela ses compagnons, déjà loin devant.

— Hé !

Ils continuèrent leur route sans l'entendre.

— Hé ! s'égosilla-t-elle. Venez voir !

Vincent se retourna, elle lui fit signe de s'approcher, pointant du doigt le gouffre.

— Là ! Il y a quelqu'un en bas !

Le guide et le gendarme se précipitèrent, regardèrent à leur tour dans la direction indiquée. Vincent reconnut le pantalon de couleur grise de son ami.

— Putain ! C'est Pierre !

Matthieu informa l'adjudant Vertoli et comprit qu'il leur faudrait attendre un peu avant de voir arriver les premiers renforts. Vincent avait déjà saisi une corde et un descendeur dans son sac. Il enfila à la hâte un baudrier, noua la corde au descendeur fixé à sa taille. Puis il attacha l'autre extrémité à un mélèze qui surplombait le sentier.

— Je descends en rappel, je prends la trousse de premiers secours. Matthieu, tu m'assures…

Le brigadier cala ses pieds contre deux rochers, serra la corde entre ses mains. Vincent se jeta dans la pente, avalant le vide à une vitesse hallucinante. Puis il disparut derrière d'énormes rochers. Servane retenait sa respiration, une interminable attente commença. De simples minutes pourtant ; le temps suspendu à une corde.

— Il s'est détaché, fit soudain Matthieu. Il n'y a plus personne au bout…

Servane s'approcha du bord, défiant sa nausée et les décharges électriques qui pulsaient le long de ses mollets. Comme si l'émotion la rendait inconsciente du danger. Mais elle ne pouvait voir le guide. Elle attrapa alors sa radio, tenta d'entrer en contact avec lui.

— Vincent ? Vous me recevez ? Comment va Pierre ?

Aucune réponse. L'angoisse qui grandit dans les entrailles.

— Vincent ?

Toujours le silence à l'autre bout. Incertitude insupportable.

— Je descends ! annonça-t-elle soudain.

— Hein ? répondit Matthieu d'un air ébahi. Hors de question ! Tu restes ici...

Sous les yeux médusés de son jeune collègue, elle s'agrippa à la corde et se jeta dans l'inconnu en regardant droit devant elle. Surtout pas en bas. Elle n'avait même pas songé à nouer la corde autour de sa taille. Si elle la lâchait, elle s'offrait un plongeon d'anthologie.

Matthieu rattrapa la corde précipitamment et hurla en direction du vide :

— Tu ne t'es même pas attachée, remonte tout de suite !

En vain. Servane ne l'écoutait plus. Elle n'écoutait même plus sa frayeur.

Ses pieds dérapaient sur la paroi rocailleuse tandis que le grondement du torrent se rapprochait. Elle descendait trop vite, les doigts crispés sur le nylon. Elle parcourut ainsi plusieurs dizaines de mètres et put se poser sur un surplomb rocheux, au-dessus du cours d'eau déchaîné. Elle constata qu'elle s'était brûlé la paume des mains mais cela n'avait pas d'importance. Elle aurait mal plus tard.

Elle continua à avancer en prenant garde de ne pas glisser sur les rochers encore humides de rosée matinale. Surtout que ses muscles, durs comme la pierre, tremblaient sous les piqûres d'adrénaline.

Enfin, elle distingua Vincent, à genoux auprès de Pierre.

Plus que quelques mètres délicats, quelques efforts sur la peur pour le rejoindre.

Fin du voyage.

— Mon Dieu ! murmura-t-elle. Vincent...

La scène était insoutenable.

Il avait pris dans ses bras le corps cassé, martyrisé, comme s'il voulait le consoler.

Ce pantin avec qui elle avait joué, qu'elle s'était amusée à disloquer.

Un cadavre, déjà froid. Déjà loin. Déjà absent et pour toujours.

Il serrait contre lui cet être si cher.

Entre colère et désespoir, il demeurait immobile, impuissant.

Il se surprit alors à haïr celle qu'il aimait tant.

Qu'il aimerait toujours.

Elle qui venait pourtant de dévorer un de ses enfants.

*
* *

L'averse s'acharnait sur la vallée. Larmes du ciel et de ses courtisans, sommets tendus vers l'infini.

Le deuil avait envahi chaque parcelle de cette immensité, pénétrant jusqu'au cœur de chacun comme une pointe acérée.

Le village apparut, Vincent tourna à droite en direction de l'Ancolie. *L'Hiver* de Vivaldi l'accompagnait, encore plus triste qu'à l'accoutumée. Tous les hivers seraient tristes désormais.

Il était resté auprès de Nadia depuis que l'hélicoptère avait emmené Pierre vers l'hôpital de Briançon. Mais ce soir, la famille avait pris le relais et il avait préféré s'éclipser. Maintenant, il se retrouvait seul face à sa peine, immense. Seul comme il ne l'avait jamais été.

Car Pierre avait toujours été là. Toujours.

Et ne le serait plus jamais.

Envie de hurler, de chialer. Mais les larmes retenues depuis ce matin refusaient toujours de venir le soulager.

Arrivé chez lui, il s'échoua sur la terrasse, immobile sous la pluie, assis au milieu du désastre. Alors, il mêla enfin son chagrin à celui du firmament. Galilée, la tête sur les genoux de ce maître en détresse, bravait lui aussi les trombes d'eau. Tenant à partager ce tourment dont il ignorait tout mais devinait l'intensité.

Vincent pleura longtemps ; ses cris de colère, de douleur, remontèrent en écho vers les cimes, noyés dans une cruelle indifférence. Jusqu'à ce que le calme revienne lentement. Paupières closes, il écouta le chant du vent qui imitait ce soir les intonations de Pierre.

En rouvrant les yeux, il vit surgir deux phares sur la piste. Qui venait donc briser son recueillement ?

L'instant d'après, il reconnut la petite voiture de Servane. La jeune femme courut jusqu'au chalet comme si la pluie était brûlante. C'est alors qu'elle devina Vincent assis sur le rebord en bois, pétrifié dans la tempête.

— Faut pas rester là, Vincent !

Elle le saisit par le bras.

— Venez, on rentre ! Allez, venez !

Et pourquoi fallait-il rentrer ? Il n'avait envie ni de parler, ni de bouger, et Servane n'avait pas assez de force pour l'entraîner dans son sillage.

— Allez, merde ! Levez-vous... Vincent, je vous en prie ! Venez à l'intérieur...

— Laissez-moi tranquille ! rétorqua-t-il d'une voix calme. Laissez-moi...

Elle s'éloigna de quelques pas, puis glissa lentement contre le mur, le visage caché entre ses mains, repliée sur une souffrance que Vincent ne comprenait pas.

Trop accaparé par la sienne.

Il se leva enfin et invita la jeune femme à se mettre à l'abri. Sans un mot, il alluma un feu, mit un peu d'eau à chauffer. Servane, figée près de la porte, trempée de la tête aux pieds, grelottait de froid, le visage hagard.

— Mettez-vous près de la cheminée, ordonna Vincent. Je vais vous filer des vêtements secs.

— C'est pas la peine...

— Ne discutez pas !

Elle enleva son blouson avant de s'asseoir en tailleur devant le feu naissant.

— Je vais me changer, ajouta le guide. Je vous apporte des fringues et une serviette.

Il revint rapidement avec un drap de bain, un pantalon et un tee-shirt.

— Changez-vous.

Il s'éclipsa, Servane en profita pour passer sa nouvelle tenue, réprimant à grand-peine ses claquements de dents.

Quelques minutes plus tard, ils buvaient une tasse de thé, installés devant la cheminée, à même le sol.

Situation étrange. Vincent était contrarié par sa présence ; il n'avait jamais aimé partager ses souffrances. Pourtant, il n'avait pas la force de la foutre dehors.

— Je ne voulais pas vous déranger, murmura soudain Servane. Mais je ne savais pas vers qui aller… Je n'ai que vous ici…

Il la considéra avec étonnement, n'imaginant pas qu'il pouvait être d'un aussi grand secours. Il avait enfin deviné le mal qui la rongeait et avait conduit ses pas jusqu'ici.

— C'est la première fois que vous voyez un cadavre ? demanda-t-il en attisant le feu.

Elle hocha la tête, réprima quelques sanglots.

— Je suis passée par ce chemin, hier soir, confessa-t-elle. Et je n'ai rien vu… Si je l'avais vu, on aurait pu…

— On n'aurait rien pu faire. Il avait la nuque brisée, il est mort sur le coup. Inutile de vous sentir coupable. Vous n'êtes pas responsable, Servane.

Impossible pourtant d'effacer les images. Le corps désarticulé de Pierre… Vincent qui le tenait dans ses bras… Et les larmes de Nadia, qui l'obsédaient plus que tout.

— Comment va sa femme ? s'enquit-elle.

— À votre avis ? balança Vincent un peu rudement. Avec les gosses, elle n'aura guère le choix. Elle devra faire face. Elle est très forte, de toute façon.

— Plus forte que moi, c'est ça ?

— Ce n'est pas ce que j'ai dit. Et ne comptez pas sur moi pour entrer dans votre jeu… Vous avez fait votre travail et vous l'avez bien fait. Alors arrêtez de vous torturer, maintenant.

Ils laissèrent la douce chaleur du foyer ranimer leurs corps endoloris.

— Vous savez, reprit Vincent, Pierre était mon seul ami. Depuis toujours. Et nous nous sommes séparés sur une dispute...

— Vraiment ?

— Le jour où Myriam est morte. Pierre était là lorsque Michèle est venue m'annoncer la nouvelle. Et il n'a pas mâché ses mots... Je l'ai mal pris, je l'ai jeté dehors. Si ça n'était pas arrivé, j'aurais peut-être été avec lui, hier. Et il serait peut-être encore vivant...

— Là, c'est vous qui culpabilisez à tort, fit remarquer la jeune femme.

— Les derniers mots que nous avons échangés étaient des insultes. Alors que nous ne nous étions jamais engueulés !

— Je suis sûre qu'il vous avait déjà pardonné, inventa Servane.

Dehors l'orage se déchaînait, les bourrasques envoyant des trombes d'eau s'écraser sur le chalet.

— Je vais vous laisser, dit Servane en se levant. Je vous rapporterai vos vêtements demain... En tout cas, ça m'a fait du bien de vous parler.

— Avec ce temps, vaut mieux ne pas reprendre la route. Vous n'avez qu'à dormir ici. Il y a des chambres à l'étage.

— Je ne veux pas vous...

— Prenez celle du deuxième, c'est la plus confortable.

Elle regarda par la fenêtre, décida d'accepter son invitation. Elle voulut revenir auprès de lui mais déjà, il s'était levé.

— Je peux rester un peu près du feu ? demanda-t-elle.

— Comme vous voulez.

Il se rendit directement dans sa chambre, ne prit pas la peine de se déshabiller avant de s'effondrer sur le grand lit froid.

*
* *

Il faisait encore nuit lorsque Vincent s'éveilla brusquement.

Il mit quelques secondes à réaliser.

Pierre est mort.

Mort.

Pierre…

Il attrapa sa montre : à peine 2 heures du matin. Il avait cédé sous le poids de la fatigue, plongeant dans un enfer sans issue.

Le visage de Pierre, les yeux de Myriam. Deux fantômes qui l'appelaient à l'aide.

En se levant, il faillit tomber ; courbatures dans tout le corps, mollets durs comme du bois. Il avait été roué de coups, il était épuisé.

La pluie martelait sans relâche le toit métallique du chalet, tandis que le grondement lointain du tonnerre résonnait au fond de la vallée. Il descendit l'escalier, alluma une petite lampe dans le salon. La faible lumière révéla un spectacle insolite qui aurait pu le faire sourire s'il n'avait pas eu aussi mal : Servane s'était endormie devant la cheminée où ne subsistaient que des braises, allongée en chien de fusil sur le tapis. Galilée s'était pelotonné contre elle, faisant pour une nuit des infidélités à son maître. Vincent but un grand verre d'eau dans la cuisine et s'approcha de la cheminée pour y remettre une énorme bûche. Servane ne se réveilla même pas, Galilée se contenta de relever la tête et de remuer la queue. Vincent s'assit tout près de ce couple improvisé et regarda les flammes renaître dans l'âtre rougeoyant.

— Vous n'arrivez pas à dormir ? demanda une voix d'outre-tombe.

Il répondit d'un simple signe de tête.

— Je n'arrête pas de penser à Pierre, confessa-t-il. À ce qui a pu se passer.

— Vous ne saurez jamais ce qui s'est passé. Un accident stupide, sans doute...

— Ce n'est pas un accident, affirma Vincent de façon abrupte. Il n'est pas tombé tout seul...

La jeune femme écarquilla les yeux, se redressa d'un bond.

— Mais... Qu'est-ce qui vous permet de dire ça ?

— Il a fait ce parcours des centaines de fois. De nuit comme de jour, avec ou sans neige ! Il n'y avait aucune difficulté particulière, aucun danger ! Il n'a pas pu tomber tout seul ! C'est impossible !

— Il a peut-être eu un malaise...

Vincent secoua la tête.

— Il était en parfaite santé. Il avait le pied plus sûr que n'importe lequel d'entre nous. Plus j'y pense, plus je me dis que ce n'est pas une chute accidentelle...

— Mais qui aurait pu faire une chose pareille ?

— J'en sais rien. Ça peut être n'importe qui... Des braconniers pris sur le fait, par exemple... Pierre en traquait depuis quelques semaines.

— Des braconniers ? C'est absurde ! Ils n'iraient pas jusqu'à tuer un garde !

— C'est déjà arrivé, rectifia Vincent. Ils risquent gros s'ils se font choper et la vie n'a que peu d'importance pour des mecs comme ça... Demain, je retournerai là-bas.

— Pour quoi faire ?

— Je trouverai peut-être quelque chose, un indice...

— Je suis de repos, demain. Je peux vous accompagner, si vous voulez.

— Pourtant, vous ne semblez pas croire à mon instinct...

— J'attends de voir, dit-elle en se rallongeant.

Il sembla rassuré qu'elle lui offre son aide.

— Vous ne voulez pas monter vous coucher dans un vrai lit ?

— Non, je suis bien ici...

Il se leva, resta un moment près de la fenêtre, observant en silence la fureur de la montagne. Si tu es en colère, c'est que ce n'est pas toi la meurtrière...

Tu hurles vengeance... Vengeance pour la mort d'un de tes fils.

Servane s'était rendormie ; Vincent aurait aimé pouvoir en faire autant, mais avait peur de ce qui l'attendait de l'autre côté. Ses nuits n'étaient que cauchemars, depuis longtemps. Maintenant, ce serait bien pire...

Finalement, il s'assit à côté de son invitée et regarda le feu agoniser jusqu'à l'aube.

10

Servane s'accrochait à la poignée pour limiter l'impact des secousses sur ses vertèbres tandis que le pick-up gravissait rapidement la piste rocailleuse menant au bois de Vacheresse. Drôle de nom, songea la jeune femme. Mais après tout, ici comme ailleurs, ces appellations poétiques ou prosaïques ne reflétaient rien d'autre que l'héritage du passé...

Le visage de Vincent était sombre, encore plus qu'à l'accoutumée. Il n'avait quasiment pas prononcé un mot depuis qu'ils avaient quitté l'Ancolie, direction les lieux du drame.

Servane respectait le silence du guide, comprenant sa douleur, sa colère. Mais elle aurait aimé qu'il partageât un peu ses pensées. Elle avait accepté de le suivre, il aurait pu feindre un minimum d'intérêt pour elle, histoire de lui laisser croire qu'elle servait à quelque chose, que sa présence lui apportait un peu de réconfort !

Elle avait accepté de le suivre, oui. Dans les premiers pas de cette enquête qui, elle en était persuadée, ne mènerait à rien. Sinon à nier l'évidence : Pierre avait basculé du haut de cette falaise pour s'écraser en contrebas. Même s'il était un montagnard aguerri ; même s'il était le meilleur. Mais il fallait que Vincent s'en rende compte par lui-même.

Cette nuit, arrachée brutalement à son sommeil, elle avait presque cru à son histoire rocambolesque de meurtre.

Ce matin, à la lumière d'un soleil indécent, elle essayait de voir la réalité en face : Pierre était tombé ; banal accident de montagne, chute stupide dont ils ne connaîtraient jamais les véritables causes.

Vincent freina à l'approche de la barrière qui marquait l'entrée en forêt communale et chercha la clef dans le vide-poche. Servane profita de la manœuvre pour détendre ses muscles courbaturés par une nuit d'inconfort, puis ils reprirent leur route au milieu des bois où seul le moteur du Toyota venait briser la quiétude.

— Ça va ? demanda soudain Vincent.

Elle lui sourit ; il se souvenait donc qu'elle était là…

— Oui, juste un peu fatiguée.

— Moi aussi.

Après une dizaine de minutes, ils arrivèrent en bout de piste, à l'endroit même où les secours s'étaient réunis la première fois. Mauvais souvenirs gravés dans l'écorce tendre des arbres. Servane s'équipa rapidement. Apparemment, pas assez vite au goût de son guide.

— Alors, vous venez ?

— J'arrive…

Ils se mirent en marche dans la fraîcheur de ce lendemain de pluie, guidés par un petit vent du nord, celui-là même qui avait repoussé l'orage au-delà du massif.

— Qu'est-ce qu'on cherche, exactement ? osa la jeune femme.

— Des preuves, répliqua Vincent avec une sorte de rage.

Mais quelles preuves ? La preuve que la vie est brutale… ?

Il marchait vite et Servane faisait de son mieux pour ne pas se laisser distancer.

Le même chemin que la veille.

Le soleil en plus. L'espoir en moins.

Ils ne cherchaient plus un blessé ; ni même un mort. Ils accomplissaient seulement un pèlerinage douloureux qui permettrait peut-être à Vincent d'entamer son difficile travail de deuil. Et de pardonner à sa montagne vénérée d'avoir massacré une vie d'amitié. Mais Servane ne pouvait aller plus vite, à nouveau freinée par le vertige. Cette saloperie de vertige !

Elle longeait la paroi alors que le sentier était suffisamment large pour se croiser à deux. Elle fixait le mouvement hésitant de ses pieds sur la terre mouillée, évitant de regarder le vide qui semblait vouloir la dévorer à son tour. Le guide était loin devant maintenant, l'abandonnant à ses peurs.

— Vincent !

Il ne se retourna même pas. Peut-être ne l'avait-il pas entendue ?

— Attendez-moi !

Il continuait, marchant toujours au même rythme, et elle sentit une sourde colère l'envahir.

— Mais merde ! Attendez-moi !

Elle se figea contre la roche. Tachycardie foudroyante, électrochocs dans tout le corps, nerfs en fusion.

Sensation curieuse que ce maudit vertige. Parfois violent, parfois inexistant. Totalement imprévisible.

Qui s'amusait d'elle selon son humeur.

Elle ferma les yeux, resta longtemps immobile. Et quand elle put enfin affronter la réalité, Vincent avait disparu. Elle pensa d'abord faire demi-tour pour rejoindre le pick-up. Mais quelque chose la poussait à continuer. Elle n'avait pas pour habitude de rebrousser chemin. Vaincre la peur, braver ses limites. Sa devise, depuis qu'elle était gosse.

Mâchoires crispées, elle se remit en route, sa main droite effleurant la roche devenue canne blanche.

Il ne voulait pas prendre la peine de l'attendre ? Eh bien, elle monterait sans lui !

Elle continua d'avancer, enragée par cet abandon volontaire, exécrant en silence celui qu'elle était venue soutenir dans l'épreuve. Ce sale égoïste qui ressemblait à tous les hommes.

— Tu vas m'entendre quand je vais te rattraper ! Tu vas m'entendre, espèce de salaud…

Mais Vincent était bien trop loin pour l'entendre. Hors de portée.

La colère étant plus forte que la frayeur, Servane prit de l'assurance. Elle lâcha la paroi, accéléra. Jusqu'à ce qu'elle s'arrête net, là où le chemin avait été partiellement emporté par l'orage.

— Il est passé, alors tu peux passer aussi ! murmura-t-elle.

Il suffisait d'ignorer le ravin. Un pied devant l'autre et…

Et le vide qui l'aspire d'un seul coup.

Elle atterrit brutalement dans la pente, se sentit happée vers les abysses. La terreur l'empêcha de hurler tandis qu'elle glissait inexorablement vers l'inconnu, essayant désespérément de se raccrocher à la vie.

Soudain, la descente aux enfers cessa ; son chemin avait croisé celui d'un petit pin penché.

Sa vie ne tenait plus qu'à un fil, fine branche tordue qui pliait dangereusement sous son poids.

Elle essaya de s'aider de sa main gauche, mais elle ne parvenait plus à faire le moindre geste, ligotée par la terreur. Comme si le plus léger battement de cil pouvait la précipiter définitivement dans le gouffre. Elle parvint à débloquer ses poumons, sentit des crampes atroces dans son bras.

— Vincent ! murmura-t-elle.

Elle ne pouvait même plus crier, tout juste assez d'air pour survivre. Ses jambes pendaient dans le vide, agrippées par la mort qui déjà avait ouvert sa gueule béante. Dans un ultime effort, elle parvint à monter son bras gauche jusqu'à la branche, s'y cramponna aussi fort qu'elle pouvait.

— Tiens bon ! supplia-t-elle en regardant l'arbre famélique. Tiens bon !

Elle allait crever, s'écraser des dizaines de mètres plus bas. Ses os se briseraient, les uns après les autres. Son crâne allait se fendre, exploser, son cerveau s'éparpiller. Paupières closes, elle pouvait déjà voir l'effroyable spectacle de son corps déchiqueté.

Ses mains allaient céder, à moins que ce ne soit le pin.

— Tiens bon ! implora-t-elle entre deux sanglots. Seigneur, je vous en prie !

— Tenez bon, Servane !

Elle crut d'abord que cette voix était un mirage.

— Tenez bon, Servane ! J'arrive !

Vincent avait déjà sorti une corde de son sac, l'avait nouée autour d'un gros rocher en pointe avant de la lancer dans le ravin. Pas le temps de s'attacher, il se jeta dans le vide et rejoignit la jeune femme en moins d'une minute.

— Donnez-moi la main !

— Je peux pas ! gémit-elle.

— Lâchez votre main droite, je suis tout près de vous !

— Non !

Il descendit encore un peu pour se retrouver juste à côté d'elle. Il tendit son bras gauche, attrapa le sac à dos de la naufragée. Mais elle refusait de lâcher l'arbre nain et il se fit plus persuasif.

— Servane, écoutez-moi. Calmez-vous et écoutez-moi... Je suis là, juste à côté de vous... Je vous tiens, maintenant. Vous lâchez cet arbre et on remonte ensemble, d'accord ?

Elle respirait bruyamment, n'avait plus la force de desserrer ses doigts sertis dans le bois.

— Allez, Servane ! Vous pouvez y arriver ! Il vous suffit de vous accrocher à moi...

Il tira sur la bretelle du sac d'un coup sec, Servane lâcha prise. Sous le choc, elle partit en arrière et poussa un hurlement aigu qui résonna jusqu'en haut des cimes. Vincent la hissa jusqu'à lui dans un effort surhumain tandis qu'elle continuait à brailler. Elle passa ses bras paniqués autour de son cou, manquant de l'étrangler.

Au bord de l'asphyxie, il entreprit de remonter lentement, priant pour que la corde tienne le choc. Pour que lui aussi tienne le choc. Il n'avait pas pris le temps d'enfiler un baudrier, avait l'impression d'escalader un mur avec soixante kilos sur le dos à la seule force des bras. D'ailleurs, c'est exactement ce qu'il était en train de faire.

S'il lâchait, ils finissaient tous les deux en bas. Cette idée décupla ses forces et ils arrivèrent enfin sur le sentier. Vincent y déposa Servane avant de l'empoigner par les bras pour la traîner quelques mètres plus loin, là où le terrain était plus sûr.

Une boule de douleur tétanisée par la peur. Ses mains, ses avant-bras et ses genoux étaient en sang ; son visage portait une profonde entaille sur la joue droite.

— Ça va aller maintenant, dit-il. Vous êtes en sécurité, à présent...

Elle continuait à trembler, à claquer des dents, à gémir.

— Ça va aller, répéta-t-il d'une voix rassurante. C'est fini...

Il s'assit près d'elle, reprenant ses esprits après la lutte, laissant son palpitant se calmer doucement. Servane cessa de trembler, réapprenant à respirer normalement. Elle parvint à se rasseoir à son tour. Émergeant enfin du cauchemar, elle fixa le guide avec un regard qu'il ne lui connaissait pas.

Haine à l'état brut.

— Je vais vous tuer ! rugit-elle. Je vais vous tuer...

— Doucement...

— J'ai failli y passer ! hurla-t-elle.

Brusquement, elle se jeta sur lui et il se retrouva à terre, avec une hystérique qui le frappait violemment. Il protégea son visage puis tenta d'enrayer la rage de la jeune femme. Il parvint à attraper ses poignets, l'immobilisa sur le sol où elle continuait à se débattre furieusement en l'insultant sans aucune retenue. Son vocabulaire était plus étendu qu'il n'y paraissait...

— Ça suffit, merde !

Il encaissa encore quelques coups de genou avant qu'elle capitule enfin, vaincue par un épuisement soudain.

— Vous allez vous calmer, maintenant ! s'écria-t-il. Sinon on va finir tous les deux dans le ravin !

Il la lâcha, recula un peu, encore choqué par la violence de l'attaque. Elle avait une force qu'il n'aurait pas soupçonnée et sentit le goût du sang dans sa bouche.

Servane ne bougeait plus. Inerte et épuisée après ce dernier regain de colère, elle avait les yeux dans le vague.

Vincent n'osait plus parler, de peur de réveiller la furie qui dormait en elle.

Alors, ils restèrent longtemps assis non loin l'un de l'autre, se dévisageant tels deux ennemis. Jusqu'à ce que la jeune femme se mette à pleurer.

Enfin ! pensa Vincent. Les larmes de la libération, celles qui allaient lui permettre d'évacuer la frayeur qui cognait dans sa tête.

Il s'éloigna, la laissant reprendre pied après la noyade.

Il était le seul responsable de cet incident qui aurait pu se transformer en tragédie, devait se remettre lui aussi de ses émotions. Se pardonner cette faute.

Il frotta la paume de sa main sur sa mâchoire douloureuse.

Sacrée droite, nom de Dieu !

Il revint vers elle en restant sur ses gardes : elle pouvait redevenir agressive.

Elle pleurait désormais en silence et il comprit que la hargne était partie. Ne restait que la peur. Et la honte, sans doute.

Honte d'être tombée, d'avoir perdu son sang-froid.

— On va faire demi-tour, maintenant, dit-il. Vous pouvez vous lever ?

Elle se remit sur ses jambes avec une grimace de douleur.

— Filez-moi votre sac à dos.

— Non, ça ira... ça va...

— Donnez-le-moi, Servane.

Il ne se risqua pas à le lui prendre d'autorité, ne se risqua même pas à la toucher. Elle consentit à lui confier son fardeau et commença à avancer, d'un pas hésitant. Titubant, presque.

— Donnez-moi la main, Servane...

— Allez vous faire foutre, OK ?

— Donnez-moi la main, répéta-t-il patiemment.

— J'ai pas besoin de vous ! Foutez-moi la paix !

Il attrapa son poignet égratigné, elle se dégagea brutalement.

— Me touchez pas !

— Calmez-vous, pria-t-il d'une voix tranquille. Je suis désolé...

Elle le dévisagea avec fureur.

— Vous êtes *désolé* ? Ça, c'est la meilleure ! J'ai failli crever et vous êtes *désolé* ! J'aurais mieux fait de vous laisser vous démerder tout seul !

— On parlera de ça en bas, promit-il en reprenant sa main. Maintenant, on descend et vous ne me lâchez pas... Parce que vous n'êtes pas encore en état de marcher normalement. D'accord ?

Elle refréna sa colère et accepta de le suivre en fixant ses chaussures. Elle claudiquait légèrement, sentait la chaleur des brûlures au creux de ses mains et tout le long de ses jambes. Ils n'échangèrent plus un mot jusqu'à ce qu'ils arrivent sur la piste où la voiture les attendait. Vincent se déchargea des deux sacs tandis que Servane s'asseyait sur une énorme souche de mélèze, épuisée, repliée sur sa douleur. Sur sa peur, encore intacte. Et sur cette fameuse honte, ridicule mais tenace.

Vincent s'approcha d'elle, muni d'une trousse de secours.

— Laissez-moi tranquille ! s'écria-t-elle. Je suis pas en sucre, putain !

— Je sais. Mais ça n'a rien à voir...

Il soupira, s'adossa à un arbre. Servane pivota pour lui tourner le dos. Ne plus voir son visage.

— Je ne voulais pas ça, expliqua simplement Vincent. Je sais à quel point vous m'en voulez et vous avez raison. Mais je ne peux rien faire de plus que m'excuser...

— J'ai juste failli y passer à cause de vous, c'est rien du tout ! Remarquez, ça ne ferait que deux en quinze jours ! Après Myriam, Servane ! Mais ce qui est bien, c'est que vous changez de méthode à chaque meurtre ! Je ne pensais pas que vous étiez aussi dangereux ! Peut-être même que c'est vous qui avez balancé votre ami du haut de cette saloperie de falaise !

Elle regretta instantanément cette flèche en plein cœur. Vincent la dévisageait férocement et elle crut qu'il allait réellement la tuer. Mais il préféra s'éloigner et monta à bord du pick-up avant de claquer violemment la portière. Elle était certaine qu'il allait l'abandonner au cœur de cette forêt. Pourtant, il n'en fit rien.

Après quelques minutes d'hésitation, elle grimpa à son tour dans la voiture.

— Pardonnez-moi. Je suis allée trop loin…

— Beaucoup trop loin. Vous pensez que je suis responsable de la mort de Myriam ? Et vous croyez que j'ai tué mon meilleur ami ? Alors qu'est-ce que vous attendez pour me passer les menottes, *brigadier* ?

— Ça va, j'aurais pas dû dire ça… Mais j'ai eu tellement peur, tout à l'heure… J'ai vraiment cru que j'allais mourir.

Ces dernières paroles semblèrent le calmer un peu et il daigna enfin la regarder. Aussi mal à l'aise l'un que l'autre, ils se trouvèrent soudain grotesques.

— Bon, on les soigne, ces blessures ?

— Ça peut peut-être attendre que je rentre…

— Vous comptez retourner à la caserne dans cet état ? Alors là, c'est Vertoli qui va me passer les menottes !

Servane descendit le pare-soleil et s'inspecta dans le petit miroir. Sale gueule ! Visage sali par la terre et le sang.

— Vous allez passer par chez moi d'abord, conclut Vincent.

Il fit demi-tour pour reprendre le chemin de l'Ancolie. Servane descendit sa vitre, laissant l'air frais calmer le feu sur son visage et dans sa tête.

— Du coup, vous n'avez pas pu voir ce que vous vouliez, dit-elle soudain.

— Si. J'ai trouvé le cadavre d'un chamois fraîchement abattu à proximité de l'endroit où Pierre est tombé… Un peu au-dessus du sentier.

— Merde ! Et vous pensez…

— Je pense qu'il a pu surprendre un groupe de braconniers et le payer très cher.

— Mais comment ça se fait qu'on n'a rien vu hier ?

— On n'est pas allés jusque-là… Et puis on regardait vers le bas, pas vers le haut…

— Les braconniers, n'ont pas emporté l'animal qu'ils ont tué ?

— Non, ils ne prennent que le trophée…

— Le *trophée* ?

— La tête, précisa Vincent.

Servane fit une grimace sans équivoque.

— Je vais prévenir les gardes de ma découverte pour qu'ils déterminent le jour exact de la mort de cette bête… On verra si ça correspond au décès de Pierre. Mais j'en suis quasiment sûr.

— Vincent… J'ai déconné, tout à l'heure… Je sais pas ce qui m'a pris de vous frapper comme ça. C'est… C'est la première fois que je fais un truc pareil…

— Sans doute parce que c'est la première fois que vous passez si près de la mort, répondit-il. Vous avez eu peur, très peur même. Et on ne réagit pas tous pareil devant une telle frayeur. Vous deviez déverser tout ça sur quelqu'un et j'étais le plus proche !

— N'empêche que c'est dingue, ce que j'ai fait ! Je ne me serais jamais crue capable de ça ! Je vous ai fait mal ?

— Un peu, oui.

— Désolée.

— N'en parlons plus. J'ai déconné, moi aussi.

Ils arrivèrent à l'Ancolie vers midi et Servane s'enferma dans la salle de bains. Quand elle en ressortit, Vincent l'attendait de pied ferme avec ses compresses et sa lotion désinfectante. Cette fois, elle accepta de se laisser soigner. De profondes écorchures entamaient sa peau incroyablement blanche et fine, presque translucide. Vincent se montra aussi délicat que possible et Servane resta stoïque face à la cuisante brûlure. Il prit ensuite sa cheville droite entre ses mains, la manipula doucement.

— Vous avez une entorse, faudra passer chez le toubib…

Il posa un bandage serré puis soigna ses mains et ses avant-bras.

— Voilà, c'est fini, dit-il.

— Merci…

— Vous voulez manger ?

— Oh non ! J'ai envie de gerber…

— Il faut manger après ce que vous avez vécu… Reprendre des forces ! Je vais vous préparer quelque chose… Vous n'avez qu'à vous allonger sur le canapé et vous reposer. Ce ne sera pas long.

Il disparut dans la cuisine, tandis que Servane s'affalait sur la banquette, juste à côté de Galilée dont elle caressa machinalement le poil hirsute. Vincent la rejoignit enfin pour dresser le couvert, s'arrangeant pour lui tourner le dos.

— Pourquoi vous ne m'avez pas attendue, ce matin ? demanda-t-elle.

— J'en sais rien…

— Comment ça, vous n'en savez rien ? C'est stupide comme réponse !

— C'est vrai, c'est stupide… J'aurais dû vous attendre.

Il s'affairait toujours, évitant soigneusement de croiser son regard.

— Venez vous asseoir, ordonna-t-elle en poussant Galilée sur le tapis.

Il hésita un instant puis se posa à une distance raisonnable. Il ressemblait à un gosse pris en faute, qui appréhende une réprimande.

— Vincent, pourquoi vous ne m'avez pas attendue ce matin ?

Il essayait de trouver un beau mensonge mais son esprit était trop fatigué.

— Vous vouliez vous débarrasser de moi ? fit-elle en souriant.

— Non ! Bien sûr que non... J'allais mal, c'est tout...

Elle massa doucement sa cheville endolorie, revoyant le film de sa chute.

Elle était tombée parce qu'il allait mal ! Elle avait frôlé la mort parce qu'il n'avait pas voulu montrer ses larmes.

Elle se demanda alors pourquoi les hommes n'avaient presque jamais la force de dévoiler leurs sentiments. Au risque de tout perdre. Cette faiblesse qu'ils faisaient passer pour du courage. Et que Servane trouva finalement touchante.

11

— Tout cela n'est pas une preuve, trancha Vertoli. Une carcasse de chamois ne constitue pas une preuve tangible.

— Mais il a été abattu le jour où Pierre est tombé ! s'obstina Servane. Et à proximité du lieu de la chute... On peut donc supposer...

— *Supposer ?* C'est justement le mot que je cherchais ! On ne peut *que* supposer...

La jeune femme manifesta son agacement par un soupir.

— Les résultats de l'autopsie montrent que la cause du décès de Cristiani est bien la chute, continua l'adjudant. Il n'y a aucune trace de violence ou de lutte... Et nous n'avons relevé aucune empreinte sur le corps non plus.

— Mais ils l'ont peut-être menacé et il est tombé en voulant prendre la fuite !

— *Peut-être, peut-être...* D'accord, Breitenbach ! capitula le chef. Je vais appeler le proc et nous allons enquêter sur ces braconniers. Nous ne négligerons aucune piste. Mais selon moi, il s'agit purement et simplement d'un accident...

— Merci, mon adjudant-chef.

Servane le gratifia d'un regard reconnaissant avant de se diriger vers la porte.

— Au fait, Breitenbach ! Les obsèques de Cristiani auront lieu demain.

— Ah... Ai-je la permission d'y aller ?

— Nous irons tous.

*
* *

Personne ne parlait, au bureau du Parc. Julien Mansoni tournait machinalement sa petite cuiller dans une tasse de café déjà froid, tandis que Cédric faisait virevolter un stylo entre ses doigts. Quant à Baptiste, il aurait pu sembler aussi calme qu'à l'accoutumée si un léger mouvement de ses lèvres n'avait trahi sa nervosité.

Vincent venait d'exposer sa théorie sur la mort de Pierre et attendait le verdict des hommes en gris.

— Y a un truc qui me chiffonne, lança soudain le jeune Cédric. Si Pierre a repéré ces braconniers, pourquoi ne nous a-t-il pas prévenus par radio ? C'est ce qu'on fait dans ce cas-là.

— C'est ce que je pense aussi, renchérit Baptiste de sa voix de ténor. On n'intervient jamais seul contre ces gars-là...

— Eh bien moi, je trouve que sa théorie tient la route, fit Julien. Je ne crois guère aux coïncidences !

— Il était peut-être en panne de radio, ajouta Lapaz.

— Il m'a contacté une heure avant de... avant de tomber, révéla Cédric. Sa radio fonctionnait bien avant la chute.

— Toute manière, Pierre ne serait pas intervenu seul contre des braconniers, s'entêta Baptiste.

— Et s'il est tombé sur eux sans les voir venir ? suggéra Julien. Il n'a peut-être pas eu le temps de nous alerter...

— Ouais, possible, concéda Baptiste.

— Possible, répéta Cédric en écho.

Lentement, le doute envahissait la pièce et l'esprit de Vincent. Évidemment, si Pierre avait repéré des braconniers, il aurait prévenu ses collègues. La remarque du jeune Cédric était plus que pertinente. Il y avait peu de chances pour qu'il soit tombé nez à nez avec eux au détour d'un sentier : un garde voit tout à des kilomètres. Pierre ne dérogeait pas à la règle : il était le meilleur observateur de ces montagnes.

Pourtant, la thèse de l'accident était encore moins probable à ses yeux.

— En tout cas, la gendarmerie va mener une enquête, révéla le guide.

— Tu es allé voir Vertoli ? s'étonna Julien Mansoni.

— Non, c'est Servane qui m'a appelé tout à l'heure.

— Servane ? répéta Cédric. Elle t'aime bien, on dirait...

— Je l'ai aidée quand elle est tombée en panne. Depuis, elle m'apprécie tout particulièrement !

— Je vois, dit Baptiste avec un sourire en coin. Toute manière, elles t'apprécient toutes ! T'en as pas une petite à me présenter ?

Depuis la mort de Pierre, aucun de ces hommes n'avait souri ou plaisanté. Mais il fallait désormais surmonter la douleur.

— Toujours célibataire ? supposa le guide.

— Toujours… Toute manière, je suis bien mieux seul !

— Tu parles ! ricana Cédric. Dis plutôt qu'aucune gonzesse peut te supporter ! Toi et tes manies de vieux garçon !

— Qu'est-ce que t'en sais, p'tit con ? riposta Baptiste en caressant sa moustache. T'étais encore qu'un spermatozoïde que je savais déjà tout sur les femmes !

Faire semblant.

De sourire ou même de rire. Masquer au mieux sa peine, son désarroi.

L'équipe avait perdu un pilier. Son équilibre. Mais la mission continuait et demain, le soleil apparaîtrait derrière les cimes, chacun continuerait son chemin. Avec la même passion, la même volonté.

Juste avec une douleur supplémentaire, rangée dans un tiroir secret. Une douleur que chacun affronterait à sa façon.

*
* *

En ce dix-huitième jour du mois de juin, le soleil n'avait pas daigné se montrer. Comme s'il refusait de voir Pierre rejoindre sa dernière demeure. Beaucoup de monde pour l'accompagner : sa famille, bien sûr ; Vincent et les gardes-moniteurs du Parc. Mais aussi de nombreux habitants de la vallée, venus des hameaux environnants.

Vincent soutenait Nadia dans cette épreuve, retenant ses propres larmes. Les enfants étaient blottis dans les bras de leurs grands-parents, les yeux hagards.

André Lavessières, le maire de Colmars, prit la parole pour l'adieu à celui qui avait toujours été un ennemi juré. Un conseiller municipal de l'opposition, un traître. Mais à titre posthume, il se métamorphosait en homme remarquable, en adversaire politique admirable.

La mort a parfois d'étranges pouvoirs…

Tout au fond de l'église, Servane se tenait debout, près de Michèle Albertini qui ne put s'empêcher de manifester son désaccord d'une voix à peine audible.

— Sale hypocrite !

Servane la considéra avec étonnement.

— Lavessières ne pouvait pas le supporter ! expliqua Michèle. Il en parle comme s'ils avaient toujours été amis alors qu'il y a quelques jours, ils se sont quasiment battus à la sortie du conseil municipal !

— Vraiment ? chuchota Servane.

— Ouais ! J'ai cru qu'ils allaient s'étriper !

Servane n'en demanda pas davantage et se concentra sur le discours du premier magistrat. Puis ce fut au tour de Vincent d'être invité par le père Joseph à rendre hommage à son ami. Nadia l'avait voulu ainsi et il n'avait pu refuser. *Qui d'autre que toi pourrait parler de lui ?*

Il monta lentement vers le petit pupitre qui faisait face à l'assemblée, s'apercevant d'un seul coup que l'église était bondée. Il resta quelques secondes tétanisé devant le micro, les yeux rivés sur le cercueil.

Véritable torture, moment dont l'horreur le poursuivrait longtemps.

Tant de choses à dire. Pourtant, il lui était si difficile de parler.

Il s'éclaircit la voix, dans un silence de plomb.

L'impression d'une mascarade. D'une terrifiante mascarade…

Pourtant, il se lança, imaginant qu'il parlait à son ami. Imaginant que Pierre l'entendait. Qu'il était le seul à l'entendre.

— Pierre, tu n'aimais pas qu'on parle de toi… Tu étais modeste. Tu étais… le meilleur ami que l'on puisse espérer… Et j'ai eu le privilège d'être ton ami. Et même plus que ça. Tu vas manquer à tellement d'entre nous… Tu vas tellement me manquer… Je… Je n'ai pas l'habitude des discours mais je voudrais trouver les mots pour… pour toi. Honorer ton courage, ton honnêteté… Ton engagement, ton dévouement pour une cause juste, magnifique… Mais aussi et surtout, ta gentillesse, tout l'amour et toute l'amitié que tu as su donner à ceux qui avaient la chance de vivre à tes côtés. Je… Je sais que ta disparition va nous faire mal longtemps… très longtemps. Toujours, en fait. Mais je sais aussi que tu es parti comme tu le souhaitais. Tu es mort dans les bras de la montagne, comme nous en rêvons tous…

Il s'arrêta de parler, étranglé par l'émotion. Il chercha les yeux de Nadia pour y puiser du courage. Mais n'y vit que des larmes.

— Et aujourd'hui, la montagne pleure…

*
* *

Tournant le dos à l'Ancolie, Vincent était assis face au vide, en tête à tête avec le brouillard épais qui tapissait la vallée.

Ce soir, la montagne pleurait encore.

Galilée était couché près de lui, le museau posé sur sa jambe, compagnon silencieux, fidèle et compréhensif. Vincent caressait son pelage rêche d'un geste instinctif, rassuré par cette chaleur animale.

Car il avait peur. Tellement peur...

Peur de la solitude que lui infligeait la mort de Pierre.

Seul face à lui-même, seul face au visage de Myriam.

Deux chocs violents, coup sur coup.

Le premier lui avait fait plier un genou. Maintenant, il était à terre.

Il avait soudain envie de les suivre. Monter en haut d'un sommet, se jeter dans le vide. Ce vide qui le cernait. Qui l'avait toujours attiré.

Brusquement, Galilée dressa les oreilles puis remua la queue.

— Bonsoir, Vincent...

Il ne se retourna même pas.

— Je peux m'asseoir ? demanda la voix.

Il ne répondit même pas.

Alors Servane se posa discrètement à un mètre de lui.

— Vous voulez que je m'en aille ?

Il répondit par un signe négatif de la tête mais continua à fixer le néant.

— Je... Il faut que je vous parle, reprit la jeune femme. Tout à l'heure, à l'église...

— Pas maintenant.

— Mais c'est...

— S'il vous plaît, Servane, taisez-vous.

Elle scruta son visage, tenta d'accrocher ses yeux. Mais il était hypnotisé par la vallée.

— Regardez, ordonna-t-il.

Elle obéit et, au-delà des nuages, devina le soleil qui trébuchait sur les cimes.

Un crépuscule différent de tous les autres.

— C'est tout ce que j'ai, ajouta-t-il. Tout ce qu'il me reste...

Émotions inédites.

Elle était bien au milieu de son univers. Et même au milieu de sa peine.

— Alors il vous reste beaucoup, dit-elle enfin.

12

— Je ne savais pas que Pierre était conseiller municipal, dit Servane en mordant dans sa tartine de pain.

— Vous ne le connaissiez pas, rétorqua Vincent.

Encore une de ses réponses logiques !

La veille, elle était restée tard, reculant l'instant où elle devrait l'abandonner aux affres de la solitude. À moins que ce ne soit sa propre solitude qu'elle redoutait.

Lorsque enfin elle s'était décidée, sa voiture n'avait pas redémarré. Batterie à plat. Vincent l'avait mise en charge toute la nuit, mais avait refusé de raccompagner Servane jusqu'à Colmars. La jeune femme avait donc passé sa seconde nuit à l'Ancolie. Mais cette fois, dans la chambre du deuxième, avec le confort d'un vrai lit.

Et ce matin, Vincent avait bien voulu écouter ce qu'elle avait à lui apprendre : la violente dispute entre Pierre et le maire de Colmars.

— Elle est délicieuse, cette confiture ! C'est vous qui l'avez faite ?

— Non, c'est Nadia…

À la simple évocation de ce prénom, un courant d'air froid balaya la pièce.

— Pourquoi Pierre et le maire ont-ils failli se battre, la semaine dernière ? reprit Servane.

— Je n'en sais rien, avoua Lapaz.

— Vous pensez que ça peut avoir un rapport avec sa mort ?

— Non, je ne crois pas. Ils n'ont jamais pu se supporter mais de là à… Ils ont dû avoir un différend sur une affaire municipale et régler leurs comptes à la sortie.

Servane finit son café, jeta un œil à sa montre.

— Vous ne bossez pas, ce matin ? demanda-t-il.

— Si, je vais y aller… Mais j'ai encore quelque chose à vous dire. Hier, à l'enterrement, j'ai fait la connaissance de Ghislaine, la femme de Julien Mansoni.

— Et alors ?

— Alors… C'est un peu délicat… En fait, j'avais déjà vu cette femme à Saint-André.

— Normal, elle bosse là-bas !

— Oui, mais… Elle n'était pas seule…

— Qu'est-ce que vous essayez de me dire ? s'agaça Vincent.

— Elle était avec Pierre. Ils étaient ensemble, tous les deux.

Il resta stupéfait par cette annonce. Il avait dû mal comprendre. Mal entendre.

— *Ensemble ?* Ensemble comment ?

— Ensemble. C'était sans équivoque. Amants, quoi.

Le guide resta silencieux quelques secondes, visiblement abasourdi.

— Vous êtes sûre de vous ?

— Absolument certaine. Je ne connaissais pas sa femme, à l'époque. J'ai cru que c'était elle. Que c'était Nadia, je veux dire. Mais c'était bien Ghislaine Mansoni. Aucun doute. Et ils étaient bien amants. Aucun doute là non plus… J'ai comme l'impression que vous ne le saviez pas.

— Non, je ne le savais pas. Je dois dire que je tombe de haut… Je croyais que Pierre… Que Pierre me disait tout.

— Il y a des choses qu'on ne dit pas, même à son meilleur ami… Surtout pas à son meilleur ami, d'ailleurs ! D'autant que j'ai cru comprendre que vous êtes assez proche de Nadia…

— Elle est la femme de mon meilleur pote, c'est normal, non ?

— Oui, bien sûr. C'est peut-être pour ça que Pierre n'a jamais osé vous dire que lui et Ghislaine…

— Sans doute.

— Il faut que je me sauve, dit-elle en se levant. Je vais me faire engueuler par le chef !

— Merci d'être venue.

Ils se dirigèrent vers la porte et Servane se pencha pour caresser Galilée qui faisait de son mieux pour la retenir.

— Vous croyez que Julien Mansoni était au courant pour Pierre et sa femme ?

— Oh non ! affirma Vincent avec un sourire amer. Certainement pas !

— Et s'il l'avait appris récemment ?

— Vous êtes en train de me dire que vous soupçonnez Julien ?

— Vous savez, un mari jaloux qui tue son rival, c'est un grand classique…

Vincent secoua la tête, incapable d'imaginer une chose pareille.

— Il faudrait peut-être une enquête plus poussée, suggéra la jeune femme. Avec toutes ces informations, la piste des braconniers n'est plus la seule plausible... À condition qu'on reste sur la théorie du meurtre, bien entendu.

— Ne parlez pas de ça à Vertoli, pria Vincent. Je ne veux pas que cette histoire fasse le tour de la vallée... Ça serait une catastrophe pour Nadia et pour Julien, aussi. Pierre n'aurait jamais voulu ça.

Servane réfléchit un instant et lui adressa un sourire rassurant.

— D'accord. Je laisse le chef se concentrer sur les braconniers. À nous de suivre les autres pistes...

— Vous voulez mener une enquête parallèle ?

— Pourquoi pas ?

— Vous connaissiez à peine Pierre... Alors pourquoi faites-vous cela ?

— C'est mon boulot, non ?

Il acquiesça d'un hochement de tête.

— Je vous appellerai ! lança-t-elle.

La Mazda disparut dans les premiers rayons d'un soleil légèrement voilé. Vincent demeura un moment sur le pas de la porte, encore choqué par ce qu'il venait d'apprendre. Puis il retourna à l'intérieur, de nouveau seul face à ces interrogations, ses doutes.

Mais non, il n'était plus vraiment seul. Il y avait une jeune femme au visage pâle et aux yeux bleus qu'il avait du mal à cerner mais qui déjà lui manquait.

*
* *

Ce fut Adrien qui ouvrit ; visage poupon qui avait perdu quelque chose de son insouciance.

— Salut, bonhomme ! dit Vincent en le prenant dans ses bras. Maman est là ?

— Dans la cuisine...

Le guide déposa Adrien et avança dans l'étroit couloir. Nadia était en train de préparer le dîner, une agréable odeur de poulet rôti envahissait la maison. Elle essuya ses mains sur le tablier noué autour de sa taille, se forçant à sourire à son visiteur.

— Bonsoir, Vincent... C'est gentil de passer.

— Je t'en prie... C'est normal.

Puis Nadia se tourna vers son fils.

— Adrien, va jouer dans le jardin, si tu veux. Je t'appellerai pour le dîner... D'accord ?

Le gosse attrapa son blouson et s'enfuit à la vitesse de l'éclair.

— Et Émeline ? s'enquit Vincent. Elle a repris l'école ?

— Pas encore. Elle reprendra lundi. Elle est dans sa chambre. Je vais l'appeler...

— Laisse. Je monterai la voir tout à l'heure.

— Tu dînes avec nous ? Ça ferait plaisir aux enfants...

— D'accord... Un coup de main ?

— Non, ça va... Sers-toi un verre.

Vincent s'assit sur une vieille chaise en bois et observa Nadia qui s'affairait devant les fourneaux.

Visage fatigué, cernes noirs. Rides sur le front.

Elle alluma une clope, s'appuya au plan de travail, à côté de la fenêtre entrouverte par laquelle elle pouvait surveiller son fils.

— Tu tiens le choc ? questionna Vincent.

— J'ai pas le choix. Ils n'ont plus que moi, maintenant. Évidemment.

— Tu sais que tu peux compter sur moi. Si tu as besoin de quoi que ce soit…

— Je sais, Vincent. Je sais… Ce sont les enfants qui risquent d'avoir besoin de toi. Tu pourrais… Enfin, ta présence peut les aider à affronter l'absence de Pierre… Ils t'aiment beaucoup et puis ils vont avoir besoin d'un homme…

Elle éclata soudain en sanglots, le cœur de Vincent s'ouvrit en deux. Il hésita un instant puis s'approcha d'elle. D'un geste délicat, il caressa ses cheveux avant de la prendre dans ses bras.

— Excuse-moi !

— Tu n'as pas à t'excuser, Nadia. Pleure, ça fait du bien… Pleure…

Elle laissa exploser son chagrin, soulagée de trouver des bras protecteurs, de pouvoir s'abandonner à sa peine. Il lui fallut longtemps pour reprendre pied et Vincent sécha ses larmes en effleurant doucement son visage.

Ils étaient tellement émus, tellement proches.

— Je vais mettre la table, dit-elle. Tu veux aller voir Émeline ?

— J'y vais.

Il monta lentement l'escalier en bois, récupérant des forces avant d'affronter une nouvelle douleur. D'encaisser un nouveau chagrin. Il était venu pour ça, après tout.

Il trouva porte close, s'annonça et patienta sagement dans le couloir. Il entendit un bruit de tiroir, devina qu'elle cachait quelque chose. Émeline venait de sécher ses larmes, ses yeux rougis en témoignaient. Vincent l'embrassa affectueusement.

— Comment ça va, ma puce ? Je peux entrer ?

— Oui, bien sûr…

Il pénétra dans l'univers privé de la jeune fille où régnait un désordre inhabituel. Comme si quelqu'un avait fouillé la chambre de fond en comble.

— J'ai pas eu le temps de ranger, s'excusa-t-elle avant de s'asseoir sur le lit.

— Sans importance !

Il prit place à côté d'elle, attrapa un roman jeté sur l'oreiller. *L'Enfant et la Rivière* d'Henri Bosco.

— Je l'ai lu quand j'étais petit ! se remémora-t-il avec un sourire forcé.

Tout était forcé, depuis que Pierre était parti. Les sourires, les paroles et tout le reste.

— Ça t'avait plu ? bavarda la gamine.

— Oui… Et toi ?

— Bof… On le lit pour l'école.

L'école. Celle qui revêtait tant d'importance la semaine d'avant. Et qui n'était plus qu'un détail dans cette vie brisée.

Émeline ne bougeait plus, fixant ses pieds nus qui se balançaient dans le vide. Vincent passa son bras autour de ses épaules et l'attira contre lui. Bien sûr, elle se mit à pleurer doucement, sans bruit. Comme si elle avait attendu le signal. Celui qui permettait de se laisser aller.

— C'est ma faute ! dit-elle soudain en crispant ses mains sur le rebord du lit.

— Quoi ? Qu'est-ce qui est ta faute ?

— Papa… Il est mort à cause de moi !

Vincent tressaillit. Il ne s'attendait pas à cela.

177

— Mais qu'est-ce que tu racontes ? demanda-t-il en resserrant son étreinte. C'est faux, ma chérie ! Tu n'y es pour rien ! Pourquoi dis-tu une chose pareille ?

— Parce que je le sais !

Manquait plus que ça, songea le guide.

Il devait la faire parler, elle devait se libérer.

— Explique-moi…

— Il est pas tombé, révéla-t-elle d'une voix tordue de douleur. Il s'est suicidé… Il a voulu mourir… !

— Mais non, enfin !

— Je sais qu'il n'a pas pu tomber… C'est pas un accident.

Là-dessus, ils étaient d'accord, mais Vincent n'avait pas l'intention de révéler ses soupçons à la jeune fille.

— Pourquoi veux-tu qu'il se soit suicidé ? continua-t-il.

Elle se mit à sangloter plus fort, ébranlée par de violents spasmes.

— C'est à cause de moi ! J'aurais pas dû lui dire que je savais !

Vincent avait du mal à suivre le raisonnement d'Émeline et il la repoussa doucement pour capter son regard. Il s'accroupit devant elle, serra ses mains dans les siennes.

— Émeline, je veux que tu m'expliques, dit-il à voix basse. Tu sais que tu peux tout me dire, n'est-ce pas ?

— Faudra pas en parler à maman, hein ?

— D'accord, ma puce. C'est promis.

— Tu jures ?

— Je te le jure, Émeline. Ça restera entre toi et moi.

Elle sembla rassurée mais les mots ne venaient toujours pas. Quel terrible secret était enfoui dans cette âme en souffrance ?

— Alors, que s'est-il passé avec ton père ?

— Je les ai vus…

Vincent ne comprit pas immédiatement le sens de ce message codé. Et subitement, les mots de Servane lui revinrent à l'esprit.

Pourvu que ce ne soit pas ça !

— Qui tu as vu ?

— Papa et…

Elle ferma les yeux, une grosse larme s'échoua sur sa joue.

— Et Ghis…

— Ghislaine ? murmura Vincent.

Elle hocha la tête et cette fois, ce fut Vincent qui ferma les yeux. Il en voulait tellement à Pierre, en cet instant. Il aurait presque pu le haïr.

— Comment tu as pu les voir ?

— Tu savais pour eux ?

Elle devenait agressive.

— Je l'ai su ce matin, révéla-t-il.

— Ce matin ?

— Oui. Mais je te jure que je ne le savais pas avant… Pierre ne m'a jamais rien dit…

Elle sembla soulagée d'apprendre que lui n'était pas un traître.

— Quand les as-tu vus ?

— Il y a quinze jours, expliqua-t-elle. C'était un mercredi matin… J'aurais dû être au collège, mais j'étais dans la navette qui remontait d'Annot. Mes profs étaient tous absents, on n'avait quasiment pas cours de la journée. Alors j'ai appelé maman et elle a bien voulu que je rentre à la maison… J'étais dans le bus et je suis descendue à Saint-André parce que je voulais acheter un petit cadeau à maman… C'était la

179

veille de son anniversaire ! Je suis allée sur le marché, j'ai acheté le cadeau... Et puis ensuite, j'ai voulu reprendre le bus mais il fallait attendre presque une heure pour le suivant... Alors j'ai fait un tour dans le village. En passant derrière l'école, j'ai vu la voiture de papa, garée à côté de celle de Ghislaine. Au début, j'ai pas compris... Mais juste après, je les ai vus sortir de l'immeuble et... ils se sont embrassés...

Elle baissa la tête et Vincent caressa son visage pour l'encourager à poursuivre sa confession.

— Qu'est-ce que tu as fait, après ?

— J'ai rien dit, d'abord... Le soir, papa a vu que j'étais énervée contre lui, il est venu me voir dans la chambre... Mais j'ai rien dit...

— Ensuite ?

— C'était vendredi dernier... J'étais pas en cours parce que j'avais l'angine. C'était le matin et maman était partie pour emmener Adrien à l'école... Papa m'a engueulée parce que je lui avais mal répondu... Alors je lui ai dit que je savais pour lui et Ghislaine et que j'allais tout dire à maman !

Nouveaux sanglots. Vincent laissa passer la bourrasque.

— Que s'est-il passé après ? Qu'est-ce qu'il t'a dit ?

— Il m'a dit que cette histoire était terminée, mais j'ai cru qu'il me mentait encore ! Il m'a dit aussi que si je parlais, il serait obligé de quitter la maison, que maman demanderait le divorce !

— Vous avez pu en discuter tous les deux ?

— J'étais trop en colère ! Je voulais plus lui parler ! Il m'a seulement dit que si je révélais ce que je savais à maman, tout serait fini... Ensuite, il est parti travailler. Et il est jamais rentré... Je suis sûre qu'il est

mort parce qu'il pensait que j'avais parlé à maman...
Mais j'ai rien dit ! Et maintenant, il est mort !

— Calme-toi, ma puce. Il ne s'est pas suicidé, j'en
suis sûr... Tu sais, il a commis une erreur mais il était
courageux et il ne vous aurait pas laissés tomber
comme ça... Il serait rentré et aurait affronté ses responsabilités... C'est un accident, Émeline. Un terrible
accident... Et tu ne dois surtout pas te sentir coupable
de quoi que ce soit... D'accord ?

La jeune fille ne semblait pas convaincue par ces
arguments. Sur son visage torturé, s'étalaient les traces
de la culpabilité qui venait s'ajouter au profond chagrin, déjà si lourd à porter. Vincent imagina ce qu'elle
avait dû endurer depuis la mort de Pierre, et même les
jours d'avant. Et il fut heureux qu'elle se soit enfin
confiée.

— Je connaissais très bien ton père, fit-il. Je suis certain qu'il ne s'est pas suicidé. C'est une coïncidence,
ma chérie. Une horrible coïncidence... Ce n'est pas ta
faute, je le sais... Ta mère et ton frère vont avoir
besoin de toi pour surmonter cette épreuve et il faut
que tu sois forte, maintenant. Dis-toi que malgré ce
qu'il a fait, ton père vous aimait tous énormément. Plus
que tout... Il me l'a dit si souvent... Vous étiez ce qui
comptait le plus pour lui.

— Alors pourquoi il était avec la femme de Julien ?

Difficile de répondre à cette question. Elle était un
peu jeune pour comprendre les méandres tortueux de la
nature humaine. Elle devait continuer à croire en
l'amour éternel et parfait. À ces contes de fées qu'elle
lisait encore en cachette.

— Tu sais, je suis certain qu'il n'aimait que ta
mère...

— Ah oui ? Pourquoi il couchait avec Ghis, alors ? répliqua Émeline avec rage.

De plus en plus dur de trouver une réponse. Vincent s'assit à côté d'elle, cherchant les mots appropriés.

— C'était… une aventure sans lendemain. Il avait peut-être besoin de se prouver des choses… Besoin de prendre des risques.

Visiblement, elle ne comprenait pas.

— On en reparlera, si tu veux… Mais il faut que tu sois sûre que tu n'es pour rien dans ce qui est arrivé à ton père. C'est ça, le plus important. Et que tu continues à l'aimer malgré tout… Malgré ce que tu sais.

Des pas résonnèrent dans le couloir, Émeline sécha précipitamment ses larmes. Nadia frappa avant d'entrer et annonça que le dîner était prêt.

— On arrive, dit Vincent en souriant. On arrive…

13

Vincent vérifia une dernière fois le contenu de son sac à dos et le chargea à l'arrière du pick-up. Puis il grimpa au volant tandis que Galilée l'implorait en silence. L'expression *regard de chien battu* prenait ici toute sa dimension...

— Non, tu restes ici !

Le berger se posa sur son arrière-train et cessa de remuer la queue. Dépité.

Le 4×4 s'engagea sur la piste, soulevant un épais cumulus de poussière. La journée s'annonçait belle, le ciel arborait ses parures d'été. De quoi ravir les premiers touristes. Vincent alluma la radio et tomba sur un vieux tube des années quatre-vingt. Une des chansons préférées de Laure. Il l'écouta quelques instants avant de changer de station d'un geste nerveux.

Arrivé en bas de la piste, il croisa le facteur et baissa la vitre.

— Salut ! lança le postier. Je te file ton courrier ?

— Donne ! Ça t'évitera de monter...

Trois enveloppes : jolie récolte.

— Voilà ! C'est tout pour aujourd'hui...

Vincent jeta les lettres sur le siège passager et continua sa route en direction d'Allos où il avait rendez-vous avec un groupe de clients pour sa première randonnée. Aujourd'hui, il entamait véritablement la saison et avait prévu d'emmener ses randonneurs en plein cœur du Parc. Au menu, le Grand Cheval de Bois, un 2 000 qui servait de frontière naturelle entre la vallée du Haut-Verdon et celle de l'Ubaye. Il arriva en avance, passa par la boulangerie pour acheter du pain et un croissant qu'il attaqua avant même de passer la porte. Puis il se rendit à l'office du tourisme où il eut la mauvaise surprise de tomber nez à nez avec la directrice. Il avait espéré qu'elle n'y serait pas. À croire qu'elle l'attendait.

— Salut, Michèle.

Elle ne prit pas la peine de répondre à son bonjour et enchaîna d'un ton sec :

— Tu as cinq clients inscrits pour aujourd'hui : deux couples et une personne seule… Ils t'attendent à 9 heures devant le bureau.

— Je sais, répondit Vincent. Comment ça se fait que tu es là ?

— C'est moi la directrice, tu t'en souviens pas ?

— Si… Mais tu es à Colmars d'habitude.

— Sylvie est malade, alors je la remplace ici. On manque un peu de personnel, cette saison. T'es pas au courant ?

Coup bas, bien en dessous de la ceinture ; de quoi démarrer agréablement la journée.

— Écoute, Michèle… Je sais que tu me tiens pour responsable de ce qui est arrivé à Myriam mais…

— Tiens ! Tu te rappelles son prénom ? C'est étonnant ! D'habitude tu oublies même les prénoms…

— Arrête, je t'en prie… Je n'ai jamais voulu ça.

— C'est sûr ! Tu aurais préféré qu'elle souffre en silence, comme les autres ! Manque de bol, elle s'est foutue en l'air !

— C'est pas ma faute…

Michèle le fixa intensément, regard noir débordant de colère.

— Tu n'as pas assez de courage pour assumer tes responsabilités ? T'es vraiment qu'un pauvre type !

Vincent jeta l'éponge et quitta le bureau sans attendre la suite du combat. Il remonta dans sa voiture, fila un coup de poing sur le volant. La saison s'annonçait difficile.

Pour patienter, il passa en revue son courrier : facture de téléphone, relevé de compte et une enveloppe blanche où son nom et son adresse étaient dactylographiés. Il laissa la paperasse de côté pour ouvrir la mystérieuse missive.

La photocopie d'un plan cadastral de la commune de Colmars.

Sur le plan, deux parcelles de terrain étaient cochées au feutre rouge. Pas un mot, pas une indication : seulement deux lots désignés en rouge. Vincent reprit l'enveloppe en main pour en vérifier l'oblitération : postée à Thorame-Haute, village situé à une vingtaine de kilomètres d'Allos.

— Qu'est-ce que c'est que ce truc ? marmonna-t-il.

Il étudia à nouveau le plan, essayant de situer les deux terrains en question. Le premier était sur les hauteurs de Colmars, juste au-dessus du fort de Savoie. Le deuxième plus bas, près du Verdon. Il remit le plan dans l'enveloppe car ses premiers clients arrivaient. Un jeune couple BCBG aux parfaites allures d'estivants. Il descendit pour les saluer.

— Bonjour, je suis Vincent Lapaz, le guide…

Ils firent les présentations : M. et Mme Machin Chose de Nice. Lui était grand, maigrichon, blafard ; son épouse était plutôt jolie mais ressemblait à une extraterrestre… Déracinée de son biotope urbain, équipée comme si elle s'apprêtait à vaincre l'Everest ! À eux deux, les Machin Chose exhibaient au moins cinq cents euros de fringues et de matériel.

De la confiture donnée à des cochons, songea Vincent.

— Les autres ne vont pas tarder, annonça-t-il.

— Nous partons d'ici ? questionna le type.

— Non, nous prenons d'abord la voiture pour monter jusqu'au col d'Allos, au-dessus de la station de La Foux. Le départ se fait là-haut…

— Il y a combien d'heures de marche ? s'inquiéta son épouse.

— Ça dépend du rythme que prendra le groupe, madame. Disons entre cinq et six heures, sans compter les pauses…

À cet instant, le deuxième couple se présenta devant l'office du tourisme. Ils étaient plus âgés que les premiers et surtout, semblaient beaucoup moins snobs. À en juger par leur accent, ils arrivaient de Marseille.

— Il manque encore quelqu'un, dit Vincent en consultant sa montre. Il est moins cinq, il ne devrait plus tarder…

En réponse à ces attentes, il vit Servane s'avancer vers le groupe.

— C'est vous qui vous êtes inscrite pour la sortie ? s'étonna-t-il.

— Je vous avais dit que je viendrais quand ce serait cent balles ! répondit-elle avec un large sourire.

Elle serra la main aux autres randonneurs et, une fois les civilités terminées, Vincent organisa la montée vers la station. Servane profita du pick-up tandis que les Marseillais faisaient du covoiturage avec les BCBG. Une somptueuse berline.

— Ils n'ont pas l'air très sympas, ces deux-là ! fit Servane en allumant une cigarette.

— Vous ne devriez pas fumer maintenant, conseilla Vincent. Vous allez encore souffrir dans la montée…

— J'ai fait des progrès, annonça-t-elle fièrement. Vous verrez !

— Vous vous êtes entraînée ?

— Oui, quand j'ai un moment de liberté, je vais marcher en montagne. Et puis je fais pas mal de sport avec mes collègues et j'ai même repris le footing !

— Le footing ? Je suis très impressionné !

— Vous ne pourriez pas arrêter de vous foutre de moi ? répliqua-t-elle d'un air vexé. Est-ce que vous méprisez tous ceux qui ne sont pas à votre niveau ?

— Vous pensez que je vous méprise, Servane ? Si c'était le cas, vous n'auriez pas dormi chez moi à deux reprises… Je vous taquine, c'est tout… Ne soyez pas si susceptible.

Elle se renfrogna puis écrasa sa cigarette dans le cendrier vide.

— J'ai vu Vertoli hier, ajouta-t-elle. Pour les braconniers, il veut laisser tomber…

Vincent crispa ses mains sur le volant.

— Ça ne m'étonne pas de ce gros con !

— C'est pas un gros con ! rectifia Servane. Il avait mis deux gars sur cette enquête et ça fait quinze jours qu'ils cherchent. Ils ont fait des relevés sur place, ont interrogé pas mal de monde, ici et dans d'autres vallées... Ils sont même descendus jusqu'à Nice pour essayer d'avoir des infos. Mais il faut se rendre à l'évidence, on ne mettra pas la main sur eux facilement...

— J'ai jamais dit que ce serait facile ! s'emporta Vincent. Faudrait peut-être s'accrocher un peu !

— De toute façon, le dossier n'est pas clos... On attend simplement d'autres indices qui pourraient relancer l'enquête.

— Je suis sûr que Vertoli ne tardera pas à refermer ce dossier. Je prends les paris qu'il va l'archiver dans peu de temps !

— Vous êtes injuste, Vincent ! L'adjudant fait bien son boulot et gère au mieux les effectifs disponibles... Et puis on a si peu d'éléments... Plus j'y pense, plus je me dis que Pierre a très bien pu tomber.

— Regardez dans la boîte à gants, ordonna sèchement le guide.

— Quoi ?

— Prenez l'enveloppe dans la boîte à gants...

— La facture de téléphone ?

— Mais non ! L'autre... Une lettre anonyme reçue ce matin même.

Servane découvrit la photocopie.

— Qu'est-ce que c'est que ça ?

— Visiblement, c'est une copie du cadastre avec deux terrains désignés en rouge... Au début, j'ai cru que c'était une erreur de destinataire, mais je suis maintenant certain que quelqu'un a voulu m'envoyer un message.

— Ce sont deux terrains situés sur la commune de Colmars... À qui appartiennent-ils ?

— Comment voulez-vous que je le sache ? Faut que j'aille consulter le cadastre pour le découvrir !

— Ça a été posté dans la vallée, constata Servane. Et l'enveloppe a été remplie à la machine à écrire… C'est vrai que c'est assez bizarre. Vous pensez que ça peut avoir un lien avec Pierre ?

— Avouez que c'est troublant ! J'irai voir ça dès demain…

— Tenez-moi au courant.

Il la regarda en souriant.

— Bien sûr, brigadier Breitenbach ! Je n'y manquerai pas !

— Ça vous agace que je sois venue aujourd'hui ?

— Pas du tout… Qu'est-ce qui vous fait croire ça ?

— Votre attitude !

— Vous savez bien que j'ai un sale caractère ! Et puis c'est vrai que vous me tapez parfois sur les nerfs !

— Eh bien, si vous voulez tout savoir, c'est réciproque !

— Alors pourquoi vous êtes là ?

— Parce que je veux progresser et que vous êtes le seul guide dans cette vallée…

— Eh oui, le seul, l'unique !

Ils traversèrent la station de La Foux d'Allos où les touristes étaient encore assez peu nombreux en ce dixième jour du mois de juillet. Le gros des troupes attendrait le 14 pour débarquer. Vincent vérifia dans son rétroviseur que la voiture des Niçois suivait bien et s'engagea sur la route sinueuse du col d'Allos. Servane ne parlait plus, obnubilée par les paysages qui défilaient. À moins qu'il ne l'ait froissée ou qu'elle ait le vertige sur cette départementale à flanc de montagne. Il ne chercha pas à connaître la raison de ce silence et leva le pied car il avait semé ses clients. Quelques minutes plus tard, la route cessa de grimper.

— Voilà, on est arrivés ! dit Vincent en rangeant la voiture sur un parking en terre. Nous sommes au col d'Allos.

En sortant de la voiture, Servane fut accueillie par un vent glacial qui balayait violemment ce paysage lunaire.

— Il gèle ! Et j'ai oublié ma polaire, avoua-t-elle d'un air penaud.

— Je vois que vous êtes effectivement en progrès ! ricana Vincent. Mais heureusement pour vous, j'ai toujours du rab dans mon sac…

M. Machin Chose sortit du coffre de la Mercedes deux magnifiques blousons flambant neufs, tandis que les Marseillais se contentèrent de vieux sweat-shirts molletonnés. Vincent attendit patiemment que tout le monde soit équipé, puis désigna du doigt le sommet qu'ils allaient affronter. Servane sentit soudain ses forces l'abandonner. La tâche semblait difficile. Mais pourquoi ces gens-là y arriveraient-ils et pas elle ?

— Allons-y ! ordonna le guide en passant en tête.

Le petit groupe se mit en marche et Vincent retrouva avec un plaisir non dissimulé son véritable travail, sa vraie passion. Emmener les autres à la découverte de son univers. Être celui que l'on suit les yeux fermés.

Berger des humains, prophète de la montagne.

*
* *

Nadia poussa la porte du bureau de Pierre, s'arrêta un instant sur le seuil, hésitant à aller plus loin. Depuis la mort de son mari, elle n'avait pas mis les pieds dans cette pièce.

Ce sanctuaire.

Enfin, elle s'avança, ouvrit les volets et s'installa dans le fauteuil. Tout ici lui rappelait l'absent : bouquins par dizaines, documents de travail du Parc, photographies. Avant, elle ne venait quasiment jamais ici. C'était l'univers de Pierre, son jardin secret. D'ailleurs, cet endroit semblait encore habité ; comme s'il allait rentrer ce soir. Un livre ouvert traînait juste à côté de l'ordinateur. *Les Rapaces nocturnes d'Europe.* La page étudiée était consacrée au grand-duc. Pierre était si fier qu'un couple soit revenu coloniser la vallée depuis deux ans ! Nadia ne chercha pas à retenir ses larmes. Les coudes posés sur le bureau, le front calé entre ses mains, elle se laissa aller à cette détresse légitime. En perdant Pierre, elle avait perdu le centre de sa vie, la moitié d'elle-même.

Comment survivre à cette monstrueuse déchirure ?

Dans le jardin, les enfants se chamaillaient. Sa raison de vivre, son œuvre. Voilà comment elle tiendrait. Comment elle survivrait à celui qui n'était plus. Ou du moins qu'elle essaierait…

Elle sécha ses larmes et tenta de sourire à leur photo de mariage accrochée au-dessus du bureau.

— T'en fais pas, mon amour… Je prendrai soin d'eux…

Elle décida de ranger un peu la pièce. Elle disposa les livres sur les étagères, dans le bon ordre, comme il l'aurait voulu. Puis rassembla les papiers qui traînaient çà et là en tentant de les classer. Sa tâche terminée, elle redescendit au rez-de-chaussée et jeta un œil dehors. Adrien jouait à la balançoire tandis qu'Émeline s'était attablée sur la terrasse et faisait ses devoirs de vacances. Une élève modèle, une enfant parfaite. Elle allait mieux depuis que Vincent lui avait parlé. Il avait toujours su comment la prendre.

En cherchant son paquet de cigarettes, Nadia posa les yeux sur le portable de Pierre, récupéré sur les lieux du drame. Miraculeusement intact. Sans doute avait-il glissé dans la pente et avait-il été stoppé par un rocher.

Ce putain de portable qui n'avait même pas permis de lui sauver la vie !

La batterie était vide, elle décida de le brancher ; sans trop savoir pourquoi. Elle le mit en marche, consulta la messagerie. Peut-être quelqu'un avait-il cherché à le joindre depuis qu'il n'était plus là ?

Vous avez quatre nouveaux messages – le 15 juin à 14 h 52... Pierre, c'est Ghis ! Je... Je voudrais que tu me rappelles, s'il te plaît... C'est pas possible que ce soit terminé entre nous, je ne peux pas l'accepter... Julien part chez ses parents ce week-end et je me suis dit qu'on pourrait peut-être se voir, pour discuter... S'il te plaît, rappelle-moi vite, mon chéri... Tu me manques. Je t'embrasse.

Nadia avait cessé de respirer.

Non...

Impossible. Inimaginable.

Sa vie venait de s'écrouler, une seconde fois. Machinalement, ses doigts archivèrent le message meurtrier, le téléphone passa au suivant :

Le 15 juin à 16 h 30 : Chéri ? C'est moi ! Je suis devant l'école et je t'attends. Je te rappelle qu'on a rendez-vous avec l'instit d'Adrien ! Dépêche-toi !

Nadia s'était ratatinée sur le sol et s'entendait parler. Parler à ce traître qui avait été son mari. Elle appuya à nouveau sur la touche 2, les yeux hagards.

Le 15 juin à 17 h 30 : Pierre ! J'ai vu l'instit toute seule et je t'attends encore ! Qu'est-ce qui t'arrive ? Rappelle-moi !

Nadia n'écoutait plus ; subissant seulement les coups de boutoir dans sa poitrine.

Fracas assourdissant.

Vendredi 15 juin à 18 heures : Pierre, c'est Baptiste. On n'arrive pas à te joindre à la radio et Nadia m'a dit que tu avais raté le rendez-vous à l'école. Qu'est-ce qui se passe, vieux ? On est inquiets, alors tu nous rappelles...

*
* *

Servane fermait la marche, les jambes lourdes.

Finalement, la descente c'est encore plus éprouvant que la montée !

Devant, Vincent cheminait à côté de la jeune femme BCBG. Elle l'avait accaparé durant toute la randonnée, visiblement sous le charme. Tout ça au nez et à la barbe de son mari.

Elle a peur de rien ! Et l'autre crétin, il est aveugle ou quoi ?

Ils arrivèrent au col d'Allos vers 17 heures alors que le ciel s'était dangereusement couvert. Encore un soir d'orage en perspective. Les randonneurs déposèrent leurs sacs, soufflant un peu. Tout le monde était fatigué, à part Vincent qui semblait aussi frais que le matin.

— Voilà, dit-il. Vous avez vaincu le Grand Cheval de Bois ! Ça vous a plu ?

— Oh oui ! Beaucoup ! répondit Mme Machin Chose. C'était super ! On reviendra, n'est-ce pas, chéri ?

— Bien sûr ! acquiesça le mari. On s'inscrira pour la Grande Séolane ou le Cimet !

— Et vous ? demanda Vincent en se tournant vers le deuxième couple.

— C'était parfait ! répondit l'homme avec son charmant accent marseillais. Merci pour cette journée…

Et moi, il ne me demande pas si ça m'a plu ? songea Servane en vidant le contenu de sa gourde.

Vincent serra la main aux quatre clients et ouvrit les portières du pick-up. Servane s'installa sur le siège passager, ils regardèrent s'éloigner la Mercedes des Niçois.

— *C'était super ! On reviendra, n'est-ce pas, chéri ?* ricana Servane avec une voix haut perchée.

Vincent se contenta de sourire et mit le contact.

— Vous avez passé une bonne journée, monsieur Lapaz ? continua-t-elle d'un ton sarcastique.

— Excellente ! Et vous, brigadier ?

— Géniale ! Je me demande seulement pourquoi ce mec ne vous a pas cassé la gueule, mais à part ça, c'était une super-balade !

— Qu'est-ce qui vous arrive, brigadier ? Vous avez un problème ? contre-attaqua Vincent sans quitter la route des yeux.

— Non, aucun. Et cessez de m'appeler brigadier !

— Oh ! Vous avez l'air très énervée ! Je me trompe ?

194

— Non, je ne suis pas énervée ! riposta Servane. Simplement étonnée de voir que vous avez osé draguer cette nana toute la journée sous les yeux de son mari...

— C'est ça qui vous met dans cet état ? D'abord, c'est elle qui m'a dragué et non l'inverse...

— En tout cas, vous vous êtes laissé faire !

— Pourquoi pas ! Elle est plutôt mignonne, non ?

— Bof, pas terrible...

— Alors là, vous êtes de mauvaise foi, brigadier !

Il extirpa un petit morceau de papier de la poche de son pantalon, le tendit à sa passagère. *Nathalie : 06.20.22.30.15.*

— Ah d'accord ! s'exclama Servane. En plus, vous allez vous la faire !

— Ne soyez pas vulgaire, brigadier ! Ça vous va très mal...

— Arrêtez de m'appeler brigadier !... Et le mari ?

— Quoi, le mari ?

— Vous vous en foutez de lui, n'est-ce pas ?

— Totalement ! avoua-t-il en riant. Il n'a qu'à surveiller sa femme ! Ou lui donner ce qu'elle veut...

Servane leva les yeux au ciel.

— C'est compris dans le prix ?

— Pardon ?

— C'est une prestation comprise dans le prix de la randonnée ou c'est en supplément ? répéta Servane d'un ton cinglant.

— Pourquoi ? Ça vous intéresse ?

Merde ! Elle était dans une situation délicate.

— Pas le moins du monde !

— Vraiment ? Alors pourquoi vous me faites une scène ?

— Une scène, moi ? Vous rêvez ! Je vous dis simplement ce que je pense de votre comportement, c'est tout !

— Mon comportement ne regarde que moi, répondit calmement Vincent. Et je crois que si vous réagissez ainsi, ce n'est pas simplement à cause du mari…

Il la toisa de la tête aux pieds avec un sourire particulièrement odieux.

— Fallait me le dire, Servane… J'aurais peut-être pu faire quelque chose pour vous ! Même si je ne suis pas particulièrement attiré par les femmes en uniforme…

— Arrêtez-vous ! ordonna-t-elle soudain. Arrêtez cette putain de voiture !

— Du calme, brigadier !

— Arrêtez-vous ! hurla-t-elle.

Il braqua le volant et stoppa à l'entrée de la station, au pied d'une remontée mécanique. Il tourna la tête vers Servane. Lance-flammes à la place des yeux.

— Vous êtes vraiment un gros con ! Vous n'avez rien compris !

— Vu votre attitude, je crois au contraire que j'ai tout compris !

— Je n'ai jamais eu envie de coucher avec vous ! Et ça ne risque pas d'arriver ! Vous pensez que toutes les femmes sont à vos pieds ? Vous êtes suffisant, vous êtes méprisant, vous êtes… Vous n'êtes qu'un pauvre type !

Deux fois dans la même journée. Ça devenait dur à encaisser.

Elle bondit hors du 4×4, en claqua violemment la portière.

— Vous comptez redescendre à pied, brigadier ? lança Vincent d'un air détaché.

— Allez vous faire foutre !

Il soupira tandis que Servane récupérait ses affaires dans la benne du Toyota. Puis, d'un pas décidé, elle commença à marcher à gauche de la route. Il fit quelques mètres, s'arrêta à sa hauteur et baissa la vitre.

— Allez, Servane, montez ! Vous êtes ridicule !

— Barrez-vous ! Foutez-moi la paix !

Elle traversa brusquement devant lui et il pila. Puis elle coupa à travers un terrain vague.

— Et puis merde à la fin ! Vous avez qu'à vous débrouiller toute seule !

Il accéléra et quitta la station sans même se retourner.

*
* *

Servane, assise sous l'abribus, attendait patiemment le passage d'une hypothétique navette.

Magnifique début de soirée ! Mal aux pieds, aux jambes, et terriblement soif. Mais sa gourde était vide et elle avait en poche de quoi payer le trajet jusqu'à Allos. Pas plus. Elle avait pensé parcourir les sept kilomètres qui la séparaient du village à pied, mais la pluie qui avait commencé à tomber et ses courbatures l'en avaient dissuadée.

Une colère sourde oscillait dans sa tête et elle pestait en silence contre Vincent.

Mais aussi, pourquoi je me suis mêlée de ce qui ne me regardait pas ? Après tout, il peut bien se taper cette nana, j'm'en fous !

Elle entendit le ronflement d'un moteur, releva les yeux et aperçut le pick-up qui montait vers elle.

Et merde…

Vincent la rejoignit sur le petit banc en plastique, elle tourna la tête de l'autre côté.

— Vous êtes calmée ?

Elle ne répondit pas, fixant obstinément la chaussée détrempée où aucun bus ne semblait vouloir passer.

— Servane, vous m'entendez ?

— Qu'est-ce que vous voulez ?

— Je n'ai pas pour habitude d'abandonner mes clients sur le bord de la route ! Si vous voulez bien vous donner la peine de faire dix mètres à pied, je me ferai un plaisir de vous raccompagner jusqu'à Allos…

— Je préfère attendre le bus.

— Il ne passera pas avant une bonne heure !

— Et alors ? J'ai tout mon temps…

— Moi aussi ! Je peux attendre avec vous ?

Elle tourna enfin la tête et il lui sourit. Son fameux sourire de petit garçon pris en faute.

— Vous ne voulez pas qu'on parle un peu, tous les deux ? suggéra-t-il.

— De quoi ?

— De choses et d'autres… Il y a un bar très sympa à deux pas d'ici.

— J'ai pas de fric…

— Je vous invite ! Vous venez ?

Il prit le sac à dos de la jeune femme, le posa dans sa voiture.

Elle consentit à le suivre, finalement heureuse de ne pas rester sur un malentendu. Ils entrèrent dans le petit café où seules trois tables étaient occupées.

— Bon, honneur aux dames ! fit Vincent d'un air grave. À vous d'ouvrir les hostilités !

Elle sourit enfin et vida son jus de pamplemousse d'un trait.

— Je suis désolée de vous avoir traité de gros con ! avoua-t-elle.

— Vraiment ? Pourtant, vous vous en êtes donnée à cœur joie ! Comment vous dites, déjà ? Mon numéro de *grand méchant séducteur* ? C'est ça ?

— C'est ça, oui ! Remarquez, c'est un numéro dans lequel vous excellez !

Servane commanda un deuxième jus de fruits et alluma une cigarette. Elle en proposa une au guide et, à sa grande surprise, il accepta.

— C'était très bien, aujourd'hui, dit-elle. Vraiment magnifique…

— Servane, j'aimerais qu'on joue franc jeu tous les deux… Je ne sais pas très bien à quoi m'en tenir avec vous. Vous m'avez beaucoup aidé ces derniers temps et je vous en suis reconnaissant. Mais j'aimerais savoir si vous… Enfin, si vous ressentez quelque chose pour moi.

— D'accord, jouons franc jeu : je vous apprécie beaucoup mais c'est tout. Je n'ai aucune autre intention à votre égard.

— Bien… Au moins, c'est clair !

— Ça vous contrarie ?

— Non, pas du tout… À vrai dire, ça me soulage !

— Quelle délicatesse ! souligna-t-elle en riant.

— Pardon, je ne voulais pas vous vexer… Vous êtes charmante, mais pas vraiment mon genre !

— Vous préférez les allumeuses déjà mariées ? demanda-t-elle avec défiance.

— Décidément, depuis ce matin, je n'arrête pas d'en prendre pour mon grade !

— Désolée…

— C'est pas grave ! Vous n'avez pas tout à fait tort… Disons que je recherche des aventures sans lendemain, rien de plus.

— C'est dommage.

— C'est comme ça. À quoi bon construire quelque chose ? À quoi bon s'engager ?

— Vous êtes cynique, Vincent. Mais c'est certainement parce que…

— Stop, ordonna-t-il. Je ne veux pas d'une psychanalyse à deux balles !

— OK, je me tais.

— Et vous ? Vous êtes célibataire ?

La question sembla la mettre mal à l'aise.

— Oui, je n'ai personne en ce moment…

— À la caserne, personne qui vous plaît ?

— Non. De toute façon, je ne veux pas mélanger le boulot et les sentiments ! C'est le meilleur moyen d'attirer les emmerdes…

— Voilà qui est sage !

Vincent régla les consommations et ils quittèrent le bar sous une pluie désormais battante. Ils coururent jusqu'au pick-up et s'engouffrèrent à l'intérieur.

— Quel temps de merde ! constata Servane.

— Vous n'aimez pas la pluie ? Moi j'adore ça ! dit Vincent en démarrant.

Servane attrapa la lettre anonyme rangée dans la boîte à gants.

— J'ai hâte de savoir à qui ces deux terrains appartiennent ! dit-elle.

— Je m'en occuperai demain. Et je vous appelle dès que j'ai l'info…

— C'est parce que vous avez besoin de moi pour l'enquête que vous êtes revenu me chercher ? insinua-t-elle d'un air malicieux.

— Évidemment ! Vous savez bien que je ne suis qu'un sale opportuniste !

L'ambiance était presque détendue maintenant. Ils rejoignirent rapidement l'office du tourisme d'Allos qui venait juste de fermer ses portes.

— Voilà, madame est arrivée !

— Mademoiselle, rectifia Servane. Merci pour la balade !

— De rien. Et puis vous aviez payé ! D'ailleurs, la prochaine fois, venez sans vous inscrire... Vous serez la bienvenue.

— Merci, c'est sympa...

Elle ouvrit la portière mais se tourna à nouveau vers lui.

— Au fait, ajouta-t-elle, Vertoli vous a dit pour l'incident du bar... ?

— Oui, acquiesça Vincent.

— Je suis étonnée qu'Hervé Lavessières ne porte pas plainte contre vous, avoua-t-elle.

— Pas moi. Vous savez, la mentalité ici est un peu particulière...

— Ce qui signifie... ?

— Qu'il me réserve un chien de sa chienne, comme on dit !

— Il va se venger ? s'inquiéta la jeune femme.

— Sans doute... Disons que s'il peut me foutre son poing dans la gueule, il le fera à la première occasion !

— J'espère que non... Bon, j'y vais. Vous m'appelez, hein ?

— Promis. Mes hommages à Vertoli !

— Je n'y manquerai pas ! À bientôt !

Elle s'éloigna en direction de sa voiture, Vincent reprit le chemin de l'Ancolie. Il n'appellerait pas cette Nathalie, ce soir. Il ne l'appellerait certainement jamais, de toute façon. Mais peut-être reprendrait-elle contact avec lui.

Sans importance.

Cette nuit, elle tromperait son mari. Et même si ce n'était qu'en rêve, cela avait quelque chose d'excitant. De rassurant, même.

En arrivant à l'Ancolie, il eut la surprise de trouver Nadia assise devant le chalet, à peine abritée de la pluie.

— Bonsoir, Nadia… Qu'est-ce que tu fais là ?

Elle ne répondit pas, lèvres tremblantes, visage ravagé. Il l'aida à se relever en la prenant par la main.

— Viens te mettre au chaud, dit-il en ouvrant la porte. Viens…

À l'intérieur, il la débarrassa de son blouson trempé.

— Tu veux un thé ou un café ? proposa-t-il.

Elle secoua la tête, visiblement incapable de parler.

— Qu'est-ce que tu as, Nadia ?

— Tu savais pour Pierre et…

Elle n'arrivait pas encore à le dire. Trop de colère et de douleur dans cette phrase. Quant à Vincent, il s'était pétrifié en face d'elle.

— Tu savais, n'est-ce pas ? répéta-t-elle avec violence. Tu savais que cette salope de Ghis baisait avec Pierre ? Tu le savais, hein ?

— Non, Nadia. Je… Je l'ai appris il y a quelques jours.

— Te fous pas de ma gueule ! Forcément que tu le savais !

202

— Je t'en prie, Nadia, calme-toi ! implora-t-il en essayant de la prendre dans ses bras.

Elle le repoussa brutalement, commença à faire les cent pas autour de la table du salon.

— Quels salauds ! Vous vous êtes bien foutus de ma gueule, hein ? L'épouse modèle ! La femme dévouée et crédule !

— Arrête, Nadia... Je ne savais pas, je te le jure... Je l'ai appris alors que Pierre était déjà mort. C'est Servane qui me l'a révélé.

— Servane ?

— La fille de la gendarmerie. Elle a vu Pierre et Ghislaine à Saint-André et elle est venue se confier à moi.

— Et je peux savoir pourquoi tu ne m'as rien dit ?

— Parce que je ne voulais pas te blesser davantage. Tu souffrais déjà tellement... J'ai pensé qu'il était inutile d'en rajouter.

Nadia cessa enfin de tourner en rond pour s'effondrer sur le canapé. Vincent s'assit à côté d'elle. Quelques secondes plus tard, il l'attira contre lui et elle se laissa faire.

— Pourquoi il m'a fait ça ? gémit-elle. Pourquoi ?

— Je ne sais pas, avoua Vincent. Il ne m'en a jamais parlé... Et toi, comment tu l'as appris ?

— En écoutant les messages sur son portable... Ghislaine en a laissé un le jour où il est mort... Elle... Elle lui proposait une rencontre durant le week-end parce que Julien partait voir sa mère... Apparemment, Pierre venait de la plaquer, elle voulait essayer de... Elle voulait renouer avec lui... Quelle pourriture ! Et dire qu'elle venait passer des après-midi entières à la maison ! Je vais lui arracher les yeux ! Je vais la crever !

— Calme-toi, Nadia... Je comprends ce que tu ressens...

— Non, tu peux pas comprendre !

— Si, je peux... Je te rappelle que ma femme s'est tirée avec un autre mec.

— C'est vrai... Pardonne-moi, Vincent.

— Tu sais, je crois que Pierre t'aimait plus que tout... Cette histoire avec Ghislaine n'était certainement qu'une aventure sans lendemain... La preuve, tu dis toi-même qu'il venait de rompre.

— Je ne sais pas, Vincent... Je ne sais plus... Il venait de rompre, mais après combien de jours ? Ou combien de mois...

Elle se mit à pleurer contre son épaule et pendant une fraction de seconde, il se surprit à détester son meilleur ami. Une fois encore. Comme si sa mort n'était pas un supplice suffisant. Il caressait machinalement les cheveux de Nadia, essayant de la réconforter du mieux qu'il pouvait. Elle sécha enfin ses larmes.

— Où sont les enfants ? s'inquiéta Vincent.

— Chez leur grand-mère.

— Tu veux rester ici, cette nuit ?

Elle accepta d'un signe de tête.

— Mais je voudrais pas te déranger...

— Tu ne me dérangeras jamais, Nadia. Je vais préparer un bon petit dîner...

— Je peux utiliser ta salle de bains ?

— Fais comme chez toi, je t'en prie.

Elle disparut dans l'escalier et Vincent resta immobile un moment, épuisé par toute cette souffrance. Il ne savait pas comment soulager la peine de Nadia, ce profond désarroi. Pierre n'était plus là pour expliquer ses actes. Pour justifier l'injustifiable. Mais finalement, Vincent ne pouvait se résoudre à le juger...

Il a couché avec Ghis, et après ? Sans doute une banale histoire de cul. Rien à voir avec l'amour.

S'occuper du dîner, allumer un feu dans la cheminée, histoire de réchauffer le cœur de son invitée.

Elle redescendit au bout d'une demi-heure, vêtue d'un simple peignoir.

— Mes fringues étaient trempées, alors j'ai pris ton peignoir...

— Tu as bien fait... Mais je peux te prêter des vêtements si tu veux.

— Non, ça ira.

Ils partagèrent un verre, puis un autre. Une douleur, puis une autre.

Pendant le repas, Nadia vida une bouteille de vin. Vincent ne l'avait jamais vue boire autant, mais se garda bien de lui adresser le moindre reproche. Si ça pouvait l'aider...

Ils n'échangèrent que quelques mots, peu enclins à parler. Finirent la soirée sur le sofa, devant un verre de cognac.

Brusquement, Nadia s'approcha de lui, posa une main sur son ventre, la fit remonter jusqu'à la naissance de son cou.

— Merci d'être là, Vincent, dit-elle.

Sa voix n'était plus la même. Suave...

Son regard aussi avait changé. Corrupteur...

Vincent pressentit qu'il devait s'écarter d'elle. Qu'il était en danger.

Mais c'était déjà trop tard.

Lorsqu'elle l'embrassa, il eut peur.

— Nadia, vaudrait mieux pas…

Elle recommença, pour l'obliger à se taire, pour ne pas entendre raison. Et prolongea son jeu aussi cruel que sensuel.

Elle se posa doucement sur lui, calant ses genoux au fond de l'assise du canapé. Elle desserra la ceinture du peignoir avant de déboutonner la chemise et le jean de Vincent.

Il ne bougeait pas, se laissait faire, prenant conscience qu'il en avait toujours eu envie sans jamais se l'avouer.

Parce qu'elle était celle qu'on ne touche pas.

Et même s'il n'était qu'un instrument de sa vengeance, il céda à ses avances en essayant de ne pas penser à Pierre. En essayant de ne penser à rien.

Sauf à elle. Désorientée, égarée. Ivre, d'alcool mais surtout de douleur.

Ils mélangèrent leurs souffrances, unirent leur désarroi.

Il la trouvait plus ensorcelante que jamais, avec sa peau naturellement hâlée, ses seins un peu fatigués, ses yeux de biche cernés de désespoir. Sa taille fine, ses épaules rondes, son ventre maternel barré de cicatrices claires.

Il eut l'impression de pénétrer un sanctuaire interdit, serra ses mains sur ses hanches et la laissa dicter les règles du jeu. À elle d'imposer le rythme de son désir, de l'utiliser, presque comme un objet.

Nadia aurait voulu mourir dans les bras de Vincent. Mourir, à l'instant où le plaisir tétanisa leurs muscles et leurs chairs dans un cri silencieux.

Mourir pour oublier qu'il n'était rien pour elle.

Ils restèrent longtemps ainsi, enchaînés l'un à l'autre, terrorisés. Comme s'ils venaient de commettre un crime. Ils pensaient à celui qui n'était plus, mais dont l'ombre menaçante se profilait au-dessus de leur étreinte délictueuse.

Nadia se mit à pleurer doucement dans les bras de son amant d'un soir. Il embrassait ses épaules, son cou, son visage, goûtant à ses larmes et retenant les siennes.

Il était odieusement bien, baignant dans un plaisir indécent et coupable.

14

L'obscurité rendait à peine les armes lorsque Vincent émergea d'un éreintant cauchemar.

À sa droite, Nadia dormait encore profondément. Il la contempla de longues minutes, oscillant entre sérénité et remords.

Comment j'ai pu faire une chose pareille ? Comment j'ai pu être assez faible pour trahir mon propre frère ?

Pierre était venu, cette nuit. Lui avait parlé, d'une voix aussi glacée que la mort.

C'est toi l'assassin.

Hallucination nocturne qui paraissait pourtant si réelle… À tel point que Vincent s'attendait à ce que Pierre fasse irruption dans cette chambre d'une seconde à l'autre pour y surprendre sa femme et son meilleur ami dans le même lit.

C'était insupportable, alors Vincent se leva. Se sauva.

Il prépara un café serré, en ingurgita deux tasses. Puis il prit une douche et retourna dans la chambre pour récupérer des vêtements dans l'armoire, sans un bruit.

Pourtant, Nadia s'éveilla à son tour.

— T'es déjà debout ?

— Oui. Tu peux dormir encore, si tu veux… Il est tôt.

— Viens…

Elle était aussi mal à l'aise que lui ; lui, qui se jugea soudain ridicule et lâche de vouloir la fuir. Toujours vouloir fuir ses responsabilités.

Michèle avait raison, Servane avait raison : pauvre type.

Il vint enfin s'allonger à côté d'elle.

— Mal dormi ? demanda-t-elle.

— Quelques cauchemars…

— Moi aussi. J'ai rêvé de Pierre et de Ghislaine… De nous deux aussi.

— J'aurais pas dû… Enfin, j'aurais dû…

— Arrête, Vincent. Ça ne sert à rien. C'est moi qui ai voulu. On en avait envie tous les deux et tu le sais très bien… Je ne savais plus trop où j'allais ni ce que je voulais, hier soir. Je venais de me prendre une telle claque dans la gueule… C'était bon, avec toi. Je n'oublierai jamais cette nuit-là… Jamais.

Il l'attira contre lui. C'était fini, il ne risquait plus rien. Il pouvait la prendre dans ses bras, la réconforter à nouveau.

— Tu pourras toujours compter sur moi, murmura-t-il. Je serai toujours là pour toi et les enfants…

— Merci, Vincent. Moi aussi je serai toujours là pour toi. Je sais que tu vas mal et si tu as besoin de me parler, n'hésite jamais. Je te promets que je ne te ferai plus jamais ça…

— Dommage ! dit-il avec un rire qui masquait mal son émotion.

Ils prirent leur petit déjeuner ensemble, en silence. Vincent avait envie de révéler à Nadia ses doutes quant à la mort de Pierre. Mais il se ravisa, conscient qu'elle avait suffisamment encaissé pour le moment. Il lui dirait la vérité lorsqu'il détiendrait plus d'éléments, lorsqu'il aurait des certitudes.

Si toutefois il en avait un jour.

— Je peux utiliser ton téléphone ? demanda soudain Nadia.

— Bien sûr.

Elle décrocha le combiné puis consulta le répertoire posé sur la console.

— Tu veux appeler qui ?

— Ghislaine.

Vincent avala son café de travers et faillit s'étrangler.

— Nadia ! Tu es sûre que…

Elle avait déjà composé le numéro et mis le haut-parleur. Comme si elle avait besoin d'un témoin. Julien était au bureau à cette heure-ci ; ce fut donc son épouse qui décrocha.

— Ghis ? C'est Nadia…

— Ah ! Bonjour ! Comment ça va, ma chérie ?

Elle l'appelait souvent ainsi. *Ma chérie*.

Ces mots qui, ce matin, lui faisaient l'effet d'un poignard dans le dos.

— Mal.

— Bien sûr, je m'en doute, compatit Ghislaine.

— Non, tu ne te doutes de rien… Je sais pour toi et mon mari.

Un long trou noir succéda à cette annonce fracassante ; Vincent oublia même de respirer.

— De quoi tu parles ? essaya enfin Ghislaine.

— Stop ! Inutile de continuer à me prendre pour une conne… Je sais que tu couchais avec Pierre. Je veux juste que tu me dises depuis combien de temps !

— Mais… je comprends rien à ce que tu me racontes ! s'entêta la femme de Julien.

— Vraiment ? Tu veux que j'en parle à ton mari ? Tu veux que j'aille le trouver pour lui faire écouter le dernier message que tu as laissé sur le portable de Pierre, le jour où il est mort ? À 14 h 52, précisément. C'est ça que tu veux ? Parce que figure-toi que son téléphone marche encore… Dommage, n'est-ce pas ?

Encore un silence. Plus long que le premier.

— Alors ? s'impatienta Nadia. Je veux entendre la vérité de ta bouche… Et je te conseille de ne pas me mentir : Pierre a tout noté dans un carnet que j'ai retrouvé en fouillant son bureau. Alors je sais exactement ce que vous avez fait ensemble… Je veux juste te l'entendre dire… Je veux que tu aies enfin le courage de me l'avouer !

Elle mentait avec un aplomb qui bluffa Vincent.

— Si tu sais tout, à quoi ça sert que je te le dise ? répondit Ghislaine d'une voix tout juste audible.

— Je veux te l'entendre dire ! Sinon, je raccroche et je vais parler à Julien. Tout de suite.

— On se voyait depuis un an et demi… Environ une fois par semaine… Mais nous nous sommes séparés la veille de… de son accident.

Un an et demi… Vincent ferma les yeux tandis que Nadia se mettait à hurler. Comme une démente.

— Comment t'as pu me regarder en face pendant tout ce temps, salope ? Comment tu as pu me faire une chose pareille !…

Encore des insultes, jusqu'à ce que Nadia s'arrête enfin de cracher son venin pour reprendre son souffle. Sa main tremblait. Seulement sa main ; le reste de son corps était ficelé de colère.

— Je ne dirai rien à Julien parce que j'ai trop de respect pour lui, reprit-elle d'une voix qui déraillait. Pour tes gosses, aussi. Pour qu'ils ne souffrent pas autant que les miens... Mais ne t'approche plus jamais de moi ou de ma famille... sinon je te fais la peau !

Elle raccrocha violemment le combiné et se retourna vers Vincent, aussi raide qu'un cierge sur sa chaise, incapable du moindre mouvement. Il venait de vivre une des expériences les plus dures de sa vie. Cette femme, d'habitude si douce et tempérée, venait de se transformer en furie sous ses yeux meurtris.

L'œuvre de Pierre.

À cet instant, s'il n'était pas déjà mort, il aurait eu envie de le tuer. Étrange sentiment de haine qui refaisait surface à intervalles réguliers. Alors qu'avant, leur amitié était la plus belle.

— Excuse-moi, Vincent. Il fallait que je le fasse. Il fallait que je le fasse maintenant.

*
* *

Servane poussa la porte de son studio et commença par ôter son uniforme. Elle prit une bouteille d'eau dans le petit frigo, but à même le goulot avant de s'affaler au milieu de son lit. Exténuée par une journée pourtant calme. Morose, même. Paperasse et compagnie. Elle alluma une Peter, jeta un œil à son répondeur ; il clignotait, annonçant trois messages.

Au moins trois personnes qui pensent à moi ! C'est déjà pas si mal...

Coucou, ma chérie, c'est maman ! Je vois que t'es encore au boulot ! Tant pis, je rappellerai plus tard... Je te fais de gros bisous ! Bip. *Salut, brigadier, c'est Vincent. J'ai les informations sur les deux terrains. Si vous voulez qu'on en parle, vous pouvez me rappeler. Ou même passer si vous n'avez rien de prévu. À plus.* Bip. *Bonjour, Servane, c'est Fred... C'est ta mère qui m'a donné ton numéro... Je voulais te parler... Ça serait bien que tu me rappelles... Au cas où tu ne t'en souviendrais pas, mon numéro c'est le 06.75.24.30.56... Tu me manques beaucoup et... j'aimerais qu'on se parle... J'attends ton coup de fil et je t'embrasse... Je t'embrasse fort.*

Bip final.

Servane s'était redressée sur son lit.

Fred...

Elle croyait ne plus jamais en entendre parler après ce qui s'était passé. Après cette séparation tumultueuse.

Fred, à des centaines de kilomètres d'ici et qui pensait encore à elle.

Putain ! Si je m'attendais à ça...

Elle décrocha son téléphone, hésita un instant ; finalement, c'est Vincent qu'elle appela.

Pour Fred, il fallait prendre le temps de réfléchir.

— Vincent ? C'est Servane...

— Salut, brigadier ! Comment ça va ?

— Un peu crevée mais ça va...

— Vous avez des courbatures ?

— Ouais ! Vous voulez me parler de vos découvertes ? Je peux passer, si vous êtes seul...

213

— Je suis seul... Vu l'heure, je peux même vous proposer de venir dîner ! Ça vous dit ?

— Volontiers... Il faut juste me laisser le temps de prendre une bonne douche et de monter... Disons dans une heure, ça va ?

— Parfait... Je vous attends.

Elle raccrocha et retomba en arrière sur le matelas, fixant le plafond comme si elle y cherchait une réponse.

Fred... Qui venait de ressurgir dans sa vie. Contrariété prévisible mais plaisir inattendu. Deux ans de vie commune qui lui semblaient tellement lointains alors que c'était hier. Elle prit sa douche, enfila un jean et un petit pull en coton noir.

Est-ce que je dois rappeler Fred ou non ? Je verrai plus tard.

Elle attrapa son sac, son blouson, et dévala les escaliers, saluant au passage Irène Vertoli qui regagnait son appartement. Une femme étrange, cette Mme Vertoli.

— Bonsoir, Servane. Vous sortez ?

— Oui, je suis invitée à dîner chez un ami !

— Ah... C'est bien... Vous ne vous ennuyez pas trop ici ?

— Non, ça va ! Finalement, je crois que j'aime beaucoup la montagne...

— C'est beau, c'est vrai.

Elle venait de dire ça sans aucune conviction, comme elle aurait trouvé quelque beauté à sa prison.

L'épouse de l'adjudant-chef était une femme discrète, grande, anorexique. Le teint maladif, les joues creusées et les yeux éteints.

Sa tristesse semblait infinie.

Certainement une dépressive, songea Servane sans aucune compassion.

— Je vais vous laisser, madame... Je suis déjà en retard.

— Vous pouvez m'appeler Irène, vous savez...

— D'accord, Irène... Passez une bonne soirée.

La jeune femme se hâta de rejoindre sa voiture. En traversant Colmars, elle remarqua que l'épicerie était encore ouverte.

Ça serait bien de ne pas arriver les mains vides. Vu que c'est tout le temps lui qui m'invite...

La petite supérette n'offrait guère de choix. Néanmoins, elle dégota un apéritif à la framboise ainsi qu'un bordeaux. Le plus cher du rayon.

À ce prix-là, c'est forcément du bon. Ou alors, c'est des voleurs ! Vincent doit s'y connaître, lui. Pourvu que je ne me sois pas plantée ! Si ça se trouve, c'est une infâme bibine !

Tant d'interrogations pour une simple bouteille de vin... Mais Servane avait pour habitude de se torturer l'esprit pour des choses sans importance. Capable d'hésiter deux heures pour un choix anodin. Et de prendre en une seconde une décision capitale.

Elle repartit en direction d'Allos alors que l'obscurité s'abattait sur la vallée. Elle allait devoir parcourir la piste de nuit, idée qui ne la réjouissait guère. Elle mit une cassette de Queen dans l'autoradio pour se filer du courage, duo à tue-tête avec Freddy Mercury. Elle chantait juste mais n'avait jamais aimé sa voix, trop grave, pas assez douce.

Les kilomètres défilèrent au-delà de la vitesse autorisée. Mais qui pouvait donc la verbaliser ? Un des avantages d'être gendarme. Peut-être le seul, d'ailleurs. L'ambiance à la caserne était plus détendue, les hommes commençaient à l'accepter. Pourtant, contrairement à ce qu'elle avait pu croire, elle ne faisait pas encore partie du groupe à part entière. Il y avait toujours cette méfiance, cette distance. Simple paranoïa de sa part ?

La seule chose évidente, c'est que Matthieu lui faisait la gueule, certainement vexé d'avoir été éconduit de la sorte. Il n'y avait que Vertoli qui ne marquait aucune différence entre elle et les autres membres du groupement. Elle avait de la chance d'être tombée sous son commandement. Vraiment beaucoup de chance.

Arrivée à Allos, elle prit la direction du lac, dans une inquiétante pénombre.

I'm going slightly mad !

Ne pas trop penser à Fred.

Qu'est-ce que je dois faire ? Rappeler ? À quoi bon ? Je suis si loin, désormais… Et puis j'ai tiré un trait sur cette histoire. J'ai eu tant de mal à m'en sortir. Pourquoi y replonger ?

Elle essuya une larme qui avait échappé à sa vigilance et se remit à hurler *I'm going slightly mad…*

La piste se présenta ; serpent de poussière qui s'enfonçait dans les feuillages. Elle ralentit pour s'y engager prudemment. Dans la lumière des phares, le moindre caillou semblait démesurément saillant. Elle avait déjà emprunté cette voie de nuit et par temps de pluie, elle n'allait pas se laisser impressionner par quelques kilomètres d'un chemin tortueux… Elle coupa la parole à Freddy Mercury qui l'empêchait de se concentrer. Premier tournant en épingle, négocié sans aucun problème. Finalement, elle devenait une vraie pro de la conduite tout-terrain ! Mais au détour d'un virage, elle devina une silhouette plantée au beau milieu de la piste. Elle freina brutalement : un homme, qui lui sembla immense, se tenait droit devant le capot, un chapeau sur la tête et appuyé sur une canne. Mirage du crépuscule.

Comme sorti de nulle part, il ne bougeait plus.

— Hé ! lança Servane. Barrez-vous du milieu !

L'homme fit trois pas en arrière et elle reconnut alors Mario. Il vint se coller à sa portière, tapa contre la vitre.

Elle fut tellement effrayée qu'elle poussa un hurlement avant de démarrer en trombe sous le regard pénétrant du vieil homme. En lorgnant dans son rétroviseur, elle distingua encore son imposante carrure sur le bord de la piste.

— Malade, ce mec ! Complètement givré !

Elle accéléra encore, comme s'il pouvait la rattraper et arriva rapidement à l'Ancolie. La douce lumière qui filtrait du chalet la rassura et Galilée se chargea de l'accueillir. Elle n'avait jamais été aussi heureuse de le voir. Elle courut vers le chalet, le berger sur ses talons. Dans sa précipitation, elle ne pensa même pas à frapper avant d'entrer. Vincent ne cacha pas sa surprise devant cette irruption quelque peu cavalière.

— Entrez, je vous en prie ! Faites comme chez vous…

En l'observant plus attentivement, il comprit qu'elle n'était pas dans son assiette.

— Qu'est-ce qui vous arrive ? On dirait que vous avez vu un revenant !

— J'ai croisé ce type bizarre en montant… Le Sorcier !

— Mario ?

— Oui, c'est ça ! J'ai même failli l'écraser ! Il est complètement fou, ce type ! Il était au milieu de la piste, en pleine nuit !

— Du calme, brigadier, sourit Vincent. Il n'est pas méchant... Du moins, je ne crois pas ! Un peu original, tout au plus...

— *Original ?* C'est un maniaque, j'vous dis ! Il m'a encore regardée bizarrement ! Il voulait que je descende ma vitre !

— Et que vous a-t-il dit ?

— Rien ! J'ai démarré...

— Il avait peut-être un problème, besoin d'aide... Bravo pour votre sens du civisme ! C'est pas un délit la *non-assistance à personne en danger* ?!

— Il n'avait rien... C'est un psychopathe, j'en suis sûre !

— Ou alors, il est amoureux de vous ! plaisanta Vincent en goûtant le plat qui mijotait sur la gazinière.

— Arrêtez vos conneries ! Rien que d'en parler, j'ai des frissons dans le dos...

— Allez, détendez-vous, vous êtes en sécurité maintenant !.... Quoique... Je suis peut-être un grand *psychopathe*, moi aussi...

Il s'avançait vers elle, armé d'un couteau de cuisine, un rictus démoniaque sur le visage. Elle éclata de rire, enfin. Il posa la lame et la débarrassa de son blouson.

— Merde ! dit-elle.

— Qu'est-ce qu'il y a encore ?

— J'ai apporté du vin et une bouteille pour l'apéro et j'ai tout laissé dans ma bagnole...

— Du vin ? Excellente initiative...

Servane prit les clefs de sa Mazda, écarta les rideaux pour inspecter la pénombre autour du chalet.

— Vous avez la trouille ? railla Vincent.

— Non, mais…

— Allez, donnez-moi ces clefs, j'y vais.

— Non, ça va, répondit-elle d'un air vexé. Je m'en charge.

— Comme vous voudrez ! Si vous n'êtes pas revenue dans une heure, je promets d'appeler la gendarmerie !

Piquée au vif, elle s'enfonça dans l'obscurité. Elle ouvrit la voiture, se pencha pour récupérer les bouteilles posées à même le plancher.

En pivotant, elle tomba nez à nez avec Mario.

Sous le coup de la frayeur, elle oublia de crier mais lâcha les bouteilles. Le Stregone avança une énorme main vers son visage et elle resta tétanisée. Il toucha son front, psalmodia quelques mots incompréhensibles. Servane réagit enfin, poussa violemment le géant avant de s'enfuir à toute vitesse vers la maison. Vincent la vit débouler dans le salon et eut à peine le temps de poser l'assiette qu'il tenait dans ses mains avant qu'elle ne se jette sur lui.

— Il est là ! hurla-t-elle. Il est dehors !

Elle s'était agrippée à lui comme un naufragé à une bouée de sauvetage. Elle allait finir par déchirer sa chemise.

— Calmez-vous, Servane !

— Il m'a… Il a voulu me…

Vincent la repoussa doucement et sortit à son tour. Il s'avança jusqu'à la voiture, scruta les parages. Mais Mario avait disparu.

Il ramassa les deux bouteilles dans l'herbe qui, par chance, ne s'étaient pas brisées et fit un dernier tour d'horizon avant de revenir sur ses pas. Une fois à l'intérieur, il ferma le verrou, histoire de rassurer son invitée qui s'était réfugiée au bas de l'escalier, visiblement terrorisée.

Incroyable que ce type puisse lui filer une frousse pareille...

— Il est parti, il n'y a plus personne, dehors.

Il s'assit près d'elle, prit sa main dans la sienne. Glacée.

— Ça va aller ?

Elle dégagea doucement ses doigts, hocha la tête.

— Que s'est-il passé ? interrogea-t-il. Il vous a fait du mal ?

— J'ai pris les bouteilles dans la bagnole, il était juste derrière moi... J'ai cru que mon cœur allait lâcher ! Il a posé sa main sur mon front et il a dit... J'ai rien compris à ce qu'il a dit ! Je crois que c'était de l'italien ou peut-être du latin... Un truc bizarre... Vous pensez qu'il m'a jeté un sort ?

— Vous croyez à ces conneries ? s'étonna Vincent.

— J'en sais rien ! C'est un cinglé ! Qu'est-ce qu'il me voulait ?

— Je suis sûr qu'il est tombé raide dingue de vous... ! Allez, les bouteilles sont intactes ! C'est le plus important, non ?

Mais Servane avait réellement été choquée et rien ne semblait pouvoir la dérider.

— J'ai fermé la porte, précisa Vincent. Et je suis là, vous ne risquez rien...

— Tu parles ! Ce mec mesure au moins deux mètres !

Presque malgré lui, Lapaz fut froissé par cette remarque.

— N'exagérons rien ! Et puis… je suis costaud, moi aussi ! Non ?

Il se mit debout, gonfla le torse. Servane consentit à sourire.

— Venez, on va goûter cet apéro ! dit-il en lui tendant la main.

Ils s'installèrent sur le canapé après avoir poussé Galilée qui avait pris ses aises.

— C'est bizarre que le chien n'ait pas aboyé, fit-elle remarquer.

— C'est vrai, c'est curieux… Mais il n'aboie jamais quand on croise Mario. On dirait qu'il parvient à hypnotiser même les clébards !

— Vous dites ça pour me rassurer, c'est ça ?

— Oubliez-le maintenant…

Il déboucha la bouteille, remplit deux verres.

— Alors, ces terrains ? demanda Servane.

— Eh bien j'ai appris des choses très intéressantes, aujourd'hui, confia Vincent. Ces deux terrains appartiennent actuellement à la commune de Colmars… Elle les a acquis il y a un peu plus de quatre ans. Jusque-là, rien de bien passionnant. Mais quand j'ai su ça, je suis allé en mairie pour consulter le registre des délibérations. Et là, j'ai découvert qu'elle a racheté ces terrains à Portal…

— Portal ? C'est celui que vous avez cogné dans le bar, non ?

— Exactement ! C'est un employé territorial… Et le plus surprenant, c'est que la commune a payé ces deux terrains à prix d'or…

— Qu'en a-t-elle fait ?

— Absolument rien ! Je suis passé voir les deux parcelles, elles sont toujours à l'abandon... Elles ne sont pas constructibles et la mairie ne peut rien en faire alors qu'elle les a payées bien au-dessus de leur vraie valeur... Environ dix fois plus.

— Dix fois leur prix ? s'exclama Servane. Mais pourquoi ?

— C'est ça qu'il nous faut découvrir, brigadier !

— Arrêtez de m'appeler brigadier ! implora Servane en remplissant à nouveau les verres.

Vraiment délicieux, cet apéro à la framboise. Et elle avait besoin d'un remontant pour oublier ses émotions fortes. Elle se trouvait si ridicule d'avoir cédé ainsi à la frayeur...

— Il y a autre chose de bizarre dans cette histoire, continua Vincent. Portal n'est pas du coin, il n'est pas né dans la vallée... Il n'a aucune famille ici.

— Et après ?

— Comment a-t-il eu ces terrains ? Il n'a pas pu en hériter...

— Vous croyez qu'il s'agit d'une magouille entre Lavessières et Portal ?

— Peut-être. Mais Portal est un crétin fini... Gros bras et petit cerveau ! Il est incapable d'aligner deux mots... Cela dit, il ferait n'importe quoi pour les Lavessières.

— Ce que je ne m'explique pas, c'est le rapport de tout cela avec Pierre. S'il y en a un, toutefois...

— Vous oubliez que Pierre était conseiller municipal, rappela le guide. Il avait peut-être découvert le pot aux roses.

— Évidemment, ça expliquerait la dispute à la sortie du conseil municipal... Mais qui peut bien nous mettre sur la piste ? Qui vous a envoyé cette lettre ?

— J'en sais rien, mais c'est quelqu'un qui veut que la vérité éclate... Il ferait mieux de venir me parler... J'ai toujours détesté les jeux de piste !

— Ça viendra peut-être...

— Vous voulez encore un verre ?

— C'est pas très raisonnable !

— Ne soyez pas toujours raisonnable, Servane...

Il remplit les verres une troisième fois tandis qu'elle allumait une cigarette. Ils restèrent silencieux un moment, réfléchissant à ces nouveaux éléments qui les tenaient en haleine. Servane remarqua que Vincent avait l'air triste malgré ses efforts pour ne rien laisser paraître.

— Vous aviez des clients, aujourd'hui ?

— Non... Il n'y a pas beaucoup de monde, encore. Demain, je fais l'ascension du Cimet. J'ai sept inscrits... ça vous tente ?

— Je suis de service toute la semaine, dit-elle d'un air dépité. Ça va pas être possible... En revanche, je suis de repos lundi.

— Lundi prochain, je fais la boucle des lacs. Vous êtes la bienvenue !

— Génial !

— On passe à table ?

En se mettant debout, Servane vit le décor tanguer. Vraiment traître, cet apéro à la framboise ! Elle se posa sur une chaise, Vincent apporta l'entrée. Une fois de plus, il s'était surpassé. Ils continuèrent à discuter tout en vidant la bouteille de vin. Un excellent choix, ce bordeaux... Vincent en déboucha une autre, malgré les protestations de son invitée.

À la fin du repas, Servane était ivre. Pourtant, Vincent se fit un malin plaisir à lui servir un digestif maison.

— J'arriverai jamais à reprendre ma caisse dans cet état ! réalisa la jeune femme dans un éclat de rire.

Vincent ne l'avait jamais vue aussi euphorique. L'alcool lui réussissait plutôt bien.

— Il y a toujours la chambre du deuxième !

— Ouais ! De toute façon, j'aurais eu trop peur de repartir seule cette nuit... Avec ce malade qui rôde dans les parages... La prochaine fois que je viens chez vous, je prends mon flingue !

Vincent était installé à même le sol, sur le tapis ; bien éméché, lui aussi. Quant à Servane, elle s'était approprié le divan, allongée sur le dos. Elle souriait béatement.

Vincent l'observait, tout en dégustant son digestif. Cette femme était un grand mystère pour lui. Ils étaient devenus si proches et pourtant, ils se vouvoyaient encore.

Ce soir, il la trouvait attirante. Pour la première fois, à vrai dire. Le genre de truc qui vous tombe dessus de façon abrupte.

Son pull noir, remonté jusqu'au nombril, laissait entrevoir sa peau blanche qui semblait si douce. L'alcool aidant, il avait envie qu'elle dorme dans la chambre du premier. Envie de la rejoindre sur le canapé.

Rien à faire, il ne pouvait s'en empêcher.

Même s'il avait passé la nuit d'avant dans les bras de Nadia... Justement, il avait besoin d'une autre pour oublier cette trahison.

Il posa son verre sur la table basse, s'assit près de Servane qui dérivait lentement sur une mer calme.

Il hésitait encore, par crainte de se voir opposer un refus. Les paroles échangées la veille lui revinrent à l'esprit. *Je vous apprécie beaucoup mais c'est tout. Je n'ai aucune autre intention à votre égard.*

Peut-être avait-elle menti ? Oui, elle avait menti. C'était évident ; son comportement des semaines passées était là pour le démontrer.

Il se servit un autre verre, histoire de se libérer des dernières entraves.

Une autre crainte le retenait, plus sûrement que la première : celle de briser cette amitié naissante.

Peur de blesser aussi.

D'un simple battement de cils, il chassa le visage de Myriam apparu de façon soudaine.

Mais le désir imposait sa loi et il posa une main sur sa cuisse, remontant lentement vers sa hanche. Il sentit qu'elle se contractait.

— Qu'est-ce que vous faites ? demanda-t-elle en se redressant.

Il se pencha vers elle, approcha son visage du sien.

— Arrêtez ! murmura-t-elle en essayant de reprendre ses esprits. Arrêtez, je vous dis !

Douche froide.

Comment une femme pouvait ne pas avoir envie de lui ? C'était inimaginable !

Servane finit de s'asseoir, baissa son pull d'un geste nerveux.

— Je vais y aller, dit-elle.

— Hors de question. Vous n'êtes pas en état de conduire...

Elle se leva, essaya de se raccrocher au dossier d'une chaise qui bascula. Vincent la rattrapa *in extremis*.

— Lâchez-moi !

Il l'aida à revenir sur le canapé mais n'insista pas davantage.

Humilié, le grand méchant séducteur !

Ils restèrent longtemps muets, chacun de leur côté. Aussi gênés l'un que l'autre.

— Excusez-moi, dit-il enfin. J'ai cru que…

— Vous vous êtes planté !

— Oui, c'est évident… Qu'est-ce qu'il y a qui ne va pas avec moi ?

— Rien… Il n'y a rien… C'est moi.

— Je ne suis pas votre genre, c'est ça ?

— Pas du tout, non !

Elle lui adressa un sourire triste, l'ambiance se dégela un peu. Elle était toujours sous l'emprise de l'alcool, ses paupières avaient du mal à tenir le choc. Elle était touchante.

— Et c'est quoi, votre genre ? questionna Vincent avec un petit rire. Les blonds à lunettes, style intello ? C'est ça ?

— Raté…

— Quoi alors ? Les mecs en uniforme ?

Elle leva les yeux au ciel. Mais il insistait, désireux de connaître la raison de ce refus. Tellement inhabituel pour lui.

— Alors, Servane ? Dites-moi… C'est quoi, votre genre ?

— Les grandes brunes…

Il resta médusé un instant avant d'éclater de rire. Servane se mordit la lèvre, coupable d'avoir livré son terrible secret, fixant Vincent d'un air désespéré.

Il se marrait toujours, galvanisé par l'alcool, et il se leva.

— Très drôle ! lança-t-il.

Il la regarda enfin, comprit qu'elle ne plaisantait pas. Elle avait l'air tellement désemparé qu'il cessa de rire et revint près d'elle.

— Ça vous choque ? murmura-t-elle.

— Non… Je… Je ne m'attendais pas à ça, c'est tout.

— Personne ne s'y attendait…

Il tourna la tête, comme si c'était lui qui avait honte. Parce que Servane avait honte, n'assumant visiblement pas sa différence. Vincent prit sa main dans la sienne, elle se pétrifia.

— C'est ça que votre père ne vous a jamais pardonné ?

Elle hocha simplement la tête.

— Alors, c'est un gros con, conclut-il.

Elle semblait étonnée de sa réaction. Elle pensait être violemment rejetée, comme cela lui arrivait trop souvent.

— Il ne faut pas qu'ils le sachent à la caserne ! Sinon, je suis foutue !

— Ne vous en faites pas, Servane. Je serai muet comme une tombe… Je crois en effet qu'ils ne sont pas prêts à accepter cela. Pas tous, en tout cas.

— Je pensais que vous aussi, vous n'étiez pas prêt, reconnut-elle.

— Pourquoi ? Parce que je suis un ermite qui vit au milieu de nulle part ?

— Non, parce que vous avez une vision des femmes particulièrement… machiste !

— C'est l'impression que je donne, sans doute… Mais ce n'est qu'une impression, je vous assure. J'ai toujours eu beaucoup d'admiration pour les femmes…

— *De l'admiration ?*

— Oui… Je les trouve souvent plus fortes que les hommes. Plus courageuses, si vous préférez.

À son tour de se confesser.

— Si on m'exilait dans un monde sans femmes, je crois que ce serait la pire des punitions...

— J'imagine ! s'esclaffa Servane. Une diète forcée, une terrible torture pour vous !

— Non, c'est pas ce que j'ai voulu dire... ! Un monde sans femmes, ce serait comme... un monde sans eau, sans chaleur, sans... lumière. Un monde où on aurait toujours soif, toujours froid et toujours peur.

— C'est vachement beau, ce que vous venez de dire...

— Je voudrais tomber amoureux, je voudrais tant revivre ça... Mais c'est plus fort que moi... Je n'y arrive plus. Je détruis tout, je n'y peux rien.

— Vous y arriverez, Vincent. J'en suis sûre.

— Non, c'est fini... Terminé.

Il porta la main à son cœur.

— C'est cassé !

— Vous avez peur, c'est tout.

— Peur ?

— Oui, peur... Mais les peurs, ça se contrôle, c'est vous-même qui me l'avez dit.

Il préféra ne pas répondre. Ne pas avouer.

— Vous m'en voulez ? s'inquiéta Servane.

— D'être...

Comment dit-on déjà ? Lesbienne, homosexuelle... ?

— De quoi pourrais-je bien vous en vouloir ? répondit-il finalement.

— On peut rester amis, alors ?

— Bien sûr ! D'autant qu'avec vous, je ne risque pas de tout gâcher !

Elle se laissa aller, posa sa tête beaucoup trop lourde contre les coussins du canapé.

— Vous avez une copine ?

— J'ai vécu deux ans avec une fille. Frédérique… Nous nous sommes séparées un peu avant que je rentre dans la gendarmerie… On n'arrêtait plus de s'engueuler et un jour elle a bouclé ses valises… Je n'ai rien fait pour la retenir, d'ailleurs. Mais aujourd'hui, elle m'a téléphoné. Elle a laissé un message sur mon répondeur… Je ne sais pas si je dois la rappeler. J'avais fait une croix sur cette histoire… J'ai pas envie de souffrir à nouveau.

— Je comprends. Prenez le temps de réfléchir… La nuit porte conseil.

— J'arriverai jamais jusqu'au deuxième ! Putain, mais pourquoi j'ai bu autant ? Je suis dingue…

Elle riait à nouveau. Vincent la trouva sublime.

— Je vais vous aider !

Il la prit dans ses bras, la souleva sans difficulté. Puis il s'engagea dans les escaliers. Là, c'était plus dur. Ses jambes étant incertaines, son équilibre précaire, il trébucha à plusieurs reprises. Servane riait toujours comme une adolescente tandis qu'il peinait de plus en plus. Pourtant, ils arrivèrent à bon port et Vincent la déposa sur le lit avant de lui ôter ses chaussures.

— Voilà, vous pouvez fermer les yeux, maintenant !

— Il faut me réveiller à 6 heures demain ! Sinon, je vais être en retard…

— Aucun problème.

Il s'éloigna à pas feutrés.

— Vincent ?… Vous promettez, hein ?

— Ne vous inquiétez pas… Même sous la torture, je ne dirai rien !

Il éteignit la lumière mais elle l'appela encore.

— Vincent ? Ça m'a fait du bien de parler avec vous… Vous êtes un mec bien.

Il sourit dans l'obscurité. De pauvre type, il s'élevait au grade de *mec bien*. Son ego apprécia.

— Bonne nuit, Servane.

Il redescendit au rez-de-chaussée. Un peu sonné. Par l'alcool, par les révélations. Il repensa à sa tentative d'approche et se mit à rire tout seul.

Aucune chance d'y arriver !

Il débarrassa la table et ouvrit la porte pour laisser sortir Galilée. Il resta un moment sur la terrasse, appuyé contre la balustrade, goûtant les senteurs nocturnes, vidant son esprit.

Sans deviner la silhouette qui veillait dans l'ombre.

15

Servane se leva de bonne heure et d'excellente humeur. Elle n'était pas de service aujourd'hui mais hors de question de traîner au lit : la boucle des lacs l'attendait.

Vincent l'attendait.

Elle attaqua par un petit déjeuner gargantuesque, de quoi tenir jusqu'à midi. Puis elle écouta les informations du matin d'une oreille distraite, tout en se préparant. Un vieux jean coupé aux genoux, un tee-shirt et sa nouvelle paire de chaussures de marche, choisie sur les conseils de Vincent. Bien en avance sur l'horaire, elle descendit les quatre étages en chantonnant. Sur le parking, elle aperçut un jeune homme, alla naturellement à sa rencontre.

— Je peux vous renseigner ? Vous cherchez quelqu'un ?

— Non, merci. J'habite ici... Je suis Nicolas Vertoli, le fils de l'adjudant...

— Enchantée de faire votre connaissance ! dit-elle en lui serrant la main. Moi c'est Servane Breitenbach. Je ne vous avais jamais vu avant...

— Je vis à Nice. Je suis étudiant là-bas… Je ne rentre pas tous les week-ends. Et vous ? Ça fait long-temps que vous êtes ici ?

— Je suis arrivée au début du mois de mai.

— Vous partez en randonnée ?

Elle hocha la tête.

— Seule ?

— Non ! Avec un guide…

— Lapaz ?

— Oui.

Elle observa le jeune homme qui venait d'allumer une cigarette. Entre vingt et vingt-cinq ans, il ne ressemblait guère à son père mais avait l'air aussi triste que sa mère. Peut-être avait-il hérité de son état dépressif ?

Il lui proposa une clope.

— Vous faites quoi, comme études ?

— Lettres modernes.

— Super… Vous vous destinez à quelle carrière ?

— Prof…

— Prof ? répéta Servane d'un ton admiratif. C'est génial !

— Bof…

— Comment ça, *bof* ?

— J'ai choisi les lettres parce que j'étais mauvais en maths mais c'est pas vraiment ma passion.

— Et c'est quoi, votre passion ?

— Je n'en ai aucune ! avoua-t-il avec un sourire désabusé.

Étrange, ce Nicolas. Visage d'adolescent, voix d'homme ; immenses yeux verts, cheveux clairs coupés très court.

Qui se confiait à une inconnue.

— Il faut que j'y aille, prétendit Servane en écrasant son mégot par terre.

— C'est quoi, le programme ?

— On a rendez-vous à Allos et ensuite, on fait la boucle des lacs.

— Vous verrez, c'est magnifique…

Elle lui tendit la main.

— À bientôt ! dit-elle avec un charmant sourire. Au fait, vous n'êtes pas en vacances ?

— Si… Je reste là jusqu'à la fin septembre.

— Alors nous nous reverrons… Bonne journée, Nicolas !

Elle grimpa dans sa voiture et s'éloigna sous le regard du jeune homme. Lundi 16 juillet, les touristes avaient investi la vallée depuis quelques jours. Mais à cette heure, la route était peu fréquentée et elle arriva rapidement à Allos. Il n'y avait encore personne au point de ralliement, alors elle décida de patienter devant un café. Elle choisit la terrasse déserte du bar le plus proche, commanda une noisette. Les commerçants s'activaient, les rideaux s'ouvraient les uns après les autres sur la grand-rue du village. À l'intérieur du bar, trois hommes dégustaient leur jus, appuyés au comptoir. Servane se mit à écouter leur conversation, plus par ennui que par intérêt. Ils parlaient du loup, encore accusé d'avoir massacré trois brebis dans une vallée voisine.

Y a qu'à les abattre, ces saloperies !

Ou les empoisonner !

Atterrant, songea la jeune femme. Heureusement que Vincent n'était pas là pour entendre ces conneries !

Justement, elle vit s'approcher Baptiste Estachi, dans sa tenue officielle de garde et se leva pour lui serrer la main.

— Vous êtes bien matinale !

— J'attends Vincent.

— Je peux m'installer à votre table ?

— Je vous en prie.

Il jeta un œil à l'intérieur.

— Ils parlent du loup, chuchota Servane.

— Faut bien qu'ils se trouvent un sujet de discussion ! rétorqua Baptiste avec mépris.

Le cafetier prit la commande du garde-moniteur sans même le regarder. Visiblement, Estachi était en terrain ennemi. Pourtant, cela ne semblait aucunement le déranger.

— Je me trompe ou le patron n'est pas un pote à vous ? fit Servane.

— On n'a guère d'amis quand on bosse pour le Parc !

— C'est pas trop stressant ?

— Toute manière, on s'habitue… Et puis je crois en ce que je fais et c'est ça le plus important… Alors ? Vous avez du nouveau pour les braconniers ?

— Non, avoua la jeune femme à voix basse. Il y a deux gars du groupement qui ont été chargés d'enquêter mais ils n'ont rien trouvé… Je crois malheureusement qu'il faudra attendre de les choper en flagrant délit.

— Ça m'étonnerait qu'ils reviennent de sitôt dans le coin si Pierre est mort à cause d'eux… Toute manière, on n'a pas de certitude.

— Vous pensez que Pierre est tombé tout seul, c'est ça ?

— Je n'en sais rien… Ça me paraît étrange qu'il ait chuté à cet endroit où il n'y a aucun danger…

— C'est également ce que dit Vincent.

— Toute manière, on ne saura jamais ce qui s'est passé…

— Je vous trouve bien défaitiste, Baptiste ! Je ne suis pas de votre avis.

— J'espère que vous avez raison mais vous apprendrez très vite qu'ici, les mystères trouvent rarement une explication.

— En parlant de mystère, vous connaissez ce vieux fou qui se balade partout dans la vallée ?

— Quel vieux fou ?…. Le seul vieux fou ici, c'est moi !

Elle pouffa de rire et Baptiste caressa sa moustache.

— Celui qui habite dans un hameau paumé dont j'ai oublié le nom et qui mesure environ deux mètres ! Il a une canne et un chapeau…

— Ah ! Le Stregone ?… Bien sûr, je le connais. Toute manière, tout le monde le connaît, ici… Pourquoi ?

— Que savez-vous sur lui ?

— C'est un interrogatoire ?

— Oui, c'en est un ! acquiesça-t-elle en souriant.

— Eh bien, c'est un immigré italien qui est arrivé dans la vallée il y a très longtemps… Il a d'abord aidé aux travaux forestiers et puis ensuite, il a fait berger durant les mois d'été. Il garde encore un troupeau en estive… Au Vallonet.

— Et vous lui parlez, parfois ?

— Il n'aime guère parler, mais avec moi, il consent à échanger quelques mots… C'est même un excellent informateur !

— Un *informateur* ? s'étonna la jeune femme.

— Oui, il me balance parfois des trucs qu'il a pu observer… Il est toujours sur le terrain, il voit tout ce qui se passe !

— Mais il parle notre langue ?

— Ça dépend comment il est luné ! Souvent, c'est un mélange d'italien, de patois et de français, mais j'arrive à le comprendre... Pourquoi ce vieux type vous intéresse-t-il autant ?

— Je l'ai croisé à deux reprises et il m'a paru vraiment étrange...

— Vous verrez, les types étranges, c'est pas ça qui manque dans le coin !

Et comme pour illustrer ses paroles, les trois ennemis du loup sortirent du bar. Servane reconnut alors Portal, le fameux employé de la mairie de Colmars. Ils jetèrent un regard venimeux à Baptiste qui éclaboussa Servane au passage. Mais aucun d'entre eux n'osa s'attaquer verbalement au garde.

— J'étais sûre qu'ils allaient balancer une vanne en passant ! dit Servane.

— Ils ne s'amusent pas à ça avec moi, répliqua Baptiste.

— Ah bon ? Pourquoi ce traitement de faveur ?

— Parce que je suis leur seul interlocuteur pour tout ce qui concerne la chasse... Alors vaut mieux pour eux qu'ils ne me cherchent pas trop.

— Mais la chasse est interdite dans le Parc !

— En zone centrale, oui. Mais en zone périphérique, elle est autorisée... Et là, c'est avec moi qu'ils négocient le nombre de bêtes qu'ils peuvent prélever.

— Pourquoi est-ce à vous que revient cette corvée ?

— Parce que je suis le seul à chasser dans l'équipe.

— Vous chassez ? s'exclama Servane. Ça alors !

— Ça vous étonne ?

— Ben... Oui. Vous chassez quoi ?

— Le chamois.

Elle fit une grimace de dégoût.

— Pourtant, il n'y a pas plus sévère que moi pour traquer les braconniers ou ceux qui abusent, précisa Baptiste.

— C'est un peu contradictoire, non ?

Il laissa flotter son fameux sourire mystérieux et tritura sa moustache.

— Toute manière, il fallait bien que quelqu'un s'en charge…

— C'est sûr… Mais je n'arrive pas à croire que vous tuez ces chamois que vous protégez d'autre part.

— Je tue très peu de bêtes par an et je les choisis bien… Je n'abats que les vieux mâles ou ceux qui sont malades.

— C'est encore plus dégueulasse !

— Vous avez le droit de le penser, dit-il. Toute manière, j'ai toujours chassé et je chasserai toujours.

— Vieil Ours essaie de vous convertir à la chasse ?

Servane tourna la tête ; Vincent se tenait derrière elle.

— *Vieil Ours ?* répéta-t-elle.

— C'est comme ça que l'appellent ses amis, précisa le guide en s'asseyant à la table.

— Vieil Ours ou Jeune Premier, il ne risque pas de me convertir ! assura-t-elle.

— Tant mieux ! dit Vincent en faisant un signe au patron. Sinon, je ne vous adresse plus la parole !

— Vous lui parlez bien à lui ! souligna-t-elle avec pertinence.

— C'est vrai… Mais lui, c'est un cas à part.

— Toute manière, il est bien obligé de me parler ! répliqua Baptiste. Sinon, il perd son agrément du Parc…

— Tout de suite les menaces ! dit Vincent en riant.

Servane les considéra avec tendresse. Elle se sentait bien en compagnie de ces hommes, bourrés de contradictions mais tellement attachants. Attachants parce que attachés à leur terre par de profondes racines. Ils avaient de la chance d'avoir une passion et de pouvoir la vivre pleinement. Elle repensa soudain à ce jeune homme aux yeux verts qui n'en avait aucune et semblait si triste.

Et moi ? Ai-je une passion ? Aucune. Ni aucune racine, d'ailleurs.

— Vous êtes bien songeuse, remarqua Vincent en dégustant le café que le patron avait daigné lui servir.

— Je réfléchissais à des trucs, dit-elle. Je me disais que... Que vous avez beaucoup de chance, tous les deux. Vous avez une passion et vous en vivez chaque jour...

— Ce n'est pas une question de chance, rétorqua Vincent. Il suffit juste de savoir ce qu'on veut dans la vie. Et à partir de là, il n'y a plus d'obstacle insurmontable...

Bien sûr, jamais d'obstacle insurmontable. Telle était sa devise.

— On y va, brigadier ? Les premiers clients ont dû arriver...

— On y va, répondit-elle en fouillant ses poches à la recherche de monnaie.

— Vous faites quoi ? demanda Baptiste.

— La boucle des lacs.

— Ah... Je vais monter là-haut, moi aussi... On se croisera peut-être !

Servane et Vincent s'éloignèrent en direction de la place de l'office du tourisme et aperçurent six randonneurs qui attendaient patiemment.

— Vous m'accordez deux minutes ? s'excusa Servane. Il faut que je passe payer ma place à l'office…

— Pas la peine, coupa le guide. Vous êtes mon invitée.

— Hors de question !

— Servane, s'il vous plaît… Faites-moi plaisir : acceptez.

— Bon, d'accord… Mais seulement pour cette fois.

Vincent parut satisfait et s'avança pour saluer ses clients. Après leur avoir brièvement exposé le programme du jour, il prit le volant du pick-up pour ouvrir la route au cortège qui allait monter vers le parking du Laus. Servane, à ses côtés, paraissait plutôt fière d'avoir droit à cette place de privilégiée.

— Alors ? demanda-t-elle. Vous avez repéré une proie ?

Il resta interdit quelques secondes puis entra finalement dans son jeu.

— Peut-être… La brune aux cheveux courts est pas mal et elle m'a dévoré des yeux !

— La petite avec un gros cul ?

Il partit dans un éclat de rire et tourna la tête vers sa passagère qui le toisait avec impertinence.

— Elle ne vous plaît pas ? demanda-t-il.

— Non, elle ne me fait aucun effet ! Visiblement, nous n'avons pas les mêmes goûts !

Elle s'étonnait de pouvoir parler ainsi à cet homme. Évoquer ce sujet tabou avec une inattendue complicité.

— Alors vous me la laissez ? conclut le guide.

— Vous êtes horrible ! s'indigna-t-elle. Vraiment horrible !

Ils dépassèrent le hameau du Villars-Haut, dernières maisons avant l'entrée en zone centrale. Le soleil était au rendez-vous aujourd'hui et la neige avait déserté les sommets les plus hauts. L'été était bien là, désormais.

— J'ai des choses à vous raconter, annonça soudain Vincent. Hier, je suis passé voir le notaire de Saint-André et je l'ai un peu cuisiné sur l'affaire des deux terrains…

— Il a accepté de vous renseigner ? s'étonna la jeune femme.

— Disons qu'il me doit quelque chose… J'ai sauvé son fils qui avait chuté en montagne. C'est grâce à moi qu'il est encore vivant.

— Dans ce cas, il doit même vous bénir ! Et alors ?

— Alors, Portal a acheté ces terrains au mois de janvier et les a revendus à la mairie au mois de mars de la même année.

— Il ne les a gardés que deux mois ?

— Tout juste deux mois !

— Qui lui a vendu ces parcelles ?

— Ben… C'est Julien…

— Julien Mansoni ? s'exclama la jeune femme.

— Oui, Julien Mansoni… Il en avait hérité de sa tante plusieurs années auparavant et avait essayé de les vendre sans succès… Jusqu'à ce que Portal arrive comme par miracle !

— Et combien Julien a-t-il vendu ces deux terrains ?

— Presque rien, révéla Vincent. Portal a acheté les deux parcelles pour une poignée de figues et les a revendues à prix d'or à la mairie… C'est donc bien une magouille entre le maire et son employé.

Servane réfléchit quelques instants et descendit la vitre pour humer l'air frais de la mélèzeraie.

— Ça, c'est la meilleure hypothèse, dit-elle soudain. On peut en imaginer une autre.

— Je vous écoute…

— Et si Portal n'avait fait que servir de prête-nom dans cette transaction ?… Imaginons que ce soit Julien qui ait reçu l'argent de la mairie… Mais qu'il ne voulait pas que ce soit officiel… Portal a pu servir de prête-nom. Et dans ce cas, ce n'est plus une magouille entre le maire et Portal : c'est une magouille entre le maire et Julien Mansoni.

— Je crois que vous vous égarez, Servane ! Julien n'a jamais été un pote du maire ! Ils se détestent même cordialement !

— Peut-être… Mais on peut tout imaginer… Il ne faut rien négliger.

— Non, je crois que vous faites fausse route, s'entêta le guide. Pour une raison que nous ignorons encore, le maire voulait donner du fric à Portal et il a monté cette transaction bidon pour lui verser une forte somme en toute légalité… Et c'est Julien qui, sans le vouloir, a pu permettre cela…

— Ce Portal, a-t-il l'air d'avoir du fric ? demanda la jeune femme.

— J'en sais rien, avoua Lapaz. À part pour lui casser la gueule, je ne le fréquente guère !

— Évidemment… Mais vous pouvez savoir s'il vit dans un taudis ou s'il est propriétaire d'un magnifique chalet !

— Je sais simplement qu'il habite à Villars-Heyssier, un petit village un peu plus bas dans la vallée. À l'entrée des gorges de Saint-Pierre. Mais j'avoue que je ne sais pas s'il est propriétaire de sa maison ou s'il la loue. De toute façon, il ne s'agit pas d'un superbe chalet au pied des pistes !

— Et sa bagnole ?

— Un vieux Range Rover.

— Pourtant, en touchant tout cet argent de la mairie, il aurait pu s'acheter un chalet ou une voiture neuve... Vous ne croyez pas ?

— Si, bien sûr... Mais il a pu placer ce fric pour ses vieux jours... C'est peut-être un gros radin !

— Peut-être... Mais il reste une troisième hypothèse... Et si Lavessières s'était payé lui-même ? Dans ce cas, Portal sert aussi de prête-nom, mais là, le maire détourne l'argent public pour le mettre dans son propre portefeuille... Il file le fric à Portal qui le lui reverse...

Vincent la considéra en souriant.

— Vous savez quoi ?... Vous avez une imagination débordante, brigadier !

— Merci !

Ils arrivèrent sur le parking du Laus où quelques dizaines de voitures étaient déjà stationnées. Les randonneurs se regroupèrent autour de leur guide et ils se mirent en marche après que Vincent eut discuté quelques minutes avec l'hôtesse d'accueil du Parc qui prenait le soleil devant le petit point d'information.

— Celle-là, aussi ? questionna Servane à voix basse.

— Non, pas elle ! Elle est mariée et a deux gosses...

— Et alors ? Depuis quand ça vous arrête ?

— Depuis que son mari mesure presque deux mètres et pèse une bonne centaine de kilos ! répondit-il en riant. Mais c'est surtout un ami...

— Dans ce cas... !

Il se retourna, considérant les clients qui le suivaient sagement ; groupe hétéroclite dont chaque membre attendait quelque chose de différent de cette journée.

— Tout va bien ? lança le guide.

Visiblement, tout allait bien. Ils avaient entamé leur ascension vers le lac d'Allos, par ce large sentier ne présentant aucune difficulté. Mais au bout de dix minutes, Vincent bifurqua à gauche en direction du col de la Cayolle et du mont Pelat. Montée assez raide, chemin plus étroit.

Servane ne souffrait plus comme à ses débuts. Elle avait pris de l'endurance, avait le pied plus sûr. Elle laissa passer les clients devant et ferma la marche, ne voulant pas accaparer Vincent.

Alors, elle prit le temps de regarder.

Regarder le ciel incroyablement pur, écouter le chant du vent qui jouait avec la cime des arbres, sentir la terre qui se séchait aux premiers rayons du soleil ; toucher l'écorce rugueuse d'un pin ou les aiguilles étonnamment douces d'un mélèze, goûter à l'humidité du sous-bois.

Admirer les camaïeux du lichen sur les rochers. S'émerveiller devant le vol souple et gracieux d'un pinson des neiges, s'étonner de la voix puissante d'un minuscule troglodyte.

Avec Vincent, chaque pas devenait une découverte pour ceux qui avaient soif d'apprendre. Il était le narrateur de ces lieux, l'inventeur de ces trésors. Protecteur de ce fragile équilibre. Et Servane sortait doucement de la cécité. Éblouie par tant de lumière, de beauté et d'ingéniosité.

Vincent n'était plus un guide.

Il était son guide.

*
* *

243

André Lavessières passa à son cabinet alors que la matinée touchait à sa fin : quelques parapheurs à signer et la préparation du prochain conseil municipal à terminer. Enfoncé dans son magnifique fauteuil en similicuir, il approuva la notification d'un marché public attribué à une entreprise implantée à Digne ; la boîte du cousin de sa femme. On n'est jamais aussi bien servi que par soi-même.

Lavessières avait dépassé depuis peu la cinquantaine. Pas très grand, trapu, assez corpulent, il arborait un visage doux et rieur, des yeux clairs et des cheveux poivre et sel. Mais derrière ce sourire débonnaire se cachait une dentition acérée, une volonté en acier trempé. Ce que le maire voulait, il l'obtenait. Quelle que soit la méthode à employer. Fin négociateur et grand prêtre de la démagogie qu'il avait érigée en art, il tenait d'une main de fer les rênes de la commune. Un homme craint et respecté par la majorité des habitants qui voyaient en lui quelqu'un proche de leurs problèmes. Mais surtout, le premier employeur de la vallée. Sans lui, sans son accord, rien n'était possible ici. Même le maire d'Allos n'était qu'un de ses valets. Tel un énième employé communal.

Il tutoyait tout le monde, en bon père de famille. Tout le monde le vouvoyait.

Il se penchait sur les deux délibérations à présenter au conseil municipal lorsque la sonnerie du téléphone l'interrompit.

— C'est Marc Bello, annonça sa secrétaire. Il tient absolument à vous parler, il dit que c'est très urgent.

— Passe-le-moi…

Marc Bello, le clerc de maître Grimaldi, notaire à Saint-André.

— Marc ! Comment ça va ?

— Très bien, monsieur Lavessières. Je vous remercie...

— Qu'est-ce qui t'arrive ?

— Je voulais vous parler de quelque chose qui pourrait vous intéresser... Hier, Lapaz est venu voir maître Grimaldi...

— Lapaz ?

— Oui, le guide...

— Je sais qui est Lapaz ! Qu'est-ce qu'il voulait ?

— Je ne sais pas trop parce qu'il s'est enfermé dans le bureau avec Grimaldi...

Lavessières poussa un soupir agacé. Était-il besoin de le déranger pour si peu ?

— Mais au bout de dix minutes, enchaîna Bello, le vieux m'a demandé de lui apporter le dossier de la vente des deux terrains... Les terrains que Portal a achetés à Mansoni.

Lavessières serra les mâchoires, ses dents émirent un sinistre grincement. Ça devenait bien plus intéressant. Contrariant, surtout.

— J'ai pensé que vous auriez envie de le savoir, ajouta mielleusement Bello.

— Tu as bien fait... Et qu'est-ce que tu sais d'autre ?

— Rien, monsieur... Juste qu'ils ont évoqué ce dossier ensemble.

— Bon... Tâche d'en apprendre davantage... Questionne Grimaldi.

— Je vais essayer, monsieur Lavessières...

— Et ta belle-fille ? Elle est rentrée à la mairie de Saint-André ?

— Oui, monsieur... Je vous remercie encore !

— Je t'en prie... C'est naturel d'aider les amis.

Le maire raccrocha et frappa violemment du poing sur son bureau.

— Putain de merde ! hurla-t-il. Qu'est-ce qu'il vient encore me faire chier, celui-là !

Jocelyne, sa secrétaire, apparut à la porte du bureau.

— Qu'est-ce qui vous arrive, André ?

Le maire la considéra quelques instants avec le regard d'un maquignon qui achète une bête sur pied. Elle était très en beauté aujourd'hui. Elle faisait envie, avec sa crinière brune, ses rondeurs aguicheuses et ses yeux en amande soulignés de noir. André avait songé plusieurs fois à tenter sa chance avec elle. Mais finalement, il renonçait toujours au dernier moment. Avec Jocelyne, comme avec les autres. Sans vraiment s'expliquer pourquoi. Ni par timidité, ni par peur d'être rejeté ; ni même par fidélité envers son épouse avec qui il ne partageait plus grand-chose depuis belle lurette.

Peut-être simplement parce qu'il partait du principe que les bonnes femmes sont vraiment trop compliquées. Et qu'il n'aimait guère se compliquer la vie.

— Vous avez des ennuis ? s'inquiéta la secrétaire.

— Rien de bien méchant ! assura-t-il. Mais faut que tu appelles Portal... Qu'il vienne chez moi en fin d'après-midi.

— Bien sûr. Je m'en charge.

— Merci, Jocelyne.

*
* *

— On va s'arrêter là, décréta Vincent en posant son sac à dos.

Les randonneurs semblaient ravis que l'heure de la pause ait sonné et s'éparpillèrent autour du guide dans un joyeux désordre. Servane vint s'asseoir à côté de lui.

— Alors, la balade vous plaît ? espéra-t-il.

— C'est magique, dit-elle avec une réelle émotion dans la voix. Je crois que je suis en train de tomber amoureuse...

— De moi ? demanda-t-il avec un large sourire.

— Mais non ! De ça...

Elle dessina un arc de cercle avec son bras, embrassant le paysage tout entier.

— J'en suis heureux...

Elle avait replié ses jambes devant elle, semblait en pleine méditation. Quant à Vincent, il avait déjà attaqué son repas.

— Vous ne mangez pas ? s'étonna-t-il.

— Je n'ai pas très faim...

— Il faut manger, pourtant... Parce que je ne vous porterai pas sur mon dos pour redescendre !

Elle consentit à ouvrir son sac et attrapa d'abord sa gourde pour se désaltérer.

Le groupe s'était arrêté près du lac des Garrets, saphir étincelant niché au creux d'un écrin de pierres. En forme de verre à pied, rempli d'une eau à la pureté exceptionnelle.

À cette altitude, plus aucun arbre ne luttait pour survivre. Seules quelques fleurs égayaient l'enchevêtrement de pierres et les pelouses alpines de leurs couleurs éclatantes. Gentianes de Koch d'un bleu profond, asters au cœur jaune et pétales mauve tendre. Petits œillets dont le rose rivalisait avec celui des joubarbes étoilées. Explosion de couleurs au pays de la roche, stratagèmes de beauté pour attirer les amateurs de pollen. Pour assurer la relève avant que l'été déjà ne finisse. Tout se faisait dans l'urgence, ici. Juste après la neige et juste avant la neige suivante.

Éternel recommencement.

— Ça vous dirait de voir le soleil se lever en haut d'un 3 000 ? proposa soudain Vincent.

Servane le considéra avec des yeux de petite fille.

— Là, en haut du Pelat, ajouta le guide en pointant le sommet avec son doigt.

— Ce serait génial…

— Je vous emmènerai.

— J'ai hâte !

Elle mordit à pleines dents dans son sandwich, les yeux prisonniers du lac.

Le bleu perdu dans le bleu, pensa Vincent.

Il détaillait son profil délicat et la trouvait jolie.

Chaque jour plus jolie.

Elle s'épanouissait ici comme une de ces fleurs d'altitude. Le reflet de l'eau dans ses yeux avait quelque chose de féerique. Ses cheveux si clairs, capables d'emprisonner puis de restituer la lumière, sa peau d'une blancheur immaculée… Elle n'était pas de celles que l'on trouve belles au premier regard. Il fallait s'attarder sur chaque détail de son visage. Sur chaque courbe de son corps. Sur le ton un peu grave de sa voix et l'éclat de son rire.

Mais non, il ne fallait pas.

Vincent tourna la tête et plongea à son tour dans les eaux glacées du lac. Pour éteindre le feu dans son regard.

*
* *

Portal gara son Range Rover devant l'immense chalet des Lavessières. Il fut accueilli bruyamment par les deux chiens de chasse de la maison.

— Allez ! Va coucher ! lança-t-il avec un geste menaçant du bras.

Les deux épagneuls partirent en direction de leur niche, la queue entre les pattes. Ce fut Suzanne Lavessières qui lui ouvrit. L'épouse dévouée, silencieuse. Austère.

— Bonjour, dit Portal d'un ton respectueux.

Cette femme l'avait toujours impressionné.

— Je viens voir m'sieur André... Il m'a demandé de venir.

— Il vous attend, confirma-t-elle sans un sourire.

Ils traversèrent le grand salon avant de ressortir par une porte-fenêtre qui donnait sur la terrasse. Le maire était installé dans un relax, en train de lire le journal. Il adressa un sourire paternel au colosse empoté qui lui faisait de l'ombre.

— Ah, Portal ! Assieds-toi donc...

Personne ne l'appelait jamais par son prénom, à croire qu'il n'en avait pas.

Le géant s'installa à dix mètres environ de son hôte.

— Mais viens plus près, bougre d'âne !

Il prit la chaise et se colla contre le relax.

— Tu veux boire quelque chose ? Un pastis ?

— Ouais, un pastis !

— Suzie ! hurla le maire.

Quelques secondes plus tard, elle apparut à la porte-fenêtre.

— Apporte un pastis bien frais à notre invité, tu seras gentille...

Une fois servi, Portal écouta avec attention ce que son patron avait à lui dire.

Son patron, son gourou, son maître...

— Est-ce que tu as parlé à quelqu'un de la vente des terrains ? attaqua le maire.

— Les terrains ? Non, j'ai rien dit, m'sieur André. Absolument rien...

— Tu es sûr que tu n'en as parlé à personne ? Vaudrait mieux me le dire, sinon...

— Non, à personne. Sûr.

— Bon... J'aimerais que tu surveilles Lapaz, expliqua André sur le ton de la confidence.

— Lapaz ? J'l'ai vu ce matin... Il avait des clients à Allos. Et il était au bar avec la petite de la gendarmerie... Y avait Estachi, aussi.

— Je me contrefous d'Estachi ! C'est cet enfoiré de guide qui m'intéresse... Tu dis qu'il discutait avec la fille de la gendarmerie ?

— Oui, la nouvelle... J'crois qu'ils sont partis ensemble en randonnée.

— Putain ! Manquait plus que ça...

— Qu'est-ce que je dois faire ? demanda Portal avec appréhension.

— Tu vas garder un œil sur Lapaz. Je veux savoir qui il voit, ce qu'il fait quand il n'a pas de clients.

— Pourquoi ?

— Fais ce que je te dis et ne discute pas.

— D'accord... Je commence quand ?

— Tout de suite, gros couillon ! Et tâche de ne pas te faire remarquer...

— Bien... Je surveille la fille, aussi ?

Le maire lui jeta un regard noir.

— J'disais ça comme ça ! rectifia Portal.

— De toute façon, si mon impression est bonne, en surveillant le guide, tu surveilleras la fille par la même occasion.

Le maire se leva et Portal fit de même, se dépêchant de finir son verre avant d'être reconduit vers la sortie. Lavessières extirpa un billet de vingt euros de sa poche.

— Tiens, tu achèteras un truc à ton gamin.

— Merci, m'sieur André...

— Allez, va-t'en, maintenant. Dès que tu penses avoir quelque chose d'intéressant, tu m'appelles. Et ne te fais pas repérer ! T'as compris ?

Portal hocha la tête puis rejoignit sa voiture en passant par le jardin. Le plus jeune des deux chiens se précipita vers lui en grognant et reçut un violent coup de pied dans le flanc. Il poussa un hurlement aigu et rampa jusqu'à sa niche.

16

Servane reprit son souffle, mains sur les hanches, tête penchée en arrière. Trois quarts d'heure de footing sans s'arrêter : pas à dire, elle était en net progrès. Très fière de sa performance, elle avança lentement vers la gendarmerie, recouvrant progressivement une respiration régulière. Après une journée passée à l'accueil, entre ennui et paperasse, quel plaisir de se dégourdir enfin les jambes !

Elle longeait la Lance qui traçait son chemin vers le Verdon, Colmars étant le témoin de leur union fougueuse. Un torrent apparemment sage ; pourtant capable de tout dévaster sur son passage à l'occasion d'un orage particulièrement violent.

Arrivée derrière l'Edelweiss, elle aperçut Nicolas Vertoli assis au bord de la rivière. Elle eut envie de lui parler, comme s'ils étaient de vieux amis. Le jeune homme ne l'entendit pas s'approcher, le bruit de ses pas étant couvert par le vacarme de l'eau.

— Salut, Nicolas !

Il sursauta et se retourna sans avoir le temps de sécher les larmes qu'il aurait tant voulu cacher. Servane se trouva soudain fort mal à l'aise face à ce visage endeuillé. Nicolas essuya précipitamment les dernières traces de son chagrin.

— Ça ne va pas ? demanda la jeune femme en s'asseyant près de lui. Je vous dérange ?

Deux questions stupides, coup sur coup.

Bien sûr, qu'elle le dérangeait ! Mais maintenant qu'il était démasqué, autant essayer de savoir ce qui le rendait si triste. Elle avait toujours aimé secourir les âmes en peine, une vraie vocation d'assistante sociale. Finalement, elle s'était peut-être trompée de carrière...

Nicolas tendit son paquet de cigarettes à Servane. Pas très indiqué, juste après le jogging ! Toutefois, elle accepta, histoire de nouer un lien et de se donner une contenance.

— Vous n'êtes pas obligé de me parler, précisa-t-elle d'une voix aussi douce que possible. Je n'ai rien vu, vous savez...

Il lui adressa un sourire un peu embarrassé, elle le rassura d'un regard.

— Ne dites rien à mon père, pria-t-il.

— Évidemment !... Et puis de toute façon, je n'aurais pas grand-chose à lui dire !

— Vous me trouvez certainement ridicule de venir chialer tout seul, au bord de ce torrent...

— Ridicule ? Non... Je trouve juste dommage que vous ayez des raisons de pleurer.

— J'en ai des milliers, avoua-t-il. Des milliers...

Des milliers, ça faisait peut-être un peu beaucoup ! On ne pleure jamais que sur soi-même, au final... Mais ce n'était pas le moment de lui livrer ce scoop.

— Une seule suffit, dit-elle simplement. Ça m'arrive, à moi aussi... Ça arrive à tout le monde.

— *Un fils de gendarme, ça chiale pas !* répondit Nicolas en imitant son père.

— Je vois ! fit Servane en souriant. Vous avez grandi ici ?

— Non… J'avais dix ans lorsque nous sommes arrivés. Mon père est né dans la vallée… Et après avoir fait le tour de toutes les casernes de France et de Navarre, il a enfin pu retrouver le pays de son enfance. Depuis, il s'est débrouillé pour ne plus en partir…

— Et vous, vous aimez la montagne ?

— Oui…

— Moi aussi ! J'adore cet endroit… Au début, j'ai pensé que j'allais m'ennuyer dans ce trou perdu et puis finalement, je suis en train d'en tomber amoureuse…

— Vous êtes venue seule ? Je veux dire, vous n'êtes pas mariée ?

— Non ! Je suis arrivée avec ma valise, c'est tout…

— Je suis content que ça vous plaise. Comment les gars vous ont-ils accueillie ?

— Pas trop mal… Ils sont encore un peu méfiants à mon égard, mais ça s'arrange…

— Et mon père ? Il vous fait pas trop chier ?

— C'est un chef admirable, assura-t-elle avec sincérité. Je crois que je n'aurais pas pu mieux tomber…

— Vous dites ça parce que vous parlez à son fils !

— Pas du tout ! C'est vraiment ce que je pense. Mais nous ne le voyons certainement pas avec le même regard… Vous savez, votre père n'a jamais marqué de différence entre les autres et moi.

— C'est vrai qu'il a beaucoup de qualités, admit Nicolas. Mais il est un peu… psychorigide !

— La gendarmerie, c'est l'armée ! rappela Servane. Alors forcément, il y a une certaine discipline à faire respecter.

— Tu as sans doute raison…

Ce tutoiement inattendu lui signifia qu'il appréciait sa présence. Après tout, ils avaient presque le même âge.

— Qu'est-ce que tu vas faire pendant l'été ? bavarda-t-elle.

— J'en sais rien… Je vais essayer de réviser parce que j'ai raté ma licence et que je la repasse en septembre… Mais je m'en fous un peu à vrai dire !

Elle ne chercha pas à en savoir davantage car il ne souhaitait visiblement pas partager sa souffrance.

— Après-demain, je suis de repos et je gravis la grande Séolane, embraya la jeune femme. Ça te dirait de venir ?

— Pourquoi pas !

— Si tu veux, je peux t'emmener avec ma voiture… On a rendez-vous à 7 h 30 à La Foux avec Vincent.

Le jeune homme se rétracta brusquement.

— Merde ! dit-il avec un sourire gêné. J'ai oublié… Après-demain, je ne peux pas.

— Dommage… Ça va être sympa. Sportif, mais sympa !

— Une prochaine fois ! assura-t-il en se levant. Merci de m'avoir tenu compagnie.

Il s'éloigna rapidement et elle resta un moment face au torrent, peu pressée d'aller s'enfermer dans son studio qui rétrécissait de jour en jour.

*
* *

Vincent serra la main à ses clients et reçut leurs remerciements avec plaisir. Puis il se rendit à l'office du tourisme par la porte de service, le bureau étant fermé au public. Il y trouva Michèle en train de dépoussiérer les étagères.

— Bonsoir…

Elle le dévisagea sans un mot. Le contact serait difficile à renouer.

— Qu'est-ce que tu veux ? questionna-t-elle sèchement.

— Je viens voir combien j'ai d'inscrits pour demain.

— Aucun ! révéla-t-elle non sans un certain plaisir.

— Bon, tant pis…

Elle continua sa tâche mais il refusait visiblement de partir.

— Tu veux autre chose ?

— On pourrait peut-être discuter un peu tous les deux…

— *Discuter ?* De quoi ? Tu as besoin de parler ? Pour les confessions, il y a le curé !

— Écoute, Michèle, on doit bosser ensemble et franchement, j'aimerais que ça se passe un peu mieux entre nous…

— Entre nous, il y a le cadavre de Myriam !

Il ne se laissa pas déstabiliser par cette attaque prévisible. Assis sur une chaise, il l'observa tandis qu'elle s'acharnait sur la poussière imaginaire.

— Tu vas m'en vouloir à vie ?

— Oui.

— Ce n'est tout de même pas moi qui l'ai tuée ! Je ne voulais pas ça, je t'assure…

Elle posa son chiffon, le regarda enfin. Un regard si dur qu'il comprit qu'il venait encore d'échouer.

— Je ne pourrai jamais oublier ce que j'ai vu. Une fille de vingt ans morte sur son lit et vidée de son sang. Toi, tu ne l'as pas vue... Pour toi, c'est facile d'oublier, sans doute.

Il garda le silence, préférant la laisser déverser son venin.

— Et même si tu ne l'as pas voulu, c'est toi qui as provoqué ça ! C'est vrai que cette fille était fragile... Mais tu t'es bien amusé avec elle et c'est pour ça qu'elle est morte. Pour que tu puisses tirer ton coup !

Évidemment, vu sous cet angle, il devenait presque un criminel. Ce jugement sans appel le blessa.

— Alors je n'ai plus envie de *discuter* avec toi, conclut-elle. Et j'aimerais que tu comprennes que c'est définitif... Tu peux crever demain, ça me sera égal. C'est clair ?

— On ne peut plus clair... !

Elle constata qu'elle l'avait touché en plein cœur et parut satisfaite du visage douloureux qu'il lui offrait. Elle se permit même de lui sourire. Un odieux sourire.

— Tu es en train de recommencer avec la petite gendarmette ? ajouta-t-elle.

— Mêle-toi de tes fesses ! rugit Vincent.

— T'as raison ! Ça ne me concerne plus ! De toute façon, tu n'existes plus pour moi... Tu n'es plus rien... D'ailleurs, le bureau est fermé et tu es prié de quitter les lieux sur-le-champ.

Il s'approcha soudain avec un air féroce qui la fit reculer.

— Qu'est-ce que tu veux encore ?

— Mon fric ! répondit-il.

Elle se dirigea vers le bureau du fond, en revint quelques secondes plus tard avec une enveloppe qu'elle jeta sur la banque.

— Liquide et chèques, tout y est, dit-elle. L'argent des dix derniers jours... Tu recomptes, tu signes le reçu et tu te casses !

— Pas de problème ! Ta compagnie ne risque pas de me manquer...

Il ne prit pas la peine de recompter avant de signer le reçu. Puis il claqua violemment la porte du bureau, grimpa dans son pick-up et s'engagea à une vitesse exagérée dans la grand-rue d'Allos. Après tout, Michèle n'avait jamais été une amie ; juste une relation de travail. Et elle pouvait bien penser ce qu'elle voulait.

D'accord, elle avait souffert en trouvant le cadavre de Myriam. D'accord, il y a des choses que l'on ne peut effacer.

Mais non, il n'était pas coupable.

Il bifurqua sur la route forestière en essayant d'écouter la radio. Il eut beau monter le son, seules les paroles de Michèle résonnaient dans sa tête.

Le visage de Myriam, lui non plus ne pouvait l'oublier. Il y pensait chaque jour, en rêvait chaque nuit.

Un cauchemar de plus.

Comme une vengeance involontaire, Myriam venait hanter son univers avec ses yeux d'enfant sage qui demandaient sans cesse pourquoi.

Pourquoi tu ne m'as pas aimée ?

Pourquoi tu m'as tuée ?

Un cauchemar de trop.

Venant grossir les rangs des cohortes de tourments qui faisaient de ses nuits autant de purgatoires.

Le jour, il apercevait, massées aux portes de son inconscient, ces légions informes obligées de battre en retraite.

La nuit, le combat sanglant reprenait, avec une violence inouïe ; guerre dont l'issue était toujours la même : ennemis trop nombreux, défaite assurée.

*
* *

Vertoli semblait embarrassé par le gibier que lui ramenaient ses limiers.

Samedi soir, pas loin de minuit. Nuit idéale pour un contrôle routier alcool-vitesse-pétard. Et justement, Servane, Matthieu et Lebrun avaient fait une bonne prise : conducteur roulant à plus de 130 au volant de sa BMW et ayant refusé de s'arrêter. Malheureusement, ce chauffard n'était autre que Sébastien Lavessières, le fils unique du maire.

Franchement, Vertoli aurait préféré que ses troupes interpellent un estivant. Voire qu'ils rentrent bredouilles.

Il arpentait son bureau, dévisageant le prévenu avec colère.

— Faites-le souffler dans l'éthylomètre, dit-il.

Matthieu dégaina l'appareil et Sébastien accepta de se soumettre au test. Le résultat fut immédiat : record pulvérisé !

— C'est bon, vous allez pas me garder ici toute la nuit ! s'impatienta le jeune homme avec une étonnante désinvolture.

— Tais-toi ! aboya Lebrun.

— OK, j'ai un peu bu ! Mais on a fêté l'anniversaire d'un pote et...

— La ferme ! hurla Vertoli. Tu n'as pas *un peu bu*, tu es complètement bourré ! Et tu conduisais dans cet état ? Tu veux te tuer, ou quoi ?

— C'est bon, j'sais conduire... Pas la peine de flipper comme des malades !

Il tenta de se lever, manqua de tomber en avant. Lebrun le rattrapa *in extremis* et le remit sur sa chaise.

— On le place en cellule de dégrisement ? supposa Servane.

— Non... Vous le ramenez chez son père. Il reviendra chercher sa voiture demain, quand il aura dessaoulé.

Elle fixa son chef avec stupéfaction.

— Mais... Il est complètement ivre ! protesta-t-elle. Et il a refusé d'obtempérer ! Il a fallu qu'on le poursuive pendant des kilomètres !

— Vous le ramenez chez son père, un point c'est tout ! martela l'adjudant.

— C'est dégueulasse ! s'emporta la jeune femme.

Sébastien la nargua avec un sourire explicite qui décupla encore sa fureur.

— Faites ce qu'on vous dit, brigadier ! trancha l'adjudant. Matthieu, vous allez avec elle. Exécution !

— À vos ordres ! rétorqua Servane.

Un ton et un regard particulièrement insolents.

Toutes les lumières étaient éteintes ; visiblement, le couple Lavessières dormait à poings fermés. Seuls les chiens aboyaient furieusement depuis leur chenil.

— C'est bon, fit Sébastien. Laissez-moi là... J'connais le chemin !

— Hors de question ! répliqua Servane. On doit te remettre en main propre à tes parents... De toute façon, tu ne tiens plus debout !

— Putain ! Pas la peine de réveiller mes vieux ! Je suis majeur et vacciné, ma petite !

— Change de ton ! ordonna-t-elle en ouvrant la portière. Je ne suis pas ta *petite*, d'accord ?

Elle attrapa Sébastien par son blouson pour l'extirper de la voiture et il s'affala dans ses bras. Elle ne put le retenir et ils chutèrent tous les deux sur le gravier. Il était allongé sur elle et prenait un plaisir évident à rester dans cette position. Elle tenta de se dégager, en vain. Ce fut donc Matthieu qui le releva sans ménagement et le plaqua contre le véhicule. Servane put enfin se remettre debout et réajusta son uniforme.

— Désolé, *ma petite* ! s'esclaffa le jeune homme.

— Ta gueule ! rugit Servane. Ferme ta gueule !

Le sourire méprisant du jeune homme s'évapora pour laisser la place à la stupeur puis à la rage.

— Toi, tu me parles autrement ! menaça-t-il avec des gestes désynchronisés. Tu sais pas qui je suis ! Personne me parle comme ça ! Surtout pas une petite conne de gendarme !

— Ça suffit ! intervint Matthieu. Servane, va sonner ! S'il te plaît…

Elle se dirigea vers le perron, laissa le doigt appuyé sur la sonnette jusqu'à ce que la lumière s'allume dans le couloir. Ce fut le maire qui ouvrit, vêtu d'un pyjama et d'un peignoir, les cheveux hirsutes et les yeux hagards.

— Bonsoir, monsieur ! Gendarmerie nationale…

— Qu'est-ce qui se passe ?

— Nous vous ramenons votre fils, monsieur, continua Servane en tentant de se contrôler. Il a été interpellé en état d'ivresse au volant de sa voiture et a refusé de s'arrêter à notre injonction…

— Bordel de merde ! grommela Lavessières en toisant sa progéniture. Quand arrêteras-tu tes conneries ?

— C'est bon, lâche-moi un peu ! souffla Sébastien.

À cet instant, Suzanne apparut derrière son mari. En voyant les uniformes, elle poussa une sorte de cri.

— Il est arrivé quelque chose à mon fils ?

Dans l'obscurité, elle n'avait pas vu Sébastien.

— Mais non ! rétorqua son mari en levant les yeux au ciel. Tout va bien…

— Où est-il ? gémit-elle.

— Mais j'suis là, pauvre folle ! répondit Sébastien. T'es miro ou quoi ?!

Servane resta bouche bée ; quelques heures de garde à vue lui auraient décidément fait le plus grand bien.

— Allez, rentre ! enjoignit le père en le tirant à l'intérieur.

Suzanne tenta de prendre son fils dans ses bras, comme pour s'assurer qu'il était en un seul morceau, mais elle fut brutalement repoussée. André adressa un sourire gêné aux deux jeunes gendarmes.

— Je vous remercie…

— Il faudra qu'il passe chercher sa voiture à la caserne demain, ajouta Matthieu.

— Il viendra. Merci encore et bonne nuit.

— Bonne nuit, monsieur le maire, répondit le gendarme en saluant.

La porte se ferma et ils remontèrent à bord de la Clio.

— Je suis désolé, dit Matthieu. Tu aurais dû me laisser faire…

— Ça va ! répondit sèchement Servane. J'aurais pu m'en sortir toute seule…

— T'énerve pas !

— Ce qui m'énerve, c'est de voir que ce petit connard conduisait en état d'ivresse, qu'il a refusé de s'arrêter et qu'il repart sans même être resté en garde à vue ! Tout ça parce qu'il s'appelle Lavessières... Vertoli a prétendu un jour qu'il ne faisait aucune différence entre les gens de la vallée ! Tu parles...

— C'est le fils du maire ! On ne peut pas le laisser en cellule !

— Et pourquoi ? Hein ?

— C'est comme ça... Et c'est pas spécifique à Colmars... C'est partout pareil.

— Et si demain il tue quelqu'un sur la route ?

— Je sais, Servane. Mais son père va sans doute lui passer un savon...

— *Un savon ?* Mais je rêve ! Il méritait une suspension de permis et une putain d'amende ! Pas un *savon* ! Je suis sûre qu'il avait fumé, en plus ! Il puait le chichon à des kilomètres !

— Calme-toi, Servane, pria Matthieu en garant la voiture devant la gendarmerie.

À l'intérieur, ils trouvèrent Christian Lebrun et Vertoli en train de discuter.

— Alors ? demanda l'adjudant-chef. Tout s'est bien passé ?

— Ouais ! répondit Servane d'un ton excédé. On a ramené le fiston à son papa et il s'est même permis de m'insulter !

— Arrête..., conseilla Matthieu.

— Oh ! Mais c'est vrai ! reprit la jeune femme. J'oubliais que M. Lavessières a tous les droits ici !

— Ça suffit ! coupa Vertoli. Christian et Matthieu, vous retournez sur la route et vous y restez jusqu'à

2 heures. Quant à vous, Breitenbach, vous me suivez dans mon bureau !

— Mais…

— Arrêtez de discuter ! s'emporta l'adjudant. Dans mon bureau, tout de suite !

Ils s'affrontèrent du regard quelques secondes et elle se plia aux ordres. Vertoli ferma la porte puis se planta face à elle.

— Où vous croyez-vous ? s'écria-t-il.

— Dans une gendarmerie ! riposta-t-elle avec défiance. Là où on arrête les conducteurs ivres morts ! Même s'ils s'appellent Lavessières !

— Taisez-vous ! Vous pensez que ça m'amuse ? Vous pensez que je n'avais pas envie de boucler ce petit enfoiré ?

— Et pourquoi ne pas l'avoir fait ? Vous n'êtes pas aux ordres du maire, non ?

— Je sais ce que j'ai à faire ! Vous n'avez aucun conseil à me donner ! Si j'avais mis le fils Lavessières en cage, j'aurais déclenché un esclandre ! Et ça n'aurait pas changé grand-chose, à part m'attirer des ennuis !

— C'est pas croyable ! s'insurgea Servane.

— Écoutez-moi bien, Breitenbach : ici, c'est moi qui donne les ordres. Et vous, vous les exécutez sans discuter. Il faut que cela soit bien clair dans votre tête. Sinon, vous dégagez. Je ne peux plus tolérer que vous vous comportiez ainsi devant les hommes ! Opposez-vous encore à moi ouvertement et je vous fais muter sur-le-champ. Est-ce que c'est compris ?

Le visage de Servane se décomposa, elle resta muette.

— Est-ce que c'est compris ? répéta Vertoli en s'approchant encore.

— Oui…

— Pardon ?

— Oui, mon adjudant-chef.

— Ce n'est pas une gamine qui va mettre le bordel dans ma gendarmerie !

Servane sentit qu'elle n'allait pas tarder à craquer et voulut se sauver.

— J'ai pas fini ! hurla Vertoli. Vous restez ici tant que je ne vous dis pas de partir !

Elle revint sur ses pas, garda la tête baissée. Surtout, ne pas se laisser aller devant lui.

— À partir de demain, vous allez me remettre de l'ordre dans les archives !

— Les archives ? Mais…

— La ferme ! C'est pas le Club Med ici ! Vous serez de service de 8 heures à 13 heures et de 14 heures à 18 heures. Je veux que ce soit nickel ! Sinon, vous y passerez aussi vos nuits et vos jours de repos ! C'est clair ?

— Oui, mon adjudant-chef.

— Vous regagnez l'accueil, maintenant. Vous y resterez jusqu'au retour de Matthieu et de Christian. Exécution !

Elle s'éloigna bien vite et s'assit derrière la banque, tournant le dos au bureau de Vertoli. Elle ne put retenir quelques larmes après cette humiliation cuisante. Tout le monde ici allait savoir qu'elle avait été sanctionnée.

Mais pourquoi n'avait-elle pas obéi aux ordres sans discuter ? Pourquoi s'acharnait-elle ainsi à protester ?

Regarder, ça s'apprend. Comme marcher ou parler…
Et supporter l'injustice, ça s'apprend… ?

Servane termina son repas solitaire et consulta le réveil posé près de la petite télévision : il était 14 heures et elle devait reprendre son travail aux archives. Elle quitta à la va-vite son appartement et croisa trois collègues en train de discuter en bas de l'immeuble.

— Alors, Servane ? Pas trop dur, les archives ?

Elle s'arrêta net, tourna les talons.

— Qui me pose la question ? demanda-t-elle d'un air crâneur.

— C'est moi, m'dame ! avoua l'un d'eux en levant la main.

— Non, c'est même carrément un jeu d'enfant, rétorqua-t-elle avec un sourire forcé.

— Ah ! Tant mieux ! On s'inquiétait pour toi !

— Votre sollicitude me touche beaucoup ! Mais il n'y a vraiment pas de quoi...

— Breitenbach ?

Elle fit volte-face, se retrouva nez à nez avec Vertoli.

— Vous avez vu l'heure ? Vous êtes en retard.

— J'y allais...

— Dépêchez-vous.

Elle se hâta vers la gendarmerie tandis que les gars se marraient encore.

— Quant à vous, je me demande ce que vous foutez là à ricaner comme des cons ! ajouta Vertoli. Vous n'avez rien de mieux à faire ?

— C'est pas méchant, mon adjudant-chef ! C'est juste pour la taquiner un peu...

Le groupe se disloqua sur-le-champ et Vertoli regagna son bureau d'un pas martial. Là, il trouva Servane au garde-à-vous devant sa porte.

— Qu'est-ce que vous voulez ?

— J'aimerais vous parler, mon adjudant-chef.

Il hésita un instant.

— Entrez, répondit-il finalement.

Elle fut rassurée qu'il accepte l'entrevue ; il l'invita même à s'asseoir.

— Je vous écoute. Mais soyez rapide.

— Je voulais m'excuser… Je n'aurais jamais dû me comporter de la sorte devant les autres.

— Vous me dites cela pour que je fasse sauter la sanction, c'est ça ?

— Pas du tout, mon adjudant-chef, assura-t-elle. Je tenais à ce que vous le sachiez, c'est tout. J'ai tendance à me laisser emporter et je n'aime pas les injustices… C'est plus fort que moi… Mais je regrette d'avoir remis votre jugement en cause et je ne voudrais pas perdre votre confiance.

Il sembla touché par ce repentir sincère.

— Je sais que vous vous laissez emporter, Breitenbach. J'ai compris quel était votre caractère ! Mais je vous ai expliqué le comportement que vous deviez adopter et…

— Je l'ai compris. Je ne recommencerai plus.

— Dans ce cas, tout ira bien.

— Je n'ai pas perdu votre confiance ?

— Non, vous ne l'avez pas perdue… Retournez donc aux archives maintenant.

Elle lui adressa un sourire reconnaissant et quitta le bureau. Vertoli la suivit des yeux. Il n'avait eu qu'un garçon et avait toujours rêvé que sa femme lui donnât une fille. Mais après avoir accouché de Nicolas, Irène était devenue stérile et son rêve ne s'était jamais réalisé.

Ce rêve dont il aurait aimé qu'il ait le visage et la personnalité de Servane.

17

— Voilà, on y est, dit Vincent en posant son sac.

Servane sonda la faible lumière à l'horizon, encore étonnée d'avoir accompli cette ascension nocturne. Ils s'assirent côte à côte, Vincent sentit qu'elle tremblait. Il enleva son blouson, le mit sur les épaules de la jeune femme.

— Et vous ?

— Moi, ça va ! Je suis un homme, un vrai !

Elle se mit à rire, il la considéra avec émotion ; pourtant, ils se devinaient à peine dans l'obscurité. Il sortit une petite fiole de son sac.

— Du génépi à cette heure-ci ?

— Allez-y, ça vous réchauffera... Juste une gorgée !

Elle se laissa tenter, frissonnant sous l'effet de la liqueur forte dans sa gorge ; une coulée de lave. Puis Vincent déballa un véritable petit déjeuner qu'ils partagèrent à 3 000 mètres d'altitude, dans le calme le plus absolu.

— J'ai eu l'impression que c'était facile ! confia Servane en dégustant son café.

— Normal. Dans la nuit, vous ne pouvez pas voir la difficulté. Et puis il fait froid... On se rend moins compte de l'effort.

— Vous le faites avec des clients ?

— Oui, une ou deux fois pendant le mois d'août.

— Ça me touche beaucoup que vous l'ayez fait juste pour moi...

Il préféra se taire, désireux de ne pas trahir ce sentiment étrange qui naissait en lui contre sa propre volonté. Sentiment pour une femme qui ne pourrait jamais l'aimer.

C'est dans l'intimité de ce petit matin insolite qu'il se l'avouait pour la première fois. Inutile de se voiler la face plus longtemps : il était bien avec elle, aurait voulu la prendre dans ses bras. Son épaule touchait la sienne ; c'était si dur de résister, de se comporter comme l'ami qu'elle recherchait.

— Le soleil se lève à quelle heure ? demanda-t-elle.

— Il ne va plus tarder...

— *Il inondera nos vies de sa lumière bienfaisante. Il nous sortira des ténèbres...*

Vincent la regarda avec un sourire étonné.

— C'est mon père qui disait ça. Quand j'étais gamine, j'avais peur de la nuit. Et il venait me rassurer le soir, dans ma chambre.

— Il vous manque ?

— Beaucoup... Depuis qu'il est parti sur Nice, je l'ai appelé une fois et... il a refusé de me parler.

— Comment peut-on rejeter sa propre fille...

— Je crois qu'il a eu un choc le jour où je lui ai présenté Fred. Tout ça pour qu'on se sépare deux ans après ! Si j'avais su...

— Vous ne devez rien regretter, Servane. Vous n'allez pas vous cacher éternellement !

— Il faudra toujours que je me cache.

— Il faut vous assumer telle que vous êtes, insista Vincent. Il n'y a pas de honte à avoir. Je ne vous comprends pas…

— Cherchez pas ! Vous avez sans doute raison, mais je n'y parviens pas. Pas encore en tout cas. C'est dur de se révéler différent de la majorité des gens… Ils ont tant de préjugés !

— C'est peut-être vous qui avez des préjugés, rétorqua le guide. Vous pensez qu'ils vont automatiquement vous rejeter, vous refuser telle que vous êtes…

— Ça m'est arrivé si souvent, Vincent. Trop souvent. Mais vous n'avez pas tort : moi aussi, il m'arrive de préjuger de la réaction des autres. Quoi qu'il en soit, je ne suis pas assez forte pour le moment. Un jour, peut-être…

Elle fit une longue pause puis reprit :

— Je ne sais pas si je retomberai amoureuse…

Vincent ferma les yeux sous l'effet de la douleur.

— Oui, vous retomberez amoureuse. Quand… Quand Laure m'a quitté, j'ai cru que ma vie était finie. Que j'allais mourir de chagrin, de colère aussi… J'ai survécu, pourtant.

— Comment ça s'est passé ?

— J'étais parti une semaine avec des clients pour un trek dans les Alpes autrichiennes… Une course merveilleuse… Et le soir où je suis rentré…

Sa voix résonnait étrangement dans cette immensité ; Servane frissonna.

Chalet désert… Penderie à moitié vide… Coups de fil aux parents, aux amis…

— Elle ne vous a rien laissé ? s'étonna la jeune femme. Un mot ou…

— Si. Un message sur l'ordinateur. *Vincent, pardonne-moi. Je te quitte.* De quoi se poser un milliard de questions.

— Je croyais qu'elle s'était barrée avec un type… ?

— C'est ce que j'ai su plus tard. En fait, au village, on l'a vue partir avec un homme… La voiture était immatriculée 75. C'est tout ce que j'ai pu apprendre.

— Elle n'a plus donné de nouvelles ?

— Non, jamais. Ni à moi, ni à ses parents. Son père est mort il y a deux ans. Cette disparition lui avait filé un coup de vieux… Sa mère vit encore à Thorame. Je vais la voir de temps en temps.

— C'est sympa de votre part !

— Ce n'est pas parce que sa fille m'a plaqué que je dois la laisser tomber ! Et puis ma mère vit à Château-Garnier, pas très loin de Thorame. Alors quand je vais la voir, je passe chez Madeleine…

— Et Laure, elle faisait quoi comme métier ?

— Guide, comme moi.

Le premier rayon de soleil vint éclairer cette blessure d'une lumière subtile.

— Ça y est ! chuchota Vincent. *Il vient nous sauver des ténèbres…*

Servane resta bouche bée devant ce ballet grandiose. Les sommets jaillissaient de l'ombre un à un, comme par magie. Le ciel étant limpide, la vue s'étendait sur tout le massif et bien au-delà. Une féerie naturelle qui les laissait sans voix. Le soleil se levait rapidement, comme tiré par une main gigantesque, offrant des couleurs qui changeaient de minute en minute. Un panorama qui se modifiait constamment sans qu'il soit nécessaire de tourner la tête.

La dernière fois que Vincent avait assisté à cette mise en scène somptueuse avec une femme, c'était avec Laure.

Ce matin, Servane était près de lui et il aurait pu être heureux.

En tournant la tête, il vit qu'elle était émue aux larmes, passa son bras autour de ses épaules pour la serrer encore plus.

— J'ai vraiment de la chance de t'avoir rencontré, murmura-t-elle.

C'était la première fois qu'elle le tutoyait et il aurait pu être heureux.

Mais leurs sentiments étaient juste un peu différents. Cette petite différence qui ferait que leurs corps resteraient étrangers l'un à l'autre. Qu'ils ne se rencontreraient jamais vraiment. Alors que leurs esprits étaient en parfaite harmonie.

Alors qu'il aurait pu être heureux…

Le soleil continua à escalader l'horizon, Vincent laissa son regard se perdre dans l'infini en songeant que la vie ne cesserait jamais d'être cruelle. Qu'elle le blesserait jusqu'à sa mort.

*
* *

La voiture de Servane s'éloigna sur la piste alors que Vincent rangeait le matériel dans la remise. À peine 10 heures du matin, il avait la journée devant lui. Il n'avait guère dormi, n'avait pourtant pas sommeil.

Subitement désœuvré, il s'assit sur le perron où Galilée ne tarda pas à le rejoindre.

— Tu vois, mon vieux, ton maître est encore triste…

Le chien leva vers lui un œil désolé. À croire qu'il comprenait le langage des humains.

— Mais je vais pas me laisser abattre !

Un véhicule approchait, Vincent espéra un instant que c'était Servane qui revenait. Pour lui dire... *Finalement, je suis retombée amoureuse, Vincent...*

Mais ce fut l'utilitaire jaune du facteur qui déboula à toute vitesse. Beaucoup moins romantique.

Le berger se précipita en aboyant ; le postier déposa son lot d'enveloppes et s'en alla aussitôt, en retard dans sa tournée. Vincent jeta un œil à son courrier : une lettre d'un de ses amis, guide en Vanoise, et une enveloppe anonyme où son nom était tapé à la machine.

Postée à Thorame.

Il l'ouvrit à la va-vite, y trouva trois pages photocopiées. Cette fois, il s'agissait d'une décision du maire de Colmars ordonnant le paiement d'une somme relativement importante, quatorze mille euros, pour des prestations d'études géologiques.

En découvrant le bénéficiaire de ces paiements, il resta le souffle coupé.

*
* *

Hervé Lavessières entra dans le bureau de son frère qui était au téléphone. Pour patienter, il se mit à la fenêtre et alluma une cigarette. André parlait fort, comme toujours, son cadet l'écoutait en souriant. Visiblement, le ton montait.

Le maire raccrocha enfin et laissa instantanément exploser sa colère.

— Putain, il m'a cassé les couilles, celui-là !

— C'était qui ? s'enquit Hervé.

— Ce con de Belge qui a acheté le grand chalet à l'entrée du col des Champs… Il me harcèle depuis des jours pour que je refasse la route en bas de chez lui ! Paraît qu'il y a un nid-de-poule et que ça abîme sa bagnole de luxe !

— Qu'est-ce que tu lui as dit ?

— Qu'on allait lui boucher son trou !

Les deux frères se mirent à rire en chœur et Hervé s'assit en face du bureau après avoir balancé son mégot par la fenêtre.

— Tu voulais me parler ? demanda-t-il.

— J'ai appris que Lapaz s'intéresse à la vente des terrains, expliqua André.

Hervé ne put cacher son inquiétude. Une ride sur son front, les lèvres qui se pincent.

— Qu'est-ce que tu sais, exactement ?

— Seulement qu'il a été voir le notaire et qu'ils ont déterré ce dossier… C'est Bello qui m'a prévenu.

— Bello ? Mais il est au courant pour…

— Non… Il sait seulement que cette transaction doit garder un caractère confidentiel. Et comme je lui ai rendu service, il m'a appelé.

Hervé aligna quelques pas dans le vaste bureau. Visiblement, cette nouvelle le mettait hors de lui.

— Faudrait se débarrasser de ce chien !

— Doucement, Hervé… Doucement… Pour le moment, il patauge.

— C'est Pierre Cristiani qui a dû trop parler ! supposa Hervé.

— Certainement, acquiesça André. Il n'est pas mort assez vite…

— C'était pourtant plus rapide que prévu ! Mais il a peut-être eu le temps de lui révéler la vérité avant de crever.

— Cristiani ne savait pas tout, rappela posément le maire. Il lui manquait même l'information principale ! Je ne crois pas que Lapaz pourra apprendre la vérité. Mais faut quand même qu'on le surveille. J'ai demandé à Portal de garder un œil sur lui.

— Portal ? Il est tellement con qu'il va se faire repérer en moins de deux !

— Il n'est pas doué pour grand-chose, je te l'accorde. Mais je crois qu'il peut faire ça. Et puis, en qui d'autre avoir confiance ?

— Qu'est-ce qu'on va faire si Lapaz va plus loin ?

— On avisera.

— S'il faut s'occuper de lui, tu pourras compter sur moi ! asséna Hervé.

— En attendant, reste calme…

Hervé alluma une autre clope. Son frère se dépêcha d'aller rouvrir la fenêtre ; comme tous les anciens fumeurs, il était devenu subitement allergique à l'odeur du tabac.

— Comment va Ludo ? demanda-t-il.

Ludovic, le fils aîné d'Hervé. Presque le même âge que Sébastien, à peine un peu plus jeune. Les deux cousins étaient longtemps restés inséparables. Jusqu'à ce que Ludovic parte sur Menton pour y travailler.

— Très bien… Et Séb ?

— Les gendarmes me l'ont ramené ivre mort avant-hier ! bougonna André. Je lui ai passé un sacré savon et je lui ai dit que s'il recommençait, je vendais sa caisse ! Quel petit con…

— C'est de son âge, fit Hervé en haussant les épaules.

— En parlant de gendarmes, tu connais la petite jeune qui est arrivée à la caserne ?

— Je l'ai aperçue deux ou trois fois...

— C'est elle qui m'a ramené mon gamin, ajouta André. Elle a pas l'air commode... Je crois que Lapaz a mis le grappin dessus.

— Je les ai déjà vus ensemble, confirma Hervé.

— Faudra la surveiller, elle aussi. J'ai l'impression que ce salopard de guide a des doutes sur la mort de Cristiani... Et comme c'est cette fille qui a trouvé le corps, elle est peut-être dans la confidence.

— À mon avis, elle est simplement dans son pieu ! ricana Hervé.

— L'un n'empêche pas l'autre, au contraire... On va bouffer ? J'ai une faim de loup !

*
* *

Vincent se servit un verre d'eau fraîche avant de s'effondrer sur le canapé. Depuis qu'il avait ouvert cette lettre, son cerveau tournait à cent à l'heure.

Visiblement, quelqu'un dans la vallée voulait se servir de lui pour faire éclater la vérité.

Mais quelle vérité ? Simple affaire de corruption ou plus grave encore ? La mort de Pierre trouverait-elle son explication dans cette énigme ?

Et pourquoi celui qui savait ne faisait-il pas le ménage lui-même ?

Perdu dans ces questions, il chercha du secours. Et naturellement, il appela Servane sur son portable. Messagerie. Il raccrocha immédiatement, composa le numéro de la gendarmerie et demanda à lui parler. Il patienta un moment et la jeune femme décrocha enfin.

— Vincent ? Qu'est-ce qui t'arrive ?

— Il faut que je vous parle... Que je te parle... J'ai du nouveau !

— Je suis seule aux archives, tu peux me parler.

— Non, il vaut mieux qu'on se voie... Tu déjeunes où ?

— Je n'ai que peu de temps...

— Je passe te prendre tout de suite.

— Non, à 13 heures ! Mais je n'ai qu'une heure.

— Ça ira... Attends-moi devant la caserne, nous irons dans un petit resto en dehors de Colmars.

*
* *

Le restaurant était situé à cinq minutes du village, au bord d'un plan d'eau fort agréable en cette saison.

Servane et Vincent s'étaient installés dehors et avaient commandé une grande pizza pour deux.

— Alors ? attaqua la jeune femme. Qu'est-ce qui se passe ?

Vincent lui tendit la photocopie.

— J'ai reçu ça ce matin, dans le même type d'enveloppe que la dernière fois...

Servane parcourut le document des yeux et releva la tête.

— Julien ! murmura-t-elle. Je le savais !

— Doucement ! Tout cela ne prouve rien du tout...

— *Rien du tout ?* On nous met sur la voie des terrains et qui on trouve derrière ? Julien Mansoni ! On t'envoie la preuve d'un paiement effectué par la mairie. Et à qui ont été versées ces sommes ? Julien Mansoni ! Évidemment, ça ne prouve rien… Mais avoue que c'est particulièrement troublant !

— Ça l'est, en effet.

— Si on part sur mon hypothèse, Julien a reçu à plusieurs reprises des sommes de la mairie de Colmars… Ça sent la corruption à plein nez !

— Julien corrompu ? répondit Vincent. J'arrive même pas à l'imaginer… Et en échange de quoi ?

— Ça, c'est la question qu'il nous faut élucider… Tu avais déjà entendu parler de ces études géologiques ?

— Non, jamais… Elles concernent un site où la mairie se débarrasse des boues de la station d'épuration.

Le patron arriva avec la pizza, ils interrompirent leur conversation un instant. Il s'éloigna enfin et Servane étudia à nouveau le document.

— Tout cela est plus que louche, continua-t-elle. Fait-on des études de sol pour ce genre de choses ?

— Je ne suis pas spécialiste, mais je pense que c'est logique… Après tout, Julien a des connaissances en la matière et il se peut que le maire ait vraiment fait appel à lui… Mais ça m'étonne. En général, il préfère éviter tout contact avec les hommes du Parc.

— J'ai une hypothèse ! lança la jeune femme en attaquant sa pizza.

— Je t'écoute, sourit Vincent.

— Voilà : Julien rédige un rapport de complaisance sur ce site… Il arrange le maire en affirmant que l'endroit est parfait pour déposer ces déchets alors que ce n'est pas le cas… Et c'est en échange de sa *bien-*

veillance que la mairie lui verse une coquette somme d'argent.

— Oui, mais les terrains ? répliqua le guide. Quel rapport entre les deux histoires ?

— Eh bien, le maire rachète les terrains hors de prix pour remercier une nouvelle fois Julien de lui avoir fait ces études tronquées !

— Sauf que ça s'est passé dans l'ordre inverse, rappela le guide. D'abord les terrains et un an et demi après, les expertises…

— Oui, t'as raison… Mais ce qui est sûr, c'est que Julien Mansoni est complice des magouilles du maire.

— J'ai vraiment du mal à le croire, avoua Vincent.

— Pourtant, cette décision est la preuve que Julien a bien touché du fric de Lavessières ! Ça, tu ne peux pas le nier…

— Il faut rester prudent. Je ne sais même pas qui m'envoie ces messages codés ! C'est peut-être un faux document !

— Eh bien il faut que l'on vérifie tout ça…

— Ça va pas être du gâteau ! répondit le guide. Je me vois mal en train d'aller fouiner dans les affaires de la mairie… Cette ordure de Lavessières va m'attendre avec la grosse artillerie !

— Nous allons trouver ! affirma Servane. Elle est vachement bonne cette pizza !

Il la regardait manger mais n'avait pas touché à son assiette. Il avait oublié que tomber amoureux est le plus efficace des coupe-faim…

— Au fait, qu'est-ce que tu foutais aux archives ?

— Vertoli m'y a collée pendant une semaine… Il faut que je remette de l'ordre dans tout ce merdier…

Heureusement que je ne suis pas allergique à la poussière !

— C'est une sanction ou quoi ?

— C'en est une. J'ai discuté ses ordres devant les autres...

— Oh ! Mlle Breitenbach est une forte tête !

— On a chopé le fils Lavessières ivre mort au volant de son petit bolide, il y a deux jours... Il a même refusé de s'arrêter... Mais Vertoli l'a renvoyé chez papa et j'ai protesté... Il l'a très mal pris !

— J'imagine ! Tu t'attendais à quoi ?! Tu croyais que Vertoli allait garder le petit Sébastien en cellule ?

— Oui, je le croyais, avoua-t-elle.

— Tu es naïve, parfois ! laissa échapper le guide. Personne ne contrarie Lavessières dans cette vallée ! C'est lui le maître des lieux...

— Bon, quoi qu'il en soit, faut qu'on trouve pourquoi Julien a reçu tout ce blé... Il faut qu'on bâtisse un plan d'action !

Elle était si jolie quand elle prenait cet air décidé. Elle semblait capable d'abattre les montagnes. Ou simplement de les apprivoiser.

— En tout cas, tant qu'on n'en sait pas plus, pas un mot à Vertoli, ordonna Vincent.

— Évidemment ! S'il apprend que je mène une enquête parallèle, il me passe au peloton d'exécution !

— Qu'est-ce qu'on va faire, maintenant ?

— Il faut vérifier si Julien a vraiment fait ces expertises ou si c'est un paiement bidon. Et puis il faudrait savoir s'il a touché le fric des terrains... Savoir si son train de vie a changé depuis cette vente. Une telle somme, ça ne doit pas passer inaperçu.

— Je peux peut-être aller lui parler, suggéra Vincent.

— Et qu'est-ce que tu vas bien pouvoir lui dire ? Tu risques d'attirer son attention…

— J'ai ma petite idée ! répliqua Vincent avec un énigmatique sourire.

— Très bien, je te laisse faire.

Elle consulta sa montre.

— Merde, faut que j'y retourne !

— Tu n'as pas le temps de prendre un café ?

— Non ! Il faut que tu me ramènes tout de suite ! Vertoli me surveille comme le lait sur le feu ! Déjà qu'il m'a autorisée à commencer en retard ce matin…

Vincent régla la note puis ils se hâtèrent de rejoindre le pick-up.

— Allez, dépêche-toi ! implora Servane.

Il accéléra encore et ils arrivèrent à la gendarmerie à 14 h 10. Servane embrassa Vincent sur la joue avant de bondir hors de la voiture.

— On se tient au courant ! dit-elle. Et encore merci pour le déjeuner !

— À bientôt…

Vincent repartit en direction d'Allos ; mais il ne rentrait pas chez lui : il se rendait au bureau du Parc. À cette heure, il n'avait que peu d'espoir d'y trouver Julien mais voulait néanmoins tenter sa chance.

Pendant le trajet, il essaya de faire le point de la situation : en fait, il nageait plus que jamais dans l'incertitude. Ce mystérieux informateur le mettait-il vraiment sur la piste du meurtrier de Pierre ? Un meurtrier qui aurait le visage de Julien ? Impossible. Certes, ils n'avaient jamais été amis, tous les deux. Mais Vincent l'avait toujours profondément respecté pour son professionnalisme et son engagement. Un combat difficile qu'il menait avec un courage exemplaire. Comment croire un instant qu'il avait pu tuer Pierre ?

Arrivé à destination, il gara sa voiture près de celle de Julien. Finalement, il avait bien fait de venir.

En entrant, il trouva les deux gardes et leur chef en pleine discussion.

— Salut, Vincent ! lança Julien Mansoni. Comment tu vas ?

— Bien, répondit le guide en serrant la main aux trois hommes. Vous n'êtes pas sur le terrain ?

— On prépare la journée d'information de demain, expliqua Baptiste.

— Si tu veux un café, sers-toi, ajouta Cédric. Je viens de le faire, il est encore chaud !

— Merci...

Comment allait-il aborder le sujet ?

— Tu voulais quelque chose ? supposa Julien.

— Oui... En passant ce matin devant la station d'épuration, il m'est venu une question à l'esprit... Est-ce que la loi n'impose pas des études de sol pour le recyclage des boues d'épuration ?

Le visage de Mansoni se crispa légèrement.

— Bien sûr ! confirma Cédric. C'est obligatoire. Il faut que le sol soit particulièrement étanche aux infiltrations.

— C'est bien ce que je pensais ! jubila Vincent. Et vous croyez que Lavessières a tout fait dans les règles ?

— Pourquoi tu nous demandes ça ? s'étonna Baptiste en triturant sa moustache.

— Je me posais la question, c'est tout... Je cherche toujours le moyen d'emmerder ce salaud !

— Maintenant que le site a été choisi, c'est peut-être un peu tard, souligna Cédric.

— Oui, concéda Vincent. Mais on ne sait jamais... Il faut que je sache si ces études ont été faites... Je vais aller à la mairie et...

— Elles ont été faites, lâcha soudain Julien.

— Ah oui ? répondit Vincent d'un ton innocent. Tu en es sûr ?

— Certain... J'ai déjà vérifié.

— Ah... Et le terrain était bon pour l'usage qu'en a fait Lavessières ?

— Ben oui ! Sinon, à quoi bon demander des études ?

— Et si c'est un pote à lui qui a procédé à l'expertise ? soupçonna soudain Cédric.

Sans le vouloir, le jeune garde filait un sérieux coup de main à Vincent.

— C'est vrai ! renchérit le guide. Si c'est un pote à lui qui les a faites, c'est du bidon ! Il faut que j'exige de consulter le dossier à la mairie et que je voie le nom de celui qui a réalisé l'expertise...

— En espérant que ce ne soit pas Portal ! ricana Baptiste.

— Il est tellement con qu'il pourrait même pas étudier le contenu de ses poches ! fit Cédric.

Vincent jeta un œil du côté de Julien qui gardait le silence mais semblait plutôt à l'aise malgré la difficulté de la situation.

— Bon, merci pour tous ces renseignements et pour le café, les gars ! dit Vincent en se levant.

— T'as pas de clients aujourd'hui ? s'étonna Cédric.

— Non, pas aujourd'hui... Mais demain, j'ai un groupe de vingt personnes pour l'ascension du Cimet.

— Vingt ? répéta Baptiste. Tu vas en perdre la moitié en route !

— Non, ce sont des randonneurs expérimentés. Ils font tous partie du même club... Bon, je vais à la mairie remuer un peu la merde ! Rien qu'en me voyant, Lavessières va faire une attaque ! Salut, les mecs...

Le guide rejoignit sa voiture. Visiblement, les gardes n'étaient pas au courant des activités rémunérées de Mansoni pour le compte de Lavessières. Alors qu'il tournait la clef dans le contact, Julien vint frapper à sa vitre. Vincent coupa le moteur bruyant du 4×4.

— Je peux te parler ? pria Mansoni.

— Oui, bien sûr... Qu'est-ce qu'il y a ?

Vincent descendit de sa voiture, ils s'éloignèrent un peu du bureau.

— Qu'est-ce qui se passe, Julien ?

— Les études dont tu viens de parler... C'est moi qui les ai faites.

Vincent se força à arborer un air étonné.

— Toi ? Mais pourquoi tu ne l'as pas dit tout à l'heure ?

— Les gars ne savent pas que j'ai bossé pour la mairie, j'ai peur qu'ils le prennent mal.

— Disons que c'est surprenant ! répondit Vincent.

Le chef de secteur s'assit sur un muret. Il paraissait légèrement embarrassé mais gardait un étonnant sang-froid.

— Ça te choque ?

— Non, assura Vincent. Il fallait bien que quelqu'un s'en charge... Et si tu étais qualifié pour ça, je ne vois pas le problème. D'autant plus que je suis sûr qu'avec toi, le maire n'a pu bénéficier d'aucune complaisance.

— Le terrain était adapté, il n'y a eu aucun souci.

— C'est bien... Mais dans ce cas, pourquoi es-tu gêné que tes gars soient au courant ?

— Ben... Ils ne portent pas Lavessières dans leur cœur et s'ils savent que j'ai perçu de l'argent de ce type...

Premier faux pas.

Normal de glisser quand on marche dans la boue.

— De la mairie, rectifia Vincent.

— Hein ?

— Tu as reçu de l'argent de la *mairie*, pas du maire...

— Exact... C'est parfaitement légal, tu sais... En tant qu'expert, j'avais le droit de conseiller les élus et d'être indemnisé pour cela.

— C'est bien payé ? Si c'est pas trop indiscret !

— Pas terrible !

Quatorze mille euros ! *Pas terrible ?!*

— Bon, je ne me porterai jamais volontaire, dans ce cas ! ajouta Vincent en souriant.

— Je voulais que tu le saches avant d'aller te renseigner, conclut Julien. Inutile que tu perdes ton temps !

— Ouais, bien sûr... Je trouverai bien autre chose pour l'emmerder !

— Sûrement, acquiesça Julien. Je te laisse, on a encore pas mal de boulot...

Mansoni repartit vers le bureau tandis que Vincent remontait à bord de son pick-up.

Désormais, il avait la certitude que Julien voulait cacher quelque chose. Mais il n'était guère plus avancé. Ces questions lui donnaient mal au crâne ; il rêvait de vérité comme on rêve de silence au milieu du vacarme.

Il traversa à nouveau le village d'Allos et remarqua le Range Rover de Portal dans son rétroviseur. Deux fois dans la même journée que ce crétin roulait derrière lui.

Bizarre.

Le suivait-il ?

Il dépassa la route du Lac, continua en direction de Colmars. Le Range Rover était toujours dans son sillage. Peut-être allait-il lui aussi à Colmars ?

Il laissa les fortifications de côté et emprunta la grande route qui descendait dans la vallée, direction Saint-André.

Le Range Rover s'était arrêté au village. Fausse alerte.

Vincent fit le plein à la station-service puis reprit sa route. En quittant Julien, il avait eu une idée. Quelqu'un pouvait lui venir en aide.

Il mit une cassette dans l'autoradio ; musique classique, comme souvent. Les notes mélancoliques de Jean Sibelius et les kilomètres défilèrent dans cette chaude après-midi de fin juillet. Les touristes étaient nombreux et Vincent n'aurait plus guère de temps libre jusqu'à la fin août avec, au programme, cinq à six randonnées par semaine. Mais ce rythme lui convenait à merveille.

Sauf que cet été, le ciel était sombre. Le suicide de Myriam, la mort brutale de Pierre et ce sentiment étrange pour Servane.

Tellement de choses difficiles à affronter…

À hauteur de Saint-André, Vincent continua en direction du sud, longeant les eaux profondément bleues du barrage de Castillon au bord desquelles les estivants venaient se rafraîchir.

Vers 16 heures, il arriva enfin à Castellane, petit village pris d'assaut par des bus entiers de curieux avides

287

de découvrir les mythiques gorges du Verdon. Il laissa son 4×4 au beau milieu d'une petite ruelle et frappa à une porte en bois massif élégamment sculptée.

Un homme d'une soixantaine d'années ne tarda pas à lui ouvrir.

— Vincent ! s'écria-t-il en souriant. Quel bon vent t'amène, petit ?

Vincent suivit son ami jusque dans la salle à manger où la table était encombrée de dizaines de livres.

Paul Lespérance, géologue réputé dans l'Europe entière, avait grandement participé à la création de la Réserve géologique de Haute-Provence au début des années quatre-vingt. Et aujourd'hui, il n'avait jamais aussi bien porté son nom.

— Je te sers quelque chose de frais ? proposa Paul.

— Volontiers... J'ai pris un coup de chaud sur la route !

— Assieds-toi, petit, j'arrive...

Vincent s'installa sur le canapé où un vieux chat dormait, roulé en boule. Il connaissait Paul depuis longtemps et avait beaucoup d'estime pour ce type à la barbe blanche et à la curiosité d'enfant.

— Une bière, ça t'irait ? cria Paul depuis la cuisine.

— Parfait !

Le géologue prit place en face de son invité.

— J'ai besoin de renseignements, attaqua le guide en décapsulant sa canette. J'aimerais ton avis sur l'implantation du site de retraitement des boues de la station d'épuration de Colmars.

— À quel niveau ?

— Au niveau des sols... Est-ce que tu peux me dire si le site est approprié ?

— Évidemment que je peux te le dire : c'est moi qui ai fait les études de sol !

Vincent resta bouche bée.

— Tu sembles surpris… Tu ne me crois pas capable de remplir cette mission ? s'indigna Paul.

— Oh si ! Mon étonnement n'a rien à voir avec ta compétence ! Mais je t'expliquerai après. Raconte-moi tes études…

— Eh bien, cela remonte à… Combien déjà ? Il y a bien dix ans… Les maires des communes intéressées m'ont demandé mon avis pour l'implantation de la future station et surtout pour trouver un endroit où retraiter les boues. Il y avait trois sites envisagés, j'ai étudié les trois. Et celui que j'ai considéré comme étant le meilleur a été choisi, d'ailleurs… Mais bien plus tard !

— Tu veux dire que le site actuel est celui qui était le plus approprié ?

— Oui ! Avec certains aménagements, le retraitement ne présentait aucun danger pour l'environnement… Mais ça a l'air de te décevoir… ?

— Non, c'est pas ça… Si tu as réalisé ces études, il était inutile d'en demander d'autres ?

— Évidemment !

— Même si la station a été construite plusieurs années après ?

— Mais bien sûr ! Le sol ne se modifie pas en quelques années, petit !

— Y a-t-il quelqu'un d'autre qui aurait pu être choisi à ta place dans le coin ?

— Certainement… Je ne suis pas le seul géologue dans le département !

— Et il fallait absolument que ce soit un géologue ? Un simple spécialiste de l'environnement n'aurait pas pu...

— Il fallait un géologue ! affirma Paul. Je vois mal quelqu'un d'autre se prononcer... Mais si tu t'intéresses tellement à ces études, et même si tu ne veux pas me dire pourquoi, je peux te donner le rapport que j'avais rendu à l'époque.

Le géologue passa dans la pièce à côté, transformée en bibliothèque. Il lui fallut moins de dix minutes pour remettre la main sur le document et le confier à Vincent.

— Merci, Paul... Merci beaucoup.

— Tu ne veux pas me dire pourquoi tu t'intéresses tant à cette affaire ? Tu as émoustillé ma curiosité et...

— Je te promets de t'expliquer ! Mais quand j'aurai des certitudes...

— On n'a jamais de certitudes, petit ! C'est bien là la seule certitude qu'on puisse avoir ! Tu ne sais pas encore ça à ton âge ?

Vincent le considéra avec tendresse. Ils discutèrent encore un bon moment. Des touristes de cette année, de la Réserve. Du retour du loup, une bénédiction pour la montagne.

Ils parlèrent ensuite naturellement du Parc, de son avenir surtout.

Le Parc, ou plutôt *les* Parcs nationaux, en plein dans le viseur des politiciens.

Eux qui se gargarisent pourtant de protection de l'environnement, en bouffent à tous les repas, l'accommodent à toutes les sauces. Parce que ça rassure, que c'est à la mode. La biodiversité, le développement durable, la lutte contre le réchauffement climatique.

Overdose dans les discours officiels comme dans les campagnes publicitaires. Une manière pour les pires pollueurs de redorer leur image auprès des foules crédules.

Effets d'annonce, arguments électoraux. Promesses jamais tenues.

Des mots, toujours des mots.

Rien que des mots.

Qui ne pèsent pas un gramme face à ceux qui détiennent le pouvoir. Le véritable pouvoir.

Les Parcs nationaux, dans le viseur de ces gens-là... Si on les laisse faire, ils appuieront sur la détente et les parcs fondront comme neige au soleil. Deviendront des coquilles vides, pour laisser plus de place au développement local... Plus de place à l'homme, toujours. Comme si quelques rarissimes zones épargnées par son expansion galopante, c'était encore trop.

Discussion animée même s'ils étaient d'accord sur tout. Ou presque : Paul était d'un naturel plus optimiste que Vincent.

Peut-être est-ce dû à son patronyme... ? songea le guide.

Il se leva enfin et prit congé.

— Ne reviens pas dans un an ! pria Lespérance d'un ton paternaliste.

— Promis ! Mais j'ai une dernière question concernant les études de sol... Combien as-tu été rémunéré pour les réaliser ?

— Les mairies m'ont donné une indemnité de quelques milliers de francs... On parlait encore en francs, à l'époque ! Moins de trente mille, en vérité. Avec le boulot que ça représentait, je peux dire que j'ai travaillé pour la gloire !

— Merci pour tout, Paul… Et à très vite.

Lespérance le regarda manœuvrer dans la ruelle déserte. Il eut un pincement au cœur. Le *petit* allait mal, ça se lisait à livre ouvert dans ses yeux. Et dans quoi avait-il mis les pieds ? À force de jouer avec le feu…

18

Vingt personnes à monter en haut du Cimet, à plus de 3 000 mètres d'altitude : huit heures de marche et des clients au septième ciel ; équation idéale pour Vincent, qui arriva à l'Ancolie en début de soirée.

Galilée, ravi de revoir son maître après cette longue absence, lui offrit un débordant témoignage de son affection.

— On dirait que ça fait un mois que tu m'as pas vu, couillon ! rigola Vincent.

Il prit une bière dans le frigo, vira ses godasses. Puis, tout en se dirigeant vers la salle de bains, il se déshabilla entièrement, semant ses fringues derrière lui.

Douche bien chaude puis bien froide pour délasser les muscles. Mais à la sortie de la baignoire, pas de serviette. L'organisation n'était décidément pas son fort. Il marcha jusqu'à la chambre en dérapant sur le parquet. Dans l'armoire, il trouva enfin de quoi se sécher. Il choisit un tee-shirt et un jean et redescendit au rez-de-chaussée où il ne prit pas la peine de ramasser ses vêtements sales. Après tout, il était le seul à supporter son désordre. Un des avantages du célibat.

Une autre bière à la main, il composa le numéro du portable de Servane.

— C'est moi, Vincent... Tu peux me parler, t'es seule ?

— Pas de souci, je suis chez moi...

— Alors ? Tu as pu te procurer ce que je t'ai demandé ?

— Oui et j'ai tout déposé dans ta boîte aux lettres !

— Génial ! Je vais y aller... Ça n'a pas été trop dur ?

— Non, ça va... Je suis allée à la mairie en fin de matinée, j'ai demandé à consulter le dossier... L'hôtesse d'accueil m'a fait des yeux de merlan frit mais elle a bien été obligée de me donner le document ! Je crois que je suis tombée sur une saisonnière et qu'elle a été impressionnée par mon uniforme ! J'ai eu de la chance... Bref, j'ai photocopié les pages qui nous intéressent et dans la foulée, je suis montée jusque chez toi... Ta journée s'est bien passée ?

— Très bien... Ils ont adoré !

— J'aurais adoré aussi, je crois...

— Je t'emmènerai là-haut, promis !

— Je n'aurai plus guère de repos jusqu'en septembre, ajouta-t-elle d'un air déçu.

— C'est encore plus beau à l'automne.

— Tant mieux !

— Bon, Vertoli ne se doute toujours de rien ?

— Tu parles ! Il ne s'est même pas aperçu que je m'étais sauvée des archives...

— Fais gaffe, tout de même... Je ne voudrais pas qu'il te mute à l'autre bout de la France !

— Ne t'en fais pas... Tu vas encore devoir me supporter un moment !

Il y eut un blanc dans leur conversation. Que lui dire d'autre ?

Pourtant, il n'avait pas envie de raccrocher. La retenir encore…

— Tu veux venir dîner ? proposa-t-il.

— Ce serait volontiers, mais je ne peux pas… Je suis invitée chez Vertoli.

— T'es devenue lèche-bottes ou quoi ?!

— Mais non ! Sa femme organise un repas pour toute la caserne… Un barbecue géant !

— Ça n'a pas l'air de te réjouir !

— Disons que ce n'est pas le genre de soirée que j'apprécie ! Mes collègues, je les vois déjà à longueur de journée, alors…

— Bon, ben tant pis pour moi ! Et bon courage… Je t'embrasse.

Ils raccrochèrent et Vincent se précipita vers sa boîte aux lettres où il trouva un tas de lettres ainsi que les documents déposés par Servane, avec un petit mot : *Bonne lecture, Sherlock !* Il sourit, s'installa sur le perron et entama la lecture du rapport remis par Julien Mansoni au maire. Au fil des pages, il constata qu'il ne s'était pas trompé : Julien n'avait fait que reprendre l'expertise de Paul Lespérance. Presque mot à mot. Par acquit de conscience, il compara entièrement les deux documents et ne trouva aucune différence à part dans la présentation. Il appela de nouveau Servane.

— C'est encore moi…

— Déjà ! Alors, c'est intéressant ?

— C'est ce que je craignais : Julien n'a fait que recopier le rapport de Paul…

— Il a donc été payé pour un travail qu'il n'a pas fait.

— Je ne comprends plus rien, avoua Vincent.

— C'est pourtant clair : tout cela n'est qu'un prétexte trouvé par Lavessières pour filer du fric à Julien ! Sur le dos des contribuables, bien sûr !

— Mais pourquoi ? Pourquoi Julien touche-t-il du pognon ?

— Il doit rendre des services en échange de cet argent, dit Servane.

— Quels services ?

— C'est la question à laquelle nous devons répondre, Vincent... De toute façon, je suis persuadée que notre mystérieux informateur va continuer à nous mettre sur la piste... Je parie que tu vas recevoir bientôt un troisième message qui nous permettra d'y voir plus clair.

— Ouais... J'aimerais bien l'avoir en face ce *mystérieux informateur*, comme tu l'appelles ! Parce qu'il commence vraiment à me gonfler ! Je ne sais pas à quel jeu il joue, mais ça me tape sur les nerfs...

— Je suppose que c'est un petit jeu qui l'amuse beaucoup ! Il doit s'agir de quelqu'un qui a des comptes à régler avec Julien Mansoni ou avec le maire... Ou même avec les deux ! Il faut qu'on trouve qui peut en vouloir à ces deux-là...

— Ça peut être n'importe qui dans la vallée ! On ne pourra jamais savoir.

— Écoute, on va attendre le prochain message. De toute façon, on n'a pas grand-chose d'autre à faire...

— D'accord... En tout cas, je te remercie pour tout ce que tu fais.

— Je ne fais que mon boulot ! répondit-elle.

— Merci quand même ! Et bonne soirée...

Il relut encore le rapport écrit par Julien. Ou plutôt cet ignoble plagiat.

Mansoni n'était plus le professionnel irréprochable qu'il avait estimé. Seulement un fonctionnaire corrompu dans une sordide machination qui avait peut-être coûté la vie à Pierre. Les certitudes s'envolaient les unes après les autres.

Mais il en restait une, bien ancrée dans le cœur et l'esprit de Vincent : le ou les assassins de Pierre finiraient par payer.

*
* *

Vers 22 heures, Portal se gara devant le chalet des Lavessières et les deux chiens de chasse aboyèrent méchamment tout en restant à une distance raisonnable. Il sonna à la porte et l'épouse du maire lui ouvrit. Toujours le même visage sévère, la même carence de sourire. Elle le précéda jusqu'au grand salon où André et son frère buvaient un scotch.

— Ah, Portal ! Assieds-toi !

Le colosse prit place dans un fauteuil à peine assez large pour le recevoir et le maire appela son épouse comme s'il appelait un de ses clébards. Il voulait simplement un autre verre pour lui et ses invités, ainsi que quelques glaçons. Lorsque les hommes furent servis, André ferma la porte et se tourna vers Portal.

— Alors, qu'est-ce que tu as à nous raconter ?

— Hier, Lapaz est allé à Castellane pour voir un certain Paul Lespérance, annonça-t-il avec fierté.

— Lespérance ? s'étrangla le maire. Bordel de merde ! Je m'en doutais... Aujourd'hui, la secrétaire m'a appris que la fille de la caserne est venue fouiner dans le dossier de la station d'épuration !

— Mais comment il a pu savoir ? s'étonna Hervé.

— Aucune idée ! avoua André. Mais maintenant qu'il est allé voir ce vieux fou de Castellane, il sait pour les études bidon.

— Ils commencent vraiment à devenir trop curieux, ces deux-là ! s'emporta Hervé. Il va falloir s'occuper d'eux…

— *S'occuper d'eux ?* répéta le maire avec colère. Et puis quoi encore ? Tu veux vraiment qu'on ait des problèmes ?

— Mais ils vont finir par savoir ce qui s'est passé et…

— Ils n'en sont pas encore là ! trancha son frère.

— Ils sont tout de même dangereux ! martela Hervé. Si jamais ils ébruitent l'histoire de la vente des terrains et celle des études, ils peuvent te mettre dans la merde… Sous la pression, Mansoni pourrait ouvrir sa gueule…

André finit son verre et se mit à réfléchir, en faisant grincer ses dents. Hervé s'était levé et tournait en rond autour du fauteuil où s'était échoué Portal. Les mains dans les poches de son pantalon, la tête baissée, il sentait monter en lui cette violence, cette haine ; cette chose difficilement contrôlable dont il était parfois l'esclave. Il aurait aimé avoir ce salopard de guide à ses pieds, à sa merci. Il l'imaginait devant lui, il s'imaginait en train de…

— On va essayer quelque chose, reprit brusquement André. On va flanquer la trouille à ces deux emmerdeurs… Il est grand temps qu'ils apprennent à se mêler de leurs affaires ! Portal, tu t'en occupes. Mais ne te fais pas repérer…

— N'ayez aucune crainte, m'sieur André ! répondit son sbire avec un sourire qu'il croyait futé. Hier, l'a même pas vu que je le suivais !

— Et comment t'as fait ? s'étonna Hervé d'un ton condescendant. La route est longue, jusqu'à Castellane…

— Ben, j'ai simplement changé de voiture à Colmars, raconta le géant. Comme me l'avait conseillé m'sieur André… J'ai pris la voiture de ma femme qu'était garée contre les fortifications et l'autre a rien vu ! Y connaît pas la nouvelle voiture de ma femme !

— Et pour le retour ? questionna Hervé qui avait décidément du mal à croire que Portal puisse passer inaperçu.

— Ben… Je l'ai pas suivi pour le retour. J'ai roulé loin derrière… Parce que là, j'm'suis dit qu'il allait finir par me voir ! Mais je crois qu'il est rentré chez lui, de toute façon…

— Bon, coupa André, tu as fait du bon boulot, Portal. Maintenant, je vais t'expliquer la suite. Alors ouvre grand tes oreilles…

Portal ouvrit plutôt la bouche et resta suspendu aux lèvres de son patron, comme impressionné par tant d'ingéniosité.

19

Vincent offrit à ses clients un rafraîchissement bien mérité au terme d'une course particulièrement ardue : la montée jusqu'au sommet du mont Pelat sous un soleil de plomb.

La saison battait son plein et, au soir de ce 10 août, il espérait engranger suffisamment d'économies pour tenir jusqu'à Noël, voire plus. D'autant qu'à la fin du mois de septembre, il organiserait un trek de six jours au Canada pour le compte d'une agence de voyages parisienne. De quoi renflouer ses comptes et partager une belle aventure.

De toute façon, depuis longtemps déjà, Vincent avait décidé de ne jamais se laisser régenter par l'argent et ne regrettait pas ce choix. En exerçant le métier de guide, surtout dans cette vallée de moyenne altitude, il n'avait aucune chance de devenir riche. En tout cas, riche au sens où l'entendent la plupart des gens. Mais à ses yeux, il était des richesses bien plus importantes... Servane avait pu avoir un jour de repos et s'était jointe au groupe. Elle accomplissait d'incroyables progrès, luttant contre son vertige toujours présent, toujours gênant. Avec une force de caractère épatante.

Vincent observait cette évolution d'un regard qu'il aurait voulu amical mais qui trahissait son trouble.

Chaque jour, il se répétait qu'il ne devait pas aimer cette femme ; chaque jour qui passait s'obstinait à les rapprocher encore.

Comme une inéluctable souffrance.

Il avait senti à quel point il comptait pour elle. Pourtant, la confiance, le respect et l'amitié ne suffisaient pas à combler son cœur. Il avait beau essayer de le nier, il était amoureux.

Un psy lui aurait peut-être expliqué qu'il s'était épris de ce qu'il ne pouvait atteindre. Mais Vincent ne l'aurait pas écouté. On ne lutte pas contre ce genre de sentiments.

Elle était là, près de lui, complice, souriante et rayonnante. Une présence qui était presque un bonheur. Presque... Insuffisant et fragile mais dont il savourait chaque seconde. Il y avait tellement longtemps qu'il n'avait pas ressenti cela ; années perdues ou peut-être gagnées...

Les clients partis, Vincent et Servane se retrouvèrent en tête à tête à la terrasse du café. Le guide appréhendait la séparation qui s'annonçait.

Il n'y avait pas trente-six façons de prolonger cette journée.

— Tu veux dîner avec moi ? proposa-t-il.

— Ben... c'est toujours toi qui m'invites...

— Quelle importance ?

— Ça me gêne un peu...

— Ça n'a pas à te gêner. Et puis je me vois mal débarquer à la caserne !

— D'accord, accepta-t-elle enfin. Avec plaisir...

— Il faut que je passe au supermarché, mon frigo est vide ! T'as qu'à m'attendre en haut.

— Je vais te filer un coup de main pour les courses, c'est la moindre des choses !

— Non, ça ira. Il faut aussi que je passe récupérer mon fric à l'office du tourisme. Monte et fais comme chez toi. Si tu veux prendre une douche ou te reposer...

— OK... Mais j'ai un truc à te demander...

— Quoi ? Tu veux quelque chose de particulier pour le dîner ?

— Non, je te fais confiance ! Je... Je peux prendre le pick-up pour remonter ?

Il éclata de rire.

— Je rêve de le conduire ! ajouta-t-elle. Pourquoi tu te marres ?

Il lui confia les clefs du chalet et celle du 4×4.

— Je te promets d'en prendre soin ! fit-elle.

— Contente-toi de pas le mettre dans le ravin, ça sera déjà bien !

Elle grimpa dans le Toyota qui démarra au quart de tour. Mais elle cala dès le premier mètre et adressa un sourire embarrassé à son ami. Elle redémarra, s'éloigna enfin, toujours sous le regard de Vincent qui l'observait en souriant.

Il avait changé. Depuis que Servane était entrée dans sa vie, depuis qu'elle était tombée en panne sur cette piste.

Depuis que Myriam était morte, aussi. Et Pierre...

Un été qui laisserait des empreintes profondes. Des blessures cruelles.

Mais il avait déjà tant de cicatrices...

Servane baissa le pare-soleil et s'engagea sur la piste. Finalement à l'aise au volant de cette énorme machine, elle décida d'accélérer sur le chemin chaotique. Avec cet engin, elle pouvait se le permettre. Elle baissa le son de l'autoradio pour se concentrer sur la conduite. Et puis la musique classique n'était pas trop son truc. Même si elle avait écouté à plusieurs reprises cet entêtant morceau de violoncelle où l'archet faisait vibrer ses nerfs aussi sûrement que les cordes de l'instrument.

Ce morceau si triste. Comme Vincent.

Elle aurait aimé le rendre heureux, détenir en elle ce pouvoir. Mais la vie en avait décidé autrement.

Manifestement, ce concerto lui filait des idées noires. Elle prit la cassette dans le vide-poche, regarda furtivement le nom de l'auteur de ces notes sublimes : Edward Elgar.

— Enchantée, mon vieux ! Mais t'arriveras pas à me foutre les boules ce soir, j'ai passé une trop bonne journée !

Elle accéléra encore, dégustant le plaisir de conduire cette incroyable voiture qui avalait la piste sans aucun effort. Un peu tape-cul mais vraiment marrant. Elle arriva trop vite à l'Ancolie, descendit en sautant à pieds joints.

— Gali ! Viens le chien !

Elle récupéra les sacs dans la benne du pick-up, eut du mal à soulever celui de Vincent.

— Comment il fait pour marcher des journées entières avec ça sur les épaules ? Ça pèse une tonne...

Finalement, elle ne prit que son barda, abandonnant celui du guide dans la bagnole.

— Galilée ! Viens là !... Où t'es passé ?

Sur le perron du chalet, elle chercha les clefs dans sa poche. C'est alors qu'elle s'aperçut qu'elle avait les pieds dans une flaque.

Écarlate.

Une véritable traînée d'hémoglobine s'étirait de la porte au bout du perron.

Gorge serrée, cœur en alerte, elle commença à suivre lentement ce macabre chemin. Arrivée à l'angle de la terrasse, où trois petites marches descendaient dans la prairie, elle ne put se retenir de hurler, portant une main devant sa bouche. En bas des escaliers, au milieu d'une mare rouge vif... Gueule ouverte, membres tétanisés, pelage couvert de sang...

— Seigneur ! murmura Servane.

Elle parvint enfin à faire un mouvement, descendit d'un pas hésitant.

Vérifier qu'il était mort.

Elle s'accroupit, tendit une main tremblante vers la tête de l'animal. Mais elle ne put le toucher et se releva d'un bond pour reculer précipitamment. Incapable de supporter plus longtemps la vue de ce cadavre effrayant, elle courut se réfugier à l'autre bout de la terrasse.

S'éloigner, le plus loin possible.

Assise sur le bois chauffé au soleil, elle replia ses jambes devant elle, posa le front sur ses genoux. Souffle court, mains moites, spasmes nerveux.

Et Vincent qui allait arriver d'une minute à l'autre !
Mon Dieu ! Comment allait-il réagir ?

*
* *

Lapaz tenta de passer la seconde mais le moteur de la Mazda manifesta bruyamment son désaccord. Il repassa en première, continua à avancer lentement sur la piste.

Il n'avait jamais mis autant de temps à parcourir ces kilomètres et fut soulagé de voir enfin le dernier virage apparaître. Plus que quelques dizaines de mètres et il serait à l'Ancolie. Il avait acheté de quoi préparer un délicieux repas, choisissant les mets préférés de Servane dont il commençait à connaître les goûts.

Mais pourquoi faisait-il tout cela ? Pour être près d'elle. Avec elle.

Parce que loin d'elle, c'était douloureux. Seulement pour ça...

Le visage de Laure apparut brusquement, en filigrane sur le pare-brise.

Être loin d'elle, c'était douloureux. Et Servane ne panserait jamais cette plaie béante.

Alors, pourquoi s'acharnait-il ?...

Il allait droit dans le mur, n'avait pourtant pas la force de faire marche arrière.

Il gara la voiture à côté du pick-up qu'il ne put s'empêcher de détailler, vérifiant qu'il était encore en un seul morceau.

Vieux réflexe typiquement masculin.

Il prit les sacs de provisions sur la banquette arrière et vit Servane s'avancer vers lui.

— Alors ? T'es tombée amoureuse de ma bagnole ? Tu veux me l'acheter ?... Je te fais un prix, si tu veux !

Il croisa ses yeux emplis d'effroi ; le visage de quelqu'un qui s'apprête à annoncer une catastrophe.

— Qu'est-ce qu'il y a ?

— Vincent...

Comment lui dire ?

Il posa les sacs par terre, s'approcha.

— Servane, qu'est-ce qui se passe ?

— C'est... Galilée.

— Galilée ? Quoi ? Qu'est-ce qu'il a fait ?

— Rien... Il est mort.

Vincent resta sans réaction. Comme si Servane venait de lui parler dans une langue inconnue.

— Viens, ajouta-t-elle. Il est là, sur le côté...

Elle se dirigea vers l'angle du chalet et, après quelques secondes d'hésitation, il la suivit. Il s'arrêta net face à la dépouille martyrisée.

— Je suis désolée, Vincent. Je n'ai rien pu faire. Je l'ai trouvé comme ça...

Il resta immobile encore un instant puis s'agenouilla à côté de son fidèle compagnon. Il le prit dans ses bras et le porta jusque sur la terrasse.

Affreux silence.

Il s'assit dans le vieux fauteuil en bois, le cadavre de son chien posé sur ses genoux. Puis se mit à caresser le corps presque froid avec des gestes délicats. Servane, face à lui, ne parvenait pas à capter son regard. Comme s'il s'était réfugié dans un autre monde. Inaccessible et profondément choqué.

— Vincent, murmura-t-elle. Dis-moi quelque chose...

Il releva la tête, se souvenant enfin qu'il n'était pas seul.

— Qu'est-ce qui lui est arrivé ? demanda-t-elle.

— Un coup de fusil, répondit-il en baissant à nouveau les yeux.

Il continua à passer sa main dans la toison rouge de Galilée. Servane respecta son silence ; de longues minutes s'écoulèrent. Jusqu'à ce qu'il dépose le chien sur le sol et parte récupérer une pelle dans la remise.

*
* *

Vincent rentra dans le chalet alors que Servane finissait de mettre la table. Il était déjà tard, pas loin de 21 heures, et il avait mis longtemps à accomplir sa difficile besogne. Il se lava soigneusement les mains dans la cuisine tandis que Servane l'observait d'un air soucieux.

— J'ai quand même préparé le repas, dit-elle.

— Tu as bien fait.

— Il avait quel âge ?

— Sept ans.

Sept ans de complicité. Le seul à être toujours resté fidèle.

Vincent prit une douche puis ils s'installèrent à table. Et le guide ne prononça plus une seule parole. Muré dans le silence, dernière défense qu'il connaissait.

— Tu veux que je m'en aille ? demanda Servane. Si tu préfères rester seul, je peux comprendre…

307

— Reste, je t'en prie… Je suis désolé de ne pas être très bavard mais… Tu me trouves sans doute ridicule de réagir comme ça…

— Pas du tout. Je comprends très bien, tu sais.

— Il va me manquer.

— À moi aussi, il va me manquer… Tu crois que… Qu'est-ce qui s'est passé ?

— Tu n'as pas compris ? s'étonna-t-il. C'est un avertissement. Voilà ce qui pourra m'arriver si je continue.

— Mais… Ils ne savent pas que l'on mène cette enquête !

— Ah oui ? Tu crois que ta visite à la mairie est passée inaperçue ? Et quand je suis allé voir Julien pour lui parler de la station d'épuration… Peut-être même qu'ils m'ont à l'œil… J'en sais rien mais c'est signé : quelqu'un a abattu Galilée pour m'atteindre moi… Pour me prévenir que la prochaine décharge de chevrotine serait pour moi.

— Je n'en suis pas aussi sûre que toi… C'est peut-être un accident. Peut-être un braconnier… C'est vrai, Galilée a très bien pu aller traîner dans la forêt et…

— Qu'est-ce que tu racontes ? Il a été tué ici. Il n'y a aucune trace de sang sur la piste. Seulement sur la terrasse et à l'angle du chalet. Pour un gendarme, tu n'es guère perspicace !

Elle mit cette remarque cinglante sur le compte de la peine. Inutile de lui répondre : de toute façon, il avait raison. Galilée avait bien été abattu devant le chalet. Mais elle avait encore des doutes quant à la motivation du tueur. Ils continuèrent leur dîner dans une ambiance tendue. À peine quelques mots échangés. Une belle journée qui finissait mal.

— Tu veux qu'on laisse tomber l'enquête ? demanda-t-elle soudain.

— J'en sais rien. De toute façon, on est au point mort.

— Tu as peur ?

Il leva sur elle des yeux de colère. Qui l'impressionnèrent beaucoup. L'effrayèrent, presque.

— Peur ? C'est pour toi que j'ai la trouille, révéla-t-il.

— Pour moi ? Si tu veux qu'on continue, on continuera. Tu n'as pas à t'inquiéter pour moi.

— Et s'il t'arrive quelque chose ? Tu crois que je vais courir un tel risque ?

— Ne me prends pas comme alibi, Vincent. Je n'ai pas peur. Et si tu veux continuer, je suis prête à te suivre. Dès qu'on aura de nouveaux éléments, bien sûr...

— Ces salopards ne l'ont même pas achevé, révéla Vincent. Il a dû agoniser pendant des heures... Voilà de quoi ils sont capables.

Servane ressentit une foudroyante nausée. Elle se leva, commença à débarrasser la table.

— Laisse ! ordonna Lapaz. Je le ferai tout à l'heure. Je vais te raccompagner jusqu'à la caserne... Je te suivrai avec ma caisse.

— C'est inutile ! Je suis capable de me défendre toute seule !

— Arrête, Servane. On fait comme j'ai dit.

— Hé ! Tu ne vas pas me suivre à la trace quand même !

— Il fait nuit et je ne veux pas que tu rentres seule... Tu n'as même pas ton arme !

— Et moi je ne veux pas que tu me serves de garde du corps ! répondit-elle avec agacement. C'est ridicule à la fin !

Elle enfila son blouson : pas la peine de rester plus longtemps ; la soirée risquerait de mal finir.

— J'y vais…

Il ne répondit pas, visiblement contrarié.

— Je te passe un coup de fil dès que j'arrive, promit-elle.

— C'est ça !…

— Bonne nuit, Vincent.

Elle s'engouffra dans l'obscurité. Mais à peine quelques secondes plus tard, le guide entendit un cri. Il se rua dehors et vit une forte lueur sur sa gauche. Puis la silhouette de Servane au travers d'un épais brouillard.

— Y a le feu ! Vincent !

La remise attenante au chalet était dévorée par les flammes, une fumée âcre se dégageait de l'incendie.

— Ne reste pas là ! hurla Vincent. Éloigne-toi !

Elle le rejoignit devant la porte, s'agrippa à son bras.

— Faut appeler les pompiers ! s'écria-t-elle.

— Le temps qu'ils arrivent, le chalet aura cramé !

Il brancha à la va-vite le tuyau d'arrosage enroulé contre la terrasse puis alla se placer devant les flammes qui léchaient désormais le toit du chalet.

— Fais attention ! supplia Servane.

Il dirigea le jet sur le foyer qui grandissait à chaque seconde et cessa de respirer. Mais la pression était insuffisante, le feu continuait à grossir. Servane courut jusqu'à sa voiture où elle récupéra un extincteur qu'elle gardait toujours dans son coffre.

— Vite ! Vite ! s'ordonna-t-elle.

Elle se posta près de Vincent qui continuait son inégal combat contre les flammes. Elle s'approcha dangereusement du brasier, vida l'extincteur. Chaleur cuisante sur son visage et ses bras.

Les flammes reculèrent un peu, Vincent put avancer jusque dans la remise. Il arrosa le sol pour noyer la pièce.

— Faut appeler les pompiers, j'te dis ! répéta Servane.

— Pas la peine, ils sont à des kilomètres ! Va chercher de l'eau ! Vite, magne-toi, nom de Dieu !

Elle dénicha deux seaux dans la cuisine ; pendant qu'un se remplirait, elle viderait l'autre dans l'appentis. Un peu dérisoire, mais mieux que rien.

Ce ballet infernal continua durant un quart d'heure et enfin, l'incendie fut maîtrisé. Vincent versa encore de l'eau pendant de longues minutes, jusqu'à ce qu'il ne reste plus aucune braise.

La remise était entièrement détruite, il resta hébété au milieu des décombres.

— Tout mon matériel est foutu ! murmura-t-il. Tout a cramé...

Servane constata les dégâts à son tour, les yeux rougis par la fumée, les poumons en feu.

— Tu n'as rien ? s'enquit enfin le guide.

— Ça ira...

Il regarda ses mains, comprit qu'elle avait menti.

— Viens à la maison, dit-il en la prenant par les épaules. On va soigner ça...

— C'est rien ! dit-elle. J'ai cru qu'on n'y arriverait jamais !

Elle éclata en sanglots, il la conduisit jusqu'à l'intérieur.

— C'est fini, calme-toi… Passe tes mains et tes bras sous l'eau froide. Je vais chercher ce qu'il faut dans la pharmacie.

Il réapparut quelques minutes après avec pommade et compresses. Même si elles n'étaient que superficielles, leurs brûlures étaient douloureuses. Mais le plus dur était passé, le danger s'était éloigné. Ils s'effondrèrent sur le canapé, laissant la porte d'entrée ouverte au cas où le feu aurait la mauvaise idée de reprendre.

— Tu crois que c'est eux ? murmura Servane.

— C'est pas accidentel, ça sentait l'essence à plein nez. Et je ne stocke jamais d'essence près du chalet. Mes bidons sont dans la petite grange, à l'autre bout du champ. Tu as vu quelqu'un en sortant ?

— Non, personne. Je crois que j'ai entendu une voiture, au loin, mais je suis pas sûre. Putain… Ils voulaient nous tuer !

— S'ils avaient voulu nous tuer, ils auraient attendu que je dorme pour foutre le feu. Ils voulaient nous faire peur. C'est tout.

La sonnerie du téléphone les fit sursauter. Vincent décrocha et mit le haut-parleur. Une voix inconnue et pourtant vaguement familière.

— Alors, Lapaz, tu passes une bonne soirée ?

— Pourquoi tu viens pas me le demander en face, espèce d'ordure !

— Le clébard et le feu, c'était juste un avertissement, continua la voix. Si toi et ta copine vous continuez à vous mêler de ce qui ne vous regarde pas, vous passerez pas l'été…

La communication fut coupée et Vincent resta quelques instants immobile. Puis il raccrocha violemment et se tourna vers Servane.

— Un accident, hein ? dit-il.

— J'arrive pas à le croire ! Mais qu'est-ce qu'ils ont à cacher ?

— Quelque chose de grave, apparemment. Tu es toujours prête à continuer ?

20

Vincent s'assit sur le rebord du lit comme on s'assoit au bord d'une falaise. Sans même s'habiller, il migra vers le rez-de-chaussée en titubant de sommeil. Des clients l'attendaient-ils ce matin ? Épuisé par cette nuit cauchemardesque, il n'avait pas encore les idées très claires.

— Galilée ?

La réalité le percuta tel un boomerang.

Ce n'était pas un cauchemar. Galilée était enterré, la remise calcinée.

Il sortit sur la terrasse, vérifia les dégâts à la lumière du jour.

Véritable désastre. Tout son matériel avait disparu ; il ne restait que des cendres, des objets carbonisés. La rage se mêla au désarroi et à la fatigue. Lentement, il retourna à l'intérieur et fut obligé de consulter son calendrier pour se souvenir du programme de ce 11 août : *balade familiale au-dessus de Colmars avec découverte des ruchers, rendez-vous à 10 heures au village*. La pendule lui indiqua 7 h 30.

J'ai le temps…

Une douche, un peu d'onguent sur ses brûlures ; un café mal dosé, trop amer.

À 8 heures, il appela Servane. Il fallut laisser sonner une bonne dizaine de fois avant qu'une voix enrouée daigne enfin lui répondre.

— C'est moi, Vincent... Je te réveille ?

— Ouais... Il est quelle heure ?

— 8 heures...

— Merde ! Je n'ai pas entendu le réveil... Comment tu vas ?

— Pas terrible. Et toi ? Tes brûlures ?

— Ça fait mal, répondit-elle en bâillant.

— Je voulais te remercier pour hier soir... T'as réussi à dormir ?

— J'ai mis un temps fou à trouver le sommeil... Et toi ?

— Pareil...

— Il faut que j'aille bosser, je suis à la bourre... Qu'est-ce que tu fais, aujourd'hui ?

— J'ai quelques clients, une petite balade...

— On s'appelle ce soir ?

— Oui, à ce soir, Servane.

Ils raccrochèrent et Vincent prépara son sac à dos. Le seul qui lui restait. Celui que Servane avait eu la bonne idée de laisser dans le pick-up.

Un bruit de moteur devant chez lui le fit sortir précipitamment. Il devenait un peu paranoïaque. Mais ce n'était que Baptiste et Cédric, qui restèrent stupéfaits en découvrant la remise incendiée.

— Qu'est-ce qui s'est passé ? demanda Cédric en serrant la main abîmée du guide.

— Ça a pris feu hier soir...

— Mais comment ? s'étonna Baptiste.

— Aucune idée, prétendit Vincent.

Les deux gardes s'approchèrent de ce qui restait de l'appentis.

— T'as plus de matos ! s'exclama Cédric d'un air catastrophé. T'as appelé les gendarmes ?

— Pour quoi faire ?

— Ben… Le feu a pas pris tout seul !

Évidemment.

Mais le garde préféra ne pas insister.

— En tout cas, heureusement que t'étais là, conclut Baptiste. Sinon, c'est ta baraque qui partait en fumée !

— Ouais… Je vous offre un café ?

— Volontiers, répondit Vieil Ours.

— Au fait, qu'est-ce que vous foutez là ?

— On monte au lac, expliqua Cédric en enlevant son blouson. Y a un monde fou en ce moment… On passe nos journées là-haut. Mais on voulait aussi te parler de quelque chose…

— Asseyez-vous, proposa Vincent en disposant les tasses sur la table de la cuisine. Je vous préviens, ce café est infâme ! J'étais pas bien réveillé quand je l'ai dosé !

Cédric alluma une cigarette ; il semblait un peu mal à l'aise.

— Au fait, demanda Baptiste, où est ton clébard ? Je l'ai pas vu…

Vincent sentit sa gorge se nouer. Pour un peu, il aurait chialé.

— Il est mort. Hier soir.

— À cause du feu ?

— Non, avant.

— C'était pas ton jour ! conclut Baptiste.

— T'as raison… ! Qu'est-ce que vous vouliez me dire ?

— Voilà, commença Cédric, on est passés voir Nadia hier et on a trouvé qu'elle allait vraiment mal…

— Pas étonnant, répondit simplement Vincent.

— On s'était dit que tu pourrais peut-être aller lui parler, ajouta Baptiste en malmenant sa moustache.

— Je la vois tout à l'heure. J'emmène les clients aux ruchers… Qu'est-ce qu'elle vous a dit ?

— En fait, on est passés à l'improviste, et on l'a trouvée… dans un sale état, continua le jeune garde.

— *Un sale état ?*

— Visiblement, elle avait picolé et je crois qu'elle avait aussi avalé des saloperies… Des somnifères ou je sais pas quoi. Elle était allongée sur le canapé, elle délirait… Elle racontait des trucs bizarres…

— Quels trucs ? s'inquiéta Vincent.

Les gardes échangèrent un regard avant de poursuivre.

— Elle parlait de Pierre, continua Baptiste. Elle l'insultait… On n'a pas vraiment compris.

— Cherchez pas ! coupa Lapaz. Elle devait être dans une sorte de cauchemar et disait n'importe quoi… Et les gosses, ils étaient là ?

— Malheureusement oui ! Elle les avait enfermés dans leurs chambres.

— Putain !

— On a monté Nadia à l'étage et on a essayé de la calmer, reprit le jeune homme. Puis on a libéré les gamins et je leur ai préparé à bouffer en leur expliquant que leur mère était malade… Pendant que Baptiste restait avec elle.

— Elle a fini par s'endormir, enchaîna Vieil Ours. On a passé un moment avec les mômes et on les a couchés. J'ai dormi là-bas. J'avais peur qu'elle fasse une connerie pendant la nuit, tu comprends...

— Tu as bien fait, répondit Vincent avec gratitude. Je vais lui parler, essayer de la raisonner... Mais continuez à la soutenir de votre côté... Elle a besoin de chacun d'entre nous, maintenant.

— Toute manière, on la laissera jamais tomber, rétorqua Baptiste. Tu le sais bien...

Ils avalèrent leur café dans un silence gêné. Ils pensaient tous à Pierre, chacun à sa manière, mais n'aimaient pas partager la douleur. Pas avec des mots.

— C'est vrai qu'il est dégueulasse ton jus ! fit Baptiste avec une grimace explicite.

— Et Julien ? demanda soudain Vincent. Il va bien ?

— Ça va, acquiesça Cédric. Il compte les jours, mais ça va !

— Comment ça ?

— Après la saison, il part dix jours en Norvège avec Ghis... À la Toussaint.

— Ça doit coûter une fortune, un voyage pareil ! rétorqua Vincent. Déjà l'année dernière, ils sont allés au Brésil...

— Le fric est pas un problème pour eux, révéla Baptiste.

— Pourtant, vous êtes pas payés des masses ! insista le guide. Comment il fait ?

— Il est bourré de pognon ! dit Cédric en riant. C'est pas avec son salaire ni avec celui de Ghis qu'il pourrait se permettre ça ! C'est l'argent d'un héritage... L'oncle de sa femme, je crois...

— Un oncle d'Amérique ? demanda Vincent avec un sourire amer.

— Même pas ! Un bon Français, m'sieur !

L'héritage de l'oncle que personne ne connaît. Julien n'avait donc rien trouvé de mieux pour justifier de son train de vie auprès de ses collaborateurs. C'était presque navrant.

— Ils ont même acheté une baraque dans les Pyrénées il y a quelques mois, ajouta Baptiste. En plus de l'appartement qu'ils possèdent sur Nice...

L'enrichissement de Julien par Lavessières dépassait donc ce qu'imaginait Vincent.

— Il était sacrément riche, l'oncle André ! laissa-t-il échapper.

— Comment tu sais qu'il s'appelait André ? s'étonna Cédric.

— J'ai dit André comme j'aurais pu dire Raymond ou Jacques, corrigea le guide.

— Bon, on va y aller ? fit Baptiste en se levant. Les touristes nous attendent...

Sur le perron, il serra la main à son ami. Un peu fort.

— Si tu as besoin de matos ou d'un coup de main pour reconstruire ta remise, tu sais où nous trouver...

— Merci, vieux, répondit Vincent avec émotion. Merci...

Il les regarda s'éloigner puis ferma le chalet, se tournant une dernière fois vers la tombe de Galilée. Tout au bout du champ, juste en face des cimes. Vue imprenable.

Oncle André ne perdait rien pour attendre.

*

* *

Nadia était merveilleuse. Malgré la nuit épouvantable qu'elle venait d'endurer, elle parlait avec passion de son métier à des clients sous le charme. Elle ôta sa combinaison et leur expliqua ensuite que les abeilles étaient en voie d'extinction, qu'il fallait réagir au plus vite, avant que l'humanité ne les suive dans leur déclin. Elle cita même la prophétie d'Einstein : *Si l'abeille venait à disparaître, l'homme n'aurait plus que quelques années à vivre.* Les randonneurs, effrayés, considérèrent subitement ces petites bestioles comme d'inestimables héroïnes ; sortes d'Atlas miniatures étayant la voûte céleste de leurs frêles antennes, empêchant ainsi le ciel de leur tomber sur la tête…

Vas-y, te gêne pas ma belle, traumatise mes clients ! songea Vincent avec un tendre sourire.

Légèrement à l'écart, il l'écoutait aussi. Son regard s'attarda presque malgré lui sur le décolleté pourtant sage de Nadia. Plutôt que de méditer sur la citation d'Einstein et la fin de l'humanité, il revivait leur nuit.

Cette passion aussi violente qu'éphémère qui lui procurait encore de sensuelles réminiscences.

Sensuelles mais douloureuses.

Une transgression qu'il portait comme un fardeau.

En souffrait-elle aussi ? Elle endurait tant de tourments ; celui-là était peut-être sans importance.

Les clients goûtèrent ensuite le miel, volé directement dans la ruche ; citadins en extase devant ce miracle de la nature. Une gourmandise instructive qui n'était plus un péché et des touristes qui ne manqueraient pas d'acheter quelques pots de miel en souvenir de cette journée.

Avec le salaire de Pierre en moins, cette aide n'était pas négligeable.

L'heure du déjeuner arriva et les randonneurs se réfugièrent à l'ombre des mélèzes pour déguster leur repas. Nadia rejoignit Vincent mais refusa de manger.

— Faut qu'on parle, attaqua le guide.

— De quoi ?

— De toi… J'ai vu les gardes, ce matin.

Nadia tourna la tête de l'autre côté, Vincent regretta d'avoir été aussi abrupt.

— Tu sais que tu peux m'appeler quand ça ne va pas… Si tu as besoin de parler, je suis là.

— J'ai pas besoin de parler. J'ai besoin d'oublier…

— Regarde-moi, ordonna-t-il d'une voix douce.

Elle obéit et lui transperça le cœur. Ses yeux, deux miroirs où se devinait l'ampleur de son désespoir.

— Je comprends, ajouta Vincent. Mais tu dois penser à tes gosses…

— Tu crois que je ne pense pas à eux ? s'indigna-t-elle. Mais je ne sais plus comment m'y prendre… Émeline ne veut plus me parler. Elle s'enferme dans sa chambre, refuse de me voir. Et je ne comprends même pas pourquoi…

— Elle souffre, tout simplement.

— Mais moi aussi, je souffre ! Merde !

— Je vais passer ce soir… Si tu es d'accord, je vais la prendre avec moi pour la nuit et je te la ramènerai demain matin.

— Tu veux l'éloigner de moi, c'est ça ? Tu penses que je ne suis pas capable de m'occuper de mes enfants ?

Sa voix était gorgée de colère, maintenant.

— Je n'ai jamais dit ça, corrigea calmement Vincent. Je veux juste lui parler… Tu as confiance en moi ?

Elle ne répondit pas, ce silence le blessa.

— T'as plus confiance en moi ?

— Et toi ? rétorqua-t-elle avec agressivité.

— Je te trouve formidable, Nadia. Mais si le courant ne passe plus entre toi et ta fille, ça te fera pas de mal de respirer un peu... Au moins le temps d'une soirée. Et puis loin de toi, Émeline me parlera peut-être plus facilement.

— Tu as sans doute raison... Elle a toujours aimé être avec toi ! Avant, elle aimait aussi être avec moi...

— Elle a mal et en veut à la terre entière... Tu n'es pas en cause.

Les premiers nuages se pelotonnaient au-dessus des sommets, annonçant une soirée orageuse. Un grand corbeau freux se posa sur une branche, attendant la fin du repas pour venir grappiller les restes. Bien plus malin que dans la fable.

— Tu ne manges pas ? s'inquiéta Vincent.

— Non, j'ai la gerbe !... Ça faisait longtemps que j'avais pas eu la gueule de bois ! Et il a fallu que les gardes passent justement ce soir-là... Ils ont dû me trouver tellement...

— Ils ont eu peur, expliqua Vincent pour la libérer de sa honte. Ils étaient inquiets pour toi mais ils ont parfaitement compris et ne te jugeront pas.

— Baptiste a été formidable ! ajouta-t-elle avec un sourire triste.

— Comme d'hab...

— Tu aurais vu la tête de Cédric ! raconta-t-elle avec un rire nerveux. Je crois qu'il était encore plus mal que moi !

— Ce petit gars est un gros sensible ! On en fera un vrai montagnard ! Plus j'apprends à le connaître, plus je l'apprécie...

— J'espère qu'ils reviendront me voir, s'angoissa Nadia. Après ce qui s'est passé…

— Te fais pas de bile pour ça.

— Tu leur as rien dit au moins ? Pour Pierre et cette salope de Ghislaine…

— Bien sûr que non ! Pour qui tu me prends ?

— Ça va, t'énerve pas…

Il fut bientôt l'heure de redescendre les clients et Vincent abandonna Nadia au milieu de ses abeilles.

Pendant le trajet du retour, il ne fut guère attentif à son groupe de randonneurs ; trop de choses en tête. Avec Nadia, ils n'avaient pas reparlé de cette fameuse nuit. Ils n'en reparleraient sans doute jamais.

Pourtant, ni l'un ni l'autre ne l'oublieraient.

*
* *

Émeline n'avait pas décroché un mot depuis leur départ de Chaumie. Tandis que la voiture ingurgitait les kilomètres sur la grand-route du Verdon, la jeune fille gardait les yeux rivés sur le bas-côté. Le contact paraissait rompu. Même avec Vincent.

Autisme soudain qui avait quelque chose d'inquiétant.

Lapaz avait même dû se montrer autoritaire envers sa filleule. Il ne lui avait pas laissé le choix. *Fais ton sac et suis-moi.*

Maintenant, il se demandait comment la sortir de son mutisme.

— Tu veux qu'on dîne au restaurant, ce soir ? proposa-t-il.

— J'm'en fous…

— On va d'abord monter à l'Ancolie pour que je me change et que je prenne une douche. Ensuite on verra...

Émeline venait tout juste d'avoir treize ans et avait refusé de fêter cet événement. Mais Vincent lui avait tout de même acheté un cadeau qu'il projetait de lui remettre ce soir. Il tourna à droite en direction du lac et s'engagea peu après sur la piste de l'Herbe Blanche. Il était nerveux et sa conduite s'en ressentait. Secousses particulièrement violentes.

— Arrête-toi ! pria soudain Émeline.

— Qu'est-ce qu'il y a ?

— Arrête, j'te dis !

Il freina et la jeune fille descendit précipitamment du pick-up. Il coupa le moteur et la suivit. Appuyée contre un arbre, elle essayait de vomir. Il s'approcha mais elle le repoussa violemment.

— Laisse-moi tranquille !

Une merveilleuse soirée s'annonçait... Vincent s'adossa au Toyota, attendant patiemment la fin de cette première crise. Émeline remonta peu après en voiture, livide. Et elle se mit à tousser. Véritable séisme intérieur.

— Tu es malade ? s'alarma Vincent.

— Mais non ! Lâche-moi...

— Ne me parle pas comme ça, prévint-il calmement.

Elle ne répondit plus et ils arrivèrent enfin à l'Ancolie.

— Tu peux boire quelque chose de frais, si tu veux, fit Vincent. Je fais un tour par la salle de bains, j'en ai pas pour longtemps...

— Où est Gali ? demanda soudain Émeline.

Merde... Comment lui annoncer la nouvelle ?

Il n'y avait pas trente-six façons.

— Il est mort, ma puce.

— Mort ? s'écria-t-elle.

— Oui… Hier soir.

— Putain, mais c'est pas vrai !… Qu'est-ce que tu lui as fait ? s'emporta-t-elle.

Il resta médusé une seconde. Il ne la reconnaissait plus.

— J'y suis pour rien ! Il est mort, c'est tout…

— C'est tout ? C'est tout l'effet que ça te fait ?

— Écoute, ma chérie, je…

Émeline tourna les talons et claqua violemment la porte derrière elle. Par la fenêtre, Vincent constata qu'elle s'était assise sur le perron. Il la laissa à sa détresse et monta au premier étage. Il prit une douche rapide, se rhabilla puis redescendit au rez-de-chaussée. La jeune fille n'était pas revenue, il sortit sur la terrasse.

— Émeline ?

Il fit le tour du chalet, la chercha dans le champ qui s'étendait derrière.

— Émeline ?

Son appel se perdit dans le néant, une vague d'appréhension monta doucement.

— Bon sang… Où elle est passée ?

Il retourna à l'intérieur et remarqua alors que le petit sac à dos de son invitée n'était plus là.

— Merde ! s'écria-t-il en attrapant les clefs du pick-up. C'est pas vrai !

Il grimpa au volant de sa voiture. Mais une fois sur la piste, il hésita : à droite, le chemin montait dans la forêt. À gauche, il descendait vers la route du lac. Il opta pour la gauche et le 4×4 arracha un épais nuage de poussière à la piste. Il fit près de deux kilomètres et s'arrêta : elle n'avait pas pu parcourir une telle distance. Il effectua donc un demi-tour et repartit en sens inverse. Arrêté à hauteur du chalet, il observa les environs : toujours aucune trace de la fugitive. L'angoisse était forte, à présent. Il continua donc en direction de la forêt, scrutant les alentours. Mais elle pouvait se cacher n'importe où dans cette végétation dense.

— Putain, Émeline ! Mais qu'est-ce qui te prend ?

Au bout d'une dizaine de minutes, il gara le 4×4 sur le bord de la piste et réfléchit un instant : elle n'avait pas eu le temps de monter aussi haut et avait dû emprunter un des sentiers qui s'enfonçaient dans les bois.

Ne pas céder à la panique, même s'il avait l'impression de chercher une aiguille dans une grange entière de foin. Il attrapa une lampe de poche dans la boîte à gants et abandonna sa voiture. Si seulement Galilée était là… Si seulement…

Il ne savait pas très bien par où aller et ferma les yeux. Il devait avant tout garder son sang-froid. Il lui restait environ une heure avant la tombée de la nuit et chaque seconde qui passait était une catastrophe en puissance. Il huma l'air comme s'il cherchait une proie, comme s'il était un animal sauvage lancé à la poursuite d'un gibier. Suivant son instinct, presque infaillible.

Elle était montée par la piste et, en entendant le 4×4 approcher, elle s'était sauvée par un chemin de traverse. Il consulta sa montre, calculant la distance qu'elle avait eu le temps de franchir. Puis il s'élança en petites foulées sur la piste, revenant sur ses pas. Au détour d'un virage il bifurqua à gauche, s'engagea sur un sentier qui montait à travers mélèzes et épicéas. Il courait toujours et s'arrêta au bout de quelques minutes pour détailler le paysage de son regard aussi perçant qu'un rayon laser. Repérant chaque mouvement de la végétation, analysant le moindre bruit ; ses sens aiguisés étaient tous en éveil.

La nuit devenait son ennemie : il fallait la prendre de vitesse.

*
* *

Servane termina son service vers 19 heures. Elle poussa la porte de son studio, se débarrassa à la hâte de cet uniforme qui lui tenait chaud.

Cette après-midi, elle était montée sur la route du lac afin de verbaliser des automobilistes pour stationnement dangereux. Palpitante mission !... Heureusement, là-haut, elle avait rencontré Baptiste Estachi en train de filer une amende particulièrement salée à trois jeunes gens surpris alors qu'ils capturaient des truites à l'épuisette en pleine réserve de pêche. Pourquoi se fatiguer ?! Elle était restée un moment avec le garde-moniteur, heureuse de pouvoir s'évader un peu de la caserne. Elle aimait bien ce type, un peu rustre et bougon, mais finalement très attachant. Intelligent, rusé et perspicace ; qui écoutait, plus qu'il ne parlait.

Baptiste lui avait offert la moitié des poissons confisqués aux contrevenants. *On va les manger ?* avait-elle demandé bêtement. *Vous préférez les empailler en souvenir de cette inoubliable journée ?* avait ricané Vieil Ours. Évidemment... Au moins, elle n'aurait pas à se creuser la cervelle pour trouver le menu du dîner ! Elle enferma les truites dans le réfrigérateur et passa dans la salle de bains. Dommage qu'il n'y ait pas de baignoire, elle se serait volontiers offert un bain. Elle se contenta d'une douche à la température fluctuante et s'habilla à la va-vite, soudain en proie aux frissons. La fatigue, sans doute.

Elle prit le temps de soigner à nouveau ses brûlures qui n'avaient pas manqué de déclencher des questions de la part de ses collègues. Elle avait avancé une explication classique : une casserole d'eau chaude lui ayant échappé des mains. Les mensonges les plus simples sont souvent les plus efficaces.

Elle s'allongea ensuite au milieu de son lit et scruta le plafond à la blancheur désespérante. La vue est tellement plus belle à 3 000…

Elle ferma les yeux, se retrouva en haut, d'un simple battement d'ailes.

En haut, avec Vincent.

Aube divine, espace démesuré.

Rien n'était plus beau que la montagne.

Et c'était la première fois qu'elle prenait conscience de cette évidence. Elle se sentait si bien, là-haut… Si libre, si forte, dans une sorte de communion, d'osmose…

Trois coups frappés à la porte la firent chuter de façon abrupte. Atterrissage violent.

Qui pouvait bien venir la déranger à cette heure ?

Elle ouvrit la porte, resta clouée sur place.

Fred…

Elles se dévisagèrent quelques secondes et Frédérique brisa enfin le silence.

— Salut, Servane… J'avais envie de te voir. J'espère que je ne te dérange pas ?

— Non… Pas… pas du tout, balbutia Servane.

Elle fit un pas en arrière, Fred s'avança. Elle posa son petit sac de sport, se planta au milieu de l'unique pièce.

— C'est sympa, ici ! Un peu petit, mais sympa…

Servane referma la porte, encore abasourdie par cette apparition.

Frédérique avait fait couper court ses cheveux châtains et portait de nouvelles lunettes qui lui donnaient un air un peu austère. Pourtant, Servane ne l'avait jamais trouvée aussi resplendissante… Mais elle ne ressentait pas que du plaisir à cette visite-surprise. Étrange amalgame de sentiments qui se mélangeaient dans ses tripes.

Déchirures difficiles à raccommoder.

— J'ai roulé toute la journée !… Tu aurais quelque chose à boire ?

— Euh… Oui, bien sûr. Assieds-toi.

Servane dut réfléchir quelques secondes pour se souvenir où étaient rangés les verres puis sortit deux Coca du frigo ; ses mains tremblaient, une vague de chaleur montait de son ventre jusque dans sa tête.

Elle est là… Juste derrière moi, juste à côté de moi. Du calme…

Fred l'observait en souriant. Elle s'était installée sur le canapé-lit constamment déplié qui bouffait une bonne partie de l'espace vital. Elle semblait beaucoup plus à l'aise que Servane. Normal, l'effet de surprise jouait en sa faveur. Et puis elle avait toujours été à l'aise partout ; dans les endroits où elle était invitée comme dans ceux où elle n'était pas attendue.

Elles étaient si différentes. Si complémentaires.

Servane s'assit sur une chaise, juste en face de son amie qui vida son verre d'un trait.

— Alors, comment se passe ta nouvelle vie ? demanda Fred.

329

— Bien, résuma sobrement Servane.

— Ton boulot te plaît ?

— Ouais, ça va...

— Vraiment ? J'arrive pas encore à réaliser que t'es entrée chez les flics !

— C'est pas les flics, c'est...

— C'est pareil ! trancha Frédérique. Les gendarmes ou les poulets... Y a que l'uniforme qui change !

— Pas tout à fait, rectifia Servane. Pas encore en tout cas ! Bientôt, peut-être, mais...

— Enfin, si ça te plaît... C'est l'essentiel.

— Et toi ? s'enquit enfin Servane.

— Tu me manques.

Directe, comme toujours. Après tout, pourquoi s'encombrer de fioritures ?

Servane aurait pu répondre : *Toi aussi, tu me manques*. Pourtant, elle n'en fit rien.

Encore un silence embarrassant.

— Un autre Coca ? proposa-t-elle soudain.

— Volontiers...

Pendant qu'elle se dirigeait vers le frigo, Servane se demandait quelle attitude adopter. Elle avait décidé d'oublier Frédérique un an auparavant. N'y était jamais vraiment parvenue. Dans son cœur, comme dans sa tête, plus rien ne tournait rond.

Envie de la foutre dehors. Envie de la prendre dans ses bras, de l'embrasser, de la toucher.

Envie de pleurer. De laisser exploser sa joie.

Rompre à nouveau. Replonger avec elle.

Tentant maladroitement de masquer ce vertige des sens, Servane lui tendit une nouvelle canette de soda puis reprit place sur sa chaise, à distance raisonnable.

Raisonnable, Servane l'avait toujours été. Trop, au goût de Fred. Pourtant, avec elle, elle avait franchi certaines limites, brisé certains tabous.

Enfin, elle la regarda vraiment. Ses prunelles noisette, expressives, rieuses voire railleuses, ses lèvres charnues ; ses mains fines, élégantes, toujours en mouvement. Ses épaules rondes dégagées, sa peau bronzée.

Fred accentua son sourire.

— La montagne te réussit, tu as l'air épanouie…

— J'aime beaucoup cet endroit, avoua Servane. Je ne regrette pas mon choix.

— Tant mieux… Et moi, je t'ai manqué ?

Servane s'entendit répondre *oui,* cette fois. Mais elle eut la curieuse impression que ce n'était pas elle qui venait de confesser ce *oui.* Ou plutôt, elle avait la sensation désagréable que c'était Fred qui venait de lui dicter cet aveu.

— Pourtant, ma visite n'a pas l'air de te faire très plaisir, souligna Frédérique avec amertume.

— Je ne m'y attendais pas, c'est tout… Tu aurais dû me prévenir !

— C'est vrai… J'avais oublié que tu n'aimais pas les surprises !

Reproche à peine déguisé.

— Comme tu ne m'as pas rappelée après mon message, je me suis dit qu'il valait mieux que je vienne te voir.

Servane se leva pour échapper à ces yeux qui la sondaient en profondeur. Elle s'alluma une cigarette, se plaça à la fenêtre, tournant le dos à son ex.

— Je peux repartir, si tu veux… J'ai repéré un hôtel pas très loin.

— Non, reste ! fit précipitamment Servane. Reste…

Encore un souhait qui dépassait sa volonté propre.

Fred la rejoignit à la fenêtre, lui piqua sa clope pour tirer une taffe. Servane fixait le paysage, toujours en proie à ce chaos intérieur. Fred lui rendit sa cigarette, leurs doigts s'effleurèrent. Électrochoc.

Servane ferma les yeux.

— Je peux prendre ta salle de bains ? Ces kilomètres m'ont flinguée, je rêve d'un bon bain…

— Désolée, mais ce sera une douche… Pas de baignoire ici !

— Merde… Ils pensent pas aux nanas chez les képis !

Frédérique récupéra des vêtements de rechange dans son sac et se rendit dans la petite salle d'eau. Elle ne prit pas la peine de fermer la porte, ni même de tirer le rideau de douche. Servane l'observa un instant puis détourna son regard.

Elle avait envie de la rejoindre ; quelque chose l'en empêchait pourtant. Barrière invisible formée de jours, de mois loin d'elle. Barrière érigée par le temps, l'éloignement.

Elle décida de préparer le repas, histoire de faire quelque chose de ses mains.

De l'eau à bouillir dans une casserole pour le riz.

Dans son cerveau aussi, ça bouillait.

Puis elle nettoya les poissons avec une mimique de dégoût.

Elle entendait Fred chantonner sous la douche. Les images se bousculaient dans sa tête. Leur rencontre, leurs bonheurs secrets. Le bruit des larmes, lorsqu'elles s'étaient séparées, un peu plus d'un an en arrière.

Elle surveillait la cuisson des truites, comme hypnotisée par leurs écailles arc-en-ciel. Fred ne tarda pas à réapparaître.

— Depuis quand tu cuisines le poisson ? Tu détestais ça, avant...

— J'ai beaucoup changé, affirma Servane sans se retourner.

Doucement, Fred l'enlaça. Servane se laissa faire, ne chercha pas à fuir.

L'amour n'était pas aussi lointain qu'il y paraissait, l'attraction, toujours là.

— Tu es sûre que tu as changé ? murmura Fred.

Servane se retourna lentement, caressa le visage encore humide de son amie.

Finalement heureuse qu'elle ait traversé la France pour elle.

*
* *

La forêt n'était plus qu'une armée de silhouettes se dressant dans l'ombre. Prête à engloutir la captive.

Vincent n'avait pas encore allumé sa lampe torche et continuait les recherches, aidé par une lune bienveillante. Il avait le ventre noué, la gorge sèche. Il pensait à Émeline, perdue dans ce crépuscule terrifiant. Il pensait à Nadia, à ce qu'il allait lui dire si jamais... Une peur contrôlée mais qui faisait vaciller son cœur d'ordinaire si calme.

Il s'arrêta dans une clairière, ancienne coupe de bois en haut d'un vallon, et scruta les alentours. C'est alors qu'il distingua une ombre en contrebas, à la lisière de la forêt, dans un champ en friche. Il reconnut Émeline, apparemment adossée à un gros rocher et qui ne bougeait plus. Instantanément soulagé, il s'élança pour la rejoindre. Il descendit le versant à toute vitesse, se jouant admirablement de tous les pièges tendus par la nuit, et arriva en haut du champ en quelques instants. Lorsqu'il fut à une dizaine de mètres, il décida de se manifester. Ne pas l'effrayer.

— Émeline ! C'est moi, Vincent ! Je suis là…

Elle tourna la tête et vit la brusque lueur de la MagLite. Elle se mit à courir aussi vite qu'elle pouvait.

— Arrête ! implora le guide.

Il dut la poursuivre à nouveau mais la rattrapa sans grande difficulté. La saisissant par un bras, il la stoppa dans sa course folle.

— Lâche-moi ! s'égosilla-t-elle.

— Calme-toi !

Elle se débattait violemment, comme si un inconnu l'attaquait.

— Mais arrête ! s'écria Vincent. Arrête, merde !

Il la ceintura dans ses bras, la souleva du sol.

— Tu vas te calmer, maintenant ! ordonna-t-il.

Elle cessa de gesticuler et il prit le risque de la reposer par terre. Elle recula de quelques pas et Vincent distingua ses yeux. Deux éclairs de démence qui le fixaient férocement.

Ce n'était plus Émeline, c'était un animal sauvage pris dans un piège.

— Tu viens ? pria doucement le guide. On rentre, maintenant…

Comme elle ne réagissait pas, il attrapa sa main, ne lui laissant plus le choix. Ils continuèrent en lisière de forêt, descendirent un éboulis avant de retrouver un sentier. La piste n'était finalement pas très loin et ils la regagnèrent après vingt minutes d'efforts dans un silence complet. Seules leurs chaussures crissaient sur les pierres ; cette randonnée forcée en pleine nuit avait quelque chose d'absurde.

Tout en marchant vers la voiture, Vincent tentait de reprendre son calme. Mais après l'inquiétude, c'était la colère qui enflait en lui. Émeline aurait pu mourir dans cette forêt et il aurait pu être responsable de ce drame.

Il serrait tellement son poignet qu'elle finit par protester.

— Tu me fais mal ! gémit-elle.

— Tais-toi ! répondit-il en la traînant derrière lui. Avance et ferme-la !

Il ne risquait pas de la lâcher maintenant. Elle aurait pu prendre à nouveau la fuite et faire une chute mortelle sur les abords accidentés de la piste. Ils arrivèrent enfin au pick-up, Vincent poussa Émeline sur le siège passager.

Et, toujours sans un mot, ils rentrèrent enfin à l'Ancolie.

Une fois à l'intérieur, Vincent ferma la porte à double tour, ce qu'il ne faisait jamais, et mit les clefs dans la poche de son pantalon. Émeline grelottait de froid, le visage et les mains griffés par les ronces croisées en chemin. Il se posta face à elle, la fixa droit dans les yeux.

— Tu peux m'expliquer ? enjoignit-il d'une voix qui trahissait sa colère.

— J'ai rien à te dire ! Fous-moi la paix !

Elle reçut une gifle mémorable et perdit l'équilibre sous le choc. Elle porta sa main à son visage, le fixant avec stupeur, puis avec fureur.

— T'as pas le droit de me frapper, salaud ! T'es pas mon père !

Elle continua à hurler : des insultes, des phrases qui n'avaient aucun sens.

T'es pas mon père. C'était bien là le problème : elle n'avait plus de père. Elle s'époumonait encore, se contorsionnait ; Vincent eut envie de lui en coller une deuxième. Parce qu'il ne savait pas quoi faire d'autre pour endiguer cette crise de folie. Pourtant, il se contrôla et elle finit par s'épuiser. Elle s'effondra sur le canapé, éclata en sanglots.

La rage de Vincent retomba instantanément ; désarçonné par tant de souffrance, tant de violence, il s'assit dans le fauteuil en face d'elle, la laissa pleurer longtemps. Il reprenait ses esprits, vidangeait la peur.

Les sanglots s'espacèrent au bout d'une demi-heure qui lui parut interminable. Émeline était allongée sur le côté, le visage enfoui dans les coussins du sofa. Vincent se leva et ressentit alors le poids d'une immense fatigue. Ses nerfs venaient d'être mis à rude épreuve, la suite s'annonçait tout aussi difficile. Il vint se poser à côté d'elle, caressa doucement ses cheveux. Elle avait les mains crispées, le souffle saccadé.

— Calme-toi, Émeline, dit-il d'une voix douce. Calme-toi, je t'en prie…

Il l'attrapa délicatement par les épaules, l'attira contre lui, soulagé qu'elle accepte enfin son aide.

— On est fâchés ? murmura-t-il.

— Non ! répondit une voix d'enfant.

Plus de monstre incontrôlable : la petite fille qu'il avait connue était de nouveau là, à l'abri dans ses bras.

— Je suis désolé de t'avoir frappée, pardonne-moi… Mais j'ai eu tellement peur ! Je t'ai cherchée pendant deux heures, j'ai cru que je te retrouverais jamais... Pourquoi t'es partie ?

— Je sais pas... J'étais triste à cause de Gali...

— Moi aussi, je suis triste, ma puce... Tu sais que je l'aimais beaucoup... Mais je n'y suis pour rien, je t'assure.

C'était un mensonge. Galilée était bien mort par sa faute. Parce qu'il avait mis les pieds où il ne fallait pas. Un demi-mensonge, en vérité.

— Mais pourquoi il est mort ? C'est le feu qui l'a tué ?

— Non ! Il est mort d'un seul coup, sans souffrir... Son cœur s'est arrêté, comme ça...

Finalement, mentir est parfois utile. Il ne s'était jamais rendu compte à quel point elle adorait ce chien.

— Tu veux que je te prépare quelque chose à manger ? demanda-t-il.

— J'ai soif...

— Bouge pas, je vais te chercher à boire.

Il s'éloigna vers la cuisine et Émeline en profita pour sécher ses dernières larmes. Son parrain revint quelques minutes après avec le sourire et un grand plateau plein de victuailles.

— Tu devrais aller te laver les mains et passer un peu d'eau sur ton visage, dit-il.

Vincent grilla une cigarette ; un paquet que Servane avait oublié chez lui.

Décompresser.

Puis ils s'installèrent face à face, de part et d'autre de la table de salon. Visiblement, Émeline se remettait de ses émotions en se jetant sur la nourriture avec un appétit démesuré. Nouveau signe de son déséquilibre.

— J'aimerais qu'on parle un peu, tous les deux, dit Vincent.

— De quoi ?

— De toi… et de ce que tu voudras…

— C'est maman qui veut qu'on parle ?

— Non, c'est moi… Mais c'est vrai qu'elle est inquiète pour toi… Tu comptais aller où, tout à l'heure ?

Émeline s'enfonça dans le canapé et haussa les épaules. Puis elle se remit à pleurer. Décidément, il ne savait pas s'y prendre avec elle, ce soir.

— Tu vas raconter à maman ? Tu vas lui dire que je me suis tirée ?

— Non, je ne lui dirai rien.

— J'ai envie de mourir…

Vincent prit une énorme gifle à son tour. Pendant un instant, il resta assommé.

— J'ai envie de mourir, répéta Émeline.

Deuxième choc. Qui extirpa Vincent de sa stupeur idiote. Il contourna la table, l'attrapa par les épaules.

— T'as pas le droit de dire ça ! Je t'interdis de dire ça !

Je t'interdis de mourir. Ou même seulement d'en avoir envie.

— Tu n'es pas seule, Émeline ! Tu as ta mère et ton frère, tu as ta famille ! Et moi aussi, je suis là !

Vincent tomba à genoux, pour se mettre à sa hauteur, puis la prit carrément dans ses bras. Il aurait voulu ne pas craquer, mais ne put résister plus longtemps.

Maintenant, ils chialaient tous les deux, agrippés l'un à l'autre.

— Papa me manque !

— À moi aussi, il me manque ! C'était comme un frère pour moi.

— C'est ma faute...

— Je ne veux plus jamais t'entendre dire ça ! s'emporta Vincent. C'est des conneries ! Tu n'y es pour rien !

— Comment tu peux savoir, hein ?

— J'en suis certain, crois-moi... tu n'es pas responsable. Maintenant, il faut que tu penses à toi, à ton avenir ! Tu es si jeune... Il y a tellement de choses à faire encore. Tellement de choses à découvrir ! Tu crois que ton père aurait voulu te voir comme ça ?

Elle secoua la tête et ils essuyèrent leurs larmes mutuellement.

— Tu penses que maman est au courant pour papa et... la femme de Julien ?

— Oui. Mais ce n'est pas moi qui le lui ai dit... Elle l'a découvert par hasard. Et elle aussi, elle en souffre. Alors il faut l'aider ! Elle a besoin de toi !

— Je sais pas, avoua Émeline en secouant la tête. Elle est bizarre ! Elle... Elle ne parle presque plus... On dirait qu'elle m'en veut ! Qu'elle me déteste !

Malentendus d'amour. La mère qui croyait être rejetée par sa fille ; la fille qui croyait avoir perdu l'amour de sa mère. Et Vincent qui devait retisser un lien entre les deux.

— C'est faux ! dit-il. Elle t'aime toujours autant... Elle a des problèmes, tu sais. Elle a mal, elle aussi... Et en plus, elle doit assurer votre avenir, elle doit faire face à des tas de difficultés... C'est très dur pour elle. Il faut que tu le comprennes... Mais une chose est sûre : toi et ton frère, vous êtes ce qu'elle a de plus cher au monde... Alors ne pense jamais qu'elle ne t'aime plus.

Ils parlèrent longtemps, blottis l'un contre l'autre.

Vincent raconta son enfance et son adolescence auprès de Pierre, anecdotes souvent drôles, parfois émouvantes.

Émeline livra ses angoisses, une à une. Terreurs nocturnes, peurs d'une gamine au seuil de l'âge adulte. La mort de son père l'avait obligée à vieillir d'un seul coup et Vincent comprit que le combat n'était pas gagné. Qu'elle n'était pas sortie d'affaire. Mais il se persuada qu'elle surmonterait le drame à cette période si délicate de sa jeune existence.

Peu avant minuit, elle consentit à aller se coucher et Vincent resta dans la chambre jusqu'à ce qu'elle se réfugie dans un autre monde.

Mais lui ne trouva pas le sommeil. Il sortit sur la terrasse et écouta la nuit, bercé par le chant monotone d'un engoulevent qui s'élevait telle une prière vers l'astre nocturne.

21

En rentrant chez elle, Servane trouva Frédérique devant la télévision, en train de grignoter des chips et du chocolat. Curieux mélange.

— Tu as passé une bonne journée ? demanda-t-elle en décrochant les yeux de la lucarne.

— Bof, pas terrible ! soupira Servane. Contrôles routiers et une sordide histoire de vol dans un camping…

— En tout cas, tu rentres tôt, c'est cool !

— Baisse un peu le son, s'il te plaît, pria Servane. Les cloisons sont fines, ici.

Fred obtempéra et s'approcha pour la prendre dans ses bras.

— Tu vas rester combien de temps ? s'inquiéta subitement Servane.

— Je dois être à Marseille dans deux jours. J'ai un stage là-bas.

Deux jours… À peine.

Servane réalisa alors que Frédérique n'avait pas traversé la France uniquement pour la voir. Elle n'était finalement qu'une étape agréable entre Colmar et la cité phocéenne.

Mais ce n'était pas important. Ce qui importait, c'était que Fred se soit arrêtée ici. Qu'elle ait renoué le contact. Qu'elle l'ait retrouvée, jamais oubliée.

— Je vais me changer, j'ai envie de me débarrasser de cet uniforme !

— Attends, laisse-moi t'aider…

Servane ferma les yeux sous la brûlure de ces mains expertes qui lui avaient tant manqué. Se laisser faire, redécouvrir le bonheur d'être deux. Redevenir un objet de désir, de plaisir.

Oublier le froid cinglant de la solitude charnelle, effacer les blessures anciennes, le goût amer des rancœurs. Corriger les fausses notes pour retrouver l'harmonie complice de leurs corps.

L'étreinte fiévreuse les emporta jusque sur le lit, puis par terre.

Servane parvint à attraper la télécommande et remonta le son de la télévision. Juste à temps.

*
* *

— T'as aimé ? espéra Vincent.

— Ouais, sympa ! concéda Émeline.

Le pick-up roulait vers Chaumie en cette fin d'après-midi pluvieuse. Mais le soleil les avait accompagnés pendant toute la randonnée à laquelle le guide avait convié sa filleule. Après la soirée si difficile de la veille, il avait finalement décidé de la garder auprès de lui encore un peu. Par chance, il y avait d'autres adolescents dans le groupe et elle avait apprécié la balade.

— Tu diras rien à maman pour hier soir, hein ?

— Non, je ne lui dirai rien, assura Vincent. Mais j'espère que tu ne recommenceras pas ce genre de connerie…

Elle ne lui accorda aucune promesse, il se garda d'insister. Ils arrivèrent peu après à destination, accueillis par Adrien qui les guettait sur le pas de la porte.

— Vous êtes allés à la montagne ?

— Oui, bonhomme ! répondit Vincent. Aux cabanes des Juges.

— Pourquoi tu m'emmènes pas, moi ?

— Bientôt, c'est promis !

Nadia apparut à son tour, visiblement plus détendue que la veille. Elle embrassa sa fille, caressa son visage. Et, tandis que les enfants rentraient à l'intérieur en se chamaillant, les adultes restèrent un moment assis à l'abri de la tonnelle.

— Ça s'est bien passé ? s'inquiéta Nadia. Elle n'a pas été odieuse, au moins ?

— Non, ça va… Mais hier soir, c'était dur. Elle va mal, tu sais… Très mal. Elle est persuadée que tu la délaisses, que tu ne l'aimes plus !

— Elle te l'a dit ?

— Oui. Et aussi… qu'elle avait envie de mourir…

La jeune femme ferma les yeux, Vincent prit sa main dans la sienne.

— Elle a subi un énorme choc. Tu n'es pas en cause mais vous devriez prendre le temps de parler toutes les deux.

— J'arrive pas à croire qu'elle t'ait dit ça, murmura Nadia avec des sanglots dans la voix.

— Nous avons longuement discuté et je crois qu'elle a compris beaucoup de choses… Ça ira peut-être mieux maintenant.

— Je sais pas mais... Merci, Vincent.

Rassuré d'avoir accompli sa mission, il allait s'accorder une soirée de détente bien méritée, après deux nuits particulièrement éprouvantes.

Il songea à appeler une femme qui lui avait laissé son numéro de téléphone quelques jours auparavant. Une cliente en vacances dans la vallée avec des amis. Une fille un peu délurée avec qui il ne risquait pas de s'ennuyer.

Mais finalement, il décida plutôt de se reposer. Seul.

Le spectre de Myriam le harcelait encore. Il avait peur. De blesser une autre, grièvement, voire mortellement.

Il peinait à se reconnaître lui-même. Ça s'arrangerait peut-être avec le temps.

Il se leva et embrassa Nadia sur le front ; même si ses lèvres l'attiraient irrésistiblement.

— N'hésite pas à m'appeler...

— Attends ! Ne pars pas...

Au ton de sa voix, il devina que la soirée ne serait pas aussi calme qu'il l'avait imaginée.

— Quoi ?

— Viens, ajouta-t-elle en se levant à son tour.

Elle l'invita à la suivre jusqu'au garage, ancienne grange située au bout de la ferme.

— J'ai profité de l'absence d'Émeline pour ranger un peu sa chambre. Je voulais installer des étagères et je suis venue ici récupérer quelques outils. Avant la mort de Pierre, j'y venais quasiment pas...

— Qu'est-ce qu'il y a, Nadia ? coupa Vincent qui n'appréciait guère ce suspense.

— Je suis tombée sur ça, expliqua-t-elle en lui tendant une vieille boîte métallique.

Une simple boîte à biscuits en fer-blanc. À l'intérieur, Vincent découvrit un sachet en plastique contenant une importante somme d'argent.

— Y a combien ? demanda-t-il avec appréhension.

— Huit mille euros. Je ne comprends pas d'où vient ce fric...

Vincent non plus, ne comprenait pas. Il rendit les billets à Nadia.

— J'en veux pas ! dit-elle en reculant d'un pas. Je ne sais pas ce que Pierre a fait pour obtenir ce pognon... Alors je refuse de le garder ! Je vais peut-être le donner.

— Le donner ? Mais tu risques d'en avoir besoin ! C'est idiot...

— Hors de question que je me serve de ce fric ! rétorqua-t-elle avec rage.

Elle se laissa tomber sur une vieille caisse en bois.

— Mais qu'est-ce qui se passe, Vincent ? gémit-elle. Je croyais qu'on se disait tout, Pierre et moi ! Et depuis qu'il est mort, je ne le reconnais plus...

Le guide s'accroupit en face d'elle, effleura sa joue.

— Je sais ce que tu ressens, murmura-t-il. Pour moi, c'est pareil... Je vais découvrir d'où vient cet argent, je te le jure. Fais-moi confiance.

— Tu sais des choses que j'ignore, n'est-ce pas ?

Vincent hésita un instant ; envie de tout lui raconter. Mais il pensa soudain à son chalet en feu et imagina la ferme en proie aux flammes. Alors, il se résigna à lui mentir. La protéger, elle et ses enfants. Si Nadia partageait ses doutes sur Lavessières et Julien Mansoni, elle était capable de tout, même du pire.

— Écoute, Nadia, je te promets que je vais trouver la provenance de ce fric… Mais pour le moment, je n'en ai pas la moindre idée… Tu dois me croire.

— D'accord… Si tu trouves quelque chose, tu me diras, hein ?

— Bien sûr…

Elle avait les larmes aux yeux et posa son front contre le sien. Il la prit dans ses bras, la serrant aussi fort qu'il pouvait. Elle se dégagea de son emprise, apparemment aussi troublée que lui. Puis elle récupéra l'argent.

— Prends-le, dit-elle. Ce matin, quand Émeline m'a appelée, elle m'a dit que ta remise avait brûlé et que tu avais perdu tout ton matériel… Alors garde-le. De toute façon, il n'est pas à moi.

— Il n'est pas à moi non plus, souligna le guide. Avec les enfants, tu en auras plus besoin que moi.

— Dans ce cas, je vais le filer au curé…

— Au curé ? répéta Vincent avec une sorte de répulsion.

— Oui, il en fera don à une association caritative…

— Je respecte ton choix, Nadia. Mais réfléchis bien avant de te séparer de cet argent.

— De toute façon, il n'est pas là en ce moment.

— Qui ?

— Le curé ! Il est en pèlerinage pendant quelques jours… Il fait Saint-Jacques-de-Compostelle.

— Comment tu sais ça ? ricana Vincent. Ne me dis pas que tu vas à la messe quand même !

Elle haussa les épaules.

— J'ai rencontré la vieille Lucie, sa bonne… Où je vais planquer ces billets ?

— Remets-les où ils étaient, suggéra simplement le guide. Et encore une fois, réfléchis bien…

Non, décidément, la soirée ne serait ni calme ni détendue. Vincent avait maintenant de nouveaux doutes, pires encore que les précédents. Cette histoire ressemblait à une spirale infernale. Il songea alors qu'il aurait bien aimé croire en Dieu, lui aussi. Trouver un réconfort, un secours.

Faute d'aide divine, il appela Servane en arrivant chez lui.

*
* *

Ce coup de fil aurait dû la contrarier. Avec cet argent découvert chez Pierre Cristiani, l'affaire s'embrouillait fortement. D'ailleurs, Servane n'avait pas trouvé d'explication plausible à ce nouveau rebondissement. Aucune hypothèse n'était sortie de cette *machine à déductions*, comme la surnommait Vincent.

Mais elle était si bien qu'elle ne songea plus à cette histoire une fois le combiné posé. Elle y verrait plus clair demain.

Pour le moment, elle tenait à savourer pleinement la présence de Fred. Elles étaient encore alanguies sur le lit, délicieusement fatiguées.

— C'était qui ?

— Vincent, le guide de haute montagne dont je t'ai parlé… Je l'aide à résoudre une affaire un peu compliquée, résuma Servane. Tu ne t'es pas trop ennuyée pendant toute cette journée ?

— J'ai fait un tour dans le village, j'ai bouquiné… Elles sont super tes BD !

— C'est Matthieu qui me les a prêtées.

— Matthieu ? répéta Fred avec un sourire en coin. C'est qui, celui-là ?

— Un mec qui bosse ici… Un copain.

— Un *copain* ? Tu as beaucoup de copains on dirait ! Beaucoup de mâles qui te tournent autour !

Servane haussa les épaules, Fred se mit à rire.

— Je plaisante !…

— Tu reviendras après ton stage ?

— Oui… Mais pas tout de suite. Il faut que je remonte à Colmar pour me trouver un nouvel appart… C'est la merde ! Mon bail va expirer et le proprio refuse de le renouveler.

— Mince. Il était bien, cet appartement…

— C'est vrai, mais le propriétaire est un gros con, tu t'en souviens ?

— Oh oui, je m'en souviens ! rigola Servane. Tu as déjà visité des trucs ?

— Rien d'intéressant. Les prix sont devenus dingues ! Et j'ai plus une thune. J'ai eu pas mal de galères, ces derniers temps. Je ne sais pas comment je vais m'en sortir…

Quelques secondes de silence les éloignèrent un peu.

— J'aurais bien voulu t'aider, soupira enfin Servane. Mais moi aussi, je suis dans la dèche… Ma caisse est tombée en panne y a pas longtemps, j'ai rien pu mettre de côté.

Servane décela une légère variation sur le visage de son amie. Ou plutôt dans ses yeux ; comme une déception à peine voilée.

— Je suis désolée, ajouta-t-elle.

— Pas grave, je me débrouillerai, assura Fred. Je ne sais pas encore comment, mais je me démerderai…

Cette discussion n'était pas sans rappeler à Servane certains épisodes passés. Fred la flambeuse, toujours sur la paille, qui l'avait si souvent tapée.

Et si elle avait fait cette halte pour lui soutirer du fric ? Uniquement pour…

Non, impossible.

Servane laissa ses doigts glisser sur le ventre de son amie, puis ses lèvres, se gorgeant de cette douceur dont elle avait été privée trop longtemps.

— J'ai la dalle ! dit subitement Fred.

— Tu viens de te gaver de chips !

— Ouais, mais j'ai encore faim.

À regret, Servane consentit à se lever.

— Je m'en occupe !

— Non, te fatigue pas à cuisiner, on va au resto ! décréta Frédérique. J'en ai repéré un qui a l'air sympa à l'entrée du village… J'ai envie d'une tartiflette ou d'un truc bien calorique dans le genre !

— Euh… Non, je suis un peu crevée là, prétendit Servane en enfilant un tee-shirt.

— Ça t'évitera de préparer la bouffe ! insista Fred. Et puis faut qu'on fête nos retrouvailles dignement.

— Ça ne me dérange pas de cuisiner, je t'assure…

D'un regard soudain plus sombre, Frédérique se mit à fixer Servane qui inspectait les placards à la recherche d'un menu convenable.

— Tu sais, je suis de repos demain, reprit Servane. Je t'emmènerai faire une rando en montagne… On ira dans un endroit superbe ! C'est un grand lac d'altitude…

— Tu es trop crevée pour aller au resto, mais t'as envie de te taper des bornes à pied ? balança Fred.

Sa voix aussi avait changé. Plus rêche, voire cassante.

— Demain, je serai reposée, argua Servane.

— Ça me ferait plaisir de sortir, répéta Fred. Ce soir… Maintenant.

Servane pinça les lèvres.

— Allez, habille-toi et viens !

— J'ai pas envie, je te dis… Une autre fois.

— Pas envie qu'on nous voie ensemble ? asséna Frédérique. C'est ça que tu essaies de m'expliquer ?

Le cœur de Servane fit un dérapage incontrôlé.

— Mais non, tu te trompes !

— Finalement, tu n'as pas changé, conclut Frédérique d'un ton cinglant.

Elle remit à son tour ses vêtements.

— Tu leur as dit quoi, à tes potes en uniforme ? Que j'étais une amie ? Ou alors ta sœur, peut-être… Mais on se ressemble si peu… !

— Je ne leur ai rien dit, mentit Servane.

— Vraiment ? OK, je veux bien te croire. Donc, on va toutes les deux au resto, d'accord ?

Frédérique ouvrit la porte.

— Alors, tu viens ? Je t'attends…

Servane resta aphone, prise en flagrant délit. Fred la dévisageait avec fureur, désormais.

— Tu n'assumes toujours pas, hein ?

— C'est pas ça… Mais je veux pas qu'ils sachent ici…

— C'est bien ce que je dis !

Le ton montait dangereusement.

— Tu es morte de trouille à l'idée qu'ils puissent découvrir qui tu es vraiment !

— Parle moins fort, s'il te plaît ! implora Servane en refermant la porte.

— Tu es lesbienne ! proclama Frédérique avec un sourire diabolique. Je croyais que tu avais pu changer, mais je vois qu'il n'en est rien !

— Parle moins fort ! ordonna à nouveau Servane.

— Rien à foutre que tes voisins nous entendent ! Je les emmerde ! Il faudra bien un jour ou l'autre que tu arrêtes de te cacher !

— Ici, c'est différent, prétexta Servane. C'est la gendarmerie, et…

— Elle a bon dos la gendarmerie ! Ça a toujours été la même chanson, il a toujours fallu qu'on se planque ! Tu n'as aucun courage !

— Ferme-la ! hurla soudain Servane. Tu te crois tout permis ? Tu crois que tu peux débarquer chez moi sans prévenir et me donner des leçons ? Je mène ma vie comme je l'entends, je n'ai pas besoin de tes conseils !

Fred récupéra son sac de sport glissé sous le lit.

— Qu'est-ce que tu fais ?

— Je me casse !

— Arrête, je t'en prie… Laisse-moi un peu de temps. Tu viens juste d'arriver !

— *Du temps ?* Je t'ai laissé deux ans ! Deux ans de ma vie… Mais moi, y a longtemps que je ne joue plus à cache-cache… J'ai grandi. Pas toi.

Servane sentait un geyser monter jusqu'à ses yeux. Une colère sourde descendre dans ses tripes.

— Je t'interdis de me juger !

Frédérique disparut dans la salle de bains où elle regroupa ses affaires de toilette.

Son sac était quasiment prêt.

La séparation, quasiment consommée.

Mais Fred avait encore des choses à balancer avant de disparaître. Définitivement, cette fois.

— Tu vois, je suis revenue parce que j'espérais qu'on pourrait enfin vivre au grand jour, que notre rupture t'avait servi de leçon… Mais je constate que tu es toujours la même… Je constate qu'on n'a plus rien à faire ensemble.

— Comment peux-tu dire ça ? répondit Servane en essayant de se contrôler. Je refuse d'aller au resto et tu te sauves ? T'es malade, ma parole !

— Oh non, je ne suis pas malade ! C'était un test, tu vois ! Tu as tellement les jetons que tes nouveaux petits copains découvrent qu'on baise ensemble, que tu en deviens pitoyable ! J'ai supporté cette situation pendant deux longues années mais je ne suis pas prête à recommencer… Je ne suis pas une chose qu'on planque dans son placard et qu'on ressort quand on en a envie ou besoin !

Servane tremblait. De la tête aux pieds. La vérité fait mal, les mots aussi.

Les deux réunis, c'était insupportable.

— Moi, je crois plutôt que t'es venue ici pour me taper du blé ! hurla-t-elle. Et comme j'ai rien à te filer, tu repars illico !

Fred secoua la tête avec un sourire désolé.

— Ma pauvre, tu ne comprendras donc jamais rien… Rien à foutre de ton fric ! Tu peux te le garder !

— Tu mens ! Tu es venue ici uniquement pour me soutirer du pognon ! Et pour passer un bon moment !

— J'ai pas besoin de toi pour ça, figure-toi ! Tu crois que je suis restée seule depuis qu'on s'est séparées ? Tu rêves…

Servane ne put réprimer ses larmes plus longtemps.

— Alors pourquoi t'es revenue, hein ?

— Je sais pas… Pour être sûre que je ne m'étais pas trompée. Maintenant, j'en suis certaine.

Frédérique empoigna son sac et bouscula Servane qui se remit à crier :

— Barre-toi ! Dégage de chez moi !

— De chez toi ? ricana son ex. T'as vu où tu es ? Toute seule dans ta caserne de merde, perdue au milieu de nulle part ! Alors oui, je te laisse à ta merveilleuse existence !

Elle tourna les talons, entendit la porte se refermer dans son dos avec une violence inouïe.

*
* *

Vincent s'était assoupi sur le perron, recroquevillé dans le fauteuil et la fraîcheur du soir. La pluie avait cessé, un petit vent laborieux se chargeait de nettoyer le ciel.

Un véhicule qui approchait sur la piste le tira de sa somnolence.

Une silhouette s'avança vers lui, guidée par la faible lumière qui débordait du chalet.

— Servane ?… Quelle heure il est ?

— Neuf heures… et quelques… Je te dérange ?

— Non. Assieds-toi…

Ils restèrent un moment silencieux. Vincent la sentait en détresse mais n'avait guère la force de l'aider.

Overdose.

— J'avais besoin de parler et…

Et elle garda le silence.

Juste une respiration plus rapide. Elle pleurait.

— Qu'est-ce qui se passe, Servane ? C'est ton amie ?

Elle hocha la tête, essuya ses larmes.

— Elle est partie…

— Déjà ? s'étonna Vincent. Pourquoi ?

Que lui répondre ? Servane ne le savait pas elle-même. N'avait pas compris ce qui venait de se passer. Alors, elle métamorphosa ses plus infâmes soupçons en vérité.

— Elle était venue juste pour… pour me demander du fric.

Après tout, c'était peut-être la réalité. Peut-être que Fred n'était réapparue que pour trouver de quoi financer son futur appartement… C'était finalement aussi dur à accepter que les autres raisons. Mais ainsi, Frédérique endossait le mauvais rôle.

Vincent regarda Servane pleurer. Il aurait voulu la consoler dans ses bras, profiter de la situation pour la serrer contre lui.

— Les humains sont décevants, n'est-ce pas ? murmura-t-il.

— Et moi qui croyais qu'elle avait parcouru tous ces kilomètres pour me retrouver ! Je suis vraiment la dernière des connes !

— Tu lui as donné son fric ?

— Non… Je l'ai jetée dehors.

— Tu as bien fait… Tu verras, tu oublieras.

— Que les humains sont décevants ?

— Non, ça tu ne l'oublieras jamais…

— Mais ils ne le sont pas tous !

— Peut-être… En ce moment, j'ai beaucoup de mal à y croire ! avoua-t-il.

— Et moi, je t'ai déçu ?

— Non, Servane. Pas du tout…

Elle cessa enfin de pleurer et alluma une cigarette.

— Tu sais… En fait, elle n'est pas partie qu'à cause de ça, révéla-t-elle subitement.

— C'est-à-dire ?

— Elle… Elle m'a demandé du fric, c'est vrai. Et je ne le lui ai pas donné… Remarque, même si j'avais voulu, j'ai pas un rond, alors… À partir de cette seconde, j'ai senti qu'elle changeait, comme si tous ses plans avaient foiré, tu vois ?

Il hocha la tête.

— Eh bien… Elle voulait aller au resto et j'ai refusé. Elle a insisté, s'est énervée… Elle pensait que j'avais peur de me montrer avec elle.

— Et elle avait vu juste ?

Servane ne répondit pas tout de suite.

— Je craignais de croiser un collègue, je ne peux pas le nier… Je leur ai raconté qu'une vieille copine était venue passer quelques jours, que je l'hébergeais. Mais Fred ne sait pas se retenir, elle est capable de t'embrasser n'importe où !

— Donc, tu as refusé de sortir et elle l'a mal pris, c'est ça ?

— C'est ça… Elle m'a reproché de ne pas avoir changé depuis notre séparation, d'être toujours la même, de ne pas assumer ma *vraie personnalité*…

— Elle a raison, asséna Vincent. Tu n'as pas à te cacher comme tu le fais.

— Facile à dire !

— Peut-être… Mais je sais que j'ai raison. Et elle aussi… Te planquer, mentir, c'est pas la bonne solution. C'est pour ça que vous aviez rompu la dernière fois ?

— Disons que nos relations se dégradaient petit à petit et qu'on a fini par se quitter. Enfin, c'est elle qui est partie. Ça a été une déchirure autant qu'un soulagement, ce jour-là... C'est vrai qu'elle m'en voulait de ne pas vivre au grand jour avec elle.

— Tu y parviendras, conclut Vincent.

Ils respectèrent une minute de silence, au milieu de l'entêtant concert des grillons.

— Tu crois que Pierre trempait dans cette affaire de corruption ? reprit brusquement le guide.

— L'argent trouvé dans sa maison ne plaide pas en sa faveur... Cependant, il ne faut pas oublier que la victime, c'est lui.

— Ce fric a peut-être été caché là pour brouiller les pistes...

— Ça me paraît un peu tiré par les cheveux, souligna la jeune femme. Je n'ai pas vraiment eu le temps d'y réfléchir... On y verra peut-être plus clair bientôt. C'est comme un gros puzzle. Et pour le moment, il nous manque plein de pièces... Tu as des clients demain ?

— Un groupe de dix personnes... Une petite randonnée au-dessus des Espiniers.

— Moi, je voulais emmener Fred au lac... Je peux venir avec toi ?

— Tu n'as même pas à me poser la question, répondit-il.

Ils contemplèrent longtemps les étoiles, perdus dans leurs pensées respectives. Si proches et pourtant tellement loin l'un de l'autre.

— Qu'est-ce que ça veut dire l'Ancolie ? demanda soudain Servane.

— C'est une fleur de montagne. Très belle mais terriblement toxique... C'était la fleur préférée de Laure.

— Ancolie, mélancolie, murmura Servane. Mélancolie...

22

Servane passa son uniforme et attacha ses cheveux. On était le 14 août et le lendemain s'annonçait férié pour la plupart des gens. Mais pas pour elle, dernière arrivée à la caserne et qui serait de garde toute la journée ainsi qu'une bonne partie de la soirée. Cela ne la dérangeait pas ; la veille, elle avait pu se détendre et avait particulièrement apprécié la randonnée avec Vincent et son groupe. Car, même si le guide était soucieux, il avait accompli sa tâche à la perfection. De quoi se changer les idées, se consoler. Et apprendre.

Encore et toujours apprendre.

Elle descendit dans la cour où un groupe de gendarmes discutaient et riaient bruyamment. Mais lorsque Servane s'approcha, ils se turent brusquement. Elle fit mine de ne rien remarquer, les salua et se rendit directement à l'accueil. Vertoli sortit alors de son antre, la toisant d'un air étrange.

Comme s'il la voyait pour la première fois.

— Bonjour, Servane. J'aimerais vous parler.

Elle le suivit jusqu'à son bureau où il lui proposa de s'asseoir ; il semblait terriblement embarrassé.

— Ce que j'ai à vous dire est plutôt délicat, commença-t-il. Servane, vous devriez faire attention à ne pas trop étaler votre vie privée…

La jeune femme le dévisagea avec incompréhension.

— Ma vie privée ? Mais de quoi parlez-vous, mon adjudant-chef ?

— De la bruyante dispute que vous avez eue avant-hier au soir avec… votre amie.

Servane manqua de tomber de sa chaise.

— Vous savez, continua le chef, on entend tout dans ces appartements ! L'isolation phonique est un désastre !… Et je dois vous dire que les hommes ne parlent plus que de ça… Ils racontent à qui veut l'entendre que vous êtes… homosexuelle.

La jeune femme était d'une pâleur et d'une raideur effrayantes.

— Mais c'est n'importe quoi ! s'écria-t-elle en se levant. C'était juste une vieille copine et… Et nous nous sommes engueulées parce que… parce qu'elle m'a demandé de l'argent et…

— Personnellement, je n'ai pas entendu cette fameuse dispute. Mais les gars rapportent qu'il s'agissait d'une véritable scène de ménage !

— Non, mon adjudant-chef ! C'est faux !

— À l'avenir, tâchez de rester plus discrète, conseilla Vertoli. Et puis vos mœurs ne me regardent pas tant qu'elles restent privées… Cependant, je dois vous avouer qu'ici, il y a des différences qui sont assez mal acceptées… Ici comme ailleurs, sans doute.

Il ne la croyait pas. C'était une catastrophe. Elle retomba sur sa chaise.

— Je me suis emportée mais ce n'était pas une scène de ménage, je vous assure…

— Quoi qu'il en soit, si les hommes vous tiennent des propos désobligeants, n'hésitez pas à venir m'en parler. D'accord ?

— Oui, mon adjudant-chef, murmura Servane.

— Allez ! Ne faites pas cette tête, ça va s'arranger ! prétendit-il.

Elle quitta la pièce d'un pas mal assuré, pour rejoindre l'accueil. Là, elle remarqua une enveloppe sur son bureau, avec son prénom. À l'intérieur, un petit carton où était marquée une seule phrase.

Assassine.
Les gouines n'ont rien à faire ici.

*
* *

Vincent était fatigué. Il remontait la piste en direction de l'Ancolie, après une randonnée facile mais qui l'avait pourtant épuisé. Peut-être parce qu'il dormait mal, en ce moment. Parce que ses cauchemars étaient de plus en plus féroces. Voraces.

Parce que son esprit ressemblait à un océan en furie. Qu'il buvait la tasse à longueur de temps.

La voiture de Servane était stationnée devant chez lui, mais la jeune femme n'était pas sur la terrasse. Il passa derrière la maison, distingua sa silhouette sur le bord de la restanque, tout au bout du champ où l'herbe haute jaunissait sous les morsures du soleil. Il s'approcha, posa sa main sur son épaule. Elle sursauta, lui offrant un visage mortifié en guise de bonsoir.

— Qu'est-ce qu'il y a, Servane ?

Elle se mit à sangloter de plus belle et Vincent soupira. Encore une dose de chagrin à ingurgiter. De quoi lui bouffer le peu d'énergie qui lui restait.

— Ils... Ils savent ! fit la jeune femme d'une voix brisée.

— Quoi ? Qui sait quoi ?

— À la caserne, ils savent... Ils savent...

Elle fouilla dans sa poche, lui tendit le petit carton. Mieux que n'importe quel discours.

— *Les gouines n'ont rien à faire ici*, lut le guide. Merde... Quels salauds !

— Qu'est-ce que je vais devenir ? gémit-elle.

— Calme-toi... Tu as essayé de nier ?

— Vertoli m'a convoquée dans le bureau parce que... parce que mes collègues ne parlent plus que de ça... J'ai menti, je lui ai dit qu'il s'agissait d'une dispute entre deux copines mais... mais je suis sûre qu'il ne m'a pas crue !

Elle se remit à pleurer, Vincent tenta de la réconforter.

— On va arranger ça, murmura-t-il.

— Mais comment ? C'est fini !

— Ne dis pas ça... Si tu ne veux pas qu'ils sachent la vérité, il va falloir mentir, Servane. Je me charge de les convaincre si tu veux.

— Toi ? Mais...

— Laisse-moi faire, dit-il d'une voix rassurante. Et maintenant, arrête de pleurer...

Elle essuya ses larmes du revers de sa manche, chercha son paquet de cigarettes dans la poche de son pantalon. Elle en alluma une et Vincent constata que ses mains tremblaient. Elle avait peur. C'était injuste. Révoltant, même.

— Il faudra que tu m'aides un peu, ajouta-t-il.

— Qu'est-ce que tu vas faire ?

— On verra ça plus tard.

Il se leva, lui tendit une main secourable qu'elle empoigna avec force. Ils se dirigèrent d'un pas lent vers le chalet, suivant les rayons déclinants du soleil.

*
* *

En ce 15 août, la caserne n'était pas très animée. Servane inspira profondément avant de quitter son appartement, étriquée dans son uniforme, coincée dans son angoisse. Elle craignait de croiser ses collègues, de subir leurs sarcasmes, leurs mauvaises plaisanteries. Certes, certains n'avaient pas changé d'attitude envers elle, mais d'autres ne se privaient pas de lui faire sentir leur aversion.

En traversant la cour, elle tomba sur le couple Vertoli qui partait en week-end. Elle leur serra la main, les aida à mettre les bagages dans le coffre de la voiture.

— Tout va bien, Breitenbach ? s'enquit Vertoli.

— Oui, mon adjudant-chef.

Il remarqua son air triste mais n'en demanda pas davantage. Il n'avait pas envie de revenir sur la discussion de la veille ; un sujet qui le mettait mal à l'aise.

— Christian Lebrun me remplace pour ces trois jours, dit-il. En cas de problème, adressez-vous à lui.

— Bien, mon adjudant-chef... Passez un bon week-end.

— Merci, Servane.

La jeune femme aperçut Nicolas à la fenêtre de l'appartement. Il regardait partir ses parents et lui adressa un signe avant de disparaître. Ce petit geste, presque insignifiant, la rasséréna. Au moins quelqu'un ici qui ne la rejetait pas ! Mais peut-être n'était-il pas encore au courant... ? Difficile à croire !

À l'accueil de la gendarmerie, elle trouva Lebrun et Matthieu en pleine discussion. Ils cessèrent de parler, la dévisagèrent de façon saugrenue. Alors, elle se rappela les conseils de Vincent et garda la tête haute.

— Bonjour ! lança-t-elle.

— Salut !

Sur son bureau, une nouvelle enveloppe l'attendait. Elle serra les mâchoires et releva les yeux vers ses collègues.

— Ça vous amuse, ces petits jeux à la con ?

— De quoi vous parlez ? s'étonna Christian.

— De ça ! dit-elle en brandissant l'enveloppe.

— Qu'est-ce que c'est ? demanda Matthieu d'un ton candide.

— Tu le sais très bien !

— Non, je t'assure...

Elle déchira l'enveloppe. Nouveau mot doux : *On va t'apprendre à aimer les hommes.*

— Je vois qu'on passe aux menaces ! rugit-elle.

Le maréchal des logis lui arracha le carton des mains. Il lut le message, sembla bien embarrassé.

— Ce n'est qu'une plaisanterie, Breitenbach !

— Une *plaisanterie* ? Dans ce cas, nous n'avons pas le même sens de l'humour, chef !

— Après tout, vous l'avez bien cherché ! ajouta-t-il en jetant le carton dans la corbeille. Fallait être plus discrète !

Servane le fustigea du regard avant de récupérer le message dans la poubelle.

— L'adjudant n'appréciera pas ce genre de *plaisanterie* !

Elle réalisa instantanément qu'elle venait de commettre une erreur. Une de plus.

— Tu vas aller pleurer dans les jupes de Vertoli ? lui balança Matthieu avec animosité.

— Pourquoi ? Tu as quelque chose à te reprocher ?

— Moi, non. J'y suis pour rien… Mais si j'étais toi, je ne ferais pas ça. Déjà que t'es pas tellement appréciée…

— Justement ! Ça ne changera pas grand-chose ! De toute façon, c'est la plus belle connerie que j'aie jamais entendue ! Je ne sais pas qui a lancé cette rumeur débile mais…

— Ça suffit ! coupa soudain Christian. Mettez-vous donc au boulot, brigadier…

Les deux hommes regagnèrent leurs bureaux respectifs. Servane rangea le petit carton dans sa poche et tenta de se concentrer sur sa tâche. Mais ce n'était pas chose facile. Elle commença par le tri du courrier et ouvrit les enveloppes d'un geste rageur.

*
* *

Vincent entra dans le bar et, comme il l'avait espéré, il y trouva Christian Lebrun et deux de ses hommes en train de boire un café. Il était environ 21 heures et ces trois-là venaient souvent passer un moment dans le bistrot situé non loin de la gendarmerie. Lorsqu'ils n'étaient plus de service, ils s'offraient un alcool. Mais aujourd'hui, ils portaient encore leur uniforme et se contentaient d'un café. Vincent leur serra la main puis se dirigea vers le comptoir pour acheter un paquet de cigarettes à Bertille.

Comment allait-il aborder l'épineux sujet ?

Lorsqu'il repassa devant la table des gendarmes, Matthieu lui apporta une aide inespérée.

— Tu prends un café avec nous ?

— Pourquoi pas ! Mais moi, je ne suis plus de service ! Alors ça sera une bière… Votre chef n'est pas là ?

— Non, week-end en amoureux ! expliqua Christian.

— Ah ! Et vous, toujours sur le pont ?

— Eh ouais…

La bière arriva et Vincent régla Bertille qui ne semblait pas lui tenir rigueur de la bagarre déclenchée quelques semaines auparavant. C'est alors que Nicolas Vertoli fit son entrée. Il hésita un instant avant de se joindre finalement à la tablée.

— Servane n'est pas avec vous ? demanda Vincent.

— Elle est de garde à l'accueil, répondit sèchement le maréchal des logis.

Dit sur ce ton, cela ressemblait presque à une sanction.

— Vous auriez pu l'inviter, tout de même ! Vous n'êtes pas très galants ! lâcha Vincent.

— C'est toi qui parles de galanterie ? s'esclaffa Christian. Alors là, c'est la meilleure !

— Et pourquoi tu veux voir Servane ? interrogea Matthieu avec un sourire amer. T'as des projets avec elle ?

Les trois gendarmes se mirent à rire, Vincent joua l'étonné.

— Pourquoi vous vous marrez, les gars ?

— Parce que t'as aucune chance avec cette nana !
ricana Christian.

— Ah oui ? T'es sûr de ça ?

— Certain ! J'ai un scoop pour toi : c'est une
gousse !

Nicolas semblait même excédé par le comportement
des collègues de son père. Pourtant, il se garda d'intervenir dans la discussion.

— Mais qui vous a dit une connerie pareille ? reprit
le guide. Elle est tout à fait normale !

Normale.

Ça lui faisait mal de prononcer ce mot horrible. Mais
il était là pour jouer un rôle, rien d'autre.

— Je suis bien placé pour le savoir ! ajouta-t-il.

Les trois hommes cessèrent de se marrer bêtement et
le dévisagèrent. Bêtement.

Matthieu brûlait d'en savoir plus et entra involontai-
rement dans le script.

— Tu veux dire que t'as couché avec elle ?

— C'est bien, tu comprends vite ! confirma Vincent.

Les gendarmes échangèrent un regard perplexe.
Leurs certitudes en prenaient un coup. Quant à Nicolas,
il esquissa un drôle de sourire.

— Y a longtemps ? demanda Matthieu.

— Qu'est-ce que ça peut te foutre ? répliqua le
guide. Tu veux des détails ?... Allez, faites pas cette
tête ! C'est elle qui a inventé cette histoire ? C'est
parce qu'elle veut que vous lui foutiez la paix ? C'est
triste, les gars !

— Mais non ! riposta Christian. Il y a quelques
jours, une nana a débarqué chez elle et le lendemain,

on a eu droit à une véritable scène de ménage ! T'aurais entendu ça...

Vincent leva les yeux au ciel.

— Avant-hier, elle est venue en rando avec moi et elle m'a parlé de cette histoire... C'était une vieille copine qui venait simplement lui demander du fric. Servane a pas voulu lui filer le moindre centime et ça a mal tourné... Qu'est-ce que vous allez vous imaginer ! Servane homo... Quelle connerie !

Il se remit à rire et attaqua sa bière.

— Remarquez, peut-être bien qu'elle marche à voile et à vapeur ! reprit Matthieu.

Le combat n'était pas encore gagné.

— Ça m'étonnerait ! renchérit Vincent. Franchement, c'est pas l'impression qu'elle m'a donnée...

— Vraiment ?... Vas-y, raconte ! ordonna Christian d'un ton salace.

C'est là qu'il ne fallait pas faire un faux pas. Paraître naturel et surtout, fidèle à sa réputation. Même si celle de Servane risquait d'en souffrir.

Alors il ajusta son sourire et sauta à pieds joints dans la boue.

Ils l'écoutaient, suspendus à ses lèvres. Mettant des images obscènes sur ses mots crus. Il se vantait, en rajoutait des tonnes.

— Ben merde alors ! conclut Lebrun. On dirait pas à la voir... Sous ses airs de sainte-nitouche !

Et voilà, cette fois, ils le croyaient. Il avait fallu en arriver là, salir l'image de celle qu'il aimait. Il écouta les plaisanteries graveleuses qui fusaient à la table avec un malaise grandissant.

Mais son but était atteint : Servane venait de rejoindre les rangs.

Servane lisait un bouquin à l'accueil. Un polar américain assez plaisant si on laissait de côté les nombreuses invraisemblances de l'enquête. Elle entendit la porte grincer, leva la tête : Nicolas Vertoli.

Elle ferma précipitamment le livre.

— Bonsoir, Servane.

— Salut ! Je lisais un peu parce que j'ai pas grand-chose à faire… C'est tellement calme !

— Tu n'as pas à te justifier ! Tu parles pas à mon père ! Moi, c'est *Vertoli Junior*, tu te souviens ?!

Elle sourit à son tour.

— Je peux rester un peu ? Ça ne te dérange pas ?

— Bien sûr que non ! Assieds-toi !

Il prit place à côté d'elle, jeta un œil au roman qu'elle venait de lâcher.

— J'ai lu un autre livre du même auteur, dit-il. C'est pas mal…

— Ouais, c'est sympa…

Elle avait l'air abattue et il se remémora le jour où elle l'avait réconforté au bord de la rivière. À son tour de l'aider.

— Une clope ? proposa-t-il.

— Volontiers…

— Ça n'a pas l'air d'aller très fort… C'est à cause de la rumeur ?

Elle se ratatina sur sa chaise.

— Tu sais, je leur ai dit ma façon de penser, hier… Je les trouve vraiment dégueulasses ! Ta vie privée ne les regarde pas ! Ni eux, ni personne !

— Pourtant, je crois que je vais être obligée de demander une mutation…

— Tu plaisantes ? Tu ne vas pas les laisser gagner aussi facilement !

— C'est devenu invivable, ici ! Regarde…

Elle lui montra les deux messages laissés sur son bureau, il sembla vraiment choqué.

— Quelle bande de cons ! Mais ils ne t'emmerderont plus, maintenant…

— Pourquoi ?

— Parce que Lapaz s'en est mêlé.

— Vincent ?

Elle fut soudain la proie d'une angoisse démesurée.

— J'ai été faire un tour au bar, tout à l'heure… Il y avait Vincent attablé avec Lebrun, Matthieu et Jérôme… Et ils ont parlé de toi.

— De moi ? Mais… Qu'est-ce qu'ils ont dit ?

— Eh bien… les gars ont raconté que tu étais homo et Lapaz a répondu qu'il… Que toi et lui étiez plus que de simples amis…

Il préféra éviter de rapporter en détail le contenu de la conversation. Servane le regardait, un peu désemparée. Certes, elle savait que Vincent s'apprêtait à faire cela. Et même si elle avait donné son accord tacite, cette situation ne faisait qu'empirer son malaise.

— Qu'est-ce qu'il a dit ?

— Que vous aviez couché ensemble, résuma sobrement Nicolas.

Elle fixait la porte maintenant, évitant soigneusement les yeux verts du jeune homme. Peut-être était-il aussi gêné qu'elle. En tout cas, il termina sa clope et se dirigea vers la sortie.

— Je crois que tu peux lui dire merci, ajouta-t-il. Il est sacrément doué comme acteur !

Elle resta médusée quelques instants et il la rassura d'un sourire.

— Ne t'inquiète pas. Les autres n'ont rien vu… Et moi, je ne dirai rien. Bonne nuit, Servane.

23

Vincent se retourna pour vérifier que tout le monde suivait. Sa quinzaine de clients, regroupés par affinités, formaient une joyeuse équipe. Des enfants dissipés, heureux d'avoir vaincu un sommet pourtant modeste, et qui considéraient la descente comme une récréation.

Il ne restait plus que trois ou quatre kilomètres de piste pour rejoindre les voitures stationnées au-dessus du village d'Allos, mais le risque d'un orage se précisait. En cette saison, c'était presque chaque soir.

— Il faut accélérer ! lança Vincent.

— On n'en peut plus ! répondit une jeune femme en riant. On est morts !

Sur le bord de la piste, les épilobes en épi, dressés telles des sentinelles en lisière de forêt, avaient troqué leurs belles fleurs roses contre des grappes cotonneuses se désagrégeant au moindre souffle d'air. Les framboises, arrivées à maturité, transformaient chaque clairière en jardin d'abondance.

En ces derniers jours d'été, la forêt connaissait une sorte de frénésie : graines prêtes à être semées, plantes et animaux se préparant à affronter l'hiver qui arriverait beaucoup trop vite. Mais pour certains, la fin de la période estivale marquait aussi la fin d'une existence éphémère : les insectes seraient les premières victimes du froid et se hâtaient d'assurer leur descendance. Ayant accompli leur mission sur cette terre, ils pouvaient désormais mourir.

Aujourd'hui, les randonneurs avaient été comblés ; ils avaient eu la chance d'observer des chamois, des lagopèdes alpins, ces perdrix des neiges nichées sur les sommets rocailleux. Mais aussi un couple de circaètes en pleine chasse ou encore un apollon, extraordinaire papillon dont le vol évoque le bruissement d'une feuille de papier froissé et qui ne vit que dans ce massif. Dans ce massif et nulle part ailleurs dans le monde... À n'en pas douter, une journée qui resterait gravée dans leur mémoire.

Mais pour Vincent, il avait fallu repasser une fois de plus à l'endroit même où Pierre s'était tué.

Non : où Pierre avait été assassiné.

À n'en pas douter, une journée qui resterait gravée dans sa mémoire...

Après trois quarts d'heure à un rythme inégal, le groupe arriva enfin aux voitures. Les clients se dispersèrent, après avoir chaleureusement remercié et félicité leur guide. Vincent attendit que tout le monde s'en aille et grimpa dans son pick-up. C'est alors qu'il remarqua un morceau de papier glissé sous ses essuie-glaces. Il espéra qu'il s'agissait de nouvelles de son mystérieux informateur mais il reconnut instantanément l'écriture appliquée de Servane.

« *Vincent, je t'attends à l'Ancolie. J'ai tout prévu pour le dîner et j'ai aussi une surprise pour toi... Mais si tu as envisagé quelque chose d'autre ou si tu as un rancard, préviens-moi sur le portable et je m'éclipserai avant ton arrivée. Bises. Servane.* »

Vincent attrapa son portable.

— Servane, c'est moi...

— Salut ! T'as trouvé mon petit mot ?

— Ouais ! T'es où ?

— Sur ta terrasse, au soleil... Je bouquine !

— Je suis désolé mais j'ai un rendez-vous, ce soir...

— Ah... Ben dans ce cas, je vais m'en aller... Ça sera pour une prochaine fois.

Vincent s'amusa de la déception qui transparaissait dans sa voix.

— Tu ne me demandes pas comment elle est ? s'étonna-t-il.

— Si... Comment elle est ? interrogea Servane à contrecœur.

— Assez grande, blonde, les cheveux mi-longs... Les yeux bleus, une peau très blanche... Et un charmant accent à couper au couteau !

— Quel joli portrait ! dit-elle en riant. Je suis flattée !

— Qu'est-ce que tu as prévu pour le dîner ?

— T'as qu'à ramener tes fesses et tu verras...

— Je croyais que mes fesses ne t'intéressaient pas !

— Très drôle...

— Et la surprise, c'est quoi ?

— À tout de suite ! répondit-elle avant de raccrocher.

Vincent exécuta un demi-tour acrobatique sur les accotements incertains de la piste et s'engagea dans la descente en arrosant de poussière les végétaux qui avaient eu la mauvaise idée de pousser le long de ce sinueux tracé.

L'heure du dîner avait sonné chez les Lavessières. Suzanne frappa trois coups à la porte du bureau de son mari. En passant la tête dans l'entrebâillement, elle découvrit André, Hervé et Sébastien en train de disputer une partie de billard.

Le maire n'avait jamais su jouer au billard mais trouvait qu'il était de bon ton d'en posséder un à la maison.

— Le dîner est prêt, annonça son épouse.

— On vient dès qu'on a terminé.

— Ça va être trop cuit…

— Lâche-nous, maman ! souffla Sébastien.

— Hervé reste manger ? questionna-t-elle encore.

— Oui, il reste, acquiesça André.

Suzanne regroupa sur un plateau les verres dispersés sur la table basse. Les hommes, ne portant même plus attention à sa présence, reprirent leur conversation.

— Des nouvelles de notre ami Lapaz ? demanda soudain Hervé.

— Non, répondit le maire.

— Lapaz ? répéta Sébastien. Qu'est-ce qu'il a encore, celui-là ?

— Il nous cassait les burnes mais on l'a calmé ! résuma son père.

Il s'aperçut alors que sa femme était encore là.

— Qu'est-ce que tu fous ?

— Rien, je range les verres…

— Barre-toi ! ordonna Sébastien. Tu vois bien qu'on est en train de discuter !

Elle le considéra avec colère avant de claquer la porte.

— Tu ne devrais pas parler à ta mère sur ce ton, désapprouva Hervé.

— Elle est chiante ! Toujours à nous espionner !... Alors, qu'est-ce qu'il voulait, Lapaz ?

— Il a découvert quelques trucs, révéla son père. Il a commencé à fouiner là où Pierre Cristiani avait fourré son nez... Apparemment, il sait pour les deux terrains et les études géologiques...

Sébastien devint livide.

— Merde ! Qu'est-ce qu'on va faire ?

— J'ai chargé Portal de le surveiller et...

— Portal ? Il est tellement con qu'il n'arriverait même pas à surveiller ses pieds !

— Détrompe-toi, mon fils... Ce n'est pas une lumière, mais il est maniable et parfait pour ce genre de boulot.

— On pourrait peut-être essayer de lui refiler du pognon, suggéra Sébastien.

— Du pognon ? Tu es fou, ma parole ! Ce mec n'acceptera jamais un centime !

— On disait la même chose de Cristiani, rappela Hervé. Pourtant, le fric, il l'a pris...

— Ouais, mais il a pas eu le choix... Et puis ça l'a pas empêché de vouloir parler !

— Maintenant, y a plus de problème : il cause aux asticots ! ricana Hervé. Lui qui aimait tant les bestioles, il est servi !

Sébastien esquissa une mimique de dégoût.

Ils terminèrent leur partie mais le jeune Lavessières, visiblement inquiet, n'avait plus la tête à jouer.

— Et s'il va plus loin, qu'est-ce qu'on va faire ? demanda-t-il.

— On lui a fait peur, relata son père. À mon avis, ça l'a calmé.

— Ouais, il a eu chaud aux fesses ! ajouta Hervé en riant. Et Portal a transformé son sale clébard en descente de lit ! Je pense qu'il va se tenir tranquille, maintenant. Mais si ce n'est pas le cas, nous aviserons.

— Portal le surveille toujours, enchaîna le maire. La journée, il balade ses clients. Et le soir, Portal se poste au-dessus de chez lui pour vérifier qu'il reste sagement à la maison…

— Des fois, c'est moi qui m'en charge, reprit son frère. Mais c'est vrai qu'il bouge plus un orteil ! Sage comme une image.

— Et Julien Mansoni ? demanda Sébastien qui avait toujours autant de mal à prononcer ce nom. Il est au courant que Lapaz…

— Il a des doutes… Il est venu me voir pour me dire que le guide l'avait questionné sur les études et je lui ai dit que je m'en chargeais. Il n'a pas à en savoir plus, ce connard ! Il prend son fric et il ferme sa gueule.

— Toutes les nuits, je rêve de le voir crever, révéla froidement Sébastien.

— Arrête ! ordonna son père. S'il meurt, on est dans la merde et tu le sais très bien !

Ils se dirigèrent enfin vers la salle à manger et s'installèrent autour de la grande table.

— Suzie ? hurla le maire. On a faim !

Dans la pièce d'à côté, Suzanne ferma les yeux. Elle avait un couteau à pain dans les mains et rêva une fois de plus de l'enfoncer dans le ventre de son mari. Ce gros bide flasque et répugnant. Elle le haïssait chaque jour un peu plus mais n'avait pas le courage nécessaire pour le quitter. D'ailleurs, elle ne l'envisageait même pas. Sa place était ici, chemin de croix tracé depuis fort long-temps. Et puis il y avait son fils. Il l'aimait, elle ne pouvait en douter. Seulement, il ne le montrait pas. Cet enfant autrefois si charmant et que son mari avait transformé en une sorte de bête fauve. À force de le traiter de gonzesse et de lui mettre des armes entre les mains…

Mais elle se persuadait qu'il restait au fond de ce tyran un peu du petit garçon souriant et délicat qu'elle avait aidé à grandir et se raccrochait à cette idée pour supporter les humiliations quotidiennes.

Elle essuya ses larmes et prit le plat brûlant dans le four avant de rejoindre les hommes dans la salle à manger.

*
* *

Servane referma son livre, un des seuls Sherlock Holmes qu'elle n'avait pas encore lu. Le pick-up venait de se garer devant le chalet alors que déjà, le crépuscule chassait le soleil derrière les sommets.

— T'en as mis un temps ! lança-t-elle.

— J'ai crevé ! Un énorme clou sur la route… Ça m'a fait perdre une bonne demi-heure !

— T'as plus d'une demi-heure de retard, souligna-t-elle avec agacement.

— Eh ! Tu vas me faire une scène ou quoi ? J'avais complètement oublié que je devais passer voir Baptiste… Tu vas pas m'engueuler, tout de même !

— Non, c'est pas ça, s'excusa-t-elle. C'est que j'étais pas très rassurée… J'ai entendu des bruits dans les fourrés en face.

— Un renard ou une fouine !

— Pas du tout ! Je me suis approchée et j'ai vu quelqu'un s'enfuir…

— T'as vu qui c'était ? demanda le guide avec inquiétude.

— Un type, plutôt grand… Je suis sûre que c'était encore ce vieux barjo !

— Le Stregone ? Impossible ! En ce moment, il garde ses moutons au Vallonet…

— Il a pu les laisser seuls, ses chers moutons ! Je suis sûre que c'était lui.

— Hum… Je ne crois pas… Et qu'est-ce que tu as fait, ensuite ?

— Je suis restée là et j'ai gardé mon flingue à côté de moi…

— Tu as ton arme ? s'étonna-t-il.

Il avait du mal à imaginer Servane en train de braquer son calibre 45 sur quelqu'un. Mais si ça pouvait la rassurer…

— Tu ne veux pas voir ta surprise ? demanda-t-elle.

— Si ! C'est quoi ?

Elle lui ramena un gros panier en osier.

— C'est pour te remercier…

— De quoi ?

— Ouvre !

Il poussa le couvercle et découvrit une petite boule de poils qui le fixait avec deux grands yeux aussi noirs que désarmants.

— Il te plaît ? s'impatienta Servane. C'est un berger des Pyrénées, il a trois mois et c'est un mâle !

Vincent attrapa délicatement le chiot dans ses mains.

— Ça me fait très plaisir, répondit-il avec émotion. Il est mignon ! Mais tu as dû te ruiner !

— Ne t'inquiète pas pour ça.

— Et tu l'as laissé là-dedans pendant tout ce temps ?

— Bien sûr que non ! Il a gambadé autour du chalet et quand j'ai entendu ta voiture arriver, je l'ai remis dans son panier ! Comment tu vas le baptiser ?

— Je sais pas… Si tu choisissais toi-même le nom ? proposa-t-il.

Difficile de faire mieux que Galilée. Aussi original, en tout cas.

Ils entrèrent dans le chalet et Vincent déposa le berger par terre.

— Alors ? Tu lui as trouvé un nom ?

— Laisse-moi un peu de temps quand même !

— Je te laisse jusqu'à la fin du dîner !

Elle riait, semblait aller mieux.

— Bon, ajouta-t-elle, je me charge de préparer le repas…

— En quel honneur ?

— Eh bien, comme c'est tout le temps toi qui m'invites, et que je sais que tu n'as pas envie de venir t'enfermer dans mon studio *merdique*, j'ai pensé t'inviter… chez toi !

— C'est original comme concept !

— Donc, je m'occupe de tout et comme ça, tu peux tranquillement prendre un bain et te relaxer…

— Je prends jamais de bain, c'est un truc de gonzesse !

Elle leva les yeux au ciel.

— Eh bien, prends une douche, dans ce cas !

— Génial ! répondit le guide. Tu devrais m'inviter chez moi plus souvent ! Et on mange quoi ?

— Une spécialité de mon pays…

— Une choucroute ? En cette saison ?

— Mais non ! Allez, laisse-moi faire !

Il joua un moment avec le chien puis monta au premier.

— Prends ton temps ! cria Servane. C'est un peu long à cuire !

— OK !

Du coup, il se fit couler un bain. Cela ne lui arrivait jamais, mais ce soir, Servane lui en avait donné l'envie. Il mit une bonne dose de gel douche dans la baignoire, fit mousser au maximum. Puis se plongea dans l'eau un peu trop chaude et ferma les yeux. Il n'allait peut-être pas tarder à s'endormir.

Mais Servane frappa à la porte.

— Comment il marche, ton four ? cria-t-elle depuis le couloir.

— Il faut mettre sur la position 1 et choisir le thermostat ! C'est la manette de gauche...

— D'accord... Tu prends un bain ?

— Ben oui, finalement...

— T'as raison ! Tu as envie que je t'apporte un verre ?

— Qu'est-ce qui se passe ? Tu as un service à me demander, ou quoi ?

— Pas du tout ! s'offusqua-t-elle. Je te proposais ça comme ça... Mais si tu n'en veux pas, c'est pas grave...

— À la réflexion, j'en veux bien un... Un scotch avec de la glace, s'il te plaît !

Il referma les yeux et sourit. Dommage qu'elle n'aime pas les hommes. Il s'en voulait un peu de penser cela ; il se trouvait égoïste mais ne pouvait s'en empêcher. Il était si bien, avec elle. Pour la première fois depuis longtemps, il aurait aimé qu'une femme partageât sa vie. Et il se demanda si elle avait deviné les sentiments qu'il éprouvait. Ceux-là même qu'il était incapable d'analyser clairement. Elle frappa à nouveau à la porte, Vincent rouvrit les paupières.

— Je peux entrer ?

— Ça dépend... Si t'as pas peur de t'évanouir en voyant l'homme parfait, tu peux entrer !

— Que t'es con ! dit-elle en riant.

Elle s'aventura dans la pièce, finalement un peu gênée. Vincent aussi, d'ailleurs. Mais la mousse sauvait son intimité alors Servane fut rassurée. Elle posa le verre sur le bord de la baignoire et alluma une cigarette avant de la lui donner.

— Merci, dit Vincent. C'est vachement sympa ! Je vais y prendre goût, fais gaffe...

Elle s'assit sur un tabouret, non loin de la baignoire, et le considéra avec une drôle d'expression. Comme si elle admirait une œuvre d'art. La sculpture d'un grand maître de la Renaissance.

— Qu'est-ce que tu regardes ? demanda-t-il.

— Toi... C'est vrai que tu es parfait !

Il fut agréablement déstabilisé, retomba toutefois très vite sur ses pieds.

— Et encore, t'as pas vu l'essentiel ! rigola-t-il.

Il crut la voir rougir un instant mais elle ne se laissa pas clouer le bec.

— Les mecs sont vraiment tous les mêmes ! soupira-t-elle. Tous amoureux fous de leur pénis !

Vincent avala la fumée de travers et fut pris d'une quinte de toux.

— Je parlais pas forcément de ça ! se défendit-il.

— Ah oui ? Et qu'est-ce qu'il y a d'autre que je ne vois pas ?

— Eh bien...

— Alors ? s'impatienta Servane.

— Le repas est prêt ?

Elle pouffa de rire et se leva.

— Monsieur Lapaz a perdu son sens de la répartie ?

— Si tu continues, je me lève et je te fous dans la baignoire !

— Vas-y, essaie ! Comme ça je verrai l'*essentiel* ! rétorqua-t-elle en le narguant.

Elle quitta la pièce et il entendit encore son rire cristallin. C'était la première fois qu'ils étaient si proches. Alors, il se mit à espérer. Des espoirs un peu fous.

Elle allait changer, juste pour lui.

Il l'entendait mettre la table en chantant, maintenant. Une voix mélodieuse, un ton juste et un peu grave. Il ferma à nouveau les yeux, se laissa bercer un moment.

— C'est prêt, monsieur Lapaz !

Vincent rouvrit les yeux, surpris de trouver Servane à côté de la baignoire.

— Je me suis endormi ?

— On dirait bien… Je t'attends en bas, ajouta-t-elle en quittant la salle de bains.

Il s'enroula dans une serviette et passa dans la chambre pour prendre des vêtements propres. C'est alors qu'il entendit un bruit de moteur à l'extérieur. Il se précipita à la fenêtre, juste à temps pour apercevoir une voiture qui descendait la piste. Par chance, il avait oublié d'éteindre la lumière de la terrasse et reconnut le Range Rover kaki qui passait en trombe devant le chalet.

— Putain ! murmura-t-il. Portal !

Il finit de s'habiller et rejoignit Servane. Une odeur alléchante avait envahi le rez-de-chaussée et la jeune femme n'avait pas ménagé ses efforts pour dresser une table magnifique.

— Ça ne te plaît pas ? s'étonna-t-elle face à son air contrarié.

— Non… Enfin, oui ! C'est pas ça… Je crois que je sais qui tu as vu dans les fourrés, tout à l'heure…

— Ah oui ? C'est la voiture qui vient de passer ?

— C'était Portal.

— Portal ? Qu'est-ce qu'il fout là ?

— Soit il braconne, soit il nous surveille… Et je penche plutôt pour la deuxième hypothèse… Je te raccompagnerai quand tu partiras.

— Mais non, j'ai mon flingue !

— Peu importe…

— Bon, tu as faim ?

Il regarda enfin la table joliment décorée et sourit.

— C'est super ! J'ai une faim de loup… D'ailleurs, je vais bouffer le clébard ! dit-il en attrapant le chiot dans ses mains.

— Arrête, tu lui fais peur !

— Mais non ! Un berger n'a jamais peur de rien ! Pas vrai le chien ?

— Au fait, j'ai pensé à un nom pour lui… Ça a du flair, ces machins-là ?

— Et comment !

— Alors on peut l'appeler Sherlock !

— Sherlock ? répéta Vincent en souriant. Pourquoi pas !

Il tendit les bras et le berger se retrouva face à face avec son maître.

— Bienvenue dans la maison, Sherlock ! Et t'as intérêt à filer droit !

Le chien remua la queue, légèrement inquiet d'être si loin du plancher des vaches et Vincent le reposa sur le parquet.

— Ça sent drôlement bon ! dit-il. Qu'est-ce que c'est ?

— Une flammekueche...

Elle sortit le plat du four, ils s'assirent enfin. Il était déjà 21 heures et Vincent commençait sérieusement à ressentir la faim.

Le repas se déroula dans une ambiance joyeuse et ils se laissèrent tenter par le vin d'Alsace choisi par Servane pour accompagner le plat.

Vincent raconta sa journée, Servane parla peu.

Pourtant, il y avait des choses qu'il avait envie de savoir. À la fin du repas, ils s'installèrent sur le canapé pour partager un digestif.

Vincent se lança :

— Comment ça se passe, à la caserne ? Ils ont cessé de t'envoyer des mots doux ?

— Je n'en ai plus reçu un seul.

— Tu crois qu'ils ont encore des doutes ?

— Les avis sont partagés ! répondit-elle avec amertume. D'après ce que je peux entendre et savoir, certains disent que je suis bi... Pour les autres, je ne suis plus la méchante lesbienne : juste la petite conne qui est passée à la casserole !

— Désolé, dit Vincent. Je pensais que ce serait mieux...

— Ça l'est, assura-t-elle. Franchement, je préfère ! Et d'ailleurs, je ne sais pas trop comment te remercier.

— Mais, Servane, tu n'as pas à me remercier...

— Si ! Tu m'as sortie d'un très mauvais pas, je te dois une fière chandelle...

— C'est pour ça que tu as acheté Sherlock ? demanda-t-il en souriant.

— En fait, je sais que Gali te manque et en voyant ce chien, je me suis dit qu'il serait heureux ici...

Ils jetèrent un œil au berger qui dormait sur une couverture jetée devant la cheminée.

— J'arrive pas à croire que ce gros con de Portal nous surveille, dit brusquement Vincent.

— Le maire doit vraiment avoir les jetons !

— Ouais ! Et je me demande ce qu'il a à cacher...

— Ce que je ne comprends pas, enchaîna Servane, c'est pourquoi il aurait tué Pierre s'il lui avait filé de l'argent.

— Attends ! On ne sait rien encore sur la provenance de cette somme...

— C'est vrai, admit-elle. Mais bon, le doute est permis.

— Pierre corrompu ! ajouta tristement Vincent. J'ai tellement de mal à l'imaginer...

Il repensa à son ami, son regard se troubla. Tellement d'années auprès de lui et ce vide immense. Comme un gouffre ouvert sous ses pieds.

— Il me manque, murmura Vincent. C'était... Il était mon seul véritable ami... Et quoi qu'il ait pu faire, je le regretterai toujours.

— Je comprends. Vous ne vous êtes jamais éloignés l'un de l'autre ?

— Jamais, non... On trouvait toujours le moyen de se voir... Quand on était gamins, on faisait toutes les conneries ensemble ! Et après, quand on a grandi, on partageait tout... On se racontait nos déboires amoureux ! On se battait pour les mêmes filles...

Vincent s'arrêta de parler. Il ressemblait soudain à une statue de pierre.

— Bon sang ! s'écria-t-il en se levant. J'aurais dû y penser avant !

— De quoi tu parles ?

— Pendant des années, on s'est servis d'une planque pour échanger des messages ou des objets ! On était des gosses, mais je sais que Pierre ne l'avait pas oublié !… Il a peut-être laissé quelque chose pour moi là-bas !

— Tu crois ? Mais s'il avait voulu que tu saches, il serait venu te parler…

— Pas forcément !

— Et où est cette cache ?

— Aux cabanes de Talon…

— C'est tout près de l'endroit où Pierre est tombé, non ?

— Pas très loin, en effet… Je vais y aller.

— Maintenant ?! s'écria Servane. Mais il fait nuit noire !

— C'est pas un problème !

— Vincent, si Pierre a mis quelque chose dans cette planque, c'était il y a deux mois. Alors ça peut bien attendre demain matin…

Il hésita un instant, consentit finalement à se rasseoir.

— T'as raison. J'irai demain soir, après ma course.

— Je peux t'accompagner ?

— Si tu veux… Je finis la rando vers 16 h 30, je te récupère à la caserne aux environs de 17 heures.

Vincent était nerveux. Il allait encore passer une mauvaise nuit. À force de tirer sur la corde, il finirait par manquer de vigilance. Et avec son métier, cela pouvait conduire à l'accident. Servane sentit la tension qui habitait son ami et elle lui prit la main. Ce simple geste sembla le troubler plus qu'il ne le rassura.

— Je vais y aller, dit-elle.

— Je te raccompagne...

— Non, va te reposer, je peux rentrer seule.

— Hors de question ! D'ailleurs, tu vas monter dans ma voiture...

— Et la mienne ?

— Tu la récupéreras demain soir ! De toute façon, tu travailles, tu n'auras pas besoin de ta caisse demain...

Ils enfilèrent un pull et abandonnèrent Sherlock qui dormait profondément. Une pluie fine et froide les attendait dehors, Servane se mit à grelotter. Vincent poussa le chauffage à fond dans le pick-up tandis qu'il s'enfonçait dans la forêt. Impressionnante par cette nuit sans lune.

— J'ai passé une très bonne soirée ! dit soudain le guide. Merci beaucoup.

— Moi aussi j'ai passé une belle soirée !... Sauf que j'ai pas vu l'*essentiel* !

— Fais pas la maligne ! Sinon je m'arrête et...

— Et quoi, tu me le montres ? Tu parles ! Il fait bien trop froid !

Il réfléchit quelques secondes et posa une question qui lui brûlait les lèvres depuis longtemps.

— Tu as déjà fait l'amour avec un homme ?

Il fixait la route, n'osant même pas la regarder. Il ne vit pas qu'elle souriait.

— Évidemment ! répondit-elle.

Cette fois, il tourna la tête. Elle ne semblait même pas mal à l'aise.

— Je dois te paraître con avec mes questions ! s'excusa-t-il.

— Non, c'est normal ! Tu veux tout savoir sur la bizarrerie de la nature assise à côté de toi ! Sur le phénomène…

Vincent appuya brutalement sur la pédale de frein et Servane, qui n'avait pas attaché sa ceinture, fut violemment projetée vers l'avant.

— Hé ! Ça va pas ou quoi ? J'ai failli me manger le pare-brise !

— Ne dis plus jamais ça ! ordonna le guide d'une voix tranchante.

— Ça va, je plaisantais…

— Non, tu ne plaisantais pas… Et je te trouve odieuse avec toi-même. Tu n'es pas un *phénomène* ou une *bizarrerie* et je ne l'ai jamais pensé.

— OK, Vincent, t'énerve pas… C'est pas facile pour moi d'évoquer ça… Avant, j'en parlais jamais… Alors j'ai tendance à cacher mon malaise en disant des conneries.

Il sembla se calmer un peu et redémarra.

— Tu ne dois pas te rabaisser de la sorte, continuat-il.

— Disons que beaucoup de gens m'ont traitée ainsi et… D'accord, je t'ai choqué, j'en suis navrée… Mais on va pas se gâcher la soirée pour ça, non ?

Il quitta la piste pour s'engager sur la route. Servane n'osait plus parler tandis que Vincent regrettait d'avoir été aussi direct.

— Excuse-moi, dit-il. C'est ma faute, avec mes questions débiles…

— Pas grave, c'est déjà oublié… Et puis pour qu'on ne revienne pas sur le sujet, je réponds à ta question : oui, j'ai déjà couché avec un mec… J'ai même fait plusieurs essais… Et chaque fois, ça a été… comment dire ?… un fiasco.

Il pensa soudain aux espoirs qu'il avait nourris en début de soirée. Espoirs mort-nés. C'était toujours comme ça, avec Servane : moments de bonheur, d'euphorie, de complicité. Et juste après, déception assurée.

Tout ça parce qu'il l'aimait. Vraiment. Qu'il avait envie d'elle chaque fois qu'il la voyait et même quand il ne la voyait pas. Qu'il était triste quand elle s'éloignait, qu'elle lui manquait dès qu'elle passait la porte.

Tout ça parce qu'il était tombé amoureux d'une femme qu'il ne pourrait jamais toucher. Elle serait toujours immaculée à ses yeux. C'était peut-être ça qui la rendait si attirante. Peut-être pas. Comment expliquer l'amour ?

Sentiment obscur et impérieux. Tellement imprévisible.

Perdu dans les méandres douloureux de ses pensées, Vincent ne remarqua pas que Servane l'observait d'une façon étrange ; mille questions dans son regard.

La caserne apparut et le pick-up se gara en bas de l'Edelweiss.

— Voilà, tu es chez toi.

— Merci, Vincent… Tu m'en veux ?

— Non… Bien sûr que non !

En jetant un œil alentour, Vincent remarqua qu'une ombre les épiait derrière les rideaux d'une fenêtre au rez-de-chaussée.

— Embrasse-moi, Servane, murmura-t-il.

— …

— Il y a quelqu'un qui nous regarde… Alors embrasse-moi.

Servane voulut savoir qui les espionnait mais n'en eut pas le temps. Déjà, Vincent l'avait attirée contre lui. Il la serrait enfin dans ses bras, sentit qu'elle se crispait puis se détendait.

Sensations noyées dans un incroyable plaisir. Tout cela le temps d'un simple baiser.

Elle le considéra ensuite avec une sorte d'émotion embarrassée et il crut qu'elle allait s'enfuir. Mais elle prit son visage entre ses mains, posa à nouveau ses lèvres sur les siennes.

Avant de l'abandonner à ses doutes.

24

Servane guettait l'arrivée de Vincent. Non sans une certaine anxiété : à coup sûr, ils ne trouveraient rien là-haut et il en serait affreusement déçu.

Une Jeep déboucha en trombe sur le parking, Matthieu en descendit. Servane espéra qu'il ne viendrait pas lui parler. Elle feignit maladroitement de ne pas le voir, mais le jeune homme s'approcha quand même.

— Bonsoir, Servane…

— Salut, répondit-elle froidement.

— Tu attends quelqu'un ?

— Tu es perspicace, dis-moi !… Oui, j'attends quelqu'un. Tu veux savoir qui, peut-être ?… Une copine, tu sais une *lesbienne* avec qui je vais m'envoyer en l'air toute la soirée !

Il reçut la répartie comme une claque, en resta ébahi quelques instants. Quant à Servane, elle regretta instantanément cet inhabituel accès de vulgarité.

— Je suis désolé, ajouta le gendarme. Je sais qu'ils ont été salauds avec toi, mais…

— *Ils ?* Et toi ?

— Les messages, c'est pas moi ! se défendit Matthieu. Je n'y suis pour rien !

— Et alors ? Tu t'es joint à la meute ! Même si tu n'as pas écrit ces horreurs, je ne me souviens pas que tu m'aies soutenue !

Il s'assit près d'elle, lui vola une cigarette.

— T'as raison, avoua-t-il. Je vaux pas mieux qu'eux… D'ailleurs, même si tu avais été homo, ça ne regardait personne… Mais ici, faut rentrer dans le moule, sinon t'es mort.

Elle fut touchée par ce repentir qui semblait sincère et avait même des accents de vécu. Alors, elle lui accorda une trêve.

— Ça va, j'oublierai… J'ai pas trop le choix, de toute façon. Je suis forcée de rester ici et il vaut mieux ne pas envenimer les choses.

— C'est une bonne réaction, jugea Matthieu avec soulagement. Tu sais, je voulais te prévenir d'un truc… Lapaz s'est vanté d'avoir couché avec toi.

— Et alors ? Ça aussi, c'est mal vu ? Vous voulez que je me fasse bonne sœur, ma parole ! C'est une caserne ou un couvent ?!

— Non, c'est pas ça… Je voulais juste que tu saches que ce mec a une sacrée réputation dans le coin.

— Ça veut dire quoi, une *sacrée réputation* ?

— Tous les hommes mariés ont peur de lui ! résuma Matthieu en riant. En fait, les meufs ne représentent pas grand-chose pour Vincent… On raconte qu'il fait ça pour se venger de sa femme qui l'a trompé. Tout ce qui l'intéresse, ce sont les aventures sans lendemain…

— Ça tombe bien : moi aussi ! Je ne veux ni me marier, ni fonder un foyer. Je suis un peu jeune pour ça.

— Tout de même, tu vaux mieux que ça…

— Tu serais pas un peu jaloux ?

Il eut beau nier, Servane comprit qu'elle avait visé juste. Et le 4×4 de Vincent apparut sur la route, à temps pour les sauver de cette délicate situation.

— Justement, le voilà ! ajouta-t-elle en se levant. Je te souhaite une bonne soirée !

Elle monta à bord du pick-up et, sans préambule, embrassa Vincent. En remarquant que Matthieu observait la scène, le guide comprit la raison de ce baiser furtif. Il démarra aussitôt et la voiture s'engagea le long des fortifications.

— J'étais obligée, pour Matthieu...

— J'ai compris... Par contre, hier soir, t'étais pas obligée de recommencer !

Il avait pensé à cela toute la nuit, s'efforça pourtant de garder un air détaché.

— C'était pour faire plus vrai ! dit-elle en riant.

— Je vois ! répondit-il en masquant sa déception.

— On va directement là-haut ?

— Oui, il ne faut pas trop tarder car il est déjà tard... Tu es sûre de vouloir m'accompagner ?... C'est le chemin où tu as chuté la dernière fois.

— Je sais, mais depuis, j'ai fait des progrès !

— Exact... En plus, les gardes ont retapé le sentier au début de la saison touristique... On passe sans problème désormais.

— Et puis, cette fois, tu ne me laisseras pas tomber, hein ?

— Si tu es sage, je te tiendrai même la main...

— Tu sais, personne ne nous observera, là-haut ! Alors inutile de jouer aux amoureux transis !

Vincent aurait aimé que ce ne soit qu'un jeu.

Il se concentra sur la route et surtout, sur ce qu'il espérait trouver aux cabanes de Talon. Il ne fallait pas qu'il se laisse dévorer l'esprit par cette histoire sans issue. Une impasse qu'il devait éviter de prendre.

Toute la nuit, il s'était posé des milliers de questions : sur Pierre, sur Julien, sur Émeline... Et sur Servane. Il s'était regardé en face dans le miroir, avait affirmé haut et fort : *Je ne l'aime pas ! Non, je ne l'aime pas...* Ou plutôt : *Je ne dois pas l'aimer.*

Il ne voulait pas souffrir. Ne voulait pas échouer.

Il pouvait la considérer comme une amie, rien de plus ; simple question de volonté.

Et sa volonté était toujours d'acier.

Le pick-up roulait vite. Depuis le 15 août, les touristes étaient moins nombreux, la montagne respirait mieux. Et la route s'offrait à eux.

Juste avant l'entrée d'Allos, une grande ligne droite bien tracée. La vitesse qui augmente, l'asphalte qui défile ; monotone, régulier.

— Vincent ?

Il dormait !

— Vincent ! hurla Servane en saisissant le volant.

Il se réveilla d'un seul coup, à temps pour rattraper la trajectoire. Ils n'étaient pas passés loin de l'accident.

— Arrête-toi ! ordonna la jeune femme.

La voiture stoppa sur un terre-plein poussiéreux. Vincent ferma les yeux, appuyant sa nuque contre l'appuie-tête.

— Désolé, murmura-t-il.

— Tu es crevé ! Je vais conduire... Et nous irons là-bas un autre jour.

— Non, j'y vais ce soir... C'est rien, juste un coup de barre.

Servane soupira.

— Ça peut attendre demain ! Tu te rends compte ? Si tu avais été seul, tu finissais dans le torrent !

— On y va ce soir, s'entêta le guide. Parce que sinon, je ne dormirai pas cette nuit encore...

Elle prit alors conscience de sa détresse, des doutes qui le rongeaient et l'empêchaient de trouver le repos. Depuis des semaines, des mois. Alors que chaque jour, il conduisait un groupe de clients. Des kilomètres et des kilomètres parcourus depuis le début de la saison. Il devait être mort de fatigue. Sur la corde raide.

— Laisse-moi au moins conduire jusqu'au départ du sentier, dit-elle doucement. Tu pourras te relaxer un peu...

Ils échangèrent leur place et Servane reprit la route. Mais Lapaz ne dormait plus. Après une telle montée d'adrénaline, son cœur refusait de se calmer.

— Il faut aimer le danger avec moi ! dit-il. Les chutes, le feu, les dérapages contrôlés...

— Les pâtes trop cuites...

— Les pâtes trop cuites ? J'ai osé te faire ça ?

— Oui, mais c'était juste une fois.

Ils se mirent à rire, évacuant la peur. Rien à faire, ils étaient bien ensemble. Unis par quelque chose d'impalpable, d'indéfinissable.

— Elle est vraiment super à conduire, cette bagnole ! Mieux encore que la Jeep de la gendarmerie !

— Je te la léguerai sur mon testament, promit Vincent.

— Elle ne vaudra plus rien ! Donne-la-moi tout de suite...

— Et moi, comment je fais ? J'aime la marche à pied, c'est vrai, mais...

— Je te file ma Mazda !

— Ben voyons ! Je veux pas d'une voiture de gonzesse !

— J'adore quand tu prends tes airs de macho ! T'es à mourir de rire !

Ils traversèrent le village et s'engagèrent sur la route étroite du Super Allos, sorte de gigantesque lotissement où se suivaient les pointus ; fourmilière en été, désert hors saison. Puis ils bifurquèrent vers la forêt de Vacheresse. Servane passa en quatre roues motrices pour gravir la piste.

— Tu t'en sors pas mal pour une fille ! ricana Vincent.

— Qu'est-ce que c'est encore que ces préjugés à la con ?

— Je croyais que t'aimais ça, quand je prenais mes airs de macho ! Comment tu dis, déjà ? Mon *numéro de grand méchant séducteur* !

— C'est vrai que tu excelles dans ce registre ! Mais tu peux y aller, ça n'a aucun effet sur moi...

Dommage.

Elle était radieuse, ne s'apercevant même pas qu'elle lui faisait mal. Que chacune de ses phrases était une lance qui se fichait profondément dans sa chair.

À moins que... Peut-être en avait-elle conscience, finalement ? Peut-être s'amusait-elle avec lui ?

Cet éternel jeu de la séduction... Ce jeu qu'il adorait.

Oui, Servane aimait peut-être le trouble qu'elle suscitait en lui.

Mais il préféra se dire qu'elle ne se rendait pas compte du supplice qu'elle lui infligeait.

Le pire, c'est qu'il en redemandait chaque jour...

Et voilà, il recommençait à penser à eux.

Mais il y arriverait, simple question de volonté.
Et sa volonté était toujours d'acier.

*
* *

Les cabanes de Talon approchaient. Servane et Vincent marchaient depuis déjà une heure et demie. Rythme soutenu, tension palpable.

Lapaz ne plaisantait plus, désormais ; concentré sur l'espoir de trouver une réponse là-haut, tandis que Servane se préparait à l'échec.

— Ça va ? Je ne vais pas trop vite ? demanda-t-il. Tu veux faire une petite pause ?

— Non, c'est bon, prétendit-elle d'une voix qui trahissait son essoufflement. Je me reposerai aux cabanes… Tu as prévu une lampe pour le retour ?

— Bien sûr.

Ils continuèrent leur ascension dans la forêt de pins noirs et distinguèrent soudain une silhouette sur le sentier. Quelqu'un descendait en sens inverse.

— C'est Julien, annonça Vincent.

— Merde ! Qu'est-ce qu'on va lui dire ?… Et si on se planquait ?

— Trop tard, il nous a vus… Allez, on avance et tu me laisses faire.

Ils se retrouvèrent quelques instants plus tard face à Mansoni. Après les poignées de main d'usage, le chef de secteur du Parc attaqua l'interrogatoire.

— Vous allez où, à cette heure-là ?

— On monte jusqu'aux cabanes, éluda simplement Vincent.

— Vous risquez de rentrer de nuit…

— Et après ? Je suis guide, je te rappelle !

— Bien sûr, mais la demoiselle…

— La demoiselle s'en sort très bien, ajouta Lapaz en souriant.

— Remarque, vous pouvez dormir au refuge… Parce que l'orage est pas bien loin.

— T'inquiète pas pour nous !

— Mais qu'est-ce que vous allez faire là-haut ? insista Julien.

— On se dégourdit les jambes ! improvisa Servane.

Vincent lui décocha un regard sévère.

— Et toi ? demanda-t-il. T'as fait quoi ?

— Je suis allé jeter un œil au nid de l'aigle.

— Tout va bien ?

— Oui… Les deux aiglons sont en pleine forme ! Allez, je vous laisse… Passez une bonne soirée et… soyez prudents, protégez-vous… De l'orage, je voulais dire !

Il traça son chemin et Servane le flingua à distance.

— Quel con ! *Protégez-vous !*

— En route, ordonna le guide. C'est vrai que l'orage approche…

— C'est encore loin ? Cet arrêt m'a cassé les guibolles !

— Non, un quart d'heure à peine.

Effectivement, vingt minutes plus tard, ils arrivèrent à destination. Ils contournèrent la deuxième cabane dont l'arrière était envahi par les orties et Vincent récupéra une paire de gants dans son sac.

— Tu prévois vraiment tout ! s'étonna Servane.

Ainsi protégé, le guide commença à arracher les plantes urticantes par poignées. Une fois le terrain à peu près déminé, il se pencha et enleva de la bâtisse une pierre qui semblait pourtant solidaire du mur. Puis une deuxième. Mais ce n'était pas fini. Il s'allongea, oubliant les orties qui avaient survécu et passa la main dans ce passage secret, faisant disparaître son bras dans un trou invisible.

Soudain, son visage se modifia.

— Y a quelque chose !

Servane demeura bouche bée : il avait donc raison ! Elle n'en revenait pas.

De ces oubliettes, il ressortit un paquet soigneusement emballé dans du plastique et se releva bien vite pour échapper aux orties qui avaient réussi à lui brûler la peau en plusieurs endroits. Ils s'assirent quelques mètres plus loin et Vincent regarda Servane, comme pour s'instiller le courage de découvrir ce que Pierre lui avait légué. Il sortit un Opinel de sa poche, trancha le ruban adhésif. En déroulant le plastique, il découvrit plusieurs liasses de billets rangées dans un film transparent.

Profonde déception.

Servane posa une main sur son épaule.

— Du fric ! murmura-t-il. Il s'est servi de cet endroit pour planquer du fric...

Il balança l'argent par terre avant de s'éloigner. Servane resta sur place à se morfondre ; il aurait encore mieux valu ne rien trouver ici. Elle remit l'argent dans le sachet puis dans son blouson. Elle partit ensuite à la recherche de Vincent qu'elle trouva assis au bord du torrent. La tête entre les mains, il cuvait sa colère.

Elle le considéra avec tristesse ; elle n'aimait pas ces moments où il se retranchait dans l'isolement ; ces moments où il devenait inaccessible. Elle se demanda brusquement s'il avait toujours été comme ça, ou si c'était depuis le départ de Laure.

— Hier soir, tu m'as dit que quoi qu'il ait pu faire, il resterait ton ami.

— Je sais plus ! Je sais plus…

— Nous ne pouvons pas le juger avant de connaître la vérité… C'est encore trop tôt.

— Mais ce fric, Servane ? Ce putain de fric ! S'il y a touché, c'est parce qu'il était corrompu, lui aussi !

— Peut-être… Mais s'il n'avait pas eu le choix ?

— Que veux-tu dire ?

— Il ne faut pas oublier que Pierre couchait avec Ghislaine… Et peut-être que le maire était au courant de cette liaison et a menacé de la révéler à Nadia, obligeant ainsi Pierre à se taire et à accepter à son tour de l'argent en échange de son silence…

— J'ai du mal à concevoir que Pierre se soit laissé corrompre pour sauver son couple, avoua Vincent.

— Vraiment ? Si Nadia avait su, tu penses qu'elle l'aurait quitté ?

— Je ne peux rien affirmer, mais… Très certainement. Nadia n'est pas du genre à partager. Pas son mec, en tout cas !

— Or, qu'y a-t-il de plus important dans la vie d'un homme ? De plus important que de voir sa femme et ses enfants chaque jour ?

— Tu as sans doute raison, acquiesça Vincent.

— On en reparlera tout à l'heure, promit-elle. Il faut qu'on redescende avant la nuit…

Il se leva, en proie à une écrasante fatigue, traîna les pieds jusqu'aux cabanes.

— Il faut remettre les pierres en place, rappela Servane. Je m'en charge, si tu veux…

— Non, laisse. Tu vas te faire bouffer par les orties.

Il disparut derrière la maison et Servane alluma une cigarette. Elle aurait tant aimé qu'il trouvât une explication. Un réconfort.

Ce qui l'attendait dans cette quête de vérité n'était que souffrance. Pourtant, il devait aller au bout.

Vincent réapparut, le visage fermé.

— Tu as pris l'argent ? vérifia-t-il.

— Il est dans ma poche. On va le mettre à l'abri, c'est une pièce à conviction.

Une pièce à conviction. La preuve que son frère n'était qu'un traître, qu'il ne valait pas mieux que les autres.

La foudre frappa au loin et Servane scruta l'horizon qui s'assombrissait dangereusement ; ils n'échapperaient pas à l'averse. Elle marchait à côté de Vincent, toujours silencieux. Toujours replié sur son désarroi. Elle prit sa main dans la sienne mais il la repoussa. Une douleur suffit ; pas la peine d'en ajouter une autre.

Le chemin se fit plus étroit, Vincent passa devant. Le ciel arborait une inquiétante mais magnifique palette de gris et de mauves ; un vent glacé se déchaînait au-dessus de leurs têtes. Puis les premières gouttes arrivèrent. Servane cala ses mains gelées au fond de ses poches, baissa la tête. Ils cheminaient désormais sur la partie la plus délicate du sentier tandis que la lumière du jour commençait à les oublier. Crépuscule froid et angoissant, la montagne qui change de visage.

Servane garda ses peurs pour elle. De toute façon, Vincent n'était pas d'humeur à la rassurer. Il marchait vite et elle le suivait, posant mécaniquement un pied devant l'autre.

Soudain, elle le vit se tordre une cheville sur une pierre saillante. Il perdit l'équilibre, chuta lourdement, entraîné par le poids de son sac à dos. Elle se précipita à son secours alors que déjà il se relevait.

— Tu t'es fait mal ? s'écria-t-elle.

— Ça va ! répondit-il avec hargne. C'est rien !

Il se remit à marcher. En boitant.

Mais quelques mètres plus loin, il fut contraint de s'arrêter. Appuyé à la roche, il s'était baissé pour masser l'articulation. Servane attendit patiemment qu'il demande de l'aide. Mais il s'acharna à repartir, claudiquant de plus en plus.

— File-moi ton sac, proposa-t-elle.

Il se laissa tomber sur le bord du sentier. Affreusement pâle, il serrait les mâchoires. Servane le débarrassa de son fardeau.

— J'ai de l'arnica dans la trousse de secours, dit-il. Prends-le, s'il te plaît…

Elle chercha le médicament et le lui tendit. Il semblait souffrir le martyre, Servane ne savait pas trop quoi faire pour l'aider. Et cette pluie froide qui s'abattait sur eux à chaque rafale de vent ! Vraiment une soirée de merde…

Elle était désormais certaine qu'ils n'arriveraient pas à la voiture avant la nuit. L'angoisse l'étreignit brutalement.

— Faut que j'appelle des secours ?

Il lui répondit par un signe négatif de la tête. Sans même rouvrir les yeux.

— Ça va aller, murmura-t-il. C'est juste une entorse…

— Tu veux que je t'enlève ta chaussure ?

— Surtout pas ! Si je l'enlève, ma cheville va enfler et je ne pourrai plus la remettre... Trouve-moi plutôt un grand bâton.

Elle escalada les rochers au-dessus du sentier et pénétra dans la forêt. Elle se griffait les jambes dans cet enchevêtrement de végétation et partit à la recherche d'une béquille végétale.

Le premier morceau qu'elle trouva avait la bonne taille mais était complètement pourri et se brisa dès qu'elle s'appuya dessus. Elle finit par dénicher une branche à peu près droite et solide.

— Je vais t'aider à te lever, dit-elle en lui tendant la main.

— Je sais pas ce qui m'arrive, fit-il comme pour s'excuser.

— Tu es mort de fatigue, voilà ce qui t'arrive !

Ils repartirent enfin.

Vincent n'arrivait quasiment plus à poser le pied par terre, il grimaçait à chaque pas.

— Comment je vais faire demain ? s'inquiéta-t-il.

— Tu vas annuler la course ! Je ne vois pas d'autre solution...

— Impossible !

— T'auras pas le choix...

Un éclair lacéra le ciel non loin d'eux.

— Manquait plus que ça ! grogna Vincent.

Comme pour lui répondre, le tonnerre explosa au-dessus des cimes et Servane ressentit des picotements de la tête aux pieds.

— Tu crois qu'on peut se prendre la foudre ? demanda-t-elle.

— Pense pas à ça !

403

— On devrait peut-être arrêter de marcher, le temps que l'orage s'éloigne…

— On s'arrêtera quand je le jugerai bon ! trancha Vincent. Pour l'instant, il est encore loin… Alors on avance !

Ils arrivèrent enfin à la cascade du Pich, s'engagèrent sur la passerelle en bois qui permettait de traverser le torrent du Bouchier. Il faisait presque nuit, maintenant. Avec le mauvais temps, l'obscurité tombait plus vite.

Cette obscurité qui les gommait progressivement du paysage. Qui les engloutissait un peu plus à chaque pas. Alors qu'il leur restait pas mal de kilomètres à parcourir avant d'atteindre la piste.

Vincent souffrait en silence tandis que Servane ne sentait plus ses épaules sous le poids du sac qui avoisinait les quinze kilos. De quoi se casser l'échine.

Et pour couronner le tout, le froid mordait férocement sa peau mouillée.

Quelle idée de venir jusqu'ici à cette heure et par ce temps !

Elle aurait dû penser à refuser.

— Je prends la lampe torche ? proposa-t-elle.

— Pas encore… Tant qu'on y voit, ce n'est pas nécessaire… Il faut ménager les piles.

On n'y voyait pourtant plus grand-chose. Mais elle ne songea même pas à discuter les ordres du guide. Trop fatiguée pour ça.

Enfin, le sentier cessa de grimper alors qu'ils se devinaient plus qu'ils ne se voyaient.

— Allume la lampe, dit enfin Vincent en s'appuyant contre le tronc d'un mélèze.

Servane fit glisser le sac de ses épaules meurtries. Elle récupéra la torche dans une poche latérale et se rassura de cette lumière soudaine. Puis elle endossa à nouveau son fardeau, ce sac qu'elle aurait volontiers balancé dans le ravin.

Elle se remit en marche, mais Vincent resta sur place.

— Allez, viens, encouragea-t-elle. On est presque arrivés…

Elle passa son bras libre sous son aisselle. Il accepta son aide et elle faillit flancher. Il devait bien peser trente kilos de plus qu'elle. Pourtant, elle résista et le supporta jusqu'à la voiture.

Elle jeta le sac dans la benne avant de prendre le volant. Enfin, ils étaient en sécurité. Au moment même où l'orage passait au-dessus de leurs têtes. La foudre frappa à quelques mètres du 4×4, Servane poussa un cri.

— On est à l'abri, rappela Vincent. On ne risque plus rien…

Elle aurait voulu le croire. Mais elle était exténuée, au bord de la crise de nerfs. Ses mains se mirent à trembler.

— Tu as été formidable, ajouta le guide. Vraiment formidable… Un vrai petit soldat !

Elle tenta de sourire mais ses muscles étaient trop crispés. Cependant, ce compliment inattendu la rassura.

Entendre sa voix la rassurait.

— Tu as toujours aussi mal ?

— Ouais… Je vais m'en occuper en rentrant, ça ira mieux demain.

— Tu ne vas tout de même pas aller bosser avec une entorse !

— Je mettrai un bandage serré… En plus, c'est une balade facile.

— T'es vraiment une tête de mule !

Ils arrivèrent un quart d'heure plus tard à l'Ancolie et Vincent se surprit à scruter les alentours. Quelqu'un les épiait-il, ce soir ?

Servane l'emmena jusque dans le salon où il s'effondra sur le canapé. Elle se hâta de dénouer le lacet de sa chaussure droite.

— Fais gaffe ! implora-t-il en s'accrochant à l'accoudoir du canapé.

— Arrête de gesticuler… T'es pas une *gonzesse*, non ?!

Elle prit la chaussure à deux mains, voulut la faire glisser en douceur. Malheureusement, la cheville avait déjà bien enflé et le pied ne passait pas. Elle dut s'y reprendre à deux fois et Vincent serra les dents pour ne pas crier.

Après des soins prodigués par une infirmière de fortune, ils purent s'accorder un peu de repos. Elle, échouée dans le fauteuil ; lui allongé sur le canapé. Il n'y avait que Sherlock qui s'agitait dans tous les sens, surexcité par l'orage.

— Où on va mettre l'argent ? demanda soudain Vincent.

— C'est pas les planques qui manquent, ici.

— Y a combien ?

— Aucune idée, j'ai pas compté…

Elle se fit violence pour s'extirper du fauteuil et décrocha du perroquet son blouson encore trempé. Elle récupéra le sachet plastique de sa poche, le secoua.

— J'espère que le fric a pas pris l'eau, dit-elle.

— Qu'est-ce que ça peut foutre ? Il est déjà sale, de toute façon…

Servane ôta le film plastifié qui protégeait les liasses de billets et les posa sur la table.

— Y a un sacré paquet ! constata-t-elle.

— Combien ?

— Attends…

Elle sépara les liasses et sentit soudain quelque chose de dur sous l'une d'elles.

— Merde ! Un CD-Rom ! Il y a un CD-Rom scotché sous les billets…

Vincent se releva d'un bond et boita jusqu'à la table.

— Fais voir…

Servane n'en revenait pas : Pierre avait bien laissé quelque chose à l'attention de Vincent. C'était carrément incroyable.

— Tu as un ordinateur ? demanda-t-elle.

— Oui, à l'étage…

Elle aida Vincent à monter l'escalier et ils installèrent deux chaises devant le bureau. Après avoir inséré le disque, ils en découvrirent le menu : seulement un dossier nommé *Pierre*. Servane cliqua sur la souris mais l'ordinateur exigea un mot de passe.

— Il a mis un verrou… Comment on va faire ?

— Laisse-moi réfléchir, dit Vincent. Essaie… sa date de naissance : le 12 juin 66.

— Ça ne marche pas.

— La mienne, peut-être… Le 10 septembre 66.

— Non plus… La date de naissance de sa femme ou de ses gosses, suggéra Servane. Ou même leurs prénoms.

— Non, c'est forcément un truc qu'on était les seuls à connaître. Laisse-moi réfléchir un peu…

Il creusa sa mémoire à la recherche d'un nom ou d'un chiffre pouvant les relier. Mais il y avait tant de choses qui les unissaient ! Tant de souvenirs... Ils firent plusieurs tentatives afin de découvrir les six caractères qui composaient le mot de passe. Ils commençaient à se décourager.

— Allez, Vincent ! Concentre-toi... Je suis sûre que tu vas trouver...

Il se déplia, tenta quelques pas mal assurés, ouvrit la fenêtre ; s'aérer l'esprit.

— Donne-moi une clope, s'il te plaît !

Servane fit un aller-retour vers le rez-de-chaussée pour rapporter son paquet de blondes. Puis elle reprit sa place devant l'ordinateur et ils partagèrent une cigarette dans le silence le plus complet. La jeune femme se laissait aller doucement à ses pensées, encore étonnée de leur découverte. Quant à Vincent, il lui tournait le dos, accoudé au rebord de la fenêtre.

— Je crois que je sais ! s'écria-t-il brusquement. Essaie Sophie !

Servane sursauta.

— *Sophie ?* C'est qui, celle-là ?

— Une fille, quand on était au collège, expliqua-t-il. Enfin, peu importe...

Servane tapa les six lettres, le dossier s'ouvrit.

— Bingo !

Vincent se pencha au-dessus de son épaule ; le dossier *Pierre* révéla deux documents : le premier s'intitulait *Vincent*, le second *Mansoni*.

Servane ouvrit naturellement le premier ; deux pages en traitement de texte qui s'apparentaient à une lettre.

Une lettre écrite par Pierre à l'attention de son meilleur ami.

Servane voulut céder sa place devant le moniteur à Vincent, même si elle mourait d'envie de découvrir le message laissé par Cristiani. Il posa une main sur son épaule, pour lui intimer l'ordre de rester sur la chaise.

— Imprime-la, s'il te plaît...

Lire un message sur l'écran rappelait trop de mauvais souvenirs au guide. Il voulait au moins tenir une feuille de papier entre ses mains.

Servane s'exécuta, évitant de consulter l'écran, embarrassée de violer ainsi leur intimité. Tandis que la lettre sortait des entrailles de l'imprimante, Vincent prit une profonde inspiration ; la sensation qu'un étau lui broyait la gorge, qu'un acide brûlait ses yeux.

Il récupéra les deux feuilles et s'écarta légèrement de Servane qui avait refermé le document et attendait la suite des instructions.

Ne pas le brusquer.

Elle savait ce que ce moment représentait pour lui.

Mais, à sa grande surprise, il attaqua la lecture à voix haute.

« Vincent,

Je vais peut-être mourir. D'ailleurs, si tu es en train de lire cette lettre, c'est que je suis mort...

Désolé de ne pas t'écrire de façon manuscrite, mais j'ai peur que quelqu'un ne tombe sur la lettre par hasard et je ne veux pas qu'un autre que toi puisse lire ce que je m'apprête à t'écrire.

Cette après-midi, je ne sais pas encore quel sera mon avenir. Je ne sais même pas s'il m'en reste un. À vrai dire, je suis perdu. »

Vincent fit une première pause.

Servane s'était assise à même le sol, dans la pénombre, se faisant aussi discrète que possible. Il avait décidé de partager avec elle ce témoignage, elle était consciente qu'il s'agissait là d'une marque de confiance absolue. Qui la touchait profondément.

La voix chaude de Vincent reprit, un peu vacillante.

« Cela fait des semaines que j'ai envie de me confier à toi. Mais je n'ai pas réussi à te parler, je l'avoue. Peur de perdre ton amitié, sans doute... Essentielle, pour moi.

La dernière fois qu'on s'est vus, on s'est engueulés... C'est con, ça ne nous arrivait jamais. Je n'aurais pas dû te juger, je n'en avais pas le droit. J'aurais dû te soutenir, plutôt. Car je sais que tu as souffert, ce matin-là, lorsque tu as appris la mort de Myriam. J'aurais dû te parler, t'écouter... Je n'ai fait que te condamner. Je m'en excuse, mon frère. »

Vincent dut s'arrêter une nouvelle fois. De plus en plus pénible. Pourtant, ces mots lui faisaient autant de bien que de mal ; il avait l'impression que son ami se tenait là, devant lui. Toujours vivant. Qu'ils allaient tomber dans les bras l'un de l'autre.

Servane avait les larmes aux yeux mais tenta de les garder pour elle.

Vincent reprit sa lecture. L'émotion avait encore modifié sa voix.

« Je m'en excuse, mon frère. Et j'espère que tu m'as pardonné. Mais je n'ai pas que ça à me faire pardonner. Tant de choses, en vérité...

Il y a quelque temps de cela, j'ai découvert que Mansoni touchait de l'argent de Lavessières ; sur ses fonds propres, et sur les fonds de la mairie. Tu trouveras les détails sur l'autre document, inutile que je te les donne dans cette lettre.

Bien sûr, j'avais l'intention de révéler ce scandale, j'ai pourtant préféré aller d'abord voir Julien, histoire de lui offrir une chance de s'expliquer. Mais il n'a rien voulu dire, il est même devenu menaçant.

Ce soir encore, je ne sais donc pas pourquoi Lavessières file ce fric à Mansoni. Mais je crois pouvoir dire que Julien le fait chanter. Et qu'il doit savoir quelque chose de vraiment compromettant sur ce salaud pour avoir réussi à lui soutirer tant de fric...

Tu dois te demander pourquoi j'ai gardé tout cela pour moi... Pas facile de te l'avouer, mais il le faut pourtant. Cela fait plus d'un an que Ghislaine et moi sommes amants. Au début, c'était un accident. Un homme et une femme attirés l'un par l'autre et qui se retrouvent seuls, un soir... Mais l'accident en question s'est répété. S'est même transformé en relation durable. Je n'ai pas le temps, aujourd'hui, de t'expliquer pourquoi, ou comment. D'ailleurs, en serais-je capable ?... Parfois, on a du mal à se comprendre soi-même.

André Lavessières était au courant de ma relation avec Ghislaine et si je parlais du fric qu'il avait filé à Mansoni, il menaçait de révéler mon infidélité à Nadia. Il m'a même montré une photo où l'on peut voir Ghis et moi en train de nous embrasser.

Alors, j'ai gardé le silence et j'ai accepté d'être corrompu à mon tour. De recevoir du fric, pour fermer ma gueule...

Mais aujourd'hui, j'ai pris ma décision, enfin.

Ce soir, j'ai rendez-vous avec Ghislaine. Pour lui annoncer notre rupture. Je sais que je vais la faire souffrir. Elle m'a dit si souvent à quel point elle avait peur que je l'abandonne... À quel point elle m'aimait. Elle aurait quitté Julien, pour moi. Mais moi, je n'aurais pas quitté Nadia pour elle.

Ce soir, cette histoire sera terminée. Cette histoire qui jamais n'aurait dû commencer.

Ce soir, je verrai Ghislaine pour la dernière fois... Je sais qu'elle est au courant de ces magouilles : impossible qu'il en soit autrement. Ce fric, elle en profite elle aussi... Pourtant, je n'ai jamais pu vraiment en parler avec elle jusqu'à présent. J'ai tenté de savoir, bien sûr... Mais dès que j'évoquais leur train de vie disproportionné par rapport au salaire que touche Julien, elle se braquait et refusait de parler.

D'ailleurs, depuis quelques semaines, je la vois moins régulièrement, sans doute parce que je sais que bientôt, je ne la verrai plus du tout. Je ne peux pas supporter l'idée qu'elle soit complice de son mari... Je pense que Julien lui ment quant à la provenance de cet argent et qu'elle évite de trop se poser de questions... Je la connais bien, c'est quelqu'un d'étrange, de particulier... Julien lui fait peur, j'ai moi-même pu constater à quel point il pouvait devenir menaçant et violent... Méconnaissable. Combien de fois m'a-t-elle demandé de tout plaquer pour qu'on s'en aille tous les deux refaire notre vie ailleurs... Comme si cela était possible ! Mais Ghis est comme ça... Un peu folle parfois... une folie douce dont j'aurai du mal à me passer, je ne peux te le cacher. Pourtant, ce soir je la quitterai.

Et demain, lorsque les enfants seront couchés, je parlerai à Nadia. Je lui révélerai tout pour Ghislaine et moi.

Je risque fort de la perdre, je risque de tout perdre, mais je ne peux pas continuer ainsi. Si je perds Nadia, je ne sais pas si j'y survivrai. Mais je n'ai plus d'autre choix désormais. Me voilà au pied du mur...

Ensuite, j'irai voir Vertoli pour lui raconter ce que je sais ; je lui confierai les quelques documents en ma possession, il ouvrira une enquête et j'espère que cela aboutira.

Dans moins d'une semaine, tout sera terminé. Si je survis jusque-là...

Oui, Vincent, je m'apprête à parler. Ma vie va basculer, je le sais. Mais j'espère seulement que Nadia saura me pardonner. Car c'est avec elle que je veux vivre le restant de mes jours. Aujourd'hui, j'en suis certain. Pourtant, à un moment donné, j'ai douté. Parce que nous avons traversé une mauvaise passe, elle et moi... Et Ghislaine est arrivée pile à ce moment-là. Tu vois, Vincent, la vie nous conduit parfois sur des sentiers dangereux... Non, ce n'est pas la vie, au final. C'est nous, et nous seuls... Je n'ai aucune excuse.

Je vais donc me libérer du mensonge, de tous ces mensonges. Repartir de zéro.

*Mais je sais que Lavessières est capable de tout. Je
sais qu'il tentera de m'empêcher de parler, je sais qu'il
se vengera.*

*Je sais que ma vie est menacée et c'est pour ça que
je laisse cette lettre à ton attention. Si je perds la vie,
tu sauras qui sont les coupables et tu feras ce que tu
jugeras bon.*

*Mais Vincent, je t'en prie, ne te mets pas en danger.
Fais ça pour moi...*

*Voilà, mon frère, je suis obligé de te laisser. Ça m'a
fait tant de bien de te parler, enfin... Vincent, mon cher
Vincent, j'espère que tu comprendras et que tout ce que
je viens de t'écrire n'entachera pas notre amitié, si sincère, si forte, si belle.*

Pierre »

Servane releva les yeux pour scruter le visage de
Vincent. Elle s'attendait à y voir des larmes, mais
ce fut elle qui en laissa éclore une, qu'elle chassa
précipitamment.

Le silence les emmura quelques minutes. Puis Vincent fit à nouveau entendre sa voix, redevenue
étrangement calme.

— Il faut ouvrir l'autre document, maintenant...

Servane se remit face à l'ordinateur et cliqua sur
la seconde icône. Vincent se plaça à ses côtés et,
ensemble, ils commencèrent une bien étrange lecture. Un simple tableau qui reconstituait tous les
versements faits par Lavessières au bénéfice de
Julien. Ils y retrouvèrent la vente des deux terrains

ainsi que les vraies fausses factures pour les études géologiques.

Mais ils n'étaient pas au bout de leurs surprises.

— Vise un peu ça ! s'exclama Servane. La mairie paye même le loyer des Mansoni…

Elle posa son doigt sur le moniteur.

— Sept cent cinquante euros par mois, murmura Vincent… Mais comment c'est possible ?

— C'est très simple ! Tout est indiqué dans le tableau : ce chalet appartient à un certain Guintoli…

— C'est un des adjoints du maire… Un pote à lui ! Il tient une boucherie à Colmars.

— Guintoli loue le chalet à Julien mais c'est la mairie qui verse le loyer au propriétaire en faisant passer ça sous forme de remboursements de frais ou d'indemnités diverses… Bref, Guintoli peut louer son chalet à bon prix et les Mansoni ne déboursent pas un rond !

— Et ça, c'est quoi ? questionna Vincent en désignant une des lignes du tableau.

— Ce sont encore des indemnités versées à Julien par Lavessières… On dirait que notre ami a une double casquette : chef de secteur du Parc et conseiller technique du maire pour les affaires liées à la protection du milieu naturel…

— Mais Lavessières s'en branle de la protection du milieu ! vociféra Vincent.

— Et alors ? Fallait trouver comment payer Julien chaque mois… Et regarde la page suivante : les conclusions de Pierre… D'après ses calculs, Julien a touché près de quatre cent mille euros en argent et avantages en nature…

— Quatre cent mille euros ? répéta Vincent, hébété.

— Et Pierre conclut : « *Julien Mansoni fait chanter André Lavessières et celui-ci détourne les fonds de la mairie au profit de son maître chanteur. Reste à trouver ce que Lavessières a à se reprocher pour verser autant d'argent à Mansoni.* »

— C'est tout ?

— Non… Pierre indique aussi les sommes qu'il a lui-même touchées… Un premier versement de huit mille euros en mai et un deuxième de dix mille, le 13 juin.

— Le 13 ? Deux jours avant sa mort…

— Ouais… Ce document a été modifié pour la dernière fois le 14 juin à 15 heures… Les dix mille euros, c'est l'argent que nous avons trouvé ce soir.

Vincent avait l'impression que sa tête allait exploser. Servane tenta de faire le point des informations en leur possession.

— Bon… Pierre découvre les magouilles entre Mansoni et le maire. Il demande des explications à Julien, qui refuse de lui en donner. Il demande ensuite des comptes au maire, à la sortie du conseil municipal… Ils manquent de se battre et Lavessières menace Pierre de balancer sa liaison à Nadia. Voilà ton ami piégé, obligé de se taire et même d'accepter l'argent que lui remet Lavessières. Quelque temps après, Pierre décide finalement de tout révéler mais prend la précaution de planquer ces informations à ton attention, sentant qu'il est en danger…

— Mais pourquoi n'est-il pas venu me parler, nom de Dieu ! s'emporta Vincent. Pourquoi… J'étais son ami, son meilleur ami… Je ne l'aurais pas rejeté…

— Il a eu peur, Vincent.

— Mais de quoi ?…

— On a toujours peur de décevoir ceux qu'on aime.

Vincent inspira profondément et retourna sur sa chaise. Trop de mal à tenir debout.

Servane reprit la parole, continuant à reconstituer le fameux puzzle.

— Donc, Pierre t'écrit cette lettre, et le soir même, il a rendez-vous avec Ghislaine, pour lui dire qu'eux deux, c'est terminé... On sait que c'est ce qu'il a fait, vu le message que Ghislaine a laissé sur son portable le jour de sa mort... Et le lendemain, Pierre est assassiné, avant d'avoir pu parler à sa femme et avant d'avoir révélé quoi que ce soit à Vertoli. Assassiné, mais par qui ?... Lavessières ? Mansoni ?...

— Je ne comprends pas, fit Vincent. Comment Lavessières ou Mansoni ont-ils pu savoir que Pierre s'apprêtait à parler ?

Servane réfléchit quelques instants, puis se lança :

— Le 14 au soir, Pierre rompt avec Ghis... Apparemment, d'après ce qu'il écrit dans sa lettre, Ghislaine était très amoureuse de lui...

— Et alors ?

— Alors, on peut penser que Ghislaine a été très perturbée par cette rupture. Imagine un peu...

Servane se leva, comme pour mimer la scène.

— Imagine Ghislaine qui vient de se faire plaquer par son amant et qui rentre chez elle... Elle a pleuré, la peine se lit sur son visage...

Vincent fronça les sourcils. Où voulait-elle en venir ?

— Julien devine alors que Pierre vient de quitter Ghislaine et il sait pourquoi : il sait que Pierre va parler.

— Attends, coupa Vincent, tu insinues que Julien était au courant pour Pierre et Ghislaine ?

— Et pourquoi non ?

Vincent secoua la tête.

— C'est absurde, ton truc !

— Non, ce n'est pas absurde, se défendit la jeune femme. Il y a forcément un signe qui a révélé à Julien ou Lavessières que Pierre allait parler, sinon il ne serait pas mort ! En tout cas, c'est la rupture avec Ghislaine qui les a alertés, d'une façon ou d'une autre… Ghislaine était peut-être plus au courant de l'affaire que ne le supposait Pierre et c'est peut-être elle qui a vendu la mèche… ça, nous ne pouvons pas le savoir.

Servane ferma les documents, éteignit l'ordinateur.

— On va aller voir Vertoli, décréta-t-elle. Dès demain matin, je…

— C'est trop tôt, rétorqua Vincent. On ne sait pas ce que Lavessières veut cacher, on ne sait pas pourquoi il paye Julien.

— C'est vrai, mais on a la preuve que Julien est un maître chanteur… Et tous ces détournements peuvent les conduire en taule.

— Mais si les gendarmes interviennent maintenant, on ne découvrira peut-être jamais pourquoi Julien fait chanter Lavessières… Et donc pourquoi Pierre est mort. Notre *cher* corbeau va sans doute continuer à nous mettre sur la piste !… Si on s'arrête à ces chefs d'inculpation et qu'on ne trouve rien d'autre, combien d'années de prison risquent-ils ?

— Pas grand-chose, dut admettre Servane. Mais ils feront tout de même un tour en taule et perdront une bonne partie de ce qu'ils possèdent…

— Mais Pierre a tout perdu, Servane ! Tout... Je veux qu'on aille plus loin... Je veux que ces fumiers pourrissent en taule ! Je veux qu'ils y crèvent !

Son visage était marqué par la haine, maintenant. Ses poings, serrés.

— J'ai même envie de les tuer de mes propres mains !

— Je comprends, Vincent. Mais rien ne dit qu'on découvrira quelque chose de plus... Et si on attend trop, Lavessières risque de faire disparaître les preuves...

Lapaz hésita un instant avant de revenir à la charge :

— Voilà ce que je te propose : on est le 18 août et si on n'a rien d'autre dans quinze jours, on va voir ton chef...

Elle soupira. Hésita à son tour. Ils prenaient un risque énorme. Elle repensa à l'une des dernières phrases de la lettre de Cristiani.

« Vincent, je t'en prie, ne te mets pas en danger. Fais ça pour moi... »

Vincent, qui la suppliait presque du regard, maintenant. Elle capitula.

— OK... Je te suis. Mais on fait sans doute une connerie...

— Merci, murmura Vincent.

— Où on va mettre le fric et le CD ?

— Tu pourrais les garder dans ton appartement, suggéra Vincent. Quoi de mieux qu'une gendarmerie pour garder une pièce à conviction !

— C'est vrai... Ici, tu es souvent absent et on pourrait te cambrioler... Je vais les planquer dans mon studio... Je ne pense pas qu'ils oseront visiter l'appart d'un gendarme !

Ils redescendirent au rez-de-chaussée alors que l'orage revenait en force au-dessus de l'Ancolie. Servane rangea l'argent et le CD dans la poche de son blouson et prit son sac.

— Tu t'en vas ? demanda Vincent.

— Oui, il faut que tu te reposes... Et demain, hors de question d'aller bosser !

— J'ai des clients qui m'attendent... Je me débrouillerai.

— Tu es épuisé, il faut te ménager... Tu aurais pu tomber dans le ravin, tout à l'heure !

— Je vais prendre un truc pour dormir et des cachets pour la douleur. Mais de toute façon, la pluie m'empêchera peut-être de travailler... Je vais te raccompagner.

— Non, tu vas te coucher ! ordonna-t-elle en souriant. Il faut que je récupère ma bagnole et puis avec ta cheville, tu es incapable de conduire...

— Tu m'appelles en arrivant ?

— Tu t'inquiètes pour moi ? demanda-t-elle avec un sourire ému.

— Évidemment ! Qu'est-ce que tu crois !

— Ça me touche beaucoup, mais je t'assure que ça ira... Va te reposer, Vincent. Je t'appelle... Promis !

Elle l'embrassa sur la joue et ouvrit la porte d'entrée, recevant en pleine figure une rafale de vent froid.

— Au fait, ajouta-t-elle, ça faisait combien de temps que vous n'aviez pas utilisé cette planque ?

Vincent prit quelques secondes pour réfléchir.

— Presque trente ans, répondit-il. Mais Pierre m'a reparlé de ça, quelques jours avant de... Avant d'être assassiné. Juste avant qu'on s'engueule. Il m'a reparlé de Sophie, aussi. Je me demandais pourquoi il déterrait ces vieux souvenirs...

— Maintenant, tu sais… Bonne nuit, Vincent.

Elle remonta le col de son blouson et se jeta dans les bras de l'orage, disparaissant dans la nuit à la vitesse de l'éclair.

Vincent, à nouveau dans les affres de la solitude, remonta doucement à l'étage. Il prit la lettre entre ses mains. La relut, encore et encore.

À présent, il pouvait pleurer, encore et encore.

*
* *

Vincent sentit quelque chose de chaud contre son épaule et ouvrit les yeux : Sherlock s'était invité sur l'oreiller voisin et dormait profondément. Il se redressa et écouta la pluie qui martelait le toit du chalet. Le chiot s'éveilla à son tour et bâilla. Vincent avait envie de rire mais se força à prendre une voix sévère.

— Tu te crois où, le chien ? T'as pas le droit de venir dormir ici ! Ta place est en bas !

Le berger remua la queue, affichant un air coupable absolument désarmant. Vincent ne se laissa pas amadouer et Sherlock atterrit sur le parquet. Puis son maître s'essaya à quelques pas. Plutôt douloureux…

Arrivé au rez-de-chaussée, il ouvrit la porte et fut saisi par la fraîcheur de ce matin humide. L'horizon bouché ne laissait espérer aucune amélioration avant l'après-midi et il comprit que ses clients ne se présenteraient pas au point de rendez-vous. Le hasard faisait bien les choses, finalement.

Pendant qu'il avalait son petit déjeuner, il repensa aux découvertes de la veille. Certes, ils ne détenaient pas encore la vérité mais avaient eu confirmation de leurs soupçons. Et même si Pierre avait commis des erreurs, voire des fautes, il n'en demeurait pas moins une victime. Vincent pensa soudain à Nadia, certainement en proie aux mêmes questions. Il posa un bandage serré autour de sa cheville meurtrie et s'habilla.

Une demi-heure plus tard, il était à Chaumie. Il trouva Nadia assise sous la véranda, le nez dans ses livres de comptes.

— Qu'est-ce que tu as ? demanda-t-elle. Tu t'es fait mal ?

— Une entorse, répondit-il en l'embrassant. Mais ça va, demain je pourrai reprendre le boulot... Où sont les gamins ?

— Chez mes parents, à Nice... Je les récupère demain.

— Ça va mieux avec Émeline ?

— Oui... On a beaucoup parlé, toutes les deux... Ça nous a fait du bien. Tout cela grâce à toi !

— Non, je n'y suis pour rien...

— Tu veux un café ?

— Volontiers...

Elle disparut dans la cuisine et Vincent laissa ses yeux suivre les gouttes qui glissaient le long des larges baies vitrées. Nadia revint avec un plateau où elle avait disposé des biscuits en plus du café.

— J'ai déjà pris mon petit déjeuner, indiqua Vincent en souriant.

— C'est pas grave, tu mangeras deux fois ! T'as l'air un peu fatigué, ça ne peut pas te faire de mal !

Il adorait son petit côté maternel, tellement touchant. Peut-être parce que les hommes ont toujours besoin de leur mère. Et qu'il n'avait personne pour prendre soin de lui.

Laure lui traversa l'esprit, comme une lance vous traverse le cœur.

Pensait-elle à lui, de temps à autre ? Ça lui arrivait forcément, ne serait-ce qu'un instant. Il ne pouvait supporter l'idée qu'elle l'ait complètement effacé de sa mémoire. Même si elle vivait heureuse, quelque part... Il l'imagina alors brusquement dans les bras d'un autre, la haine enflamma chaque parcelle de son être.

Il tenta de refouler les images qui se déversaient dans sa tête, comme une coulée de boue toxique.

Laure et un type qui lui ressemblait étrangement, dans le même lit.

Un inconnu en train de jouir en elle.

Vincent faillit hurler de douleur.

— Ça va ? s'inquiéta Nadia.

Il revint brusquement dans la réalité.

— T'en fais une tête ! Tu penses à quoi ?

— À rien... Je suis juste un peu crevé...

Il avala deux gorgées de café pour se vidanger le cerveau et dévia la conversation.

— Tu as vu les gardes, récemment ?

— Baptiste est passé hier soir.

— Et Julien ?

— Julien ? Non, je ne l'ai pas vu depuis long-temps... En fait, il est venu une fois, deux jours après l'enterrement. Il souhaitait récupérer des dossiers que

423

Pierre avait apportés ici et qu'il devait rapatrier au bureau...

— Il les a trouvés ?

Nadia leva un sourcil. Drôles de questions.

— Je crois, oui... Il est monté dans le bureau et en est redescendu avec deux pochettes. Je ne l'ai pas accompagné... Pourquoi ?

Julien avait donc fait main basse sur les preuves que Pierre comptait remettre à Vertoli. Lorsqu'il n'aurait plus à craindre d'être démasqué, Vincent songea au plaisir qu'il éprouverait à lui casser la gueule.

— Je voulais juste savoir s'il t'avait laissée tomber, prétexta-t-il. Et apparemment, la réponse est oui...

— De toute façon, c'est mieux comme ça. Je serais tellement mal à l'aise face à lui ! De savoir que Pierre couchait avec sa femme...

— Je comprends. Mais il pourrait au moins venir voir si tu as besoin de quelque chose.

— Je suppose que les gardes se chargent de lui donner de nos nouvelles... Et puis avec la saison touristique et un homme en moins, il n'a pas dû avoir trop de temps à lui.

— Sûrement... La saison a été bonne pour toi ?

— Pas mauvaise. Mais ça ne suffira pas... Je vais devoir travailler. J'ai peut-être trouvé quelque chose : un mi-temps au petit supermarché de Villars-Colmars... C'est toujours mieux que rien... Avec mes ruches, ça devrait nous suffire.

— Je l'espère... Mais si tu as besoin d'aide, n'hésite jamais à me demander.

— Pourquoi ? Tu as un magot planqué quelque part ?

Vincent songea aux liasses de billets trouvées aux cabanes de Talon et soupira.

— Non, pas grand-chose... Mais je suis prêt à le partager avec toi.

25

Les touristes s'en étaient allés, la montagne avait retrouvé son calme. Campings et hôtels désertés, villages comme abandonnés.

En ce début septembre, le guide n'avait presque plus de clients. Les derniers jours d'août avaient été marqués par une série d'orages d'une rare violence qui avaient fait fuir les derniers estivants. Le soleil était revenu mais la température n'était plus la même. L'automne s'annonçait déjà, ici plus précoce qu'en plaine. Et, après quelques ultimes randonnées, Vincent reprenait des forces. Mais il se sentait un peu désœuvré, comme à chaque fin de saison. Un nouveau rythme à prendre, quelques jours d'adaptation.

Il s'était levé tard, prenait son petit déjeuner sur la terrasse. Pas grand-chose de prévu, aujourd'hui. Il devait simplement rejoindre Nadia pour l'aider à descendre ses ruches et rendre une petite visite à sa mère. Il n'avait plus de nouvelles de Servane depuis une semaine car elle était partie en Alsace retrouver sa famille. Une absence qui ne l'empêchait pas de penser souvent à elle. Trop souvent…

Sherlock, revenu de sa balade matinale, vint quémander à table. Il grandissait à vue d'œil et serait aussi beau que Galilée. Peut-être un peu plus agité. Mais il était encore trop jeune pour que Vincent puisse définir avec exactitude sa personnalité.

Le téléphone sonna et il se leva précipitamment. Sa cheville le trahissait encore à certains moments, surtout quand ses muscles étaient froids, et il faillit perdre l'équilibre. Il se rattrapa à la table et ralentit la cadence jusqu'au téléphone.

— Allô ?

— Salut, c'est Servane !

— Ah ! Salut ! T'es rentrée ?

— Hier soir…

— Ça s'est bien passé ?

— Oui, très bien… Sauf qu'on a eu un temps pourri !

— Rassure-toi, ici aussi !

— Je peux passer te voir, ce soir ?

Vincent entendit le bruit d'un moteur sur la piste.

— Tu m'accordes une seconde ? Y a quelqu'un dehors…

Il sortit avec le combiné à la main alors que la voiture jaune de la poste s'arrêtait devant le chalet. Le facteur lui remit quelques enveloppes et repartit en trombe.

— Allô ? Excuse-moi, c'était le facteur… Mon lot de factures à payer ! Tu disais… ?

— Je peux venir te voir, ce soir ?

— Oui, bien sûr… Avec plaisir.

— Je t'ai ramené un petit quelque chose de mon pays ! Je sens que ça va te plaire ! Tu veux savoir ce que c'est ?

Mais elle n'obtint pas de réponse.

— Vincent ? Tu m'entends ?

— J'ai une lettre… une lettre anonyme.

— Qu'est-ce que c'est ? s'impatienta Servane.

— Attends, je l'ouvre…

De longues secondes passèrent et Vincent se manifesta enfin.

— Cette fois, c'est un message… Tapé à la machine.

Encore un silence, insupportable.

— Alors ? implora Servane.

— « *Une innocente victime est morte et le père de l'assassin veut protéger son fils. Le silence se paie très cher. Mais parler peut se payer aussi. Et la montagne pleure…* »

Servane ne réagit pas tout de suite, interloquée par ce message brutal et plutôt alambiqué. Ils restèrent tous les deux muets, écoutant seulement leur respiration dans le combiné.

— Merde, c'est un meurtre, murmura enfin la jeune femme.

— Ouais, un meurtre, répéta mécaniquement Vincent.

Nouveau silence.

— La touriste italienne ! s'écria soudain Servane.

— Hein ?

— En rangeant les archives, je suis tombée sur un dossier qui a attiré mon attention… C'était il y a quelques années… Une jeune touriste italienne portée disparue dans la région.

— Ah oui, je m'en souviens ! répondit le guide.

— C'était quand déjà ?

— Attends… En 2002… Été 2002.

Un an avant le départ de Laure. Il ne pouvait pas se tromper. Douloureux repère.

— Je m'en souviens parce que j'ai participé aux recherches, ajouta-t-il.

— Dans le dossier, j'ai lu qu'à l'époque Hervé et Sébastien Lavessières ont été auditionnés par la gendarmerie...

— Vraiment ? Je n'ai jamais entendu parler de ça...

— Tu m'étonnes ! Quelqu'un affirmait les avoir vus en compagnie de la disparue... Mais ils ont été remis en liberté et l'affaire a été classée. La touriste était bien passée par ici mais n'était pas restée dans la vallée... Relis-moi le message !

— « *Une innocente victime est morte et le père de l'assassin veut protéger son fils. Le silence se paie très cher. Mais parler peut se payer aussi. Et la montagne pleure...* »

— « *Et la montagne pleure...* » Celui qui envoie ces messages était à l'enterrement de Pierre ! C'est la phrase que tu as dite...

— Je sais... Si je comprends bien, le fils de Lavessières aurait tué cette fille et son père veut le protéger ?

— En achetant le silence de Julien.

— Mais comment Julien pourrait-il savoir que c'est Sébastien le coupable ?

— Aucune idée ! Il a peut-être vu ou entendu quelque chose et il fait chanter le maire !

— Mon Dieu... C'est encore pire que je ne le pensais... Et Pierre serait donc celui qui aurait payé parce qu'il voulait parler... « *Mais parler peut se payer aussi. Et la montagne pleure...* »

— C'est clairement ce que dit le message !

Vincent ne pouvait quitter la feuille dactylographiée des yeux. Une catastrophe dont l'ampleur le dépassait.

— Mais Sébastien était très jeune en 2002 ! dit-il soudain. Il avait à peine…

— Seize ans, je crois…

— Seize ans ! répéta Vincent. C'est tellement jeune…

— Il n'y a pas d'âge pour tuer ! affirma Servane.

— Mais pourquoi ? Pourquoi assassiner cette fille ?

— J'en sais rien. Elle lui plaisait peut-être et il a voulu… enfin, elle n'a peut-être pas voulu et ça a mal tourné… Je suis certaine qu'on détient enfin la vérité !

— Ah oui ? Et qu'est-ce qu'on va faire maintenant ?

— Attendre. Notre messager va sans doute continuer de nous mettre sur la voie… Il faut qu'on retrouve le corps de cette femme. Sinon, on ne peut rien faire.

En imaginant cette éventuelle découverte, Vincent eut un haut-le-cœur.

— Tu crois qu'il va m'indiquer l'endroit où elle est enterrée dans son prochain message ? interrogea-t-il avec angoisse.

— Possible… Visiblement, cette personne aime bien les jeux de piste.

— Tu parles d'un jeu de piste ! Un jeu macabre, oui ! Mais il y a encore des trucs que je pige pas…

— Quoi ? demanda patiemment Servane.

— Eh bien, le type qui m'envoie ces messages, pourquoi ne va-t-il pas dénoncer lui-même les coupables à la gendarmerie ?

— Il a peut-être envie que la vérité éclate, mais n'a pas forcément le courage de dénoncer ce crime… Il veut que nous fassions le sale boulot à sa place, en somme.

— Mais s'il est au courant de ce meurtre qui remonte à six ans, pourquoi se réveille-t-il maintenant ?

— Parce que Pierre est mort ! Ce messager devait tenir à lui, et c'est la mort de Pierre qui l'a décidé à agir. Il ou elle, d'ailleurs… Attends, et si… Si c'était Ghislaine, ce mystérieux corbeau ?

— Ghis ?

— Elle aimait Pierre, elle est aux premières loges pour être au courant de l'affaire…

— C'est pas faux, admit Vincent. Mais elle risque gros elle aussi, si la vérité éclate ! Parce qu'elle a bénéficié de ce fric, tout comme son fumier de mari.

— Disons qu'elle est peut-être prête à ce sacrifice… Mais qu'elle ne veut pas que Julien sache que c'est elle qui balance… Rappelle-toi la lettre de Pierre : il disait qu'elle avait peur de son propre mari, qu'il pouvait devenir violent. S'il va en taule, autant qu'il ne sache jamais que ça vient d'elle…

Petit à petit, mot après mot, Servane éclairait les ténèbres.

— Alors, je vais la choper et l'obliger à me parler, décida Vincent.

— Non ! Ne fais pas ça… Trop dangereux ! Ce n'est qu'une supposition et ça risque de nous mettre au jour. Et là, on pourrait finir comme Pierre…

Heureusement qu'elle était là pour calmer ses ardeurs.

— OK, je vais donc attendre le prochain message, se résigna Vincent.

— On n'a plus le choix, maintenant… Dès que nous saurons où est le corps, il faudra que je mette Vertoli au courant…

— Ne lui dis rien pour l'instant !

— Ne t'en fais pas… Sans cadavre, il n'y a aucune preuve. Alors je ne bougerai pas.

431

— Je ne comprends toujours pas pourquoi Pierre ne m'a rien dit... On partageait tout ! Du moins je le croyais...

Rien à faire, c'était peut-être ça qui le faisait le plus souffrir.

— Il n'était pas au courant pour le meurtre, rappela Servane. Seulement pour le chantage... S'il avait su qu'il s'agissait d'un crime, il serait certainement sorti de son mutisme.

Vincent remit enfin la lettre dans l'enveloppe.

— Bon, je vais devoir te laisser, conclut Servane. Je reprends mon service à midi et je n'ai même pas encore défait mes bagages ! On se voit ce soir ?

— Oui, t'as qu'à passer pour le dîner.

Il posa le téléphone et resta longtemps assis devant le chalet. Immobile, prisonnier de ses questions.

Un meurtre.

Il avait tout imaginé ; toutes les magouilles, tous les détournements, toutes les corruptions. Mais il s'agissait d'un meurtre.

Pierre n'était plus la seule victime. Il y en avait une deuxième.

Innocente, en plus.

*
* *

Vincent embrassa sa mère.

— Allez, bonne soirée, maman...

— Merci, mon chéri... À après-demain !

Il la regarda en souriant.

— Après-demain ? Et pourquoi après-demain ?

432

— Arrête de faire l'idiot ! Je sais que tu ne veux pas vieillir, mais après-demain, c'est le 10 septembre et tu auras quarante-deux ans, que tu le veuilles ou non !

— Quarante-deux balais…, soupira-t-il.

— Je t'attendrai pour le déjeuner. Et ne sois pas en retard.

Elle fit l'effort de l'accompagner jusqu'à la porte, même si chaque pas était difficile.

— Attends ! dit-elle soudain en repartant vers la cuisine. J'ai quelque chose pour toi !

Il profita de son absence pour glisser trois billets de vingt euros dans la soupière en porcelaine qui trônait au milieu de la table. Elle revint peu après avec un petit sac en plastique.

— Du gâteau que j'ai fait ce matin ! annonça-t-elle avec un sourire gourmand. Je me doutais que tu allais venir…

Il l'embrassa à nouveau.

— Merci, maman…

— À bientôt, mon chéri.

Il traversa la cour, se retourna une dernière fois avant de passer le portail, pour lui faire un signe de la main. Puis il prit le volant de son pick-up et quitta le village de Château-Garnier. Il remontait en direction de Colmars mais devait d'abord faire une halte à Thorame-Haute pour rendre une visite à Madeleine, la mère de Laure. Il ne mit que dix minutes à relier les deux hameaux et s'arrêta derrière la vieille maison de village où vivait sa belle-mère. Mais alors qu'il descendait de sa voiture, son portable sonna.

— Bonsoir, monsieur… L'office du tourisme d'Allos nous a donné vos coordonnées… Nous sommes un groupe de six personnes et nous aimerions faire une randonnée demain... Êtes-vous libre ?

— Oui, sans problème ! Vous avez choisi la course ?

— Eh bien, nous aimerions faire le Grand Coyer par la vallée de la Lance... Qu'en pensez-vous ?

— C'est un excellent choix... Vous avez une bonne condition physique ?

— Oui ! Nous faisons souvent ce genre de randonnées !

— OK, si la météo le permet, je vous emmènerai là-haut.

— Parfait ! Quels sont vos tarifs ?

— Les tarifs classiques, monsieur. Cent cinquante euros pour la journée...

Il fixa l'endroit et l'heure du rendez-vous puis raccrocha, tout en se dirigeant vers la maison. Il sonna et entra sans attendre la réponse. Au premier étage, il trouva la vieille dame assise devant la fenêtre de la salle à manger. Lorsqu'elle vit s'approcher Vincent, son visage étonnamment jeune s'illumina.

— Vincent ! Quelle bonne surprise !

Il se pencha pour l'embrasser, elle l'étouffa dans ses bras.

— Ça me fait plaisir que tu passes, murmura-t-elle.

— Je suis allé voir ma mère.

— Comment va-t-elle ?

— Bien, je vous remercie...

— Assieds-toi, mon grand.

Il prit une chaise pour s'installer à côté de son fauteuil.

— Alors, Madeleine, comment allez-vous ?

— Comme une vieille !... Tu n'as plus de clients, maintenant ?

— Non, quasiment plus... Mais j'ai tout de même un groupe, demain.

— Et aujourd'hui, qu'est-ce que tu as fait ?

Il lui raconta sa journée, occupée à descendre les ruches de Nadia plus bas dans la vallée.

— Comment va-t-elle depuis que Pierre est mort ?

— Elle remonte doucement la pente...

— Pauvre petite ! Elle est si gentille... La solitude, c'est bon pour personne, ajouta Madeleine avec tristesse.

Elle pensait à Laure, cette enfant qui les avait abandonnés sans aucun remords. Cette fille adorée à qui elle songeait nuit et jour. Blessure à vif qu'elle emmènerait avec elle lors du dernier voyage.

— Tu vois, continua-t-elle, moi je ne fais rien de bon depuis que mon Jeannot est parti... Et puis avec mon arthrite, je ne peux presque plus bouger... Alors je reste là, devant la fenêtre, et je regarde les autres s'activer... ça me donne l'impression de bouger !

Elle lui adressa une mimique espiègle.

— Remarque, on voit plein de choses depuis cette fenêtre...

Il sourit à son tour.

— C'est une position stratégique, ici ! À droite, la sortie du bistrot, à gauche, la place du Marché... Et là, juste à côté du bar, il y a la poste... Les gens s'arrêtent pour poster leur courrier et souvent, ils finissent au bar ! J'ai même remarqué que le curé de Colmars vient prendre un petit verre de temps en temps... Je croyais que les curés, ça buvait pas ! Sauf le vin de messe, bien sûr ! Il poste ses lettres ici et hop ! Au bar !

— Qu'est-ce que vous dites ? s'écria brusquement Vincent.

Elle le considéra avec étonnement.

435

— Rien... Je disais simplement que le père Joseph vient boire un petit coup de temps en temps...

— Mais il poste ses lettres ici ?

— Oui, je l'ai vu deux ou trois fois mettre son courrier dans la boîte...

— Quand l'avez-vous vu pour la dernière fois ? coupa Vincent.

Elle écarquilla les yeux, intriguée par la réaction de son gendre.

— Hier... Il est venu plusieurs fois en juillet et la dernière fois, c'était hier.

— Et il ne venait jamais avant ?

— Joseph ? Non... Je ne l'avais jamais vu descendre ici. Mais qu'est-ce qu'il y a, Vincent ?

— Rien, Madeleine... Rien. Je trouvais ça curieux, c'est tout.

— C'est vrai que c'est curieux ! Il y a la poste à Colmars... À moins qu'il ne soit fâché avec la postière ! Ou alors, il veut pas que ses brebis le voient en train de boire !

— Peut-être, murmura Vincent. Il faut que j'y aille...

— Tu veux pas dîner ?

— Non, merci, dit-il en se levant. J'ai un rendez-vous...

— Oh ! Et comment s'appelle ton *rendez-vous* ?

— Servane...

— C'est joli, comme prénom, Servane. Et elle est mignonne, cette Servane ?

— Très !

Il embrassa Madeleine sur le front.

— Bonne soirée...

— C'est à toi qu'il faut dire cela ! répondit-elle avec un sourire qui en disait long.

Tandis que Madeleine se demandait encore comment sa fille avait pu être assez folle pour quitter cet homme, Vincent se hâta de rejoindre sa voiture.

Le curé ! Il avait pensé à tout le monde sauf à lui.

Il monta à bord de son 4×4, attrapa son portable.

— Servane ? C'est moi, Vincent...

— Ah ! Bonsoir, Vincent... Comment ça...

— Il faut que je te voie ! Tu bosses encore ?

— Non, je viens de rentrer chez moi... Mais on dîne ensemble, non ?

— Je passe te prendre dans dix minutes...

— Dix minutes ? s'écria-t-elle. Je ne suis pas prête !

— Discute pas ! Dans dix minutes devant l'épicerie.

*
* *

Servane sortit de l'Edelweiss et continua sur le bord de la route. Elle aperçut le pick-up déjà garé devant la minuscule supérette. Elle tapa à la vitre avant de monter à bord et d'embrasser Vincent sur la joue.

— Alors, qu'y a-t-il de si urgent ?

Il prit la direction du village, s'arrêta peu après le long des fortifications et coupa le moteur.

— On s'arrête déjà ? Où on va ?

— À l'église, répondit Vincent.

— Tu veux m'épouser ?!

— Pas avant d'avoir consommé ! répondit-il en riant.

Ils pénétrèrent à l'intérieur du village quasiment désert.

— Tu vas te décider à me dire ce qui se passe ? s'impatienta la jeune femme.

— J'ai trouvé notre informateur : c'est le curé !

— Le curé ? Mais...

— Crois-moi sur parole ! ajouta-t-il.

— Et tu comptes lui dire quoi ?

— C'est lui qui a des choses à dire ! Pas moi...

Ils arrivèrent bien vite devant l'église de Colmars, encore ouverte à cette heure tardive. Il n'y avait personne dans l'enceinte de Dieu et seuls quelques cierges brûlaient aux pieds des idoles. Servane trempa le bout des doigts dans le bénitier avant de se signer.

— Allez, viens ! grogna Vincent.

Il poussa une porte latérale, ils se retrouvèrent dans un couloir étroit et sombre.

— Tu es sûr qu'on peut aller par là ? s'inquiéta Servane.

— Suis-moi...

Par une deuxième porte, ils accédèrent à un jardin incroyablement bien entretenu. Quelques pommiers, des rangées de fleurs parfaitement alignées et, tout au bout, un magnifique potager où se tenait le père Joseph. Il était en train de cueillir des légumes qu'il rangeait soigneusement dans un panier en osier.

— Bonsoir, mon père...

Le prêtre ne put masquer son étonnement.

— Vincent ! Qu'est-ce qui t'amène, mon fils ? Il y a bien longtemps que je ne t'ai pas vu si près de la maison de Dieu...

— Il faut que je vous parle, Joseph.

Le curé prit son panier et quitta le potager, visiblement peu pressé d'entamer la discussion. Il poussa le petit portillon en bois, se campa devant ses deux visiteurs.

— Je vous présente Servane Breitenbach, mon père. Une amie…

Le curé lui adressa un sourire significatif. *Une amie…*

— Je vous écoute !

Vincent hésita un instant. Et s'il faisait erreur ?

— Voilà, mon père… Je crois que vous avez envie de me parler…

— Pardon ?

— Plutôt que de m'écrire, il vaudrait mieux me parler, continua le guide en fixant son interlocuteur droit dans les yeux.

— Je ne comprends pas un mot de ce que tu me racontes !

— Je croyais que le mensonge était un péché, mon père…

Le visage du prêtre n'accusa aucunement le poids de la faute et Vincent comprit que la partie était loin d'être gagnée.

— C'est toi qui me parles de péché ? dit-il en souriant. C'est vrai que tu t'y connais en la matière !

— Écoutez, mon père, je sais que c'est vous l'auteur de ces mystérieux messages et je crois qu'il est temps de tout nous dire…

Le prêtre ôta ses énormes lunettes, dévoilant un regard perçant qui impressionna beaucoup Servane. L'homme d'Église était de taille moyenne et malingre, il n'avait presque plus de cheveux. Servane essaya de lui donner un âge, en vain.

— De quels mystérieux messages parles-tu ? continua Joseph en astiquant ses lunettes à l'aide de sa soutane.

Vincent inspira profondément, essayant de garder son calme.

— Pourquoi ne pas nous dire la vérité, Joseph ? Maintenant que vous avez commencé, autant aller jusqu'au bout, non ?

— Mais au bout de quoi, voyons ?

Le guide serra les mâchoires et contempla le ciel, comme s'il espérait y trouver de l'aide. L'orage s'y préparait, autant que dans son crâne.

— Mon père, dit soudain Servane, nous ne sommes pas vos ennemis…

— Je n'ai pas d'ennemis, ma fille ! Je n'ai autour de moi que de pauvres gens égarés !

— Ça suffit ! s'écria soudain Vincent. Vous vouliez qu'on fasse le ménage ? Eh bien, nous sommes prêts à le faire… Il suffit que vous nous racontiez la fin de l'histoire !

Le curé réajusta ses lunettes et ses prunelles disparurent derrière les épais carreaux de verre. Il continuait à leur infliger un sourire qui avait quelque chose de méprisant. Quelque chose de surprenant.

— La patience fait partie des qualités qu'il vous faut apprendre, dit-il enfin.

— La patience ? répéta Servane. Mais il s'agit d'un crime ! Comment pouvez-vous parler de patience ?

— Des crimes, il y en a chaque jour, ma fille !

— Arrêtez ces conneries ! s'emporta Vincent.

— Je ne vous dirai absolument rien, conclut le curé en reprenant son panier. Vous payez tous aujourd'hui pour les fautes que vous avez commises et il vous faudra souffrir pour atteindre la vérité…

Vincent s'approcha avec un air menaçant mais le curé ne bougea pas d'un centimètre.

— Vous commencez à m'emmerder avec vos leçons de morale ! Vous allez me dire ce que vous savez, sinon je risque de devenir beaucoup moins respectueux !

— Vincent, arrête ! pria Servane. Arrête…

— Laisse-moi tranquille ! Et si tu ne veux pas voir la suite, barre-toi ! Le père Joseph a des choses à me dire et il va me les dire !

— Allons, Vincent ! rétorqua le curé d'un ton condescendant. Tes manœuvres d'intimidation n'ont aucun effet sur moi… Tu dois me comprendre : je ne peux trahir ainsi le secret de la confession…

Un éclair déchira le ciel, Vincent empoigna le curé par sa soutane. Celui-ci lâcha son panier dont le précieux contenu s'éparpilla sur le sol.

— Je me fous du secret de la confession ! hurla le guide. Maintenant, vous allez me dire ce que vous savez !

Servane porta ses mains devant sa bouche. Choquée.

— Tu ne me fais pas peur, Lapaz, murmura le prêtre. Tu ne lèveras jamais la main sur moi… Alors maintenant, lâche-moi et va-t'en.

Ils se dévisagèrent quelques instants et Vincent finit par obéir.

— Allez viens, Servane. On se tire !

Le père Joseph les suivit des yeux, souriant à nouveau. Depuis le temps qu'il les regardait tous se déchirer ! Depuis le temps qu'il avait appris à les mépriser. Tous ces hommes imparfaits, tellement faibles, tellement lâches. Pourris par l'argent, le pouvoir, la mesquinerie et le vice.

Enfin, il tenait sa vengeance.

La vérité viendrait, en temps voulu. Quand lui le déciderait. Cette vérité, entrevue dans le confessionnal.

Et ce jour-là, elle mutilerait tout le monde.

Il les avait déjà tous condamnés, sans aucun espoir de mansuétude.

Il prit son panier et s'agenouilla pour ramasser sa récolte.

Servane monta dans le pick-up et dévisagea Vincent avec sévérité.

— Mais qu'est-ce qui t'a pris ? s'écria-t-elle. T'es devenu cinglé ou quoi ? On ne moleste pas un curé !

— Rien à foutre qu'il soit curé ! Il sait qui a tué Pierre et il se retranche derrière ce putain de secret ! C'est tellement facile ! J'aurais dû le *molester* un peu plus au contraire !

— C'est ça ! On aurait dû le torturer pour le faire parler, t'as raison ! Maintenant que tu l'as braqué, il ne nous dira plus rien du tout !

— De toute façon, il ne nous aurait rien dit ! Il s'amuse avec nos nerfs ! C'est un malade !

Elle ouvrit la portière.

— Je rentre chez moi !

— Mais on devait dîner ensemble...

— Non, merci ! Tu m'as coupé l'appétit !

Elle repartit en direction de la gendarmerie d'un pas décidé et entendit le 4×4 démarrer nerveusement.

Peut-être aurait-elle dû se montrer moins virulente envers Vincent. Mais non, il n'avait que ce qu'il méritait.

Elle poussa la porte de l'Edelweiss et monta au dernier sans rencontrer personne. Arrivée dans son studio, elle alluma une cigarette et s'allongea sur son lit. Elle n'avait même pas envie de dîner. Estomac noué.

Ce curé connaissait la vérité et ne voulait rien avouer. Comme s'il prenait plaisir à ce jeu. Finalement, elle comprenait l'emportement de Vincent. Mais il n'avait pas choisi la meilleure façon d'agir, compromettant peut-être leurs dernières chances.

Et si elle en parlait à Vertoli ?

Mais lui parler de quoi ? D'hypothèses sans aucun fondement ?

L'adjudant-chef refuserait de s'attaquer à une proie aussi importante que le maire sans détenir de preuves formelles. Elle abandonna cette idée et eut envie d'appeler Vincent pour s'excuser. Non, c'est à lui de s'excuser. On n'empoigne pas un prêtre par sa soutane !

Elle l'appellerait peut-être demain. Ou peut-être pas.

*
* *

Vincent, sur le perron du chalet, écoutait le chant grave et majestueux d'un hibou. Sherlock veillait près de lui, oreilles dressées. Le calme de la nuit ne parvenait pas à lui rendre sa sérénité. Tant qu'il ne connaîtrait pas la vérité, il ne connaîtrait pas le repos. Il ferma les yeux, Pierre apparut devant lui.

— Tu me manques ! murmura-t-il à l'absent. Qu'est-ce que tu me manques...

Après Pierre, ce fut au tour de Laure d'émerger du passé.

Laure, qui s'obstinait à le hanter, alors qu'elle avait choisi de le quitter... Rien n'avait pu, jusqu'à présent, refermer cette plaie béante. Il ne guérirait jamais de cette absence, de cet abandon, et il le savait.

La souffrance infligée le serait pour le restant de ses jours.

Il était tard, il n'avait pourtant pas sommeil. Il mit une lampe électrique dans sa poche et partit droit devant lui, remontant la piste de l'Herbe Blanche dans cette nuit sans lune. Presque sans espoir. Il marchait à l'aveuglette, guidé par son seul instinct. Sherlock trottinait sur ses talons, surpris de cette balade nocturne.

Ils passèrent devant une ferme abandonnée et continuèrent leur chemin dans les odeurs de framboisiers exacerbées par l'humidité nocturne. Vincent avançait sans but précis, juste pour ne pas s'ankyloser dans la réalité. Il se répétait en boucle le dernier message : « *une innocente victime* ». Il essayait de se souvenir du visage de cette jeune femme portée disparue mais ne se remémorait que ses cheveux noirs.

Et soudain, une pensée le stoppa dans sa montée. « *Une innocente victime* »… Et s'il s'agissait non pas d'une femme mais d'un enfant ? À cette idée, il eut des frissons glacés dans tout le corps.

Un enfant ! Le meurtre d'un enfant !

Il resta sans bouger encore quelques minutes, comme si le cadavre de ce gamin était là, à ses pieds.

Puis il se remit en marche, avec un rythme plus lent. Peut-être parce qu'il avait un poids supplémentaire à porter.

Et lorsqu'il se résigna à rentrer, il était presque minuit. Sherlock se mit directement sur le canapé tandis que son maître se servait une bière. Il regarda son répondeur qui ne lui signala aucun message. Il aurait tant aimé que Servane l'appelât. Aimé lui confier ses nouvelles angoisses.

Alors qu'il montait l'escalier, le téléphone sonna. Servane avait entendu sa prière !

Il redescendit à toute vitesse pour décrocher.

— Servane ?

— Vincent, c'est Joseph.

— Vous ?

— Oui… J'ai réfléchi… Je veux bien t'en dire plus. Je veux bien tout te dire. Je suis chez moi, je t'attends… Viens seul. Viens vite…

Il raccrocha et le guide resta un instant immobile, le cœur battant à tout rompre. Il allait enfin savoir !

Il prit les clefs du pick-up, se précipita dehors.

La lumière des phares tranchait l'obscurité totale de la piste et il alluma l'autoradio. Le prélude en *sol* mineur de Rachmaninov explosa dans l'habitacle, donnant une dimension nouvelle à cette nuit peu ordinaire.

La route goudronnée, vernie par la pluie des heures précédentes, remplaça la piste. Une série de virages serrés, les pneus qui crissent sous l'effort. Et bientôt, la départementale qui longeait le Verdon. Vincent y roulait à plus de cent kilomètres heure, vitre ouverte, laissant l'air froid fouetter son visage crispé. Il avait gagné, il allait vers la vérité. Vers ce dénouement tant attendu.

Il passa devant le fort de Savoie qui veillait sur Colmars endormi et pénétra dans l'enceinte du village fortifié. Se faufilant dans les ruelles désertes, il abandonna sa voiture devant l'église. Les appartements du père Joseph étaient situés juste derrière, le long du grand potager. Une petite et humble maison collée à l'immense édifice ; il pénétra dans le jardin par un portillon. Il n'y voyait pas grand-chose et, à tâtons, s'approcha de la baraque faiblement éclairée. Il s'annonça mais personne ne vint. Il frappa à nouveau et essaya d'ouvrir la porte. Elle n'était pas fermée à clef, alors il s'engagea dans un couloir exigu au bout duquel trônait un immense crucifix. Une odeur âcre d'humidité serrait les poumons.

— Joseph ? appela-t-il. Vous êtes là ? C'est moi, Vincent...

Il passa devant la cuisine, déserte, puis monta au premier. Aucune trace du prêtre.

— Mon père ?

Vincent redescendit ; si c'était une plaisanterie, elle était de mauvais goût ! Il referma la porte derrière lui, décida de se rendre à l'intérieur de l'église. Joseph y était certainement, voulant que sa confession se fasse sous le regard de Dieu... Il longeait la maison lorsque son pied heurta quelque chose. Il perdit l'équilibre et s'affala de tout son long.

— Et merde ! maugréa-t-il.

En se relevant, il se souvint qu'il avait une lampe dans la poche de son blouson. Il appuya sur l'interrupteur, donna vie à un pâle halo de clarté.

Juste assez de lumière pour découvrir qu'il venait de trébucher sur un cadavre.

*
* *

Il n'était pas rentré chez lui. Comme chaque fois qu'il allait mal, Vincent avait trouvé refuge dans les bras de la montagne. La plus fidèle de ses amies, une partie de ses entrailles. Il était monté en haut du col des Champs, démarcation naturelle entre les Alpes-Maritimes et celles de Haute-Provence. Laissant son 4×4 sur le bord de la route, il avait marché sur un chemin avant de s'arrêter, seul au milieu de nulle part, perdu dans cette nuit sauvage.

Assis sur un rocher, jambes repliées, il confrontait ses angoisses à celles du ciel.

Torturé et sans étoiles.

Il n'y avait aucun Dieu au-dessus de cette planète. Même pas pour celui qui avait cru lui offrir sa vie.

Il n'aurait pas dû prendre la fuite ; il aurait dû appeler Servane. Mais de toute façon, le père Joseph était mort. Personne ne pouvait plus rien pour lui.

Ni pour Vincent.

Son dernier espoir de connaître enfin la vérité venait de s'envoler vers ce paradis de chimères dont un autre prêtre lui parlait lorsqu'il n'était qu'un enfant. À l'époque où il croyait encore à la vie après la mort. Années lointaines dont il aurait voulu garder l'insouciance.

Mais quelle insouciance ? Il ne pouvait se mentir, ce soir. Comme si toute sa mémoire lui revenait d'un seul coup. Il avait toujours eu mal et ses plus vieux souvenirs étaient là pour le lui rappeler. Avec toute la cruauté dont la vie sait faire preuve. Cette douleur qu'il s'était évertué à enfouir au plus profond de lui et qui choisissait cette nuit de cauchemars pour ressurgir.

Fin d'un oubli volontaire.

Il se mit à sangloter comme l'enfant qu'il n'avait jamais pu être. Cet enfant terrorisé qui appelait au secours sans que jamais personne ne l'entende. Il ferma les yeux, revit le visage effrayé et ensanglanté du prêtre.

Semblable à celui de son père.

Ce jour-là, il avait pris la fuite. Comme ce soir. Pourtant, ce soir, ce n'était pas lui l'assassin.

Il rouvrit les yeux, cherchant la lumière au milieu de ses larmes. Mais il ne vit qu'un petit garçon terrifié qui venait de commettre le pire des crimes.

Parricide.

Pourtant, ce n'était pas son propre père qu'il avait tué.

Seulement son bourreau.

L'église d'Allos annonçait 3 heures du matin lorsque Vincent regagna l'Ancolie. Il monta directement dans la chambre et s'allongea sur le lit, retirant seulement ses chaussures. Il régla son réveil sur 6 h 30, laissa la lampe allumée. De peur, sans doute, de replonger dans les ténèbres. Il ferma les yeux mais comprit que le sommeil ne le prendrait pas, ce matin encore. Toutes ces nuits à essayer d'oublier. Depuis trente longues années.

Il entendit un petit gémissement ; Sherlock était monté rejoindre ce maître en détresse et s'était sagement assis à côté du lit. Vincent le prit dans ses bras, le serra contre lui. Rassuré par cette chaleur douce, animale. Par cet être qui n'attendait que de l'amour. Et sans s'en rendre vraiment compte, il sombra progressivement dans un sommeil épuisant. Alors que dans quelques heures, des clients l'attendraient pour une ascension.

Laquelle, il ne s'en souvenait plus.

26

Vincent arriva en retard. Ses clients patientaient déjà, réunis devant l'office du tourisme de Colmars. Il présenta ses excuses au groupe, six retraités apparemment en pleine forme, puis exposa brièvement le programme de la journée. Mais alors qu'ils s'apprêtaient à quitter l'intérieur des fortifications pour rejoindre les voitures, des cris attirèrent leur attention. Un homme venait d'entrer en trombe dans le bar de la place et s'époumonait pour être le premier à annoncer la nouvelle aux quelques villageois présents sur les lieux.

— Le curé est mort ! Le père Joseph est mort !

Vincent fit demi-tour. Avoir l'air surpris.

— Excusez-moi un instant, dit-il à ses clients.

Il les abandonna pour pénétrer dans le café. Le messager était un commerçant de la rue voisine.

— Qu'est-ce qui s'est passé ? demanda Vincent.

— Les gendarmes sont sur place ! expliqua le boulanger surexcité. Le curé a été retrouvé mort dans son jardin tout à l'heure ! C'est la vieille Lucie qui a donné l'alerte !

Le bistrot fut déserté en moins d'une minute, tout le monde se ruant vers l'église. Vincent resta seul au milieu de ce décor sordide. Avant de rejoindre lentement ses clients. Malgré la fatigue et le désarroi, il avait décidé de les conduire en haut. Parce qu'il ne savait rien faire d'autre. Parce que c'était la meilleure façon de rester fidèle à lui-même. De ne pas laisser la rage atteindre son cœur.

*
* *

Servane quitta l'église en même temps que le corps sans vie du père Joseph. Elle avait mal au cœur, encore sous le choc de ces macabres visions. Elle reprit le chemin de la caserne à pied, respirant à pleins poumons pour calmer sa nausée. C'était donc son deuxième cadavre. Et quel cadavre…

Son envie de vomir empirait, elle parvint malgré tout à rejoindre la gendarmerie où elle attendit le retour de ses collègues en fumant une cigarette devant la porte du bureau. Elle ne pouvait ôter de son esprit l'image du prêtre. Crâne fendu, visage en sang ; ce visage dont l'expression terrorisée était peut-être la pire chose qu'elle ait jamais endurée.

Comment avaient-ils su qu'il détenait la vérité ? Et qui l'avait empêché de partager son terrible secret ? Elle appela Vincent, tomba sur son répondeur.

Vincent… Prêt à tout pour résoudre l'énigme. Mais il n'avait tout de même pas pu… Retourner voir le curé, le passer à tabac pour l'obliger à parler ? Elle se remémora la bagarre dans le bar, les trois adversaires à terre, la violence dont Vincent pouvait faire preuve. Sa gorge se serra, sa respiration s'accéléra dangereusement.

Vincent... Non ! Non...

Impossible, il n'était pas un assassin.

Elle ferma les yeux et quand elle les rouvrit, les autres arrivaient en voiture. Vertoli, Matthieu et Lebrun.

— Ça va, Breitenbach ? s'inquiéta le chef.

— Oui. C'est dur, mais ça va...

— Tout le monde dans mon bureau !

Servane écrasa son mégot par terre et suivit les autres membres de l'équipe.

— D'après les premières constatations, il s'agit d'un accident, commença Vertoli en s'installant dans son fauteuil.

— C'est évident ! acquiesça Lebrun. Il est tombé de son échelle et s'est ouvert le crâne.

— C'est pas si évident que ça ! protesta Servane.

Le maréchal des logis lui envoya un regard acerbe. Comment osait-elle ?

— Qu'est-ce que vous voulez dire ? balança-t-il avec animosité.

La jeune femme hésitait soudain à continuer.

— Allez-y, Servane, nous vous écoutons, l'encouragea Vertoli.

— Eh bien, je pense que ce n'est pas parce qu'on a retrouvé le père Joseph mort à côté de son échelle qu'il en est tombé... C'est peut-être une mise en scène.

— *Une mise en scène ?* ricana Lebrun. Vous lisez trop de polars !

— Elle n'a pas tort, coupa Vertoli. Il ne faut pas conclure trop vite...

Le maréchal des logis se renfrogna tandis que l'adjudant-chef distribuait les ordres.

— On va attendre les résultats de l'autopsie et pendant ce temps, on interroge tous les habitants… Christian, tu formes des équipes de deux et vous faites le tour du village… Quelqu'un a peut-être vu ou entendu quelque chose… On ne sait jamais. Et puis on va perquisitionner chez lui… Moi, j'appelle le proc. Exécution !

*
* *

Vincent abandonna ses clients au terme d'une randonnée qui aurait pu être belle. Mais il n'avait pas eu le cœur à ce qu'il faisait, aujourd'hui. Il les avait néanmoins conduits là-haut, d'un pas presque mécanique. Ils ne garderaient pas un bon souvenir de lui…

Il remonta à bord de son pick-up et quitta Colmars pour rejoindre Allos. L'orage menaçait, ce soir encore. Il s'arrêta à l'entrée du village et poussa le portillon en fer forgé du cimetière dans un grincement lugubre. Il slaloma rapidement au milieu des tombes, jusqu'à ce qu'il arrive devant celle de Pierre.

Il n'était pas venu ici depuis l'enterrement. Nul besoin d'être face à la sépulture pour se recueillir.

Il resta figé sous les premières gouttes de pluie. Debout, face à l'intolérable réalité. Plus aucun espoir de connaître la vérité. Son informateur avait disparu, emportant son secret avec lui. Le meurtre de Pierre ne serait jamais élucidé. Vengé.

Qui avait bien pu savoir que Joseph s'apprêtait à parler ? Quelle terrible vérité tuait dans cette paisible vallée ? Avant de partir, il adressa une promesse silencieuse à son ami.

Que je découvre ou non la vérité, je te vengerai.

— Ils paieront, mon frère... Même si je dois les tuer, un par un, de mes propres mains...

Il rejoignit sa voiture et décida soudain d'aller trouver Julien Mansoni.

Lui savait, lui était au cœur de cette histoire. Et Vincent parviendrait à le faire parler.

Par n'importe quel moyen.

Il bifurqua vers le bureau du Parc, situé à l'autre bout du village.

Par n'importe quel moyen, apprendre la vérité. Par n'importe quel moyen, venger la mort de Pierre.

Mais juste avant d'arriver au QG du Parc, il s'arrêta. Pas si facile que ça...

Il ne savait plus très bien ce qu'il devait faire. Alors, il appela naturellement Servane.

— C'est moi...

— Vincent, enfin ! J'ai essayé de te joindre toute la journée ! Le père Joseph est mort !

— Je sais... Il faut... Il faut que je te parle... Je suis tout près du bureau du Parc... Je vais aller voir Julien. Lui seul pourra me dire la vérité... Je vais le faire parler, ce salaud !

— Ne fais pas ça ! s'écria la jeune femme. Vincent, je t'en prie... Julien est au centre de cette affaire et si tu lui parles, tu dévoiles tout ce que nous savons avant même que nous ayons pu réunir les preuves... Ce serait une catastrophe ! Et tu risques de subir le même sort que Pierre ou Joseph...

— Je m'en fous !

— Ne dis pas ça ! s'emporta Servane. T'as pas le droit ! On va continuer nos recherches et on va trouver !

— Maintenant que le curé est mort, on n'a plus aucune chance…

— C'est faux ! Rentre chez toi et… repose-toi ou… bois un coup ! Fais ce que tu veux, mais ne va pas le voir, par pitié !

Il garda le silence un instant, les yeux toujours braqués sur l'entrée du bureau, à cinquante mètres du pick-up. La voiture de Julien était garée devant.

Mansoni était là. À sa portée.

Ses poings le démangeaient. Se défouler sur lui, évacuer toute cette violence qui bouillait en lui comme la lave mijote à l'intérieur du cratère d'un volcan.

— J'aimerais que tu viennes, Servane. J'ai besoin de te parler…

— OK, je serai chez toi dans une heure… Et pas de connerie, d'accord ?

— D'accord…

Ils raccrochèrent et Vincent fit demi-tour, résigné à rentrer chez lui.

Servane avait raison : il ne devait pas céder à la haine, devait se montrer patient, prudent. Car il pouvait aussi la mettre en danger.

Ce qu'il ne voulait pour rien au monde.

*
* *

Tout au long du trajet qui la conduisait à l'Ancolie, Servane sentit monter une sourde angoisse. Vincent avait l'air d'aller si mal… Et pourquoi tenait-il tant à la voir ce soir ? Simplement parce qu'il avait besoin de sa présence ou… Peut-être avait-il des choses à lui révéler ?

À l'intonation de sa voix, elle avait senti qu'il avait quelque chose de grave à lui apprendre et elle espérait que ses soupçons du matin ne deviendraient pas réalité.

Non, Vincent n'était pas violent au point d'être capable de tuer. Impulsif, certes. Mais certainement pas une âme d'assassin.

Arrivée à destination, elle se gara à côté du Toyota. Sherlock vint à sa rencontre et elle le prit dans ses bras.

— Comment ça va, mon bébé ?

Elle le reposa par terre et constata que la porte d'entrée était ouverte. Elle frappa malgré tout et entra sans attendre la réponse. Vincent était endormi sur le canapé, torse nu, allongé sur le côté. Recroquevillé, plutôt. Sans un bruit, elle prit place en face de lui. De longues minutes à le regarder dormir, Sherlock sur ses genoux. Non, il n'avait pas la tête d'un meurtrier. Mais quel visage pouvaient bien avoir les meurtriers, au fait ?

En tout cas, pas celui de Vincent.

Elle s'en voulut d'avoir osé penser cela. C'était tellement insensé ! Tellement injuste. Désarmé et désarmant, il ressemblait à un petit garçon, profondément assoupi. Il venait enfin de succomber à l'épuisement.

Elle le trouva beau. Incroyablement beau. Elle eut envie de le toucher ; simplement de poser ses mains sur lui.

Cette idée la fit sourire ; un sourire un peu triste.

Elle se leva, décida de préparer le repas sans le réveiller. Mais en attrapant un récipient dans le placard, elle fit tomber un verre. Éclat cristallin qui résonna dans toute la maison. Pourtant, Lapaz ne broncha même pas. Il devait vraiment être mort de fatigue.

Pourquoi avait-elle envie de prendre soin de lui ?

Presque envie de le serrer dans ses bras... Presque.

Elle n'avait jamais été aussi proche d'un homme. Pourtant, il ne resterait qu'un ami. Elle regretta un instant que la vie l'ait faite différente des autres femmes. Elle aurait pu être heureuse à ses côtés.

Elle continua sa tâche et s'aperçut que Sherlock ne la quittait pas des yeux, assis près de sa gamelle vide.

— Tu as faim, mon chien ? chuchota-t-elle.

Il lui répondit en pleurnichant.

— Ton maître manque vraiment à tous ses devoirs ! Mais je sais pas ce que je vais te filer à bouffer...

Dans le réfrigérateur, elle trouva une boîte de thon. S'il avait vraiment faim... Elle vida la boîte dans l'écuelle et le chien se jeta sur la nourriture sans se poser de questions. Depuis quand n'avait-il pas mangé ?

Elle mit ensuite la table et se résigna enfin à réveiller Vincent. Elle s'assit à côté de lui, hésita un instant. Puis elle posa une main sur son bras, remonta doucement vers son épaule.

— Vincent ! Tu m'entends ?

Après un grognement, il se tourna de l'autre côté et Servane remarqua alors de fines cicatrices sur son dos. Elle le secoua légèrement.

— Vincent ! Réveille-toi...

— Quoi ?

Il dormait encore et elle sourit. Elle le bouscula un peu plus rudement et cette fois, il sursauta.

— C'est toi ? murmura-t-il.

— Oui, c'est moi...

Il se redressa et s'assit contre l'accoudoir du canapé. Les paupières encore lourdes, le regard dans le vague.

— Ça fait longtemps que t'es là ?

— Une petite heure.

— Désolé... Je me suis allongé et je suis tombé... Tu aurais dû me réveiller !

— C'est pas bien grave... Et puis comme ça, j'ai pu faire à manger pour nous et pour le chien... Tu lui donnes jamais à manger ?

— À qui ?

— À Sherlock !

— Si, bien sûr...

— Ben là, il était mort de faim !

— Un clébard a toujours la dalle, de toute façon !

Difficile d'avouer qu'il avait oublié de le nourrir depuis deux jours.

— Je vais me passer un peu d'eau froide sur la figure et je reviens, dit-il en s'étirant.

Elle finit de mettre la table et il réapparut, nettement plus réveillé.

— Tu as tout fait, constata-t-il non sans une certaine gêne. T'aurais pas dû...

— Assieds-toi ! Parce qu'en plus, je vais te servir !

— C'est fête ou quoi ?

— Ben... Presque. Dans quelques heures, c'est ton anniversaire, non ?

— Comment tu sais ça ?

— L'autre soir, tu m'as filé ta date de naissance comme mot de passe pour le CD-Rom...

— C'est vrai... Quelle mémoire !

Ils s'installèrent à table et Servane écouta Vincent lui raconter sa randonnée du jour. Mais elle avait envie de parler d'autre chose, tandis que lui repoussait le moment des confidences. N'y tenant plus, elle l'interrogea un peu abruptement.

— Alors, de quoi voulais-tu me parler ?

Le visage du guide s'assombrit instantanément et elle regretta de ne pas l'avoir laissé finir son assiette.

— De deux choses, répondit-il. La première, c'est une idée qui m'est venue hier soir... J'ai repensé au dernier message et à l'« *innocente victime* »... Et je me suis dit qu'il pouvait s'agir d'un enfant.

Servane posa sa fourchette et le dévisagea avec effroi.

— Tu crois ? murmura-t-elle.

— Rien n'est sûr, mais... L'innocence, surtout dans la bouche d'un prêtre, ça se rapporte souvent aux gamins.

— C'est vrai, admit-elle. Il faut croire que j'avais préféré ne pas envisager cela... C'est une hypothèse à considérer. Est-ce qu'il y a eu des disparitions d'enfants dans la vallée ?

— Je ne crois pas, non... Pas de meurtres, mais des accidents... Des gosses morts par accident... Et le message ne parle pas d'assassinat.

— Tu penses à un fait en particulier ?

— Peut-être... C'était il y a quelques années... Quatre ou cinq ans. Un jeune garçon mort sur la route... C'était en hiver, il revenait de l'école. Il faisait déjà nuit et une voiture l'a fauché sur le bord de la petite route qui monte aux Espiniers... Et malgré une enquête qui a duré des mois, le coupable n'a jamais été retrouvé.

— Attends... Il y a quatre ans, Sébastien avait tout juste dix-huit ans... Ça pourrait coller ! Surtout qu'il m'a l'air de se comporter comme un inconscient sur la route ! Oui, ça pourrait coller ! C'est même une très bonne hypothèse... D'autant plus que les mouvements d'argent de Lavessières vers Mansoni ont commencé il y a un peu plus de quatre ans... Il faudrait vérifier si les dates correspondent...

— Je ne me souviens pas exactement de la date de l'accident.

— Je chercherai dans les archives... Évidemment, si les premiers versements datent d'avant l'accident, c'est qu'on aura fait fausse route... Et la deuxième chose dont tu voulais me parler ?

— C'est... C'est au sujet du père Joseph...

Servane fut prise d'une tachycardie foudroyante.

— Qu'avez-vous découvert ? enchaîna Vincent.

— Eh bien, on l'a trouvé mort dans son jardin ce matin... C'est sa bonne, une certaine Lucie, qui l'a trouvé... Selon les premières constatations, il est tombé de son échelle... Et son crâne a heurté violemment le sol. Mais je sais que ce n'est pas un accident ! Tu es d'accord ?

— Je suis d'accord... Et Vertoli ?

— Vertoli ? Il a bien voulu partager mes doutes, alors on mène l'enquête.

Vincent détourna son regard, elle devina qu'il ne lui disait pas tout.

— Qu'est-ce qu'il y a, Vincent ? Tu as des choses à me confier, n'est-ce pas ?

— Je... Joseph m'a appelé, cette nuit...

Elle resta sidérée.

— Il m'a téléphoné vers minuit et m'a demandé de descendre le voir de toute urgence... Il voulait me parler... Il était prêt à tout me dire. J'ai pris ma caisse et je suis descendu à Colmars... Quand je suis arrivé, il était déjà mort.

Servane se leva prestement de sa chaise, comme si elle venait de se prendre une décharge. Une véritable catastrophe. Pas celle qu'elle avait imaginée, certes, mais...

— Pourquoi tu ne nous as pas appelés ? s'écria-t-elle. Tu es fou ou quoi ?

Vincent baissa les yeux.

— Ma parole ! continua la jeune femme. Tu as perdu la raison !

Elle marchait nerveusement autour de la table et il eut le tournis.

— J'ai eu peur, avoua Vincent. J'ai cru qu'on allait m'accuser ou...

— *Maintenant*, on va t'accuser ! Maintenant que tu as pris la fuite comme un criminel en cavale ! Quelqu'un t'a vu ?

— Je ne crois pas... Je ne sais pas...

— Tu étais à pied ?

— Non, je suis rentré dans le village avec le pick-up et je l'ai laissé devant l'église.

— Ben voyons ! La totale !

— Calme-toi, je t'en prie ! C'est déjà assez dur comme ça...

— Mais tu te rends compte de la connerie que tu as faite, Vincent ? Si quelqu'un a vu ta bagnole devant l'église en pleine nuit, Vertoli va te tomber dessus ! Tu deviens le suspect numéro un !

— Les rues étaient désertes !

— Ah oui ? Personne derrière les volets ? Tu es sûr de ça ?

Il ne répondit pas, accablé par ce raisonnement sans faille. Comme s'il vivait déjà son interrogatoire de garde à vue. Servane reprit enfin sa place en face de lui et sembla se calmer un peu.

— Pourquoi tu ne m'as pas appelée ? demanda-t-elle d'une voix radoucie.

— J'y ai pensé, mais… Je me suis dit que si les gendarmes me trouvaient là, près du cadavre, ils allaient me demander ce que je foutais chez Joseph en pleine nuit… C'était forcément louche !

— On aurait pu inventer quelque chose.

— Quoi ?

— Je sais pas moi ! Que tu avais un besoin urgent de te confesser !

— Alors là, personne ne l'aurait cru ! Je n'ai jamais mis les pieds dans un confessionnal…

— On aurait trouvé quelque chose ! s'entêta Servane.

— Qu'est-ce que tu comptes faire ?

— Je crois qu'il faut que je mette Vertoli au courant de ta présence sur les lieux…

— Non, Servane… Si tu fais ça, il faudra dire à Vertoli pourquoi je venais voir Joseph… Et notre enquête n'aura plus rien de secret… Peut-être même que ton chef se dégonflera face au maire ! Et tout sera foutu…

Il n'avait pas tort.

— Si jamais je suis suspecté du meurtre, on lui révélera tout, conclut le guide.

— D'accord, acquiesça Servane. Mais si Vertoli apprend que je lui ai caché un élément de l'enquête, je vais me retrouver au trou !

— Si tes collègues viennent me chercher, ils n'en sauront rien. Je ne t'ai rien dit.

— Je n'arriverai pas à mentir !

— Tu n'auras pas à mentir… Il te suffira de garder le silence. Je ne veux pas qu'il t'arrive quoi que ce soit.

Ils ne purent finir leur assiette.

— Je me demande pourquoi Joseph comptait te confier la vérité, dit soudain Servane. Il n'avait pourtant pas l'air de vouloir cracher le morceau hier après-midi.

— Aucune idée… Et comment ont-ils pu apprendre qu'il allait me parler ? C'est incroyable !

— On dirait qu'ils ont une longueur d'avance sur nous… Peut-être surveillaient-ils le curé ?

— C'est plutôt nous qu'ils surveillaient ! Ils nous ont sans doute suivis jusqu'à l'église…

— Possible… Il faut qu'on soit très vigilants, Vincent. Apparemment, ils sont prêts à tuer pour que la vérité n'éclate jamais… Nous sommes peut-être les prochains sur leur liste.

Ils restèrent un moment silencieux. La peur, sans doute ; être la prochaine cible.

Servane revit le crâne fracassé de Joseph, image indélébile dans sa mémoire.

— Tu as toujours ton arme sur toi ? vérifia Vincent.

— Oui… Depuis quelque temps, je l'emporte partout avec moi. Mais toi, tu n'en as pas.

Tant mieux, ajouta-t-elle en son for intérieur.

— Si, un vieux fusil de chasse au premier. Mais depuis le temps qu'il n'a pas servi…

— Je ne pensais pas que tu avais ça chez toi ! répondit Servane avec angoisse.

— C'était celui de mon père.

— Il est mort il y a longtemps ?

Vincent baissa les yeux et l'enfant terrifié réapparut. Dédoublement de personnalité.

— J'avais douze ans quand il est mort.

— Ça a dû être un choc pour toi, supposa Servane d'un ton compatissant.

— Je ne m'entendais pas très bien avec lui... Il était... Il était très dur. Mais ça a été un choc quand même.

— Je ne savais pas... Je croyais qu'il était mort récemment... Et comment a-t-il perdu la vie ?

Vincent évitait toujours son regard. Comme si le crime se lisait à livre ouvert dans ses yeux.

— Un accident en montagne. Une chute mortelle.

— Je suis désolée...

— Tu n'as pas à l'être. C'est de l'histoire ancienne.

Il commença à débarrasser la table et Servane s'installa sur le canapé, prenant Sherlock sur ses genoux. Après la nourriture, le chien quémandait quelques caresses.

— Je pense à un truc, dit-elle brusquement. Je me souviens d'un livre que j'ai lu il y a longtemps... Un roman policier...

— Et alors ?

— Dans cette histoire, l'enquêteur découvre la vérité grâce à un journal intime... Et je me demande si le curé n'en tenait pas un... C'est vrai, les curés ont tendance à écrire. Ils passent même des heures à écrire... Peut-être que Joseph a tout couché sur le papier.

— Et comment veux-tu le savoir ? demanda Vincent en s'asseyant à côté d'elle.

— Demain, je dois perquisitionner chez lui avec Matthieu. Je mettrai peut-être la main sur son journal ?

— Dans ce cas, tu seras obligée de partager ta découverte avec tes collègues...

— Si ce journal contient toute l'histoire, il n'y aura plus à se cacher. On passera le relais à Vertoli.

— Ça serait l'hypothèse idéale... Mais le tueur a peut-être déjà fait le ménage !

— Gardons espoir…

Espérer.

Vincent avait du mal, ce soir.

Servane était là, près de lui. Il mourait d'envie de la prendre dans ses bras, de la serrer contre lui. De lui faire l'amour, de noyer en elle sa tristesse et son angoisse.

Cette peur qu'elle tombe entre les mains de ces criminels.

Peur de la perdre. Insupportable.

— Il faut que j'aille chercher quelque chose dans la bagnole ! dit soudain la jeune femme en se levant.

— Je t'accompagne, décréta Vincent.

— Eh ! Faut pas céder à la parano ! J'ai vingt mètres à faire.

— Oui, mais il fait nuit et…

— Reste assis ! ordonna-t-elle. Je laisse la porte ouverte.

Elle quitta le chalet et revint quelques instants plus tard, un paquet rectangulaire à la main qu'elle déposa sur les genoux de Vincent.

— Un petit souvenir de mon pays… Ouvre !

— À mon avis, ça se boit ! dit-il en déchirant le bolduc.

Il avait deviné et découvrit une bouteille d'eau-de-vie de quetsche.

— C'est fort ? demanda-t-il.

— Très !

— On goûte !

— Si tu veux ! Mais juste un petit verre alors. Parce que, sinon, je vais jamais retrouver le chemin de la caserne !

Il sortit deux verres à liqueur du bar.

— À quoi on trinque ? demanda Servane.

— À toi… Une fille formidable !

Elle cacha son émotion derrière un sourire espiègle.

— Au guide qui m'a appris à aimer la montagne ! ajouta-t-elle.

Ils entrechoquèrent les verres et avalèrent cul sec le puissant breuvage.

— Ça arrache, ton truc !

— Ouais ! Avec ça, le froid ne t'atteint même plus ! C'est l'équivalent de votre génépi, mais en plus costaud !

— En tout cas, merci pour cette attention, Servane.

— Je t'en prie, c'est vraiment pas grand-chose…

— Tu veux dormir ici, cette nuit ?

— Ben… C'est vrai que je n'ai pas tellement envie de reprendre la route maintenant, mais je ne voudrais pas te déranger…

— Me déranger ? Quelle drôle d'idée ! Tu connais le chemin, fais comme chez toi.

— Merci, c'est gentil… Il faut que je me réveille tôt, demain. La perquisition commence à 8 heures…

— Je vais mettre le réveil, ne t'inquiète pas.

— OK… Dans ce cas, je vais me coucher… Sherlock, tu viens ?

— Non, Sherlock prend de mauvaises habitudes et il va rester ici.

— S'il te plaît ! implora Servane en joignant ses mains devant elle.

C'est vrai qu'elle ressemblait à un ange.

— OK, abdiqua Vincent en soupirant. Mais ça sera ta faute si ce clébard est mal élevé !

— J'assume ! répondit Servane en attrapant le chien dans ses bras.

Elle disparut dans l'escalier et Vincent sortit sur la terrasse. Il y resta un moment, malgré le froid coupant qui blessait son visage. Avec cette impression d'être épié. D'être un gibier dans la ligne de mire d'un chasseur.

Alors il rentra et monta d'abord au deuxième. En poussant la porte entrouverte de la chambre, il distingua Servane déjà endormie, Sherlock étendu à ses pieds. Il s'approcha doucement.

Elle était ravissante et il dut se faire violence pour ne pas passer la nuit à la regarder. À la contempler. À la toucher.

Il referma la porte et descendit d'un étage pour rejoindre sa chambre. Ce lit trop grand et toujours froid. Où personne ne l'attendait.

Pas même le sommeil.

27

Vincent frappa trois coups légers contre la porte avant d'entrer. Il se déchargea du plateau sur la petite commode puis ouvrit les doubles rideaux. Ciel dégagé, froid cinglant, alors qu'on n'était qu'au début du mois de septembre. L'hiver serait précoce et rude, cette année.

Servane dormait encore. Elle avait instinctivement remonté le drap sur son visage, dérangée par la lumière. Vincent tira doucement sur les couvertures.

— Allez, brigadier ! Levée des couleurs dans moins de cinq minutes !

Elle cligna plusieurs fois des paupières avant de lui sourire. Décoiffée, les yeux légèrement gonflés de sommeil, il la trouvait plus charmante encore.

— Quelle heure il est ?

— Six heures et demie.

— J'ai faim…

— Ça tombe bien : je t'ai apporté le petit déj' !

— C'est vrai ?

— Affirmatif, brigadier !

Il récupéra son encombrant plateau avant de le déposer devant elle, telle une offrande, et de s'installer à ses côtés.

— Au fait… Bon anniversaire !

Elle l'embrassa affectueusement, il s'en trouva un peu gêné.

— Merci…

— J'ai pas de cadeau ! ajouta-t-elle tristement.

— Un petit déj' au lit avec toi, c'est déjà un cadeau !

— Tu parles !….. Qu'est-ce que tu fais, aujourd'hui ?

— Je suis invité chez ma mère… Elle m'attend de pied ferme ! J'ai pas intérêt à être en retard, sinon…

Servane dévorait ses tartines comme si elle n'avait pas mangé depuis une semaine.

— Au fait, où est Sherlock ? demanda-t-elle.

— Ça fait un moment qu'il est descendu faire sa promenade !

— Tu le laisses sortir seul ?

— Bien sûr ! Il fait un tour dans la prairie et ensuite, il s'étale au soleil sur la terrasse… La belle vie, quoi !

— Il ne risque pas de se sauver ?

— Non… Il est trop bien avec moi !

— C'est vrai… On est bien avec toi.

*
* *

Vincent termina sa part de gâteau et se laissa aller en arrière sur sa chaise.

— J'en peux plus ! J'ai trop mangé !

— Tu as maigri ! constata sa mère. Tu te nourris bien au moins ?

Il lui sourit.

— Oui, maman…

— Tu… Tu as quelqu'un en ce moment ?

Toujours la même question. Depuis des années. Et toujours la même réponse.

— Non.

— Pourtant, c'est pas les filles qui manquent dans la vallée… Et j'en connais beaucoup qui…

— Arrête… S'il te plaît.

Elle se mit à préparer le café tandis qu'il allumait une cigarette. Geste inconsidéré.

— Tu fumes, maintenant ? s'indigna sa mère. C'est pas bon pour toi…

— Maman, je te rappelle que j'ai quarante-deux ans aujourd'hui…

— Et alors ? C'est pas meilleur à quarante-deux ans qu'à vingt !

Logique imparable.

— Je ne fume pas beaucoup, ajouta-t-il. Et arrête de t'inquiéter pour moi…

— Si c'est pas ta mère qui s'inquiète pour toi, qui le fera ? Hein ?

Il se leva pour la serrer dans ses bras. Ce petit bout de femme qui avait fait de lui un homme. Ce visage marqué par les années et la souffrance. Mais toujours aussi beau, avec ces grands yeux clairs dont il aurait aimé hériter.

Pour ne pas avoir ceux de son père et les affronter chaque jour dans le miroir.

— Le café sera bientôt prêt, annonça-t-elle. Je reviens…

Vincent termina sa clope puis il vit réapparaître sa mère avec un gros paquet-cadeau dans les bras.

— Maman, fallait pas !

— Comment ? C'est l'anniversaire de mon fils et je ne lui offre rien ? Manquerait plus que ça !

Il l'embrassa encore et découvrit la surprise qu'elle lui avait réservée. Un magnifique pull torsadé en laine écrue chinée.

— Il est superbe ! C'est toi qui l'as fait ?

Il connaissait déjà la réponse, vu ses maigres ressources financières.

— Oui, c'est moi, acquiesça-t-elle fièrement. Mais si tu n'arrêtes pas de maigrir, il va devenir trois fois trop grand !

— T'en fais pas : je maigris toujours en été et je reprends tout en hiver ! L'inverse des marmottes !

Il passa le pull sur son tee-shirt, alla s'admirer dans la psyché du couloir. Un travail d'orfèvre. Mais il ne faisait pas encore assez froid pour le supporter et il l'enleva à la hâte.

— Le café est prêt, viens t'asseoir !

Il retourna à table et dégusta sagement son jus. L'esprit ailleurs.

— Tu as l'air soucieux, ces derniers temps... Tu as des ennuis ?

Il nia d'un signe de tête.

— C'est la mort de Pierre qui te tourmente, n'est-ce pas ?

— C'est dur, c'est vrai, admit Vincent.

— Vous étiez tellement proches... C'est normal que tu en souffres. Mais avec le temps, tu oublieras... Le temps guérit de tout.

— Non, maman. Le temps n'efface pas tout. Ce serait trop facile...

Elle baissa les yeux ; elle non plus, ne pouvait oublier. La sonnerie du portable de Vincent les arracha à leurs mauvais souvenirs.

— C'est Servane. Je te dérange ?

— Non ! dit-il en sortant sur le balcon.

— On a terminé la perquise. Et je n'ai pas trouvé ce que je cherchais... Pas de journal intime ni de cahier de notes.

— Fallait pas rêver...

— Mais j'ai quand même découvert quelque chose... Un truc auquel je ne m'attendais pas... Et c'est pas vraiment une bonne nouvelle.

— Arrête de faire durer le suspense ! implora Vincent. Qu'est-ce que c'est ?

— Voilà, j'ai déniché une boîte qui contenait toute la correspondance du père Joseph : des lettres, des cartes postales des quatre coins du monde... Et là, en faisant le tri, j'ai appris que Joseph a une nièce.

— Et alors ?

— Je devrais dire *avait* une nièce...

— Pourquoi, elle est morte ?

— Oui... C'était Myriam.

L'énonciation de ce simple prénom coupa la parole à Vincent.

— Tu es toujours là ? vérifia Servane.

— Oui...

— Je l'ai compris en lisant une lettre où une certaine Myriam le remerciait de lui avoir trouvé un boulot saisonnier à l'office du tourisme... Alors pour en avoir le cœur net, j'ai fait des recherches d'état civil et j'ai découvert que Myriam était la fille de la plus jeune sœur de Joseph...

— Mon Dieu ! murmura Vincent.

— Apparemment, elle n'avait révélé à personne son lien de parenté avec le curé... Même sa grand-mère que j'ai eue au bout du fil le jour de son suicide ne m'en a pas parlé... Il faut dire que Myriam avait coupé les ponts avec elle depuis quelque temps. Bien sûr, cela n'a rien à voir avec notre affaire, mais... J'ai pensé qu'il fallait que tu le saches. Et puis j'ai aussi découvert que le curé et le maire étaient en guerre... En fait, le père Joseph exigeait depuis des années que la mairie s'occupe de l'église : le clocher menace de s'écrouler, il y a des restaurations intérieures et extérieures... Mais le maire n'a jamais voulu payer... J'ai retrouvé pas mal de courriers officiels sur le sujet.

— Ça ne m'étonne pas. Ces deux-là ne se supportaient pas, de toute façon.

— Il y a quelque chose que je voulais te demander, aussi... Est-ce que tu as pénétré dans la maison le soir où tu as découvert Joseph ?

— Oui... Je suis allé jusqu'au premier avant de ressortir. Je pensais qu'il m'attendait peut-être dans l'église.

— Tu as touché quelque chose chez lui ?

— Je ne sais pas... Non, rien.

— Pas même la rampe d'escalier ou la poignée de la porte ?

Il ne répondit pas.

— Vincent ?

— J'en sais rien ! s'écria-t-il nerveusement. Je sais plus... J'ai pas fait attention...

— L'équipe scientifique dépêchée sur place à la demande de Vertoli a procédé à un relevé d'empreintes. Ils vont les comparer à celles de Joseph et j'ai peur qu'ils retrouvent les tiennes quelque part...

— Mais je ne suis pas le seul à être entré chez lui ! Il y a beaucoup de gens qui ont pu laisser leurs empreintes !

— Calme-toi, Vincent. Ce relevé n'a été fait que par pur formalisme. De toute façon, tes empreintes ne sont pas fichées…

— Vraiment ? Et le jour de ma garde à vue, après la bagarre, hein ? Tu ne te rappelles pas ?

Servane resta une seconde sans parler. Elle avait oublié cet épisode.

— Putain de merde ! murmura-t-elle.

— Tu peux le dire ! Je suis dans la merde !

— Attends, rien ne prouve que tes empreintes ont été relevées et qu'elles sont exploitables…

— Et puis je te rappelle au passage que je n'ai pas tué Joseph ! souligna le guide.

— Je sais, Vincent. Je sais… Bon, on ne va pas s'affoler et on va attendre.

— Facile à dire !

— De toute façon, on est toujours à temps de tout révéler à Vertoli… Si vraiment on est coincés…

— *On ?* Je ne veux pas que tu sois mêlée à ça ! trancha le guide. Tu ne dois dire sous aucun prétexte que tu étais au courant de ma présence sur les lieux… C'est bien clair ?

— Mais…

— On était d'accord, Servane. Je ne veux pas que tu mettes en péril ta carrière.

Elle finit par promettre et ils convinrent de se retrouver dans la soirée. Pour faire le point de la situation. Peut-être simplement parce qu'ils avaient envie d'être ensemble.

Vincent embrassa sa mère et quitta Château-Garnier en début d'après-midi.

Un sale anniversaire.

André Lavessières faisait les cent pas autour de son bureau. Il n'allait pas tarder à exploser et Portal le considérait avec un air de chien battu. S'il y avait eu un trou de souris géant, il s'y serait glissé sans hésiter.

Hervé, quant à lui, semblait beaucoup plus serein. Peut-être parce qu'il était habitué aux colères légendaires de son frère aîné et ne les craignait plus depuis longtemps.

Depuis qu'il était devenu capable de se montrer plus brutal que lui.

— Je m'absente vingt-quatre heures et voilà ce qui arrive ! hurla le maire.

— Calme-toi, André, conseilla Hervé. On n'avait pas le choix.

— Pas d'autre choix que de refroidir un curé ? Tu te fous de ma gueule ?

— Non, pas d'autre choix, répéta posément Hervé en allumant une cigarette. Il savait tout. Absolument tout...

— On aurait pu faire autrement ! brailla le maire. Et éteins-moi cette saloperie de clope !

— Non, on ne pouvait pas, martela Hervé en tirant une bouffée. Et puis t'as qu'à surveiller ta bonne femme !

— Garde tes conseils pour toi, Hervé !

André s'assit enfin et fixa son frère droit dans les yeux.

— Raconte-moi précisément ce qui s'est passé, enjoignit-il en maîtrisant sa colère.

— En fin d'après-midi, j'étais en train de discuter avec Guintoli et j'ai vu passer Lapaz et sa copine dans la ruelle… Au fait, tu savais que c'est une gousse ?

— Rien à foutre ! s'emporta André.

— OK… Bon, j'ai les ai suivis et j'ai vu qu'ils entraient dans l'église… Ça m'a paru louche. Lapaz dans une église, c'est comme…

— Abrège !

— J'ai contourné la bâtisse par le chemin de terre… J'étais aux premières loges pour entendre leur conversation avec le vieux. Et j'ai compris que c'était lui qui leur avait fourni les indications sur l'affaire… Ils ont évoqué de mystérieux messages. Notre cher prêtre était un corbeau ! Lapaz voulait connaître la fin de l'histoire mais le curé a rien voulu lui dire. À un moment, la petite a parlé d'un crime. Je me suis dit qu'il fallait que j'aille un peu voir Joseph… J'ai attendu que la nuit tombe, et avec Portal, on a rendu visite à ce vieux fou. On lui a fait peur pour lui tirer les vers du nez… Portal l'a même suspendu par les pieds !

— Et après ?

— Il a fini par nous dire qu'il savait tout… Pas bien courageux, le curé… Pas vrai, Portal ?

— Ouais ! acquiesça le colosse avec un rictus inquiet. Pas courageux !

— Ta gueule, Portal ! ordonna le maire. Ensuite ?

— Il savait absolument tout…

André serra les mâchoires, son fameux grincement de dents résonna dans tout le bureau.

— Il m'a dit que c'était Suzanne qui lui avait parlé en confession.

— Putain ! Je vais lui apprendre à se taire ! marmonna le maire.

— Là, je m'suis dit qu'il fallait se débarrasser de lui. Mais qu'on pouvait peut-être faire d'une pierre deux coups… Alors on lui a ordonné d'appeler Lapaz pour lui demander de le rejoindre chez lui. Il était censé lui révéler enfin la vérité… Le temps que ce con de guide descende de son ermitage, on s'est occupé du curé. Portal lui a fracassé le crâne par terre et on a placé une échelle juste à côté, comme s'il s'était cassé la gueule. Lapaz s'est ramené et quand il a vu le cadavre, il a détalé comme un lièvre ! Si les gendarmes lui tombent dessus, il est foutu…

— Et Joseph ? Il a peut-être laissé des traces ou quelque chose…

— Non. Je l'ai questionné à ce sujet et il avait tellement les jetons qu'il m'aurait vendu sa mère ! Il n'a rien laissé par écrit… Tout était dans sa tête. Si Lapaz veut connaître la vérité, faudra qu'il monte au Paradis !

Portal transpirait de plus en plus. Le Seigneur ne lui pardonnerait jamais, il rôtirait en enfer jusqu'à la fin des temps…

— Et maintenant, les gendarmes vont flairer la trace de Lapaz… Du moins, je l'espère.

— Comme ça, il dira tout ce qu'il sait ! cracha le maire.

— Il n'a aucune preuve, rappela Hervé… Mais après réflexion, je crois que j'ai commis une erreur… On va être obligés de se débarrasser de lui et de sa copine.

— Si c'est une gouine, ça peut pas être sa copine, non ? lança Portal.

— Peut-être que ça l'excite ! suggéra Hervé en riant.

— Arrêtez vos conneries ! coupa André. On a d'autres chats à fouetter !

— Ça serait bien qu'ils aient un accident, poursuivit calmement Hervé.

Le maire secoua la tête.

— Tu trouves pas que ça fait un peu beaucoup, non ?

— Tu vois une autre solution ?

— Il faut que je réfléchisse...

— Si tu veux, André, fit Hervé en se levant. Mais si tu dois choisir entre ta famille et Lapaz, je crois que c'est tout réfléchi, non ?

Portal et Hervé prirent congé, le maire se posta devant la fenêtre et laissa son regard vagabonder sur les toits du village. Il avait bâti tellement de choses, ici. Tout lui appartenait. Les pierres comme les âmes.

Et rien ne devait se dresser sur son chemin. Rien ni personne.

Hervé avait raison. Le tout était de maquiller ces deux morts en accident. Alors, il se mit à cogiter intensément.

Préméditation silencieuse, implacable.

*
* *

Servane arriva à l'Ancolie en fin d'après-midi. Le pick-up était garé au bord de la piste mais le chalet était fermé. Elle pensa attendre Vincent sur la terrasse mais eut finalement envie de profiter des dernières aumônes d'un soleil généreux et commença à gravir la piste. Au passage, elle cueillit quelques framboises bien charnues qu'elle dégusta tout en marchant dans la forêt.

Après un kilomètre de balade, elle aperçut son ami assis sur un rocher, tourné vers le vide. Sherlock trottina vers elle en jappant de plaisir. Alors, Vincent se retourna et lui adressa un sourire d'une infinie tristesse. Il ne bougea pas, l'invitant à venir briser sa contemplation silencieuse.

— Bonsoir, dit-elle en s'asseyant près de lui.

— Salut... J'allais redescendre... Je ne pensais pas que tu étais déjà là.

— Ça m'a permis de me dégourdir les jambes... et de grignoter quelques framboises !

Sherlock s'était de nouveau installé aux pieds de son maître et tentait d'attraper une mouche qui tournoyait autour de lui.

— Comment tu te sens ? demanda-t-elle.

Il hésita avant de répondre. Décida finalement d'être sincère.

— En sursis.

— Ne dis pas ça, je t'en prie !

— J'ai peur, avoua-t-il. Mais... j'ai surtout peur pour toi.

— Et pourquoi ? s'indigna-t-elle. Tu crois que je suis moins capable que toi de me défendre, c'est ça ?

— Non, c'est parce que tu n'as rien à voir avec cette histoire. J'aurais jamais dû t'y entraîner...

— Tu ne m'y as pas forcée, rappela-t-elle. J'ai mené cette enquête de mon plein gré... Et puis je te trouve beaucoup trop pessimiste.

— Difficile de faire autrement !

— La partie n'est pas encore perdue ! Crois-moi... Dommage que je n'aie rien trouvé ce matin chez le père Joseph... J'étais pourtant sûre ! Un curé, ça écrit forcément ! C'est vrai : il n'avait ni télévision, ni radio... Alors à quoi passait-il son temps ?

Vincent la toisa avec un sourire moqueur.

— À prier, peut-être ?... Moi non plus, je n'ai pas la télé et pourtant, je n'écris pas !

Évidemment, il avait toujours réponse à tout.

Elle ne semblait pourtant pas convaincue.

— Vous avez fouillé partout ? demanda Vincent.

— Chaque pièce de la maison a été passée au peigne fin ! Et on a aussi visité son grenier, sa cave et son abri de jardin. On a même fouillé l'église... Rien ! À moins qu'il ne l'ait enterré dans le potager !

— S'il faut déterrer le carnet chaque soir, c'est pas très pratique !

— Non, ce que je voulais dire c'est qu'il a peut-être senti arriver le danger et a tout planqué quelque part...

— Attends ! C'est pas con ce que tu dis... Joseph a reçu en donation une vieille baraque du côté de Chasse... C'est un petit hameau au-dessus de Villars-Colmars. Je sais qu'il y allait de temps en temps parce que je l'ai déjà aperçu là-bas en emmenant des clients... On pourrait peut-être y jeter un œil ?

— On devrait même y aller dès demain, répondit Servane. Je suis de repos... Il y a beaucoup d'heures de marche ?

— Non, on y accède en voiture.

Elle semblait presque déçue.

— Mais on va être obligés de forcer la porte... Ça s'appelle pas une violation de domicile ?

— Si, mais la victime aura du mal à porter plainte ! répliqua la jeune femme.

— Évidemment... Cela dit, ça m'étonnerait qu'on trouve quelque chose.

Le soleil entamait sa chute derrière les cimes, une fabuleuse lumière redessina le paysage. Ils ne parlaient plus, hypnotisés par ce prodige quotidien.

— J'aurais peut-être pas dû te dire pour Myriam, murmura soudain Servane. Ça ne servait à rien et…

— Si, ça m'a permis de comprendre plein de choses. En fait, je me demandais pourquoi le curé m'avait choisi… C'est vrai, il aurait pu prendre quelqu'un d'autre pour faire éclater la vérité… Mais c'est moi qu'il a choisi… Maintenant, je sais pourquoi.

— Et pourquoi, à ton avis ?

— Pour se venger. Il savait que son petit jeu me ferait du mal. Il savait aussi qu'il allait me mettre en danger. Il voulait que je paie en même temps que les autres…

Servane réalisa que Vincent avait raison. Drôle de sentiment que la vengeance pour un ecclésiastique.

Le soleil avait tiré sa révérence mais le souvenir de sa lumière marquait encore au fer rouge le début de ce crépuscule.

— J'ai froid, dit soudain Servane.

— On va rentrer…

Sherlock fut le premier à s'élancer sur la piste, la truffe collée au sol, curieux de tout. Ouvrant la route à ce couple étrange, deux êtres unis et déchirés par ce qui ressemblait à de l'amour.

*
* *

Servane s'éveilla en sursaut. Au pied du lit, Sherlock dressa les oreilles. Elle sortait d'un cauchemar et mit quelques secondes à s'assurer qu'il ne s'agissait que d'un mauvais rêve. Elle lorgna vers le réveil que Vincent lui avait installé sur le chevet : 2 h 10. Elle reposa la tête sur l'oreiller, cala ses pieds contre le chien qui faisait office de bouillotte. Elle ferma les yeux mais ne retrouva pas le sommeil instantanément. Elle avait soif et se résigna à se lever. En quittant la chaleur du lit, elle frissonna et enfila à la va-vite un petit gilet et une paire de chaussettes.

— Toi, tu restes là ! commanda-t-elle à voix basse en regardant Sherlock. Je reviens tout de suite…

Elle s'aventura dans le couloir, le chien sur ses talons, et alluma sa petite lampe torche.

— Sherlock ! murmura-t-elle. Tu comprends rien à ce qu'on te dit, ou quoi ?

Elle descendit les marches pour atteindre le couloir du premier étage. En passant devant la chambre de Vincent, elle ne put s'empêcher de jeter un œil à l'intérieur. Il dormait profondément, mais d'un sommeil perturbé. Sa tête dodelinait légèrement, ses mains agrippaient les draps comme des bouées de sauvetage. Il poussa une sorte de râle étouffé avant de se tourner subitement vers le mur, sans doute gêné par la faible luminosité de la lampe.

Servane n'était donc pas la seule à cauchemarder.

Elle descendit encore d'un étage, chercha l'interrupteur à tâtons pour éclairer la salle à manger. Brusquement, Sherlock se planta devant la porte d'entrée et se mit à grogner en retroussant les babines.

— Qu'est-ce qui te prend ? marmonna Servane.

Elle entendit alors du bruit à l'extérieur. Elle s'immobilisa, tendit l'oreille… des pas qui piétinent le silence… le sang qui se glace dans les veines. Deux portières de voiture qui claquent… le ronflement sourd d'un moteur.

Les grognements de Sherlock s'intensifièrent et Servane éteignit précipitamment la lumière. Elle courut vers la fenêtre, juste à temps pour voir deux feux arrière partir vers la piste.

— Merde ! murmura-t-elle.

Elle se rua dans l'escalier, se jeta sur le lit de Vincent.

— Debout ! Réveille-toi, bon sang !

Elle l'attrapa par l'épaule, le secoua violemment. Il sursauta et reçut la lumière de la torche en pleine figure.

— Quoi ? Qu'est-ce qu'il y a ? demanda-t-il en refermant les yeux.

— Y a quelqu'un dehors ! Y avait une voiture ! Ils sont là !

Il se redressa sous l'effet de cette annonce. Il sortait d'un cauchemar pour replonger dans un autre.

— Je suis descendue pour boire un coup et j'ai entendu du bruit ! J'ai regardé par la fenêtre et j'ai vu la voiture partir !

Vincent enfila à la hâte un pantalon.

— Tu as ton arme ? demanda-t-il.

— Dans ma veste, sur le portemanteau !

— Viens avec moi !

Ils descendirent jusqu'au rez-de-chaussée et Vincent s'empara du Beretta de Servane. Il ne savait pas s'en servir, mais ça pouvait faire illusion.

— Ferme derrière moi, ordonna-t-il.

— Mais…

— Discute pas !

Il disparut dans la nuit, le pistolet dans une main, la lampe dans l'autre. Servane tourna le verrou puis recula de quelques pas avant de se figer dans une angoisse qui faisait claquer ses dents. Sherlock était parti avec son maître, elle était seule face à sa frayeur.

Interminables minutes d'angoisse.

Enfin, trois coups frappés à la porte la firent sursauter.

— C'est moi, ouvre !

Elle se précipita sur le verrou, Vincent s'engouffra à l'intérieur.

— Il n'y a plus personne… Mais j'ai entendu la voiture qui descendait la piste.

— Tu crois que c'était eux ?

— J'en sais rien… Personne ne vient jamais par ici en pleine nuit !

— Mais… Ils ont fait quelque chose ?

— Je n'ai rien remarqué de suspect… Ils n'ont peut-être pas eu le temps.

Servane se laissa tomber sur une chaise.

— Je suis certaine qu'ils venaient mettre le feu ! murmura-t-elle. Si je ne m'étais pas réveillée, on aurait cramé !

Elle le dévisagea avec angoisse.

— Ils vont revenir ?

— Je ne pense pas, non… Le chien n'a pas aboyé ?

— Il a grogné mais seulement quand on est descendus.

— Il n'est pas encore un bon chien de garde ! constata Vincent. Il est trop jeune… Remonte te coucher. Je vais rester ici.

— Je n'arriverai pas à me rendormir ! Je reste avec toi.

Elle se rendit dans la cuisine pour boire enfin son verre d'eau puis s'installa sur le divan. Au début, ils n'échangèrent pas un mot. En alerte, le moindre bruit devenait suspect. Vincent, posté devant la fenêtre, scrutait le jardin. Puis la pression retomba lentement. Ils ne récidiveraient pas cette nuit.

Aux environs de 3 h 30, ils décidèrent de remonter se coucher, laissant seulement Sherlock en embuscade dans la salle à manger. Servane regagna sa chambre et sentit instantanément renaître l'angoisse. Elle revoyait la remise en feu, avait l'impression d'entendre les flammes dévorer le chalet.

N'y tenant plus, elle descendit au premier, s'arrêta devant la porte de la chambre de Vincent.

— Tu dors ? chuchota-t-elle.

— Non...

— Je peux venir ?

— Entre.

Il alluma la lampe de chevet et Servane s'installa juste à côté de lui. Petite fille apeurée qui demandait asile.

— Tu dois me trouver ridicule, non ? supposa-t-elle en souriant.

— Tu as le droit d'avoir la trouille.

Elle frissonna sous l'effet d'un froid vif qui annonçait le petit matin.

— Mets-toi sous la couette, dit-il.

Elle ne se fit pas prier et s'enfila sous les draps.

— Il fait meilleur ici ! Et toi ? Tu n'as pas froid ?

— Ça va...

Drôle de situation qu'ils vivaient là. Vincent n'était pas très à l'aise. C'était bien la première fois qu'une femme investissait son lit sans qu'il puisse la toucher !

En le regardant, Servane remarqua une autre cicatrice en haut de son bras droit. Fine trace blanche sur sa peau cuivrée, identique à celles qu'elle avait pu observer dans son dos et sur le haut de ses épaules.

— Tu veux que j'éteigne la lumière ? demanda Vincent.

— Non, c'est bien comme ça... De toute façon, j'ai plus sommeil !

— Moi non plus.

— Tout à l'heure, quand je suis descendue pour boire, j'ai entendu que tu faisais un cauchemar…

— Vraiment ?

Il se remémora son rêve. Oui, c'était bien un cauchemar. Particulièrement horrible.

— Moi aussi, ajouta-t-elle. Je crois même que c'est ça qui m'a réveillée ! C'est bien la première fois que je suis contente d'avoir fait un cauchemar ! Ça nous a peut-être sauvé la vie…

— Peut-être… Et comment tu as su que je faisais un mauvais rêve ? J'ai parlé ?

— Non, pas vraiment… Tu étais très agité et…

— Tu m'observais ? s'étonna-t-il.

Prise sur le fait, elle fut soudain embarrassée.

— Non, je t'ai entendu pousser des sortes de gémissements, alors j'ai juste passé la tête à la porte et…

Il se mit à rire.

— Des sortes de *gémissements* ? répéta-t-il.

— Oui, je te jure ! Et puis tu bougeais la tête et tu t'accrochais aux draps ! C'était quoi, ce cauchemar ?

— Je ne m'en souviens plus…

— Tu ne t'en souviens plus ou t'as pas envie de me le raconter ?

— Tu es bien trop curieuse, brigadier !

— Excuse-moi… Des fois, ça fait du bien de se confier…

Comment lui confier l'indicible ? Qu'il avait vu son père tomber pour la énième fois. Une histoire sans fin.

— Il y a des choses qu'il vaut mieux garder pour soi.

— Tu n'as pas confiance en moi ?

— Ça n'a rien à voir. J'ai pas envie d'en parler, c'est tout.

Elle n'insista pas davantage et se mit à fixer le plafond. Vincent prit un tee-shirt posé sur le dossier d'une chaise.

— Tu as froid ? s'inquiéta Servane.

— Un peu…

— Pourquoi tu viens pas sous les draps ?

Il se réinstalla sur la couette, la toisa bizarrement.

— Parce que tu y es, répondit-il.

— Et alors ?

Il sourit tristement.

— *Et alors ?* Tu veux que je te fasse un dessin ?

Servane sembla tomber des nues. Elle avait cru que Vincent ne ressentait plus rien pour elle. Rien d'autre que de l'amitié. Qu'il avait oublié cette attirance physique du début.

Ils restèrent un moment murés dans leur malaise.

Servane s'était menti à elle-même, le réalisait à peine ce matin.

Bien sûr qu'elle lui faisait de l'effet ! Il suffisait parfois de surprendre son regard pour le comprendre. Mais face à son désir d'amitié, elle avait occulté ces petits signes. Tout comme elle avait occulté ses propres sentiments. Étranges et indéfinissables. Car elle non plus n'était pas insensible à son charme pourtant viril. Difficile à croire !

Certes, ce n'était pas la première fois qu'elle ressentait une attirance pour un homme ; sorte de sentiment flou lui laissant croire un instant qu'elle rentrait dans la norme. Mais les rares fois où elle était passée à l'acte, elle avait eu l'impression de se trahir elle-même, de trahir sa nature profonde. Pas ou peu de plaisir et une grande frustration. Voire un dégoût.

Alors, elle s'était juré de ne jamais recommencer. Surtout pas avec Vincent, cet homme qu'elle admirait tant.

— Tu sais, dit-elle, je ne veux pas que tu souffres à cause de moi.

— Ça va ! prétendit-il. T'en fais pas... C'est seulement que je ne peux pas venir me coller contre toi sans que... Enfin, tu vois ce que je veux dire !

Le visage de la jeune femme se para soudain d'un petit air espiègle, irrésistible.

— Pas vraiment, non. Tu veux parler de l'*essentiel*, c'est ça ?

En guise de réponse, Vincent lui colla son oreiller en pleine figure et elle commença à se débattre en s'étouffant de rire.

Puisqu'ils ne pouvaient pas jouer à des jeux d'adultes, autant retomber en enfance...

28

Les premiers rayons de soleil s'aventurèrent dans la chambre à pas de loup ; léchant d'abord le parquet avant de grimper sur le lit où Servane et Vincent dormaient profondément. Elle, allongée au milieu du matelas ; lui, en équilibre sur le bord, comme pour ne pas la gêner. Séparés par leurs rêves, isolés dans leur monde. Enchevêtrement de draps, de couvertures, de peau.

Sherlock, qui commençait à trouver le temps long, sauta brusquement au beau milieu de ce champ de bataille, brisant cette double solitude en sursaut.

— Dégage, Sherlock ! bougonna Servane en le repoussant avec le pied.

Mais c'est Vincent qu'elle bouscula et un grand bruit la tira définitivement de son sommeil. Il venait de tomber lourdement du lit et reprenait ses esprits, assis sur le parquet.

— Merde ! dit Servane en portant une main devant sa bouche. Tu t'es fait mal ?

Vincent la considéra avec stupeur, mettant quelques instants à comprendre ce qu'il foutait par terre.

— Sacré réveil ! fit-il en remontant à bord. Y avait longtemps que je m'étais pas cassé la gueule d'un plumard !

— Je suis désolée, c'est à cause de Sherlock ! C'est lui que je voulais virer !

En revoyant mentalement la chute, elle partit dans un fou rire incontrôlable.

— Et en plus, ça te fait marrer ! grommela Vincent.

— Excuse-moi ! C'est vrai qu'il est mal élevé, ce chien !

— Il a simplement pris exemple sur toi !

Elle arrivait tout juste à respirer entre deux éclats de rire.

— Continue à rigoler comme ça et c'est toi qui vas tomber du pieu ! menaça Vincent. Tu vas voir, y a pas mieux pour se réveiller !

— D'accord, j'arrête !... Si t'allais nous faire le petit déjeuner ?

— Ben voyons !

Il se leva, s'étira et prit Sherlock dans ses bras.

— Allez viens, mon vieux ! Mademoiselle veut le lit pour elle toute seule !

En bas, il commença par ouvrir la porte d'entrée. Le chien se précipita à l'extérieur pour son petit tour matinal, tandis que son maître laissait le soleil réchauffer son corps endolori. Il était fatigué, n'ayant dormi que quelques heures dans une position plus qu'inconfortable. Il repensa à son réveil brutal, se mit à en rire à son tour. La présence de cette fille donnait un véritable coup de jeune à sa vie. Peut-être arriverait-il à accepter qu'elle ne soit qu'une amie. Avec le temps...

Il prépara le café et décida de dresser la table sur la terrasse. Quand tout fut prêt, il se posta au pied de l'escalier et annonça :

— Mademoiselle est servie !

Il dut attendre quelques minutes pour voir arriver Servane.

— Hé ! Il gèle dehors ! dit-elle.

— T'as qu'à mettre un pull.

Elle enfila une polaire sur ses épaules.

— On aurait pu manger dedans, bougonna-t-elle en remplissant sa tasse de café.

— T'es jamais contente… Je te prépare le petit déj' et tu râles ! Vraiment une petite peste capricieuse !

— Pardon ?

— Parfaitement ! Et gâtée pourrie de surcroît !

— Je suis très bien élevée ! protesta la jeune femme en ajoutant trois sucres à son café. Je laisse toujours ma place aux personnes âgées dans les transports en commun, je tiens la porte… Je ne mets pas les coudes sur la table, je dis toujours *s'il vous plaît* et *merci*… Tu me passes la confiture ?

— *S'il te plaît !* ricana Vincent.

Tandis qu'elle dévorait son premier repas, il la dévorait des yeux. Peau blanche et délicate rosie par la fraîcheur matinale, cheveux parés de l'éclat des premiers rayons d'un astre généreux ; bouche d'un rouge tendre, yeux d'un bleu à faire pâlir le firmament.

Chaque jour, il la trouvait plus belle encore.

Simplement une amie ?

À condition qu'il devienne aveugle. Et encore…

— Ça va, tu t'es pas fait trop mal en tombant ? railla-t-elle avec un sourire coupable.

— Ça ira… Je serai seulement marqué à vie !

Elle repensa alors à ces fines balafres sur son dos.

— Au fait, dit-elle, je peux te poser une question un peu indiscrète ?

— Essaie toujours...

— C'est quoi ces cicatrices que tu as dans le dos ?

Le visage de Vincent se ferma brusquement et elle perdit le contact avec ses grands yeux noirs. Comme chaque fois qu'il avait mal.

— C'est rien.

Elle devina un monde dans ce *rien*.

Un pan entier de sa vie.

— Rien ?... Tu sais, le jour où je t'ai rencontré, j'ai senti que tu portais quelque chose de lourd en toi... Quelque chose de douloureux.

Il releva les yeux vers elle et son regard la blessa. Celui d'un homme pris en faute, qui ne peut plus se sauver.

— Je te demande pardon, murmura-t-elle. Je suis trop curieuse. Mais... C'est parce que tu comptes beaucoup pour moi... Tu comprends ?

Vincent tourna légèrement la tête, fixant le néant. Le malaise de Servane empira ; elle avait touché un point sensible. Pourtant, elle ne devait pas être la première personne à lui poser cette question.

Mais à elle, il ne savait pas mentir. Et la vérité était tellement laide, tellement sordide.

— Je ne voulais pas te mettre mal à l'aise, ajouta-t-elle. Oublie ce que j'ai dit et...

— C'est l'œuvre de mon père. C'est les marques des coups que j'ai reçus quand j'étais gosse...

Cette réponse lui fit l'effet d'une violente morsure, la laissant paralysée un instant. Le temps pour Vincent de s'éclipser.

Servane hésita à le suivre ; il avait sans doute envie de rester seul. Elle alluma une cigarette et se remit lentement du choc.

Comme Vincent ne réapparaissait pas, elle prit son courage à deux mains et partit à sa recherche. Elle le trouva au premier étage, dans sa chambre. Assis sur le lit, tourné vers la fenêtre. Elle se posa doucement sur le matelas, dos à dos avec lui.

— Excuse-moi, je ne voulais pas rouvrir une blessure…

— Elle n'est pas refermée.

— Je m'en doute… Tu veux qu'on en parle ?

Il secoua la tête mais elle ne le vit pas.

— C'est pas intéressant, assura-t-il.

— Tout ce qui te concerne m'intéresse. C'est… C'est pas de la curiosité malsaine, tu sais… Juste que parfois, se confier à quelqu'un ça peut aider à…

— C'est un peu tard pour m'aider ! souligna-t-il avec rage.

Servane savait que cette violence n'était pas dirigée contre elle. Il avait un peu honte, sans doute. Sentiment contradictoire d'une victime.

Elle le laissa préparer ses coups dans un abominable silence. Jusqu'à ce qu'il se libère enfin, après tant d'années d'une colère solitaire. Elle plongea avec lui dans son enfer intime. Il ne s'arrêtait plus de parler, reprenant à peine son souffle dans ce récit de l'insupportable.

Les coups et les humiliations au quotidien. La peur, quotidienne elle aussi.

Une terreur que Servane pouvait ressentir jusque dans ses tripes.

Il fit une pause et elle mit un moment à retrouver l'usage de la parole.

— Et ta mère ? Elle n'a rien fait pour l'arrêter ?

— Elle subissait la même chose que moi, peut-être pire encore… Mais elle n'en parle jamais.

Sa voix avait changé. Moins de colère, plus de douleur.

— Depuis qu'il est mort, on n'en a jamais reparlé, ajouta-t-il. C'est comme si rien ne s'était passé… Comme s'il n'avait jamais existé.

Vincent cessa son récit, ne pouvant aller au bout de l'histoire. Au bout du cauchemar.

Là où jamais personne ne pourrait le suivre.

*
* *

Il était déjà 11 h 30 et la température extérieure était montée en flèche. Servane baissa la vitre du pick-up, respirant à pleins poumons les émanations végétales de cet adret sec et ensoleillé. Petit coin de Provence niché au cœur de l'alpin.

Après sa confession, Vincent était parti faire un tour en montagne. Deux heures d'absence et d'isolement qui leur avaient permis de refermer cette pénible parenthèse. Lorsqu'il était rentré, ils n'avaient plus abordé le sujet.

Désormais, ils cheminaient lentement sur la piste de Chasse, plutôt large et bien entretenue. Pourtant, au bout, ils ne trouvèrent qu'un vieux hameau inhabité. Vincent traversa le village et se gara derrière la maison du père Joseph.

— Personne ne vit ici ? demanda Servane.

— Ce ne sont que des résidences secondaires. Beaucoup appartiennent à des chasseurs qui viennent le week-end lors des périodes d'ouverture...

Ils firent le tour de l'antique masure.

— Comment on procède ?

— On va entrer par une fenêtre à l'arrière de la maison, décréta Vincent. Ce sera plus discret.

Il récupéra un pied-de-biche dans la benne du Toyota, le plaça en levier entre les deux volets. Il ne lui fallut que quelques secondes d'efforts pour faire céder les morceaux de bois pourri. Puis il donna un coup de coude brutal dans une vitre et put ouvrir la fenêtre. Ils l'enjambèrent et allumèrent leurs lampes torches.

L'intérieur était encore plus délabré que l'extérieur. Au rez-de-chaussée, une pièce unique faisait office de salle à manger et de cuisine avec une immense cheminée. Un vieil évier, des étagères poussiéreuses jonchées d'ustensiles de cuisine et de quelques produits d'entretien ; une cuisinière à bois, une table et trois chaises dépareillées ; un crucifix en bronze au-dessus de la porte d'entrée ; un placard où étaient rangés pêle-mêle quelques provisions en conserve, des paniers pour la cueillette des champignons, des livres et de vieilles chaussures. Au bout de la pièce, un escalier, sorte d'échelle en bois, menait à l'étage.

— Il est venu ici récemment, dit Servane.

— À quoi tu vois ça ? s'étonna Vincent.

Elle dirigea le faisceau de sa lampe vers le bas et il remarqua à son tour les traces de pas qui marquaient le sol, bien visibles au milieu de la crasse.

— Il est monté à l'étage, reprit-elle en suivant ces empreintes vers l'escalier. Mais on va fouiller partout...

Ils enfilèrent leurs gants en latex et Servane décida de s'occuper de l'étage tandis que Vincent perquisitionnerait le rez-de-chaussée. Elle gravit lentement les marches en se cramponnant au mur et commença par la pièce de droite qui servait apparemment de débarras au prêtre. Deux grosses malles, une en camphrier, l'autre en rotin, trônaient au milieu de ce fourbi. Elle alluma la lumière, les volets étant fermés, et s'assit en tailleur devant la plus grosse des deux malles. Elle commença à en étudier le contenu ; beaucoup de livres aux thèmes variés, des romans classiques, des guides pratiques sur la cueillette des champignons ; des tas de petits objets artisanaux rapportés d'Afrique, d'Asie, ou d'Amérique du Sud ; des cartes postales vierges ou écrites. Et des photos, des centaines de photos rangées dans des boîtes en carton. Servane remit tout en place et s'attaqua à la deuxième malle. Là, elle trouva de vieux vêtements, soigneusement pliés et rangés. Ce prêtre ne jetait rien !

Elle referma le second coffre, sentit soudain quelque chose lui chatouiller la jambe. Une énorme araignée noire et velue grimpait sur son mollet. Tout en poussant un hurlement aigu, elle se leva d'un bond, envoyant le monstre par terre. L'araignée se faufila derrière les malles tandis que Servane reculait jusqu'à la porte.

— Qu'est-ce qui se passe ? s'alarma Vincent en se ruant dans l'escalier.

— Y avait une araignée énorme ! Là ! s'écria-t-elle en pointant du doigt l'endroit où s'était réfugié le cauchemar sur pattes.

Le guide leva les yeux au ciel.

— Je croyais que t'avais trouvé un cadavre ou quelque chose de vraiment terrifiant ! marmonna-t-il.

— Mais elle était monstrueuse, je t'assure !

— Bon, on continue ! maugréa le guide en reprenant le chemin du rez-de-chaussée.

La jeune femme revint dans la chambre d'un pas hésitant.

Putain, Servane, reprends-toi ! Tu vas pas renoncer à cause d'une araignée !

Finalement, elle fit demi-tour et s'aventura dans la pièce d'en face.

Au bout d'une demi-heure, elle redescendit et découvrit Vincent agenouillé sur le sol en train d'inspecter le bas du placard. D'une simple mimique, elle lui fit comprendre qu'elle avait fait chou blanc.

— Et toi ?

— Rien pour l'instant, répondit-il. Mais après ça, j'aurai tout fait.

Quelques minutes plus tard, il leur fallut se rendre à l'évidence : rien ici ne pouvait les intéresser.

— C'est pas possible ! enragea Servane. J'étais pourtant certaine qu'on trouverait quelque chose !

— Tu as bien tout regardé en haut ?

— Ben oui… Sauf à l'endroit où l'araignée s'est planquée…

Vincent soupira.

— Viens avec moi, ordonna-t-il.

Elle le suivit jusqu'au premier, lui désigna l'endroit encore vierge de toute inspection. À même le sol, un tas de vieux vêtements sales, encore pires que ceux contenus dans le coffre en rotin. Vincent tira les deux énormes malles et accéda aux fripes.

— Quel porc, ce curé ! ronchonna-t-il en soulevant les premières guenilles.

— Vincent ! s'indigna Servane. Il est mort…

— Et alors ?

Il continua à dépecer le tas de hardes et l'araignée fit de nouveau son apparition. Servane poussa un cri et reflua jusque dans le couloir. Vincent captura la bestiole dans ses mains avant de s'avancer vers la jeune femme terrorisée.

— Arrête ! hurla-t-elle en marchant à reculons. Ne m'approche pas avec cette horreur !

Il ouvrit ses mains et l'animal resta quelques secondes immobile. Comme Servane, dos au mur.

— Inoffensive et très jolie ! rigola Vincent.

— J'ai peur, déconne pas ! implora la jeune femme. Reste où tu es !…

— Elle a plus la trouille que toi ! Quoique…

L'araignée reprit ses esprits et monta le long de son bras. Servane mit les mains devant sa bouche pour ne pas hurler encore.

— Je vais la foutre dehors. Comme ça, tu pourras m'aider à chercher !

Il entrouvrit les volets, la jeta par la fenêtre.

— Voilà, tu peux revenir dans la chambre ! La bêêêête est partie !

— T'es vraiment con ! dit Servane en quittant son refuge. Je déteste les araignées…

— Ah oui ? Mademoiselle-peur-de-rien a peur des petites bêtes ?

Elle haussa les épaules et s'adossa au mur, laissant finalement Vincent achever seul sa pénible tâche. Et alors qu'il commençait à désespérer, il découvrit un gros sac-poubelle noir. Il le souleva de terre et se remit sur ses pieds.

— Qu'est-ce qu'il y a là-dedans ? demanda Servane.

— Attends, je regarde…

Il desserra le lien qui fermait le sac, plongea sa main à l'intérieur. Il en ressortit un cahier à la couverture cartonnée.

— On dirait qu'on a tiré le gros lot ! annonça le guide. Je crois qu'il s'agit d'un des tomes du journal intime de Joseph !

— J'avais raison ! exulta la jeune femme. J'avais raison !

Vincent vida le contenu du sac par terre et ils comptèrent douze carnets au total.

— On va avoir de la lecture !

Soudain, le bruit d'une voiture qui approchait sur la piste les interrompit.

— Je croyais qu'il n'y avait personne, ici ? chuchota Servane.

— C'est peut-être des promeneurs ! On va mettre tout ça dans le 4×4, on les lira à la maison…

Ils remirent les carnets dans le sac à la hâte, regagnèrent le rez-de-chaussée. Ils enjambèrent la fenêtre et Vincent inspecta les alentours. Un couple de jeune gens s'était arrêté un peu plus loin et pique-niquait au bord du torrent. Il rejoignit Servane déjà assise sur le siège passager.

— C'est bon, dit-il. Ils sont loin et c'est pas des gens du coin…

Ils quittèrent le village fantôme, le cœur empli d'un nouvel espoir.

— On va en apprendre, des choses ! songea soudain Servane à voix haute. Si jamais le curé notait tout ce qu'il entendait en confession, on va tout savoir sur tout le monde !

— On ne lira que les passages qui nous intéressent.

— Pour ça, va falloir jeter un œil à l'ensemble…

— Tu t'inquiètes pour ça ? s'étonna-t-il.

— Ben, le secret de la confession, c'est sacré…

— C'est vrai que tu crois en Dieu ! fit-il avec un petit sourire moqueur. Je t'ai vue faire dans l'église, l'autre fois… Tu t'es signée… Et puis tu as mal supporté que je *moleste* un curé !

— Et alors ? Ça te pose un problème que je croie en Dieu ?

— Pas le moindre ! La liberté de pensée, c'est *sacré* ! Comme le secret de la confession !

— Tu te moques de moi, n'est-ce pas ?

— Disons que j'ai toujours eu du mal à comprendre qu'on puisse gober de telles conneries ! Mais vous êtes nombreux dans ce cas, rassure-toi ! La plus grosse secte du monde !

Servane se renfrogna.

— Je t'ai blessée ? demanda Vincent au bout de quelques secondes.

— Laisse-moi tranquille !

— Oh oui, je t'ai blessée…

— Intolérant ! laissa-t-elle échapper.

— Moi, intolérant ? Alors là, c'est la meilleure ! Allez, fais pas cette tête, brigadier ! Ça m'est égal que tu croies en Dieu ! Je t'assure…

Elle haussa les épaules et il sourit. Il attrapa ses lunettes de soleil dans la boîte à gants car la blancheur de la piste lui blessait les yeux.

— Merde ! s'écria-t-il soudain.

— Quoi ?

— Je sais pas… J'ai une drôle d'impression dans la direction…

Il enfonça la pédale de frein, juste avant un virage en épingle mais le 4×4 dérapa sur les pierres.

— Tourne ! hurla Servane.

— J'peux pas ! Ça répond pas !... Cramponne-toi !

La voiture continua tout droit sans que Vincent puisse l'arrêter et elle bascula dans le ravin.

Descente aux enfers.

Vincent, accroché au volant devenu inutile ; Servane qui hurlait sa peur. Tout allait si vite et pourtant, il semblait que cette chute ne finirait jamais. Rien ne pouvait arrêter cet engin de mort. Ni les arbres, ni les rochers. Jusqu'à ce qu'il parte en travers et chavire telle une embarcation prise dans un ouragan.

De nouveaux hurlements puis un silence de mort dans ce tourbillon.

Un, deux, trois tonneaux.

Avant le choc violent contre une rangée d'arbres.

29

Vincent posa le pansement sur la tempe de Servane qui grimaça de douleur.

— Voilà, c'est fini, dit-il.

— Merci.

Elle alluma une cigarette, passa machinalement un doigt sur sa blessure.

— On va prendre ta voiture pour remonter à l'Ancolie, décida Vincent.

— On serait plus en sécurité ici, à la gendarmerie.

— Peut-être… Mais il faut qu'on épluche la prose de Joseph et franchement, je ne me sens pas très à l'aise ici.

— Comme tu voudras.

Elle consulta sa montre ; déjà 15 heures.

Ils étaient miraculeusement indemnes, à part une coupure sur la tempe droite pour Servane, une belle entaille sur le bras gauche pour Vincent. Et une collection d'ecchymoses et d'égratignures pour tous les deux.

Quant au pick-up, il serait remonté dans l'après-midi par le garagiste, mais il était peut-être bon pour la casse.

Avant d'appeler les gendarmes à leur rescousse, ils avaient eu le temps de récupérer les carnets du père Joseph et de les mettre à l'abri dans le sac à dos de Vincent. Il leur fallait maintenant les étudier.

En quittant l'Edelweiss, ils croisèrent l'adjudant Vertoli.

— Comment vous vous sentez ? s'enquit-il.

— Ça va, je vous remercie, assura Servane.

— Vous êtes sûre que vous ne voulez pas voir un médecin ?

— Non, c'est vraiment rien... Quelques égratignures, quelques hématomes... On a eu beaucoup de chance !

— Ça, vous pouvez le dire ! Et toi, Vincent ?

— Je vais bien, merci...

— Tu veux qu'on te prête une bagnole ?

— C'est sympa mais Servane va me raccompagner et ensuite, j'appellerai Baptiste pour qu'il me file sa vieille 4L.

— OK... Bon, je vous laisse. Si vous avez besoin de quelque chose, n'hésitez pas...

Ils quittèrent la caserne par cette chaude après-midi de septembre.

Une après-midi qui aurait pu leur coûter la vie.

Servane se concentrait sur la route, Vincent sur le paysage. Ils arrivèrent à Allos sans avoir échangé la moindre parole. À croire qu'ils tombaient encore dans le vide.

Mais peu avant l'Ancolie, Vincent sortit enfin de son mutisme.

— Maintenant, on sait ce qu'ils sont venus faire cette nuit...

— Tu es sûr que ta bagnole a été sabotée ?

— Une direction qui lâche en même temps que les freins, c'est pas tous les jours ! Et puis j'avais fait réviser ma caisse y a quelques semaines... Cette fois, ils ont vraiment voulu nous tuer.

Elle sentit des fourmillements descendre de sa nuque jusque dans ses reins.

— Tu vois, ajouta-t-elle, Dieu existe. Il a veillé sur nous.

Il préféra ne pas répondre. Sans doute pour ne pas la froisser.

Si Dieu existe, pourquoi n'a-t-il pas protégé Joseph ? Ou Pierre ?

Voilà quelle aurait été sa réponse. Mais il la garda pour lui. Servane avait déjà été durement éprouvée. Et elle montrait un tel courage ! Il avait craint à un moment qu'elle ne s'effondre devant Vertoli. Que, sous l'effet de la peur, elle ne lui révèle tout. Mais une fois encore, elle avait été admirable.

Sherlock, attaché à l'ombre du chalet, manifesta bruyamment sa joie à l'arrivée de la voiture. Vincent le délivra et entra à l'intérieur avec son sac à dos au précieux contenu. Servane se laissa tomber sur le canapé, portant une main à sa tempe.

— Tu as mal à la tête ? s'inquiéta Vincent.

— Oui.

— Allonge-toi un peu, si tu veux... Je te prépare un café.

Tandis qu'il s'affairait en cuisine, elle alluma encore une Peter d'un geste nerveux. Puis Vincent revint avec un plateau qu'il déposa sur la table basse.

Il vida son sac sur le sol, éparpillant les carnets du prêtre.

Sa vie, son œuvre.

Il en piocha un au hasard.

— Décembre 1997… C'est trop vieux pour nous intéresser, dit-il en le mettant de côté.

— Ouais… Faut chercher à partir de… 2002. Si la victime est la touriste italienne, ça remonte à 2002. Si c'est le petit garçon, ça remonte à 2004.

— Oui, mais il a peut-être écrit tout ça récemment… Donc, on lit de 2002 à sa mort… On va y passer des heures !

Vincent feuilleta un deuxième carnet, le mit également de côté. Il en consulta un troisième et sembla cette fois plus intéressé.

— Ça commence en juin 2002, dit-il. Et ça finit en… avril 2003. Celui-là, va falloir le lire.

— Donne-le-moi, dit Servane en tendant le bras. Je m'en charge.

— Si tu as la migraine, vaut peut-être mieux que tu te reposes !

— Non, ça va aller. Donne…

Pendant qu'elle entamait la lecture de ce tome, Vincent chercha d'autres dates susceptibles de les intéresser. Il dénicha un carnet daté de 2004 et s'installa près de Servane pour le consulter.

Un silence religieux s'empara de la pièce tandis qu'ils plongeaient ensemble dans l'intimité de Joseph, *via* son écriture fine et suppliciée.

— Écoute ça ! s'exclama soudain Servane. « *Ces hommes et ces femmes ne méritent pas la mansuétude du Seigneur… Ils ne sont bons qu'à se battre pour une parcelle de pouvoir, à forniquer et se reproduire tels des animaux… Si Tu les regardes, Tu dois être bien déçu par ce ramassis de vermine et de lâches. Par ce qu'ils ont osé faire de Ta si belle création…* »

— Visiblement, notre bon Joseph était devenu sacrément misanthrope ! conclut Vincent.

— C'est pire que ça ! C'est monstrueux ce qu'il écrit ! On dirait qu'il déteste le genre humain…

— C'est fort possible, oui.

— Mais c'est un prêtre ! Et un prêtre ne pense pas ce genre de choses !

— Écoute ce passage, renchérit Vincent en revenant deux pages en arrière. « *Seigneur je T'en prie, fais cesser cette mascarade. Rappelle les Tiens auprès de Toi et détruis cette immonde souillure qu'est devenu le monde.* »

— Merde ! murmura Servane. J'en reviens pas !

— J'ai l'impression qu'on n'est pas au bout de nos surprises !

Ils continuèrent leur difficile chemin dans le monde apocalyptique de Joseph, et Servane laissa échapper de temps à autre son indignation face aux propos du curé. Comment avait-il pu réconforter les âmes égarées avec toute la haine pour l'espèce humaine qui transparaissait au fil de ces pages ?

Mais les deux carnets ne leur apprirent rien d'important, si ce n'est que le boulanger trompait sa femme avec l'épouse du libraire et que l'employée de la Poste faisait des rêves prémonitoires. Quant au maire de Colmars, il n'était qu'un infâme mécréant corrompu et démagogue. Le mépris de Joseph pour les hommes n'avait eu de cesse de croître au fil des années.

Servane attaqua le dernier tome, tandis que Vincent sortait prendre l'air sur la terrasse. Elle s'arrêta sur une page datée du 3 juin de cette année.

« Myriam était une personne fragile, tout comme sa mère. Et elle s'est laissé séduire par ce fils de Satan,

cet homme qui se vautre dans le péché comme dans la fange. Il a abusé d'elle avant de l'assassiner. Je sais qu'il ne sera pas inquiété pour ce crime. Pas par la justice des hommes en tout cas. Mais Dieu l'a déjà condamné, et je me ferai messager de cette vengeance. »

Vincent réapparut, Servane le jaugea comme si elle le voyait pour la première fois. L'enfant du diable en personne se tenait devant elle.

— Tu trouves quelque chose ? questionna-t-il.

— Non, répondit-elle précipitamment. Pas encore…

Elle replongea dans les ténèbres du père Joseph et Vincent s'assit par terre, dos contre le canapé. Il entendait Servane tourner les pages, comprit soudain qu'elle s'attardait sur un passage.

— Le 20 juin, précisa-t-elle.

— Cinq jours après la mort de Pierre ! Qu'est-ce qu'il écrit ?

— *« Aujourd'hui, la femme du maire est venue se confesser. Il y avait bien longtemps qu'elle n'était pas venue pleurer dans la maison de Dieu ! Mais aujourd'hui, elle m'a appris des choses vraiment étonnantes. Des choses qu'elle tenait cachées depuis des années et qui ont soudain pesé trop lourd sur sa conscience. Son mari, en plus d'être un voleur et un mécréant est un criminel. "Mon mari est un meurtrier." Ce sont ses propres termes. D'abord, elle a hésité à m'en dire plus. Mais je lui ai rappelé le secret de la confession et cela lui a suffi. Elle m'a alors conté que son fils avait assassiné une femme plusieurs années auparavant… »*

Servane leva les yeux vers Vincent, suspendu à ses lèvres.

Enfin, ils touchaient au but. Enfin, ils allaient savoir. Ce n'était plus qu'une question de secondes...

— Continue, Servane, ordonna-t-il d'une voix douce.

— « Elle m'a alors conté que son fils avait tué une femme plusieurs années auparavant, sans toutefois me donner tout de suite l'identité de cette victime. Ce jour-là, son fils n'était pas seul. Il était avec son compère habituel, ces deux jeunes vauriens dont la culpabilité ne m'étonne guère finalement... » De quel compère parle-t-il ?

— Ludovic, le fils d'Hervé, le cousin de Sébastien, répondit Vincent sans aucune hésitation. Ils étaient toujours fourrés ensemble... Lis la suite !

— « Et Suzanne Lavessières a continué son récit : avec l'aide de son père et de son oncle, Sébastien et son complice ont fait disparaître le corps et effacé toutes les traces. "Mais c'était un accident !" jure-t-elle. "Ils ne voulaient pas la tuer." Elle n'a jamais su pourquoi cette malheureuse avait trouvé la mort ou alors, elle a feint de l'ignorer. Toujours est-il que les ennuis ont commencé pour le maire car un témoin avait assisté à la scène et a fait chanter les Lavessières. Ce maître chanteur n'est autre que Julien Mansoni qui, au lieu de dénoncer le crime, en a profité pour leur soutirer de l'argent. Et le maire a payé. D'abord avec ses fonds propres puis en détournant l'argent de la commune. Jusqu'au jour où Pierre Cristiani a découvert le pot aux roses. Et là, Mme Lavessières raconte qu'elle a entendu son mari préméditer la mort du garde avec son fils, son frère et Mansoni. Ainsi qu'avec ce crétin de Portal. Ce deuxième assassinat est devenu trop difficile à supporter. C'est pour cela *qu'elle est venue implorer le pardon de Dieu. Comme si Dieu pouvait pardonner tant de lâcheté. Tant de haine et de violence… »*

Servane releva la tête vers Vincent, concentré sur sa voix. Elle tourna la page, continuant ce voyage dans le temps et l'intimité du confessionnal.

— *« Je vais enfin pouvoir organiser la vengeance divine contre Lavessières, ce déchet de l'humanité. Et contre ce meurtrier de Lapaz… »*

Servane se mordit la lèvre. Mais Vincent ne laissait rien transparaître et l'encouragea même d'une voix tendre.

— Continue !

— *« … et contre ce meurtrier de Lapaz. Je sais qu'il perdra la raison quand il apprendra la vérité, quand il saura que son meilleur ami a été assassiné et surtout, quand il comprendra que… »*

Elle s'arrêta net, au beau milieu de la phrase. En tournant la tête, Vincent découvrit son visage blême, ses yeux emplis d'épouvante.

— Quoi ? demanda-t-il. Qu'est-ce qu'il y a ?

Elle le fixait, les mains crispées sur son terrible secret.

— Servane ! Qu'est-ce que tu as ?

Aussi raide qu'une statue, elle semblait tenir une grenade dégoupillée sur ses genoux.

— Mais merde, qu'est-ce qu'il y a à la fin ? s'emporta le guide.

Il lui confisqua le carnet pour reprendre la lecture là où elle l'avait laissée.

— *« Je sais qu'il perdra la raison quand il apprendra la vérité, quand il saura que son meilleur ami a été*

assassiné et surtout, quand il comprendra que c'est...
Laure qu'ils ont tuée ce jour-là. »

Servane ferma les yeux tandis que Vincent était frappé par la foudre. Pas un mouvement, pas une réaction. Lèvres légèrement entrouvertes, regard comme vitrifié ; choc frontal d'une rare violence.

L'abominable silence s'éternisa.

Jusqu'à ce que Servane le déchire enfin.

— Vincent, je... Je suis désolée, je...

Les mots ne venaient pas. Que dire, que faire... ?

De toute façon, Vincent ne la voyait pas plus qu'il ne l'entendait. Debout, alors qu'il était aspiré par le vide.

— Vincent, on va s'occuper d'eux, murmura Servane. On va les faire payer...

Les faire payer.

Il y a des mots à proscrire, Servane regretta instantanément d'avoir prononcé ceux-là.

Vincent lâcha enfin le carnet, tourna légèrement la tête vers la jeune femme. Elle faillit perdre l'équilibre, esquissa un pas en arrière.

Jamais encore elle n'avait vu... Ces yeux noirs saturés de haine.

Méconnaissables.

Il se rua brusquement dans l'escalier, avala les marches quatre à quatre.

— Vincent, où tu vas ?!

Il était déjà en haut, elle n'osa pas le suivre. Pourvu que...

Mais il ne la fit pas languir très longtemps ; une minute plus tard, il réapparaissait, armé de son fusil de chasse.

Servane agrippa son bras au passage, espérant le ralentir.

— Tu ne peux pas faire ça !

Il se dégagea, elle se précipita pour lui barrer la route. Dos à la porte, les deux mains levées devant elle : obstacle dérisoire.

— Arrête, Vincent ! Pas comme ça !

— Écarte-toi, ordonna-t-il d'une voix horriblement glacée.

— Vincent, réfléchis je t'en prie ! On va les faire payer, je te le promets. Mais pas de cette manière ! La prison sera pire que la mort !

— Laisse-moi passer.

— Non ! Je ne te laisserai pas foutre ta vie en l'air !

Il la bouscula brutalement, l'envoyant valdinguer contre le mur.

En ouvrant la portière de la Mazda, il constata que les clefs n'étaient pas sur le contact. Il fila un coup de pied dans la carrosserie et poussa une sorte de cri avant de revenir sur ses pas. Servane, pétrifiée sur le perron, l'observait avec effroi.

— Vincent, calme-toi, je t'en supplie !

— Les clefs, commanda-t-il en tendant la main.

Une main qui ne tremblait pas.

Il avait toujours son arme, pourtant Servane refusa d'obéir. Dans la poche de son pantalon, elle serrait ses doigts sur le trousseau.

— Donne-les-moi… Tout de suite.

— Non ! Je ne veux pas que tu te laisses emporter par la haine ! Que tu deviennes un assassin, comme eux… Ce que voulait précisément ce prêtre !

Elle essayait de ne pas hausser le ton, pour ne pas exciter sa fureur.

— Ne m'oblige pas à te faire du mal, Servane…

Premières menaces ; mais il fallait qu'elle tienne.

— Vincent, calme-toi ! implora-t-elle en reculant.

Il avançait lentement, elle continuait à battre en retraite.

— Je sais que tu ne me feras rien, reprit-elle. Tu n'es pas un criminel.

— J'ai déjà tué.

— Tu dis n'importe quoi ! Tu délires !

— Non. Et c'était mon propre père...

Plus rien n'avait d'importance. Pas même ce secret farouchement enseveli depuis trente ans.

— Tu mens ! murmura Servane.

— Non, je ne mens pas. Je l'ai assassiné. Tout comme je vais descendre ces salauds un par un... Alors, tu me donnes ces clefs, Servane... S'il te plaît.

Ce *s'il te plaît* avait quelque chose d'effrayant. Cet homme si impassible, si froid.

Inhumain, à cet instant.

Cet homme qui avait bel et bien tué son père, Servane en était maintenant certaine.

Il posa son fusil contre la rambarde, elle tenta alors de s'enfuir. Mais il la rattrapa au bout de la terrasse, la jeta à terre. Malgré la violence de la chute, elle trouva encore la force de se débattre. Toujours insensible à la douleur comme au reste, Vincent encaissa les coups désespérés de la furie et parvint finalement à se placer à califourchon sur elle, la bloquant définitivement.

Il s'empara du précieux sésame, abandonna Servane sur le sol et récupéra son fusil.

Un peu sonnée, la jeune femme se redressa en gémissant de douleur. Elle eut juste le temps d'apercevoir le guide qui s'engouffrait dans sa propre voiture.

— Merde, c'est pas vrai !

Tandis qu'il manœuvrait, elle courut tant bien que mal jusqu'à la piste et se planta au beau milieu. La Mazda arriva aussitôt, soulevant un impressionnant brouillard de poussière.

Vincent freina brusquement ; dix mètres devant lui, une silhouette. Debout, poings serrés.

Il tenta de contourner l'obstacle qui se dressait entre lui et les meurtriers de Laure ; mais Servane s'acharnait à se placer face à la voiture.

— Dégage de là ! rugit-il.

— Si tu veux passer, va falloir me tuer !

Ses genoux se plièrent et heurtèrent douloureusement le sol pierreux. Elle s'allongea sur le dos, face à un ciel incroyablement bleu.

Tu ne me tueras pas.

Vincent enfonça la pédale d'accélérateur, Servane ferma simplement les yeux.

Épuisée et confiante.

Quelques secondes plus tard, le ciel bleu avait disparu, il faisait sombre. Si sombre…

Vincent demeura un moment immobile, les mains sur le volant.

Servane avait disparu.

Enfin, il descendit lentement du véhicule, ne sachant plus vraiment s'il l'avait touchée. Écrasée, peut-être ?

Il osa un pas, un autre…

Elle est morte.

Mon Dieu, elle est morte…

Le pneu avant gauche n'était qu'à quelques centimètres de son visage ; le droit touchait sa jambe.

Il avait failli la tuer, ne comprenait pas comment.

Il l'aida à se relever, vérifia qu'elle était indemne. Elle s'était rouvert le front, tremblait de la tête aux pieds mais semblait incroyablement soulagée : Vincent était de nouveau là, de retour sur terre après avoir exploré les Enfers.

Il caressa ses cheveux pleins de poussière, son visage maculé de sang. Et dans ses bras, il laissa enfin les larmes noyer la haine.

Elle l'entraîna vers le chalet, ils s'assirent sur les marches du perron. Elle ne lâchait pas sa main ; ne pas trancher le lien, ne pas couper le contact.

— J'ai cru qu'elle était partie, murmura Vincent. Et je l'ai détestée... Pendant cinq longues années, je l'ai détestée. Alors qu'elle était morte. Et... Je n'étais même pas là ! Elle... Elle est morte toute seule... Ces salauds l'ont tuée et je n'étais pas là...

— Tu n'as rien à te reprocher, Vincent. Tu n'es coupable de rien...

Sauf d'un crime.

— Pour ton père, je n'en parlerai jamais. C'est comme si je n'avais rien entendu.

— Il... J'aurais pu le sauver, mais je l'ai laissé mourir... Quand il est tombé, je ne lui ai pas tendu la main. J'ai voulu sa mort... Je l'ai désirée, de toutes mes forces.

Servane broya sa main dans la sienne.

— C'était de la légitime défense, Vincent... Maintenant, on va aller voir Vertoli. Cette nuit, les assassins de Laure dormiront en taule. Je te le promets.

*
* *

513

Il était déjà 17 h 30 lorsque Servane gara sa voiture sur le parking de l'Edelweiss. Après être resté muet pendant tout le trajet, Vincent ouvrit enfin la bouche :

— Il faut que je sache où elle est, murmura-t-il.

— Oui, je comprends, assura Servane, la gorge serrée.

Elle aurait voulu trouver les mots pour atténuer sa douleur mais savait que pour le moment, rien ne pourrait le soulager. Elle récupéra le sac qui contenait les carnets sur la banquette arrière.

— Je vais chercher le reste dans mon studio, dit-elle. Tu viens avec moi...

Surtout, ne pas le laisser seul une seconde.

Il la suivit au prix d'un effort inhumain, traînant sa souffrance comme un énorme boulet. Par moments, des larmes inondaient ses yeux et il cherchait un secours dans ceux de Servane.

Elle récupéra à la va-vite les lettres anonymes, le cd-rom et l'argent, puis ils redescendirent en direction de la gendarmerie. À l'accueil, Matthieu, occupé au téléphone, ne fit pas attention à eux. Servane frappa à la porte de Vertoli et entra sans attendre la permission. Le chef parut surpris de cette visite ; surpris surtout par le visage méconnaissable du guide.

— Il faut qu'on vous parle, mon adjudant-chef. C'est de la plus haute importance.

— Bien... Asseyez-vous. Je vous écoute.

— C'est au sujet d'un triple meurtre, annonça la jeune femme de façon abrupte.

— Pardon ? fit l'adjudant en ôtant ses lunettes.

Vincent fixait le sol, luttant pour ne pas se remettre à chialer, laissant à Servane le soin de relater cette tragique histoire.

Ce qu'elle fit dans le moindre détail. Son récit dura de longues minutes et, au fil des mots, Vertoli sembla rapetisser dans son fauteuil.

— Voilà, conclut-elle. Vous savez tout. Et nous vous avons apporté ici les preuves en notre possession.

Assommé par cette avalanche, Vertoli mit quelques secondes à réagir.

— Je... Je n'ai pas imaginé un seul instant que la mort de Cristiani pouvait dissimuler quelque chose d'aussi monstrueux, dit-il. Je...

— Tu vas les arrêter ? coupa Vincent.

— Évidemment ! Mais il faut d'abord que je mette l'opération sur pied. Que personne n'ait le temps de prendre la fuite... Surtout que le fils d'Hervé n'est pas dans la vallée.

— Que voulez-vous que nous fassions ? demanda Servane.

— Vous allez vous barricader tous les deux dans votre appartement, répondit-il en se levant. Et vous ne dites pas un mot jusqu'à ce que tout le monde soit sous les verrous. Pas un mot, à personne. Pas même à vos collègues. Compris ?

— Compris, mon adjudant-chef.

— On peut attendre chez moi ? espéra Vincent.

Le chef réfléchit un instant.

— Bien sûr. Mais ne quittez pas le chalet. Restez-y jusqu'à ce que je vous autorise à en sortir.

— D'accord, dit Servane.

Elle posa sa main sur l'épaule de Vincent, il trouva à peine la force de se remettre debout.

— Je suis désolé pour Laure, ajouta Vertoli.

— Il faut que je sache où elle est.

— On le découvrira, Vincent, assura l'adjudant. Pour le moment, reposez-vous, tous les deux... Et n'oubliez pas : vous ne devez parler de cette histoire à personne. Sous aucun prétexte. N'importe qui pourrait prévenir Lavessières, ce serait une catastrophe.

— On ne dira rien, jura Servane.

Ils quittèrent le bureau et passèrent devant Matthieu qui les dévisagea avec curiosité.

— Ça va ? Vous en faites une gueule tous les deux !

— Oui, ça va, s'empressa de répondre Servane. C'est le contrecoup de l'accident !

Elle attrapa la main de Vincent et ils prirent à nouveau le chemin de son studio. Elle regroupa quelques affaires dans un sac : des vêtements de rechange, une trousse de toilette, deux paquets de cigarettes et son Beretta. Quand ils redescendirent, Vincent s'installa au volant de la Mazda.

— Tu es sûr de vouloir conduire ?

Il hocha simplement la tête. Le même chemin en sens inverse, dans le même silence.

Mais à hauteur d'Allos, Servane se força à le briser :

— Pourquoi n'as-tu pas voulu attendre chez moi ? Ça aurait été plus sûr.

— Je préfère retourner à l'Ancolie, avoua Vincent. J'y serai mieux...

Retourner là où il avait vécu avec Laure. Là où elle vivait encore.

— Je comprends, répondit Servane. De toute façon, Vertoli m'appellera dès qu'ils les auront arrêtés... Nous redescendrons à ce moment-là.

— Le tout, c'est que tu ne m'abandonnes pas...

Elle le considéra avec émotion.

— Je resterai avec toi, Vincent. Autant que tu le souhaiteras.

— Merci... Et... Je te demande pardon pour tout à l'heure. Je... Je ne savais plus ce que je faisais.

— C'est oublié, prétendit-elle. Et je serai toujours là quand tu auras besoin de moi.

— Pourquoi ?

Cette question pouvait paraître simple. Pourtant, elle ne l'était pas.

— Parce que tu comptes beaucoup pour moi.

Il prit sa main dans la sienne, y déposa un baiser. Puis il mit ses lunettes de soleil pour qu'elle ne voie pas ses larmes. Au milieu de son chagrin, il se rendit compte une fois de plus à quel point elle lui était précieuse.

Et que désormais le lien qui les unissait était incassable.

30

Vincent rejoignit Servane, debout sur la terrasse, le regard piégé dans un flamboyant coucher de soleil. Son portable dans une main, le téléphone sans fil dans l'autre, pour ne pas rater l'éventuel appel de son chef. Il s'appuya sur la rambarde, juste à côté d'elle, plongea à son tour dans le ciel rougeoyant qui fardait les cimes d'en face.

Rouge, comme le sang de Laure.

Ou celui de ses assassins.

Rouge, comme la haine.

— Ça va mieux ? s'enquit Servane.

Il ne prit pas la peine de répondre, elle se trouva stupide d'avoir posé cette question. Mais on est toujours si maladroit face à la détresse de l'autre...

— Vertoli n'a pas encore appelé ? questionna Vincent.

— Non, pas encore... Je suppose qu'ils préparent les arrestations. Tu sais, il faut prévenir le procureur, obtenir les mandats d'amener... Ils ne pourront sans doute pas intervenir avant demain matin.

— Rien que de savoir que ces salauds vont passer une nuit de plus en liberté, ça me donne des envies de meurtre...

— Si c'est le cas, ça sera leur dernière nuit.

— Le pire, je crois que c'est Mansoni. On a bossé ensemble si souvent, lui et moi… Ce fumier savait que Laure était morte et il a fait comme si de rien n'était… Pendant tout ce temps, il m'a parlé, il a… Je l'avais là, à côté de moi, je l'avais à ma portée…

Il ferma les yeux, serra les mâchoires. La haine lui collait froidement à la peau, épousant chaque atome de son corps.

La seule barrière qui le séparait du crime, c'était Servane.

Serait-elle assez solide pour l'arrêter ?

— Comment j'ai pu croire que Laure était partie durant toutes ces années ? reprit Vincent avec des sanglots dans la voix. Comment j'ai pu la maudire alors que…

Il ne put continuer, étranglé par la douleur.

— Tu avais des raisons de croire qu'elle était partie, Vincent. Le mot sur l'ordinateur, ses affaires qui avaient disparu…

— Non ! Elle… Elle n'avait jamais parlé de me quitter ! Juste avant que je parte pour l'Autriche, elle m'avait encore répété qu'elle m'aimait ! Et je n'ai rien compris… Rien du tout…

— Tu as essayé de la retrouver après sa disparition ?

Le faire parler, avant qu'il n'explose. L'obliger à garder la tête hors de l'eau, l'empêcher de s'enfoncer irrémédiablement dans la solitude.

— Oui… J'ai cherché sa nouvelle adresse sur Paris puis sur la France entière. Mais je n'ai rien trouvé. Et j'ai cru qu'elle n'avait pas laissé de traces afin que je ne reprenne pas contact avec elle.

— C'était tout à fait plausible, Vincent. Des tas de gens disparaissent de leur plein gré chaque jour, tu sais…

— Ensuite, je me suis acharné à l'oublier. Mais je n'ai jamais réussi… Jamais. Parfois, je la détestais… Mais en fait, je m'accrochais toujours à l'espoir qu'elle allait revenir. J'imaginais qu'elle arrivait sur la piste, qu'elle passait cette porte et que… Que tout redevenait comme avant. Mais maintenant…

Elle est morte… Elle est morte…

Atroce vérité qui violait son esprit sans relâche.

— J'ai envie de les massacrer ! murmura-t-il. Envie de les voir crever !

Servane posa sa main sur le bras de Vincent. Sa peau était de marbre.

— Promets-moi de ne jamais faire ça, Vincent. Promets-moi…

— Je ne peux rien te promettre… Rien.

Ciel d'un bleu ténébreux, désormais. La montagne sombrait dans un crépuscule triste et austère.

— Il faut que je prévienne Madeleine, réalisa soudain Lapaz.

— Madeleine ?

— La mère de Laure.

— Vertoli a dit *personne* ! rappela fermement la jeune femme. Et puis… Ça peut attendre demain, tu ne crois pas ?

— Oui… Ça risque même de la tuer…

— Alors vaut mieux attendre le plus longtemps possible, en conclut Servane.

Soudain, son portable se mit à vibrer, elle décrocha immédiatement. Vincent comprit qu'elle parlait à son chef et qu'il y avait du nouveau. Elle raccrocha rapidement, il l'interrogea du regard.

— Ils ont arrêté tout le monde !

— Déjà ?

Vincent ressentit une sorte de regret. En taule, il ne pourrait plus les tuer de ses propres mains. Ces fumiers y seraient à l'abri.

— Oui… Étant donné la gravité de l'affaire, le chef a mis les bouchées doubles, ajouta Servane.

— Ils ont même chopé le fils d'Hervé ?

— Il est en garde à vue à Menton… Vertoli veut qu'on le rejoigne à Villars-Heyssier, il nous attend chez Portal. Tu sais où il habite ?

— Bien sûr… C'est à la sortie du village. Mais pourquoi veut-il qu'on aille là-bas ?

— Ils ont trouvé de nouveaux éléments chez lui. Apparemment, il s'agirait des affaires de Laure… Et Vertoli voudrait que tu les identifies.

Vincent ferma à nouveau les yeux. Bientôt, ils retrouveraient le corps.

Le corps de Laure. Celui qu'il avait tant désiré, tant aimé. Qui lui avait tant manqué.

Un cadavre, c'est tout ce qu'il restait d'elle.

Il imagina un instant à quoi il ressemblerait, cette idée lui souleva le cœur.

*
* *

Peu avant Villars-Heyssier, Servane alluma les feux de la Mazda. L'obscurité prenait possession des lieux, grignotant lentement chaque parcelle de lumière. Vincent gardait les lèvres soudées et Servane se concentrait seule sur cette route étroite qu'elle ne connaissait pas. Puis les premières maisons surgirent au détour d'un virage.

— Je vais où, maintenant ?

— Traverse le village, indiqua Vincent d'une voix brisée. Portal habite à la sortie...

Finalement, il était soulagé à son tour de savoir les assassins en garde à vue. Car la prison était sans doute la pire chose qui pouvait leur être infligée. Les interrogatoires, le procès, l'opprobre, l'enfermement... Ils venaient de tomber dans une broyeuse qui allait les mutiler sans relâche. Il n'aurait pu, à lui seul, se montrer aussi cruel. D'ailleurs, serait-il parvenu à les tuer, même avec toute cette haine et cette peine qui le dévoraient de l'intérieur ? Comment savoir... La question ne se posait plus.

Pourtant, elle se poserait peut-être un jour, si la justice leur rendait leur liberté.

Vincent, lui, ne leur pardonnerait jamais.

La route se transforma en piste et il désigna à Servane une vieille baraque isolée.

La jeune femme gara sa voiture entre la Jeep de la gendarmerie et le 4×4 de Portal. Vertoli les attendait sur le perron.

— Vous avez fait vite, c'est bien... Venez.

Il s'effaça pour les laisser entrer, ferma la porte derrière eux. Ils passèrent machinalement en revue l'univers de Portal : une grande salle à manger au décor archaïque et à la saleté repoussante, semblable à son propriétaire. Au bout, un escalier menant à l'étage. Sur la droite, l'entrée d'une cuisine où flottaient encore des relents de soupe réchauffée.

— Vous êtes seul ? s'étonna Servane.

— Non, les autres sont en haut... Ils finissent la perquise.

— Qu'est-ce que tu as trouvé ? interrogea Vincent.

Vertoli ne répondit pas immédiatement. Il les observait bizarrement, ses yeux oscillant de l'un à l'autre. Il semblait terriblement mal à l'aise. Nerveux, même.

Ils n'ont tout de même pas retrouvé Laure ? se demanda Vincent avec terreur. Pourtant, c'était ce qu'il souhaitait. Mais cette perspective l'effrayait tellement...

Ils entendirent des pas dans l'escalier et tournèrent naturellement la tête, s'attendant à voir descendre des hommes en uniforme.

Mais c'est la mort qui dévala les marches, surgissant simultanément de la cuisine. Ils étaient cernés par les fusils de chasse.

Les deux frères Lavessières et Portal les tenaient en joue, Vertoli dégaina son calibre 45.

— Servane, donnez-moi votre arme ! ordonna-t-il.

Elle se contenta de le fixer de façon idiote.

— Allez ! répéta l'adjudant. Votre pistolet, vite !

— Mais qu'est-ce que...

Vertoli arma son flingue et Servane jeta enfin son Beretta sur le sol. Son chef le récupéra pour le mettre à sa ceinture.

— Espèce de salaud ! souffla Vincent.

Servane prit la main du guide dans la sienne. Elle sentit alors sa haine la pénétrer comme une onde magnétique.

En face de lui, ses ennemis jurés.

Le retenir, l'empêcher de se jeter sur eux et de recevoir une décharge de chevrotine.

— Il faut les fouiller ! dit le maire.

Vertoli palpa brièvement les deux prisonniers et confisqua le portable de Servane ; Vincent n'avait pas pris le sien. Une fois sa tâche accomplie, il se tourna vers André, attendant visiblement une directive.

— On va faire une petite balade nocturne, annonça le maire.

Avec le canon de son fusil, il leur montra la sortie. Mais Servane et Vincent ne bougèrent pas d'un centimètre, figés dans leur stupeur. Alors Vertoli réitéra cet ordre.

— On sort ! Passez devant et pas de connerie, sinon...

— Sinon, on vous abat comme des chiens, précisa Hervé.

Portal jeta un œil dehors avant d'indiquer que la voie était libre. Servane et Vincent se dirigèrent lentement vers l'extérieur, toujours main dans la main.

Unis dans cette mort annoncée.

— Servane, vous prenez le volant de votre voiture et Lapaz, tu t'assois à l'arrière ! décida Vertoli d'un ton qui trahissait son anxiété.

La jeune femme se mit aux commandes, tandis que le maire prenait place sur le siège passager. Vertoli poussa Vincent sur la banquette arrière et s'engouffra à côté de lui.

Quant à Portal et Hervé, ils étaient déjà dans la Jeep de la gendarmerie pour ouvrir la route.

— Allez-y ! ordonna Vertoli.

Servane ne réagissait pas ; elle venait de recevoir une enclume sur le crâne. Vertoli, cet homme qu'elle respectait, qu'elle admirait... en train de les conduire à l'échafaud.

— Démarrez ! s'écria l'adjudant. Suivez la Jeep...

— Pourquoi vous faites ça ? demanda-t-elle avec des fêlures dans la voix.

— On t'a dit de démarrer ! menaça André en braquant son fusil sur sa gorge. Alors tu fermes ta gueule et tu y vas !

Elle tremblait, de peur comme de froid, et s'engagea dans le sillon de la voiture de gendarmerie. Le funeste cortège prit la direction des gorges de Saint-Pierre, suivant la piste chaotique qui partait de Villars-Heyssier. Plus une habitation en vue : personne ne les verrait. Ils étaient perdus.

Elle se mit alors à pleurer, en silence. Dans le rétroviseur, elle cherchait le visage de Vincent, le regard de Vincent. Mais elle ne vit que les yeux de Vertoli et resta seule face à sa terreur. Face à la trahison de celui qu'elle avait cru pouvoir considérer comme son père.

Ils allaient les assassiner en les poussant dans le vide. Comme Pierre.

Elle imaginait déjà le sol se dérober sous ses pieds.

La chute, interminable.

L'effroyable succession de chocs. Son corps démantibulé avant même de se fracasser sur le sol.

Allait-elle mourir sur le coup ou agoniser des heures durant dans cette nuit glaciale ?

Derrière elle, Vincent aussi avait peur. Pas de mourir : de *la* voir mourir.

Comment la sauver ?

Son cerveau fonctionnait à plein régime. Sans doute parce que le temps leur était désormais compté.

— Vous avez l'intention de nous tuer ? questionnat-il d'un ton étrangement calme.

— Comment t'as deviné, ducon ? ironisa André.

— À votre place, j'y réfléchirais à deux fois, reprit le guide.

— Pourquoi, tu crois que tu vas nous manquer ? T'as pas envie de rejoindre ta femme au paradis des guides ?

Vincent se retint pour ne pas lui sauter dessus. Protéger Servane. À tout prix.

— OK, vous allez nous flinguer, continua-t-il d'un ton maîtrisé. Mais cela n'arrangera pas vos affaires... Vous n'échapperez pas à la justice.

— Ta gueule, Lapaz... Tu gaspilles ta salive pour rien, je t'assure.

— Je savais qu'on ne pouvait pas avoir confiance en Vertoli, s'acharna le guide. Alors j'ai pris mes précautions...

Servane entrevoyait le plan de Vincent, mais tenta de ne rien laisser paraître.

— Tous les documents sont en ma possession ! rappela nerveusement l'adjudant-chef.

— Ça, c'est ce que vous croyez ! rétorqua Vincent en se forçant à sourire.

— Boucle-la ! Je veux plus t'entendre !

Vincent essaya de deviner la suite de leur macabre scénario, quelle mort ils avaient imaginée pour eux. La voiture qui tombe dans le vide ?

Il fallait forcément que ça ressemble à un accident et il devait à tout prix gagner du temps.

Servane fixait la piste ; ses mains étaient tellement crispées sur le volant que rien ne semblait à même de le lui faire lâcher. Elle avait froid, elle avait la nausée, mais les propos de Vincent lui avaient permis de reprendre un infime espoir. Pourtant, ce mensonge suffirait-il à les sauver ?

Elle se mit à prier en silence. À prier pour eux.

— Alors, vous ne voulez pas savoir quelles précautions j'ai prises ? reprit soudain Vincent.

Continuer à instiller le doute dans l'esprit des tueurs. Comme on administre un poison à petites doses.

— On t'a dit de la fermer ! aboya André. On règlera ça là-haut !

Ils arrivaient en bout de piste et la Jeep se rangea sur un petit terre-plein qui servait de parking.

— Gare-toi ! brailla le maire.

Servane s'arrêta à côté du 4×4, attendant la suite des instructions. La portière s'ouvrit et Portal la tira brutalement hors de la voiture. Il la maintenait prisonnière de ses bras puissants, elle ne chercha pas à se débattre.

La nuit était complète, désormais. Heureusement, la lune nichée au cœur d'un ciel tapissé de nuages offrait une douce lumière à ces paysages d'ordinaire si beaux.

Si inquiétants, ce soir.

Au loin, le clocher de Beauvezer annonça 21 heures. Cette nuit, pour eux, il sonnait le glas.

Vincent descendit de la voiture à son tour, Vertoli sur ses talons. Hervé lança deux sacs à leurs pieds.

— Prenez ça !

Vincent mit le plus léger sur les épaules de Servane. Puis il enfila le sien et toisa Lavessières en souriant.

— Excellente idée, les sacs à dos ! ironisa-t-il. Surtout que ce ne sont pas les nôtres !

— Ton matériel a brûlé et tu en as racheté du neuf ! riposta le maire. Tu vois, on a pensé à tout ! C'est vrai, on ne part pas en balade sans un sac…

— Sauf que j'aurais jamais acheté cette merde !

— Ils ne serviront qu'une fois, pas la peine de se ruiner !

Servane dévisageait Vertoli avec des rasoirs étincelants au fond des yeux.

— Vous me dégoûtez ! Qu'est-ce que vous allez gagner à nous tuer, hein ? Vous êtes à la solde de ces ordures, c'est ça ? C'est pour le fric ?

— Fallait vous mêler de vos affaires !

— J'ai fait mon travail et je l'ai bien fait ! Parce que je ne suis pas une pourriture, contrairement à vous ! Vous êtes la honte de la gendarmerie…

— Mais elle va pas la fermer, cette petite conne ? soupira le maire.

— Je ne fais pas ça pour l'argent, confessa soudain Vertoli.

— Toi aussi, ferme-la !

— Ne me parle pas sur ce ton !

Le gendarme et le maire se faisaient face ; deux coqs dans une arène.

— Eh ! Du calme, vous deux ! s'interposa Hervé.

— C'est vrai, du calme ! ricana Vincent. On a les nerfs qui lâchent, *mon adjudant* ?

— Ça suffit maintenant ! beugla André en brandissant son arme. Vous avancez et en silence !

Vincent passa en tête tandis qu'Hervé fermait la marche. À la lueur de quelques lampes torches, ils suivirent le guide qui marchait lentement vers sa propre mort.

Ils étaient désormais au cœur des gorges, univers de roche, défilé vertigineux. Un chemin caillouteux creusé à même la falaise calcaire, bordé à droite par un ravin abrupt.

Endroit idéal pour une chute mortelle.

Ils laissèrent de côté la sente qui descendait à la Chapelle-Saint-Pierre et continuèrent à monter. Prenant de la hauteur sur le torrent qui coulait tout en bas. De plus en plus loin. Si loin qu'ils ne pouvaient même plus l'entendre.

Une chouette cria son effroi et prit son envol pour gagner le versant d'en face. Servane frissonna de plus belle.

— Stop ! ordonna soudain le maire.

Vincent obtempéra et se tourna face au gendarme, recevant le faisceau de la torche en pleine figure.

Servane sentit son cœur se fendre comme un fruit mûr. C'était donc ici qu'ils avaient choisi de les faire mourir. Elle ne pouvait voir le vide sur sa droite mais elle le sentait, le devinait à la lumière de la lune.

Immense trou noir et sans fond.

Portal la poussa dans les bras de Vincent.

— Pour vous, le chemin s'arrête ici, révéla André.

Il avait toujours eu le sens de la mise en scène. Du tragique, du théâtral.

Quoi de plus normal pour un politicien.

— Quand nous serons morts, *vous* serez morts ! murmura alors Vincent.

— Quand tu seras mort, on sera enfin tranquilles ! rectifia Hervé.

— J'ai un double de toutes les preuves que nous avons filées à Vertoli. J'ai scanné les passages inté-ressants du carnet de Joseph et les ai gravés sur un CD. J'ai fait un double du CD de Pierre, ainsi qu'une copie des messages anonymes et de tout ce qu'ils contenaient…

— Ben voyons ! répliqua André avec un sourire forcé. Tu crois qu'on va avaler tes boniments ?

— Rien à foutre que vous l'avaliez ou non ! Je n'ai jamais eu confiance en Vertoli… Jamais ! Et quand Servane a voulu lui remettre ces documents, j'ai insisté pour tout sauvegarder et… J'ai planqué l'ensemble dans un endroit sûr en donnant l'ordre à quelqu'un d'aller le récupérer s'il m'arrivait quelque chose… Quelqu'un de confiance. Si je disparais, cette personne se rendra à l'endroit indiqué et apportera tout aux flics. Même si je péris dans un accident.

— Il bluffe ! assura Hervé. Y a qu'à les balancer dans le vide maintenant, qu'on en finisse !

Vincent sentit la main de Servane se crisper encore plus dans la sienne et il la serra contre lui.

Elle ne pouvait détacher ses yeux de l'abysse qui plongeait à moins d'un mètre.

— N'aie pas peur, fit Vincent. La mort, ce n'est rien… Eux, ils pourriront en taule jusqu'à la fin de leur misérable vie… C'est bien pire !

— Ça suffit ! s'impatienta encore Hervé. Foutons-les dans le ravin !

— Minute ! dit soudain Vertoli. Et s'il disait la vérité ?

— Tu vas pas croire ces conneries ! Tu vois pas qu'il cherche à gagner du temps ?

— Attends, ordonna le maire à son tour. On peut peut-être en discuter, non ?

Hervé leva les yeux au ciel tandis que Vincent reprenait espoir. Il sentait que la faille s'était installée en eux.

Espoir minime, certes. Mais lorsque la mort est si proche, si palpable, on s'accrocherait à n'importe quoi.

Servane décida d'entrer dans ce jeu de la dernière chance.

— Vous voyez, Vertoli, quand Vincent a pris cette précaution, je lui en ai voulu... Parce que moi, j'avais confiance en vous. Mais maintenant, je le bénis ! Car je sais que vous allez payer !

Le gendarme sembla fortement ébranlé par les paroles de Servane. Tant de sincérité dans cette voix familière... Elle n'avait jamais su mentir.

Et, tandis que Portal tenait les prisonniers en respect, les trois hommes échangèrent quelques mots à voix basse. Visiblement, ils n'étaient pas d'accord. Le ton montait.

Enfin, ils prirent leur décision et ce fut André qui énonça le verdict.

— OK, Lapaz ! Tu veux jouer avec nous ? Alors on va s'amuser un peu... On n'est pas pressés, on a toute la nuit devant nous !

Il pressa le canon de son fusil sur le cœur du guide.

— On va faire une halte aux cabanes de Congerman. On y sera tranquilles pour discuter.

Vincent ne comprit pas pourquoi André voulait monter jusqu'aux cabanes ; n'étaient-ils pas suffisamment *tranquilles* sur ce sentier désert, au beau milieu de la nuit ? Peut-être qu'il ne voulait pas rester trop longtemps sur ce passage étroit, où chacun d'entre eux pouvait se retrouver malencontreusement aspiré par le vide ?

Peu importait, Vincent ressentait un vrai soulagement. Il avait réussi à gagner un peu de temps, quelques précieuses minutes ; la mort venait de reculer d'un pas.

Il continua à suivre son ébauche de plan :

— Si vous laissez partir Servane, je vous dirai où sont ces preuves, ajouta-t-il encore.

— T'es un marrant, toi ! s'exclama Hervé. Tu nous prends pour des cons ou quoi ? Si ces preuves existent, tu nous diras où elles sont… Fais-moi confiance ! Et maintenant, tu passes devant et tu nous conduis là-haut.

Il attrapa Servane par le bras, l'attirant brutalement contre lui.

— Je garde la petite à côté de moi, au cas où il te viendrait des idées…

— Si tu la touches, je m'arrangerai pour que tu tombes avec moi ! rugit Vincent.

— Si tu la protèges comme tu as protégé ta gonzesse, on n'a pas grand-chose à craindre !

Vincent se contenta de lui jeter sa haine au visage. Servane prisonnière des bras de cet assassin, le moindre mouvement brusque sur ce chemin pouvait conduire à la catastrophe.

Sauver Servane.

Il se remit lentement en marche avec ces deux mots en tête. Aucune autre motivation ne pouvait le faire avancer. Il aurait pu les semer facilement ; partir en courant au détour d'un virage, continuer à la seule lueur de la lune. Il connaissait chaque pierre de ce périlleux sentier, chaque piège tendu par ces gorges. Mais il y avait Servane. Il ne pouvait l'abandonner aux griffes de ces barbares.

Il tenta de nourrir l'espoir.

Gagner du temps, repousser l'échéance fatale.

Ils passèrent près d'une source qui suintait de la roche, traversait le sentier et se jetait dans le vide pour rejoindre le torrent. Suivant calmement sa destinée immémoriale. Un bruit doux et rassurant, note musicale au cœur de ce monde minéral.

Mais rien ne pouvait rassurer Vincent, ce soir.

Seul, il se serait résigné à quitter ce monde. Maintenant qu'il savait que Laure n'en faisait plus partie. Maintenant qu'il n'avait plus aucun espoir de la revoir un jour.

Mais il n'était pas seul. Ce soir et depuis quelques mois, déjà... Il y avait Servane.

Sa petite Servane... Cette fille, entrée avec douceur et discrétion dans sa vie, pour y prendre une place chaque jour plus importante.

Cette fille, qu'il aimait chaque minute un peu plus.

Quelques kilomètres plus loin, après une demi-heure de marche silencieuse, le sentier croisa le lit du torrent. Le groupe s'engagea sur un vieux pont en bois et Vincent se retourna pour vérifier que Servane allait bien. Mais la seule chose qu'il vit fut l'éclat éblouissant de la lampe de Vertoli.

— T'arrête pas ! ordonna l'adjudant.

— Ça va, Servane ? demanda Vincent en ignorant l'injonction du gendarme.

— T'inquiète pas ! nargua Hervé. On la quitte pas d'une semelle, ta petite chérie ! Et maintenant, avance !

Vincent obtempéra et le chemin se remit à monter. Ils changeaient de décor, quittant la roche pour pénétrer dans une forêt profonde, alliance de sapins et de mélèzes séculaires. Odeurs de terre mouillée et de résine qui imprégnaient la nuit, sol qui devenait plus meuble sous leurs pieds.

Lorsque la pente se fit plus raide encore, Servane sentit ses poumons s'enflammer. L'humidité, l'effort mais surtout le stress l'étouffèrent progressivement. Elle se mit à tousser, de plus en plus violemment, de plus en plus souvent.

Vincent ralentit, mais Vertoli le poussa sans ménagement. Peu après, la jeune femme s'arrêta. Pliée en deux, elle ne parvenait quasiment plus à respirer.

— Avance ! brailla Hervé.

Il la bouscula, elle s'affala de tout son long. Cette fois, Vincent fit demi-tour et se retrouva nez à nez avec le Beretta du gendarme.

— Reste là !

— Mais elle a besoin d'aide !

— Bouge pas, on va s'en charger...

Vincent, bloqué par Vertoli et Portal, regarda impuissant les deux frères Lavessières qui relevaient Servane.

— Laissez-moi au moins prendre son sac ! implora-t-il.

— Fais pas chier, Lapaz ! rétorqua le maire. Marche et t'occupe pas d'elle !

— Je n'irai nulle part !

André planta le canon de son fusil dans la nuque de la jeune femme.

— Je te dis d'avancer, répéta-t-il calmement. Sinon, je la bute ! Ici, tout de suite... C'est ça que tu veux ? On n'a plus vraiment besoin d'elle, tu sais...

Servane parvint à faire entendre sa voix. Méconnaissable.

— Ça va, Vincent... Ne t'inquiète pas pour moi, fais ce qu'il te dit...

Le guide se résigna à repartir et entendit encore qu'elle toussait à intervalles réguliers. Il fallait qu'elle tienne le coup jusqu'aux cabanes. Encore une heure de marche à ce rythme. Une heure à monter à travers la forêt.

Un grand tétras s'envola en donnant l'alerte et tout le monde tressaillit. Le lourd volatile se posa un peu plus loin, le silence reprit ses droits. Brisé seulement par la respiration aiguë et saccadée de Servane. Vincent pouvait sentir sa souffrance, mêlée à la sienne.

Sauver Servane.

Deux mots essentiels pour trouver la force de continuer. Pour trouver le courage d'avancer vers son destin.

Et, au milieu du chaos qui régnait dans sa tête, l'image de Laure s'imposait à lui. Il imaginait son visage et son corps martyrisés, sa solitude face à la mort. Il n'avait pas été là, elle était partie seule. Une mort effroyable, sans doute.

Alors, les larmes coulèrent doucement sur ses joues glacées, il ne fit rien pour les retenir. Personne ne pouvait les voir, de toute façon.

Je n'ai pas pu te sauver. Mais je sauverai Servane...

Les cabanes de Congerman surgirent au détour de la nuit. Enfin. Ou déjà...

Gardées par une armée d'orties, bercées par une source, nichées au creux d'une belle clairière : cadre enchanteur où Vincent adorait habituellement emmener ses clients.

Cette nuit, il y avait conduit ses propres bourreaux.

Il s'arrêta devant la maison principale, les deux autres n'étant plus que des ruines éventrées par les arbres. Portal, essoufflé par cette montée aux enfers, sortit une grosse clef de sa poche et déverrouilla la porte.

Hervé Lavessières entra en premier, traînant Servane par le bras, et le reste du groupe suivit. André alluma deux lampes à gaz laissées à la disposition des visiteurs de passage avant de les suspendre au plafond.

L'intérieur du refuge était plus que sommaire : une table et deux bancs, un antique poêle à bois, quelques ustensiles posés sur des étagères de fortune et une banquette en bois fixée au mur. Le strict minimum pour bivouaquer durant une nuit. Une porte donnait dans une seconde pièce, petit réduit sans fenêtre où était stocké du matériel laissé par les forestiers.

Servane resta près de l'entrée tandis que Vincent était poussé à l'autre extrémité.

Les séparer, les affaiblir.

Le guide put enfin voir le visage de la jeune femme ; livide, exténué. Ses yeux, deux balises de détresse, cherchèrent une once de réconfort dans les siens.

André posa son fusil avant de s'avancer vers Vincent.

— Bon, maintenant on va un peu causer tous les deux. Tu vas me dire où sont ces fameuses preuves…

Vincent croisa les bras et s'adossa au mur. Il suivait toujours un semblant de plan imaginé à la va-vite, mais aussi et surtout son instinct.

— Il vaudrait mieux parler, Lapaz, menaça André.

— J'ai pas pour habitude de *parler* aux fumiers de ton espèce !

— Pourquoi on perd notre temps ? s'impatienta Hervé. Je suis certain qu'il bluffe ! Il n'a plus l'ombre d'une preuve !

— On va le vérifier tout de suite, dit André. Mais d'abord, on vide les fusils…

Ils déchargèrent les armes, mirent les munitions à l'abri dans leurs poches. Ils ne voulaient pas risquer que Servane ou Vincent s'empare d'une carabine et que les rôles ne soient ainsi inversés.

Vertoli obligea Servane à s'asseoir par terre, sangla un de ses poignets à la banquette.

Puis la meute encercla le guide. Quatre contre un, aucune chance de gagner.

Pourtant, Vincent opposa une farouche résistance.

Une vaine résistance.

En moins de deux minutes, ils l'immobilisèrent et lui ligotèrent les mains dans le dos.

Mauvaise posture. Déjà à genoux.

André récupéra son fusil ; premier coup de crosse en pleine figure, Vincent mordit la poussière. Deuxième choc, à lui briser l'échine.

Servane aurait voulu hurler. Aucun son ne sortit de sa gorge.

— Alors, Lapaz ? Tu te décides ou t'en veux encore ?... Où sont ces preuves ?

— Je t'emmerde !...

Le maire regarda simplement Portal ; à lui de prendre le relais. Le colosse empoigna Vincent par son blouson, le décolla du sol comme s'il ne pesait rien puis lui asséna une droite dans la mâchoire, une autre dans l'estomac, l'envoyant à nouveau au tapis. Il s'acharna encore sur son jouet déjà à terre ; passage à tabac dans les règles de l'art. Coups de pied dans les côtes, l'abdomen, le dos.

Servane hurla enfin ; pour ne plus entendre ce bruit atroce de chair meurtrie.

Le maire s'interposa alors pour surseoir au massacre.

— Ça suffit, Portal ! Si tu le tues, il ne pourra plus parler...

Le molosse abandonna Vincent qui se tordait de douleur et crachait son propre sang. André se pencha et lui parla lentement, comme pour être sûr qu'il comprenait bien chaque mot.

— Je t'écoute, Lapaz… Dis-moi où sont ces preuves…

Vincent n'arrivait plus à respirer, le maire lui accorda quelques secondes.

— Allez, ça sert à rien de jouer les héros… Où sont ces documents ?

Le guide se redressa un peu, s'assit contre le mur.

En voyant qu'il avait le visage en sang, Servane se mit à pleurer puis à se débattre furieusement, comme si elle pouvait déchirer la sangle qui la retenait prisonnière. Comme si elle pouvait lui venir en aide.

Vincent retrouva un peu d'air et l'usage de la parole :

— Tu peux crever ! murmura-t-il. Vous et vos fils, vous finirez vos jours en taule…

André soupira et adressa un petit signe à son homme de main.

Portal revint à la charge ; il plaqua Vincent contre le mur, leva le bras. Mais à la surprise générale, Hervé l'arrêta dans son élan.

— C'est pas comme ça qu'il faut faire ! expliqua-t-il en souriant.

Portal le considéra avec un étonnement stupide et lâcha Vincent qui glissa lentement contre les pierres froides.

— Notre guide ne parlera pas ! poursuivit Hervé. Il a la tête aussi dure qu'un morceau de bois ! Il a l'habitude des coups : il en prenait déjà plein la gueule quand il était môme ! Et puis si on l'amoche de trop, on aura du mal à faire croire qu'il est tombé…

Vincent releva les yeux sur lui. Le pire des Laves-sières. Une bête féroce et sournoise qui avait un cratère immense à la place du cœur.

Qui donc le lui avait arraché ?...

— Et qu'est-ce que tu proposes ? interrogea son frère.

— Il a la tête dure mais le cœur tendre ! reprit Hervé en se tournant vers Servane.

Tous les regards convergèrent vers la jeune femme.

Vincent, lui, ferma les yeux. Enfin, il obtenait ce qu'il voulait.

— Détache la demoiselle, Vertoli ! ordonna Hervé.

L'adjudant s'exécuta et Servane se retrouva nez à nez avec Hervé. Elle recula de quelques pas, cherchant désespérément l'issue du piège.

Biche aux abois.

— Ne la touche pas ! hurla Vincent.

— Je vais me gêner !

Servane sentit le mur dans son dos au moment où Hervé sortait un cran d'arrêt de sa poche. Il la saisit par les cheveux, colla la lame contre sa gorge, l'obligea à avancer jusqu'à la table. Il la coucha brutalement dessus et elle réagit enfin ; avec une telle violence que Portal dut venir à la rescousse de son ami pour immo-biliser la tigresse. Il tenait ses poignets, Hervé serrait sa gorge. Il tourna alors la tête vers Vincent :

— Tu imagines ce que je pourrais lui faire avec ça ? insinua-t-il en faisant étinceler la lame de son couteau.

— Lâche-la !

Hervé regarda à nouveau Servane, approcha son visage du sien.

— C'est vrai, ce qu'on raconte ? Paraît que t'aimes pas les mecs ?... Tu veux essayer avec moi ?

Elle l'insulta, fila quelques coups de pied dans le vide. Hervé glissa sa main sous son tee-shirt, elle hurla sa terreur.

— Laisse-la ! s'écria Vincent. Je vais vous donner ce que vous voulez ! Mais laissez-la...

André et Hervé échangèrent un sourire victorieux tandis que Portal semblait fortement déçu. Seul Vertoli ne réagissait pas, pétrifié près de la porte.

— On t'écoute, fit le maire.

— J'ai... J'ai tout planqué au refuge de l'Herbe Blanche.

— Et qui devait aller les récupérer ?

Pour toute réponse, Vincent poussa un gémissement de douleur.

— J'attends, Lapaz !

— Cette personne ne sait rien...

— Et moi je veux savoir qui c'est !

— Je ne lui ai rien révélé ! jura Vincent. Il ne sait rien ! Récupérez les documents et tout sera fini...

— Tu veux vraiment qu'Hervé s'occupe de ta copine ?

— Non ! Je... J'ai menti ! J'ai seulement planqué les documents... Je... Je n'en ai parlé à personne... J'ai pas eu le temps ! Je me disais que... Que quelqu'un finirait par les trouver...

— Tu te fous de ma gueule ?!

André le releva de force et l'écrasa contre la cloison. Son crâne heurta violemment la pierre, le maire continua à s'égosiller.

— Réponds, Lapaz !

Mais Vincent ne répondit pas ; il avait perdu connaissance.

André le laissa tomber, apparemment satisfait de ces aveux. Servane se réfugia dans un angle de la pièce, laissant libre cours à ses larmes, jetant des regards éperdus vers Vincent, toujours inconscient.

Mort, peut-être ?...

— On peut se débarrasser d'eux maintenant ! ajouta le maire.

— Vraiment ? rétorqua Vertoli. Et s'il a menti ?

— Menti ?

— Oui, si les documents ne sont pas là-bas ?

André prit quelques instants pour réfléchir puis dicta ses ordres.

— OK, je vais aller vérifier... Vous gardez un œil sur eux. Je fais un saut là-bas et je m'assure que tout y est.

— Mais ça va prendre beaucoup trop de temps ! s'insurgea Hervé.

André consulta sa montre : 23 h 30.

— On a le temps ! J'essaierai de vous prévenir par téléphone...

— Le portable ne passe pas ici !

— Eh bien, je remonterai ! Je serai de retour avant le lever du jour... On n'a pas le choix, de toute façon.

— J'ai ma radio, indiqua alors Vertoli. Avec celle de la Jeep, ça passera.

— Parfait ! lança André. Dans ce cas, je vous dirai ce qu'il en est et vous pourrez vous débarrasser d'eux.

Il enfila son blouson et récupéra son fusil avant de s'enfoncer au cœur de l'obscure forêt.

31

Dans le refuge, Hervé Lavessières s'était assis sur la table, Portal sur le banc et Servane par terre.

Chacun à sa place.

L'adjudant Vertoli, apparemment sur le point de craquer, arpentait la cabane de long en large ; un truc à faire gerber un vieux loup de mer. Une nuit de cauchemar s'annonçait... Il avait envie de tout laisser tomber, mais cela requérait un courage qu'il ne se connaissait pas. Ou l'inverse, il ne savait plus très bien.

Servane profita qu'il lui tournait le dos pour se mettre debout.

— Bougez pas ! hurla son chef.

— Je... Je voudrais juste m'occuper de Vincent.

Il la considéra avec étonnement.

— D'accord. Mais ne tentez rien qui...

— Je ne tenterai rien, assura-t-elle.

Elle s'approcha de son ami, toujours à terre, qui revenait vaguement à lui. Elle l'aida à s'asseoir contre le mur et constata les dégâts : arcade sourcilière et pommette gauche explosées, un œil gonflé et la lèvre fendue.

Un boxeur K.-O.

Elle s'agenouilla devant lui, sortit un mouchoir en papier de sa poche pour essuyer le sang qui souillait son visage.

— Il me faudrait un peu d'eau, quémanda-t-elle à Vertoli.

— Hé ! C'est pas l'hosto ici, rappela Hervé en allumant une cigarette. Pas la peine de le soigner puisqu'il va crever !

Vertoli récupéra malgré tout une vieille casserole et disparut dans la nuit sous l'œil méprisant de Lavessières. Il revint quelques minutes plus tard, le récipient rempli d'eau glacée. Servane plongea un autre mouchoir dedans qu'elle appliqua sur les blessures de Vincent. Au contact du froid, il sembla reprendre ses esprits et parvint à s'amarrer au regard de la jeune femme.

Désespéré.

— Ça va aller, prétendit-elle. Ne bouge pas…

— Servane, je… J'aurais dû te tenir à l'écart de tout ça… Pardonne-moi.

— Je n'ai rien à te pardonner, rien du tout…

— Comme c'est touchant ! s'amusa Hervé. Bon, moi je vais pisser… Surveillez bien les deux tourtereaux !

Il sortit à son tour et Portal ne quitta pas des yeux ce couple étrange.

Mais c'est surtout Servane qu'il regardait, la trouvant jolie malgré son air épuisé.

Sauf qu'elle, ne voyait que Vincent. S'occupait de lui avec un dévouement insupportable.

— Ça suffit maintenant ! cria-t-il. Pas de messes basses ! Toi, tu retournes à ta place !

Servane ne daigna même pas tourner la tête. Alors, le géant fondit sur elle, l'attrapa par un bras et la décolla du sol, manquant de lui arracher l'épaule. Elle poussa un cri strident qui fit sursauter Vertoli.

— Quand je te parle, t'écoutes ! beugla Portal.

— Laisse-la ! ordonna l'adjudant.

— Quoi ? Fous-moi la paix, toi !

— Laisse-la tranquille ! répéta le gendarme.

— C'est pas toi qui donnes les ordres !

Vertoli serra les mâchoires et abandonna la partie. Se mesurer à Portal relevait de l'inconscience.

Le géant traîna Servane jusqu'à la table. Une idée fixe : il était resté sur sa faim.

— Vertoli, je vous en prie, faites quelque chose ! supplia Vincent avec le peu de forces qu'il lui restait. Ne le laissez pas faire ça…

L'adjudant hésita ; malgré le froid, son front était humide. Finalement, il ouvrit la porte et appela Lavessières. Celui-ci débula alors que Portal essayait maladroitement de déshabiller Servane.

— Rappelle ton chien de garde ! dit Vertoli.

Hervé se jeta sur Portal et le tira en arrière.

— Arrête tes conneries, bougre de con ! s'écria-t-il.

— Mais quoi ? T'as dit tout à l'heure qu'on pouvait…

— Espèce de crétin ! vociféra Lavessières. Quand ils découvriront son corps, ils feront une autopsie…

— Et alors ?

— Et alors, si tu la baises, on retrouvera ton ADN de couillon !

Le molosse réfléchit quelques instants, le front plissé. Il fallait se rendre à l'évidence : Hervé avait raison. Parce que Hervé avait toujours raison. Portal rongea son frein et quitta la cabane sans ajouter un mot.

Servane s'était réfugiée auprès de Vincent ; elle venait d'échapper au pire, mais la mort, elle n'y échapperait pas. Elle fixait Vertoli et Lavessières avec rage, comme si elle tentait de les abattre à distance.

— Qu'est-ce t'as à me reluquer comme ça ? s'étonna Hervé. J'te plais ou quoi ?!

— Tu me donnes envie de vomir ! T'es qu'un minable, une pourriture !

— Oh ! La petite gouine a du cran, on dirait !

— De toute façon, je sais qu'un jour tu paieras ! Ton fils finira en prison et toi avec !

— Mon fils ?

Il éclata d'un rire effrayant.

Le rire d'une hyène.

Il s'approcha dangereusement, Servane se recroquevilla contre le mur.

— Écoute-moi bien, ma jolie : mon fils n'ira jamais en prison, quoi qu'il arrive ! Et tu sais pourquoi ? Parce qu'il n'a rien à voir avec toute cette histoire… Vous auriez dû lire la suite des mémoires de Joseph ! Ludovic n'était pas là le jour où Laure a été tuée… Demande plutôt à Vertoli ce qu'il fait là… Parce que apparemment, t'as rien compris !

Servane cherchait le sens de cette énigme. Vincent trouva avant elle.

— C'est ton fils, hein, Vertoli ? s'écria-t-il.

— Nicolas ? fit Servane. Mais… c'est impossible ! Il est tellement…

Elle resta hébétée par cette révélation.

Nicolas, un meurtrier ? Ce jeune homme qui paraissait si gentil, si sensible, si équilibré.

Si triste, aussi.

Comme s'il portait sur ses épaules un poids accablant… Elle se remémora ses larmes, lorsqu'elle l'avait surpris au bord du torrent.

Je trouve juste dommage que vous ayez des raisons de pleurer.

J'en ai des milliers. Des milliers...

Ou plutôt une seule, réalisa Servane.

L'adjudant leur tournait le dos, n'osant affronter l'accusation en face. La honte le submergea, au point qu'il dut desserrer le col de son uniforme.

Oui, son fils était coupable. De s'être lié d'amitié avec Sébastien, de l'avoir suivi sur d'effroyables sentiers. Nicolas en payait aujourd'hui le prix ; il aurait mieux valu encore qu'il expiât son crime en prison. Car il lui fallait chaque jour sa dose d'anxiolytiques pour ne pas se balancer par la fenêtre ou au bout d'une corde.

Chaque seconde, Nicolas endurait un calvaire bien pire que l'enfermement ou la mort.

Consumé de l'intérieur, jour après jour. Bientôt, il ne resterait de lui que des cendres...

Vertoli se répétait souvent qu'il aurait dû dénoncer son propre fils au lieu de le protéger.

De le protéger et de *se* protéger, d'ailleurs. Car finalement, avait-il gardé le silence pour Nicolas ou pour lui-même ?

De quoi avait-il eu le plus peur ? Voir son fils aller en prison ou être éclaboussé par cette ignominie ?

Être le père d'un assassin, voilà ce qui l'avait effrayé plus que tout.

En cette nuit apocalyptique, il haïssait les Lavessières, il haïssait son fils. Il se haïssait lui-même. Mais impossible de remonter le temps : il était condamné à aller jusqu'au bout, désormais.

Toujours immobile, toujours dos aux deux victimes collatérales de son silence et de sa lâcheté, il retenait des larmes d'impuissance. Mais Vincent l'interpella violemment :

— Pendant toutes ces années, tu savais que ma femme était morte et tu as fait comme si de rien n'était ? Tu m'as parlé, tu... Comment t'as pu, Vertoli ? Espèce de salaud...

— Mon fils n'a pas tué Laure ! riposta l'adjudant. Il était simplement là au mauvais moment...

— Ben voyons ! coupa Hervé. Ton fils est aussi coupable que mon neveu ! Arrête d'en faire un saint... D'ailleurs, si c'était pas le cas, tu ne serais pas là ce soir ! Tu serais bien au chaud dans ta caserne de merde !

— Si ce fils de pute n'avait pas entraîné Nicolas, il n'aurait pas...

— N'insulte jamais les Lavessières ! menaça Hervé. Sinon, tu finis avec ces deux-là dans le ravin... Tu piges ?

— Vous avez trop besoin de moi ! argua Vertoli.

— Ah ouais ? Un clébard, ça se remplace ! Et quand on lui montre sa niche, il va se coucher ! C'est clair ?

Vertoli avait la main sur la crosse de son Beretta, ce qui ne semblait pas impressionner Hervé. Servane et Vincent retenaient leur souffle, espérant soudain une querelle meurtrière entre leurs geôliers. Mais les deux hommes se contentèrent de se dévisager ; deux mâles cherchant à s'intimider, rien de plus.

L'adjudant finit par baisser les yeux en signe de reddition et Hervé retourna à sa place savourer sa victoire.

Servane, le cœur gonflé de rage, revint à la charge.

— Comment vous pouvez nous faire ça, Vertoli ?

— Fermez-la, bon sang !

— Vous n'avez plus d'ordres à me donner ! Je ne reçois pas les ordres d'un pourri !

— Elle me plaît, cette petite ! ricana Hervé.

Il s'avança vers la jeune femme qui cessa immédiatement de vociférer à leur encontre.

Ce type la terrorisait.

Il posa un genou à terre, caressa son visage.

— Finalement, je passerais bien un moment avec toi…

Il portait des gants en cuir noir et Servane eut l'impression que c'était la mort qui effleurait sa peau. Elle resta muette, transie de la tête aux pieds.

— Y a une chose que je voudrais savoir, Lapaz, continua Hervé avec son infâme sourire. Maintenant que tu vas crever, tu peux me le dire… T'as vraiment couché avec elle ?

— Qu'est-ce que ça peut te foutre ? rétorqua Vincent.

— Oui, il a couché avec moi ! répliqua crânement Servane.

Hervé enleva sa main, surpris.

— Parce qu'on s'aime tous les deux ! enchaîna la jeune femme. Et tu peux commettre toutes les saloperies que tu veux, tu ne changeras jamais rien à ça. Tu ne briseras jamais ce qu'il y a entre nous…

— Elle a du tempérament, hein, Vincent ? rigola Hervé. T'as pas dû t'ennuyer ! Dommage que ce soit bientôt fini !

— C'est toi qui es bientôt fini, riposta le guide.

— Non, moi il me reste plein d'années à vivre. Toi, c'est une question de minutes, désormais…

Lavessières, qui semblait prendre un plaisir certain à les torturer, poursuivit son petit jeu cruel.

— Tu veux que je te raconte ? proposa-t-il subitement. Tu dois avoir envie de savoir comment ta femme est morte, non ? Et puis, étant donné que tu n'en as plus pour longtemps, je peux bien t'offrir ce cadeau…

Le cœur de Vincent se comprima atrocement ; si seulement il n'avait pas été attaché !…

— Je m'en souviens comme si c'était hier, attaqua Lavessières. Un matin, Sébastien m'a appelé pour me demander de l'aide. Il n'arrivait pas à joindre son père alors il s'est naturellement tourné vers moi… C'était en mai, il y a cinq ans. Séb était avec le fils de notre *cher ami* Vertoli, en train de braconner du côté du Vallonet… Ils étaient partis aux aurores, ils voulaient ramener un chamois… ça pullule dans le coin ! Endroit idéal, moment idéal… Pas encore de touristes, deux gardes en vacances, personne dans les parages… Personne à part… ta femme ! Les gamins sont tombés nez à nez avec elle… Manque de bol, non ? Laure a toujours manqué de chance, remarque. La preuve : elle t'a rencontré !

— Pauvre con ! cracha Vincent.

Hervé feignit de ne pas avoir entendu et continua à narrer son histoire d'un ton impassible.

— Elle avait apparemment bivouaqué au refuge et redescendait lorsqu'elle les a surpris en flag. Ils avaient abattu un chamois… Une bête magnifique ! Les gosses ont essayé de discuter avec elle, mais elle n'a rien voulu savoir : aussi bornée que toi… Elle allait les dénoncer, les faire passer devant un juge… comme s'ils avaient commis un crime ! Avec ce putain de Parc, ils risquaient gros, remarque. Ta femme s'est entêtée, Sébastien s'est énervé… Il l'a menacée, elle a eu la trouille, a tenté de s'enfuir… Alors Séb a tiré. C'est un sacré bon tireur, le petit, tu sais… C'est André et moi qui lui avons appris. Bref… Ensuite, ils m'ont appelé et je suis monté avec André et Portal. T'aurais vu ces mômes ! Complètement paniqués… Quand on est arrivés, ils étaient près de ta petite femme. Mais elle n'était pas encore morte, tu sais…

Vincent imagina Laure agonisante, aux mains de ces barbares. Un liquide en fusion s'épancha dans ses veines, une hélice en métal déchiqueta ses entrailles. Il ferma les yeux quelques instants et, lorsqu'il les rouvrit, ils brillaient de mille feux, à la plus grande satisfaction de son bourreau.

Servane serrait éperdument le bras de son ami comme pour lui insuffler le courage de supporter cette épreuve. La dernière avant le grand saut, sans doute.

Portal choisit cet instant pour regagner l'intérieur de la cabane ; il avait fini de cuver sa mauvaise humeur et s'assit sur son banc pour assister au spectacle.

— Elle avait pris une balle dans la cuisse, continua Hervé. Elle se vidait de son sang. Avec André, on s'est demandé ce qu'on pouvait faire ; la laisser crever sur place, c'était dangereux… Quelqu'un aurait pu passer avant qu'elle ne soit morte et elle aurait pu témoigner contre Sébastien… Là, avec ce qui venait de se produire, les deux gamins en auraient pris pour longtemps… Très longtemps.

Vincent tentait désespérément de dénouer la corde qui liait ses poignets. Parce qu'il avait besoin de ses mains pour tuer cet homme. L'étrangler, lui fracasser le crâne par terre, lui arracher les yeux, le cœur et les tripes.

Pour le massacrer.

Parce qu'il n'y avait plus que cela qui comptait.

— Tu veux connaître la suite ? proposa Hervé en grillant une nouvelle clope.

— Je veux te faire la peau !

— Désolé, mais ça tu peux pas… Si ça t'intéresse, je te raconte la suite !… Quand elle nous a vus arriver, Laure était déjà mal en point. Elle avait perdu beaucoup de sang et elle était morte de peur ! Les gosses n'avaient pas eu le courage de l'achever mais elle savait que nous, on ne lui ferait pas de cadeau… Un beau brin de fille, cette Laure ! On avait toujours regretté qu'elle ait choisi le mauvais camp, qu'elle soit tombée amoureuse d'un connard comme toi ! En tout cas, ce matin-là, elle nous a suppliés… Si tu l'avais vue ! Elle s'est traînée à plat ventre devant nous…

Vincent se mit à pleurer à chaudes larmes.

— Voilà qu'il chiale maintenant ! se désola Lavessières. Un vrai mec, ça pleure pas ! Remarque, t'as toujours chialé pour les gonzesses… Parce que ton père t'a filé trop de mandales quand t'étais petit ! Ça t'a déréglé le cerveau, sans doute…

— Arrêtez ! implora Servane.

— Pourquoi ? Je fais que lui raconter les derniers instants de la femme de sa vie ! Il avait envie de tout savoir ? Eh bien maintenant, il *va* tout savoir… Je disais donc que Laure nous a suppliés. C'était très émouvant… Déchirant, même ! Ça donnait envie de la réconforter… Elle t'appelait au secours, mais t'étais pas là. Normal, tu te baladais je ne sais où, comme d'habitude ! Bref, André et moi, on est tombés d'accord et on a voulu abréger ses souffrances… C'est moi qui devais faire le sale boulot. Une balle en pleine tête… Mais elle est partie toute seule, juste à ce moment-là… Alors, on a eu l'idée de faire croire qu'elle t'avait plaqué et on a déménagé ses affaires. Après, on a lancé une rumeur comme quoi elle s'était tirée avec un touriste… Le tour était joué. Même toi tu t'es douté de rien ! Le crime parfait… Sauf que cet enfoiré de Mansoni traînait dans le coin, lui aussi…

— Où est-elle ? s'écria Vincent d'une voix brisée.

— Tu veux dire son cadavre ? On l'a fait disparaître.

— Où ? hurla le guide.

— Calme-toi, mon vieux ! Je comprends que tu sois bouleversé mais… Personne pourra jamais la retrouver, je te le garantis.

— Où vous l'avez enterrée ? sanglota Vincent.

— *Enterrée ?* Tu rigoles, c'est trop risqué ! On finit toujours par retrouver un corps enterré… On est allés voir Guintoli…

Vincent écarquilla les yeux ; il n'arrivait plus à respirer. Quant à Servane, elle tenta de se souvenir qui était ce *Guintoli*… Le tumulte qui régnait dans son cerveau ralentissait ses neurones. Et lorsqu'elle se rappela enfin, elle oublia de respirer à son tour.

Guintoli, le boucher du village.

Ils ne l'avaient tout de même pas… découpée en morceaux ?

Mais Hervé ne les fit pas languir plus longtemps :

— Il élevait lui-même ses porcs, à l'époque…

Il termina sa phrase par un sourire encore plus abject que les précédents.

— Finalement, je suis pas certain qu'elle était vraiment morte quand on l'a jetée en pâture à ces affamés !

— Ça suffit ! s'interposa l'adjudant. T'es vraiment dégueulasse !

— Hé, tu vas pas t'y mettre, toi aussi ! répondit Hervé en rigolant. Fallait bien qu'on se débarrasse d'elle, non ?

Portal se mit à rire de concert avec son ami, pour masquer son malaise grandissant. Cet épisode hantait ses rêves depuis cinq ans. Cinq longues années d'un même cauchemar qui revenait le persécuter à intervalles réguliers. L'image de cette femme ; du corps de cette femme...

— Dommage que Guintoli élève plus ses porcs lui-même ! soupira Lavessières. On aurait eu de quoi leur filer à bouffer, ce soir ! Et puis tu vois, Lapaz, je n'aurais pas pris la peine de t'achever avant de te jeter dans l'enclos... Ne serait-ce que pour te faire payer la jolie cicatrice que tu m'as laissée sur le nez !

Mais Vincent ne l'entendait plus. Il pleurait, le front posé sur les genoux. Imaginant Laure dévorée vivante par ces monstres.

— Au fait : pour les porcs, je déconne ! lança soudain Hervé.

Le guide releva la tête ; au milieu de ses larmes, il devina le visage de l'ennemi.

— Mais n'empêche que c'est bien Guintoli qui nous a filé un coup de main... Manipuler la viande froide, c'est sa spécialité après tout !

Le crâne de Vincent heurta le mur violemment. Il aurait voulu s'exploser la tête pour ne plus entendre. Pour ne plus mettre d'images sur ces abominables paroles.

— Vous êtes ignoble ! murmura Servane en caressant les cheveux de son ami. Vous serez tous jugés un jour pour vos actes ! Et si ce n'est pas par la justice des hommes, ce sera par celle de Dieu !

Portal se ratatina sur son banc. La justice de Dieu. Le Jugement dernier...

Il se souvenait d'images terrifiantes. Humains ébouillantés dans les marmites infernales.

— *La justice de Dieu ?* répéta Hervé. Mais de quoi tu parles, chérie ?

— Quand vous serez face à lui, vous saurez !

Il la regarda fixement.

— Toi, tu seras bientôt face à lui, répondit-il. Alors, prépare-toi.

Vincent pleurait toujours et Servane le serra dans ses bras. Vertoli s'était à nouveau figé près de la porte, mains dans le dos, visage défait.

Un lourd silence s'empara du groupe.

Même Hervé avait cessé d'injecter son poison. Cette confession à l'ennemi l'avait étonnamment soulagé. Pourtant, il ne regrettait rien. Il avait agi comme il le fallait, avait protégé ce qui devait l'être ; les liens du sang exigent certains sacrifices. Et il était prêt à continuer cette nuit. Tuer Lapaz ne lui ferait pas grand-chose, sinon lui procurer un plaisir bref mais intense. Hervé avait toujours eu la haine facile, l'amour difficile. Pour Lapaz, ça remontait à leur enfance. Leurs pères se détestaient déjà, on aurait dit que c'était génétique.

Mais la haine, la vraie, était venue lorsque Laure l'avait quitté pour se retrouver quelques semaines plus tard dans les bras de Vincent. Dans le lit de Vincent.

Et même si ce n'était pas à cause de lui qu'elle avait mis un terme à leur brève aventure, Hervé n'avait pas digéré l'offense, suprême.

Lapaz était alors devenu un nuisible à éliminer du biotope, rien d'autre.

En revanche, supprimer la petite Servane serait plus déplaisant. Une tâche nécessaire, mais pénible. Comme pour Laure.

Le silence pesa longtemps sur leurs têtes. Seuls les pleurs de Vincent résonnaient contre le cœur de Servane. Et ce contact finit enfin par le calmer. Il respirait moins vite, reprenait pied.

Sauver Servane.

Il avait presque oublié sa mission, l'instant d'avant.

Il ne la laisserait pas mourir. Comme il avait abandonné Laure.

Il chuchota quelques mots à peine audibles à l'oreille de la jeune femme qui le considéra d'abord avec effarement. Pourtant, elle décida de lui obéir, sans chercher à comprendre.

Elle s'écarta légèrement de lui, tomba à genoux et joignit les mains.

— Notre Père qui êtes aux cieux…

Vertoli fit volte-face, médusé par cette apparition.

— Que votre nom soit sanctifié…

— Ta gueule ! brailla soudain Portal.

— Que votre règne arrive…

— On t'a dit de la fermer ! menaça Hervé. Tu veux vraiment que je m'occupe de toi ?

— Que votre volonté soit faite sur la terre comme au ciel…

— Putain ! C'est pas vrai ! gueula Portal en se levant. Vas pas la fermer ?

Les flammes de l'enfer léchaient déjà ses orteils, il commença à suffoquer.

Servane persista, malgré la crainte des représailles.

— Seigneur, accueillez Vincent près de vous parce que c'est un homme juste, acceptez son repentir et soulagez ses souffrances… Dans votre immense bonté, accordez-lui votre pardon pour toutes les fautes qu'il a commises…

— Bon, ça suffit ! décréta Hervé. Portal, fous-les dans la remise !

Le géant s'approcha mais s'arrêta net en face de Servane qui ressemblait à la Sainte Vierge de son enfance. Celle qui trônait sur le bahut de la salle à manger. Les yeux fermés, à genoux dans la poussière, elle les dénonçait à Dieu d'une voix grave et ardente.

— Rendez votre jugement à l'encontre des meurtriers et des lâches…

— Alors, qu'est-ce que tu attends, Portal ? s'emporta Hervé.

— Seigneur, réunissez Laure et Vincent dans votre Royaume et…

Portal jeta un regard inquiet vers son ami qui perdit définitivement patience.

— Espèce de grand con ! Fais ce que je te dis !

Comme il craignait encore plus Hervé que le Seigneur, Portal se résigna enfin à obéir. Il traîna Servane jusqu'à la remise, puis ce fut au tour de Vincent qui fut jeté à même le sol. Portal referma la porte et poussa le verrou.

Soulagé.

Les deux prisonniers se retrouvèrent alors dans le noir complet.

— On n'y voit rien ! murmura Servane avec terreur.

— Nos yeux vont s'habituer, la rassura Vincent.

— Tu m'as demandé de prier et voilà où ça nous mène ! chuchota-t-elle.

— On a de la chance, c'est précisément ce que je voulais…

— Ah... Et qu'est-ce qu'on fait maintenant ?

— Il faut trouver le moyen de se tirer d'ici... Tant que le maire ne sera pas revenu de l'Herbe Blanche, ils ne nous tueront pas. Et il va lui falloir un moment pour remonter...

— Mais Vertoli a une radio ! Dès qu'il aura fouillé la cabane, Lavessières l'appellera depuis la Jeep !... T'as pas pu entendre, t'étais dans les vapes.

— Merde, ça nous laisse beaucoup moins de temps que prévu... Faut que tu me détaches !

Elle s'acharna sur le nœud, déclara forfait au bout de quelques minutes.

— J'y arrive pas ! murmura-t-elle avec rage. C'est trop serré !

— Essaie encore !

— Attends ! Ils m'ont laissé mon paquet de clopes ! Y a un briquet dedans...

Il entendit qu'elle fouillait dans la poche de son pantalon et quelques secondes plus tard, une petite flamme éclaira son visage.

— Je vais brûler la corde, retourne-toi...

Une discrète odeur de roussi se répandit dans la pièce et soudain, Vincent laissa échapper sa douleur.

— Aïe ! Tu me crames la main !

— Chut ! Ils vont nous entendre ! Et arrête de bouger, merde !

Elle éloigna la flamme quelques secondes avant de réitérer l'opération. Vincent serra les dents et récupéra enfin l'usage de ses bras.

— Et maintenant ? interrogea la jeune femme.

— On se casse par le toit !

En levant la tête, elle aperçut une faible lueur. Une sorte de lucarne au milieu des tôles.

— Tu le savais ? s'étonna-t-elle.

— Évidemment !

— Mais comment on va monter jusque là-haut ?

Il lui confisqua le Zippo, éclaira le décor quelques secondes.

— Je vais mettre ces deux caisses l'une sur l'autre et on va monter dessus…

— Mais ça va faire du boucan, ils vont nous entendre !

— T'as qu'à chanter !

— Chanter ?

— Oui, ou crier ! Fais suffisamment de bruit pour qu'ils n'entendent que toi !

Vincent s'approcha à tâtons des deux caisses en bois qui renfermaient le matériel des ouvriers de l'ONF. Servane se mit à marteler la porte avec ses poings.

— Laissez-moi sortir ! hurla-t-elle. Je vous en prie !

Tandis qu'elle continuait à s'user les mains contre le bois, Vincent positionna la première caisse sous l'ouverture vitrée.

— Laissez-moi sortir de là ! Je veux pas rester dans le noir !

Ils entendirent le rire d'Hervé. Et sa réponse.

— Ferme-la, chérie ! T'as qu'à prier ton *Seigneur* !

— S'il vous plaît ! Ne me laissez pas là-dedans !

Vincent souleva la deuxième caisse dans un effort brutal et la posa sur la première. De violentes douleurs aux côtes lui cisaillèrent momentanément la respiration mais il fallait continuer coûte que coûte. Tandis que la jeune femme s'écorchait les cordes vocales, il grimpa sur son escabeau de fortune et essaya d'ouvrir le Velux. Une branche de mélèze pesait de tout son poids dessus et il dut lutter un moment avant de parvenir à dégager le passage.

— Grimpe ! murmura-t-il enfin.

Servane abandonna ses supplications et coinça une chaise sous la poignée de la porte. Puis elle escalada les caisses, se réfugia dans les bras de Vincent. Il sortit en premier et s'agenouilla sur le toit pour lui tendre la main. Elle le rejoignit sans trop de difficulté et ils s'aidèrent ensuite du mélèze pour descendre. Une fois sur la terre ferme, Vincent attrapa Servane par le poignet.

— Suis-moi !

Elle pensait qu'ils allaient redescendre vers les gorges mais Vincent prit la direction opposée.

— Pourquoi on revient pas sur nos pas ?

— Trop dangereux ! On risque de tomber sur André ! Et avec les autres qui vont nous courir après, on va être pris au piège...

Elle ne posa plus de question et le suivit dans la forêt ténébreuse qui semblait se refermer sur eux, les engloutissant à chaque pas. Elle s'accrocha à la main de son guide, remerciant le Seigneur en silence.

Dans la cabane, les trois hommes trouvaient le temps long. Portal faisait danser un Opinel sur la table, tandis qu'Hervé s'amusait avec son briquet.

Vertoli, harcelé par ses nerfs comme par un essaim de guêpes, enchaînait les rondes autour de la table. Il allait finir par creuser une tranchée dans le sol.

— On n'entend plus la petite ! remarqua soudain Lavessières.

— P't'être ben qu'ils se disent adieu ! suggéra Portal.

— Ça m'étonnerait que le guide soit en état !

Hervé alla taper trois coups à la porte.

— Hé, les amoureux ? On vous entend plus !...
Chérie ? Tu es morte de peur ou quoi ?

Soudain, la radio grésilla.

L'adjudant la retira de sa ceinture, la voix d'André
résonna à l'autre bout.

— Vertoli, tu me reçois ?

— Je t'écoute...

— Il n'y a rien à l'Herbe Blanche ! J'ai fouillé partout ! Cet enculé de guide nous a menés en bateau !

Portal et Hervé s'étaient rapprochés du gendarme et
attendaient les instructions du maire.

— Qu'est-ce qu'on fait ? demanda l'adjudant.

— Torturez la fille jusqu'à ce que Lapaz crache le
morceau !

Hervé arracha la radio des mains de Vertoli et
s'adressa à son frère d'un ton excédé.

— Y a pas de preuves, André ! Il nous prend pour
des cons depuis le début ! Tu ne comprends donc
rien ?!

Le maire ne réagit pas immédiatement.

— Il faut en être sûr ! Essaie de le faire parler ! Je
remonte.

— D'accord ! soupira Hervé. Mais je suis sûr qu'il a
bluffé...

Le maire coupa le contact et son frère balança la
radio sur la table.

— On perd notre temps, putain !... Bon, vous avez
entendu ce qu'a dit André ? ajouta-t-il d'une voix dure.
Faut qu'on sache si ces preuves existent !

— Je pense comme toi, fit Vertoli. Lapaz a tout
inventé pour gagner du temps...

— Ouais, mais on fait ce qu'a demandé mon frère,
répéta Hervé.

— Hors de question qu'on recommence à lui taper dessus !

— T'en fais pas, le képi ! T'auras pas à te salir les mains, une fois de plus… Portal et moi, on va s'occuper de la petite. Et Lapaz va dire la vérité, je te le garantis !

— Vous ne pouvez pas faire ça ! s'indigna l'adjudant. Je vous interdis de toucher Servane !

Lavessières le bouscula d'un simple regard.

— T'es pas en mesure de nous *interdire* quoi que ce soit. Et si t'as pas de couilles, t'as qu'à attendre dehors.

Il tira le verrou de la remise, tenta d'ouvrir. Mais quelque chose l'empêchait de pousser la porte. Il s'acharna dessus pendant près d'une minute puis se tourna vers Portal.

— Défonce-moi cette saleté de porte !

Le colosse prit son élan et donna un violent coup d'épaule. La porte céda et, entraîné par son propre poids, Portal atterrit lourdement contre les deux caisses en bois. Hervé et Vertoli entrèrent juste derrière lui et comprirent en un quart de seconde que les prisonniers s'étaient fait la belle.

— Bordel de merde ! rugit Lavessières.

Portal se releva doucement, légèrement groggy par son entrée fracassante, et les trois hommes récupérèrent leurs affaires avant de se précipiter à l'extérieur.

*
* *

Servane avait de plus en plus de mal à respirer, Vincent l'encouragea.

— Allez, viens !

Il continua à la tirer par la main, comme il le faisait depuis une demi-heure. Depuis qu'ils s'étaient échappés de la cabane de Congerman.

— J'en peux plus, murmura-t-elle.

Elle trébucha sur une pierre, s'affala sur le sentier. C'était la troisième fois depuis leur évasion. Vincent l'aida à se relever et elle éclata en sanglots.

— Je peux plus marcher, Vincent ! gémit-elle. Je... Je peux plus respirer !

— Calme-toi ! Faut qu'on avance, qu'on s'éloigne d'eux au maximum...

Mais elle était exténuée. Une demi-heure à courir dans la nuit, dans cette forêt humide, avec la peur au ventre. Sur cette pente difficile. Elle se laissa retomber à genoux et Vincent s'accroupit à côté d'elle. Il la prit par les épaules, elle secoua la tête. Comme pour dire non.

— Faut au moins qu'on arrive au prochain refuge, expliqua-t-il doucement. Là, on pourra récupérer quelques trucs comme une lampe torche... On sera bientôt à la Baisse de l'Orgéas et ensuite, c'est que de la descente...

— Je peux plus...

— Je vais te porter !

— Non, ça sera trop dur...

Il la prit dans ses bras puis se remit en marche, beaucoup plus lentement. Il ignorait si les tueurs étaient sur leurs traces ou s'étaient fourvoyés en redescendant les gorges. Peut-être s'étaient-ils divisés en deux groupes.

Peut-être étaient-ils juste derrière eux.

Il ne savait pas avec quelle énergie il parvenait encore à marcher, tout en portant la jeune femme. Il aurait dû s'écrouler depuis longtemps.

Mais il avançait, pas après pas, mètre après mètre.

Sauver Servane.

Il sentit soudain qu'elle grelottait. Il pouvait même l'entendre claquer des dents. Entendre ce sifflement aigu dans ses bronches enflammées. Il tenta d'accélérer le rythme, repoussant ses propres limites. Oubliant la douleur, la fatigue, la peur. Même la haine. Rien ne devait le freiner. Et seul l'amour qu'il éprouvait pour Servane le ferait avancer.

Ils atteignirent enfin la Baisse de l'Orgéas, croisée des chemins au milieu de la forêt, et Vincent déposa Servane sur le sol. Il avait le souffle court et elle devinait son visage épuisé dans cette obscurité à laquelle ses yeux s'étaient accoutumés.

— Ça va ? murmura-t-il.

— Oui, mentit-elle d'une voix tremblotante.

— Tu as toujours aussi froid ?

L'impression que la glace dévorait son corps.

— Un peu…

Il lui donna sa polaire ; il était désormais en tee-shirt.

— Et toi ? s'inquiéta-t-elle.

— Ça ira ! Enfile ça sous ton blouson. On va descendre jusqu'au refuge… Tu pourras marcher ?

— Je vais essayer…

Vincent prit sa main dans la sienne et ils entamèrent la descente. Les jambes de Servane tremblaient, tels deux morceaux de bois menaçant de céder. Pourtant, ce fut Vincent qui chuta, son pied ayant buté contre une racine. Il eut l'impression de tomber de plusieurs mètres, de se péter une ou deux côtes supplémentaires. Pourtant, il se remit en marche. Encore.

Jusqu'à ce qu'enfin, la cabane de l'Orgéas se devine dans l'obscurité. Vincent força la porte et ils pénétrèrent dans un trou noir. Mais le guide connaissait chaque centimètre carré de cet abri et dénicha rapidement une lampe à gaz. Grâce au briquet de Servane, une douce lumière inonda l'unique pièce.

— On va passer la nuit ici ? espéra-t-elle d'une voix faible.

— Non, je prends quelques trucs et on repart...

Elle s'effondra sur une chaise, l'air hagard. Vincent avait trouvé une vieille musette et y enfourna des trésors : lampe torche, gourde en fer, couverture, gobelets métalliques et réchaud miniature. Il récupéra en prime quelques sachets de thé, des morceaux de sucre et referma le sac. Puis il vola un pull kaki laissé par un garde de l'ONF et l'enfila sur son tee-shirt.

— On y va, ordonna-t-il.

Servane se leva avec difficulté. Son corps était endolori, comme si elle avait été rouée de coups. Une fois dehors, Vincent alla remplir la gourde à une source et se passa de l'eau glacée sur le visage. Ses blessures le martyrisaient. Mais cette nuit, tant de choses lui faisaient mal...

Il tendit la main à Servane et ils s'enfoncèrent dans la forêt, oubliant le sentier.

— Où on va ? chuchota-t-elle avec terreur.

— On va trouver un coin pour se cacher.

— Mais il faut rentrer à la maison, Vincent !

Elle perdait pied, il serra sa main dans la sienne.

Il avait renoncé à continuer. Servane était en hypothermie, complètement déshydratée et proche de l'épuisement. Son asthme empirait et elle respirait de plus en plus mal. S'il la forçait à marcher, elle allait mourir et il le savait.

— Pourquoi on ne rentre pas chez nous ? demanda-t-elle.

— Parce qu'ils sont peut-être derrière nous et il faut qu'on se planque... Et la forêt, c'est ce qu'il y a de mieux pour se planquer.

Ils avancèrent au travers des fourrés encore un bon quart d'heure et enfin, Vincent s'arrêta au milieu d'une minuscule clairière. Il déposa son sac, étala la couverture au pied d'un mélèze, invita Servane à s'y asseoir puis prépara du thé.

S'il ne parvenait pas à la réchauffer, elle ne passerait pas la nuit.

La jeune femme s'était remise à claquer des dents. Mais elle ne semblait même plus s'en apercevoir. Elle n'était plus sur la terre ferme, se noyant dans une sorte de cauchemar sans fin. Ses yeux restaient ouverts sur le néant, ses bras ballants.

Vincent fit chauffer la gourde sur le réchaud, versa l'eau bouillante dans les gobelets.

— Bois ça ! ordonna-t-il.

Un thé brûlant et sucré. Véritable luxe pour ces deux naufragés qui venaient d'échapper à la mort. Servane avala deux tasses à la suite et sentit son corps se réchauffer doucement, son cerveau fonctionner à nouveau normalement. Elle était sortie de son état second pour replonger dans la réalité. Tout aussi cauchemardesque.

Mais elle retrouva suffisamment de volonté pour s'occuper des blessures de Vincent. Elle épongea le sang qui coulait jusque dans ses yeux.

Elle allait mieux et le guide se sentit soulagé. Il l'avait sauvée.

Pour l'instant.

— C'est pas trop douloureux ? demanda-t-elle.

— Si, ça fait un mal de chien ! Surtout les côtes...

— Quelle bande de salauds ! Si tu savais comme je regrette d'être allée me confier à Vertoli... J'avais confiance en lui, tu sais...

— Je sais, Servane. Ce n'est pas ta faute... Essaie de dormir un peu maintenant.

— Je ne pourrai jamais ! Ils peuvent surgir d'un moment à l'autre !

— Ils ne nous trouveront pas ici, assura-t-il. Je vais éteindre la lampe et rester éveillé.

— J'ai encore froid...

— Moi aussi !

— Il fait quelle température ?

— Je sais pas... Un ou deux degrés, pas plus. On est à 2000, ici... Heureusement que le ciel est couvert, sinon ce serait bien pire !... Approche, on va se tenir chaud.

Il s'allongea et elle vint se poser sur lui, écoutant battre son cœur, incroyablement calme. Il replia les pans de la couverture sur leurs corps tremblants.

Lit improvisé.

— Vincent ?... Je veux pas mourir...

— Tu ne vas pas mourir, je te le promets.

— Je veux pas que tu meures non plus !

Il sourit à l'obscurité.

— Je te manquerais ?

— Beaucoup...

Elle s'était hissée un peu plus haut, il sentait son souffle dans son cou. Il avait envie de l'embrasser mais se contenta de la serrer plus fort.

— Parle-moi, s'il te plaît, implora-t-elle. J'ai peur... J'ai tellement peur.

Il ne savait pas quoi lui dire. L'image de Laure le hantait. Seul son prénom venait sur ses lèvres.

— C'est quoi, ce cri ? demanda alors Servane.

— Le chant d'un grand duc.

— Un *grand duc* ?

— Un hibou... Le plus grand d'Europe. Il a l'envergure de l'aigle royal... Il y a quelques années, on a cru qu'il allait disparaître... Il n'y en avait presque plus en France. Et puis, à force de protéger cette forêt, on a réussi à le faire revenir par chez nous. Un couple s'est installé dans la vallée... Il est magnifique, avec de grands yeux orange et des aigrettes immenses...

Il devina qu'elle s'était endormie. Il éteignit la lampe et se rassura de sa respiration presque silencieuse. Il remonta encore un peu la couverture sur ses épaules, laissa libre cours à ses pensées. À ses larmes aussi.

— Je t'aime, murmura-t-il.

Laure, Servane.

Son cœur était bien assez vaste...

32

André Lavessières n'avait pas perdu son temps. Aussitôt prévenu de l'évasion des deux témoins gênants, il avait rameuté les renforts. Guintoli avait emmené ses deux chiens de chasse, surpris par cette battue nocturne. Le maire avait également récupéré son fils au passage et tiré du lit Julien Mansoni, qui n'avait pas encore eu le temps de comprendre précisément ce qu'il faisait là, au lieu d'être encore au chaud sous sa couette.

En tout, ils seraient sept pour traquer les fuyards.

Ils se regroupèrent à l'entrée des gorges Saint-Pierre avant le lever du jour, rejoignant Vertoli, Hervé et Portal qui descendaient des cabanes de Congerman.

— Alors ? interrogea André.

— Alors rien ! dut répondre son frère. Ils ne sont pas passés par là, sinon on les aurait vus… Aucun moyen de se planquer sur ce putain de chemin !

— On voit bien que tu connais pas Lapaz ! souligna Mansoni. Si ça se trouve, tu lui es passé à côté sans même t'en apercevoir… !

— Toi, on t'a rien demandé ! répliqua Hervé, exténué par cette nuit sans sommeil.

— Mais comment ont-ils pu vous échapper ? hurla le maire.

— On les avait enfermés dans la pièce d'à côté et… Je savais pas qu'il y avait un Velux, avoua Hervé.

— Abruti ! vociféra le maire. Même pas capable de surveiller une gonzesse et un mec à moitié mort !

— Si t'avais pas gobé son histoire de preuves imaginaires planquées je ne sais où, on n'en serait pas là ! contre-attaqua son frère.

André l'attira brutalement à lui, en empoignant le col de sa parka.

— Ferme ta grande gueule, Hervé !

Il relâcha son cadet, le poussant brutalement vers l'arrière. Il perdit l'équilibre et se retrouva sur le cul. Furieux, il se releva d'un bond, prêt à en découdre avec son propre frère.

— Maintenant que t'as fait le con, faut les retrouver, conclut posément le maire. Avant qu'on soit tous dans la merde.

Finalement, Hervé se renfrogna, conscient de son énorme erreur.

André récupéra un fusil de chasse dans le coffre de la Jeep et le jeta aux pieds de Mansoni.

— Ramasse ! ordonna-t-il.

— Comptez pas sur moi pour participer à ça ! rétorqua le garde qui avait enfin saisi la situation.

— Tu ne veux pas *participer* ? répéta André. Très bien… S'ils nous échappent, tu finiras en taule, comme nous tous. Une jolie cellule de neuf mètres carrés où tu pourras tourner en rond pendant dix piges… En charmante compagnie, en plus !

Sébastien ne put s'empêcher de savourer l'instant, malgré le danger qui planait au-dessus de sa tête. Depuis le temps qu'il rêvait de se venger de Mansoni...

— Je n'ai pas tué Laure ! rappela Julien.

— C'est sûr... Mais chantage et non-dénonciation de crime, ça peut te coûter cher... Très cher, même ! À toi comme à ta bourgeoise !... Sans parler de Cristiani...

Julien recula d'un pas.

— Qu'est-ce que tu racontes ? Je ne suis pas responsable de la mort de Pierre !

— Allons, ne sois pas modeste, Mansoni ! ricana le maire. Évidemment, que c'est toi qui l'as poussé dans le vide... Remarque, on comprend tous ici pourquoi tu as liquidé ce salopard ! Depuis le temps qu'il baisait ta femme... On pourra tous en témoigner, je te le promets !... Ce qu'on comprend moins, c'est pourquoi tu l'as pas trucidé plus tôt ! Ça te plaisait d'être cocu ou quoi ?

Julien ne trouva plus la force de riposter ; le collet se refermait autour de sa gorge, l'étranglant méthodiquement. Ce piège qu'il avait lui-même fabriqué, quelques années auparavant. À cette seconde, il réalisa à quel point il était devenu un être abject, semblable à ceux qu'il avait autour de lui dans cette aurore aux allures de fin du monde.

— Ramasse ce fusil, répéta André. Sinon, je te jure que je te ferai regretter tout ce que tu as fait depuis cinq longues années. T'imagines même pas le prix que je vais te faire payer...

La voix du maire perforait le cerveau de Julien, telle une chignole aiguisée.

— Ramasse ce putain de fusil, ordonna encore Lavessières. Et c'est la dernière fois que je te le demande.

Julien s'exécuta, ficelé par la peur, le dégoût.

Dégoût de ces hommes dont il faisait partie.

Il aurait aimé n'être jamais venu dans cette vallée. À cette seconde, il aurait même aimé n'être jamais venu au monde. Pour ne jamais endurer ce moment. Atroce.

Depuis des années, il vivait avec l'angoisse chevillée au corps. L'angoisse, mais aussi et surtout la culpabilité.

Pourquoi ?

Pourquoi n'avait-il pas dénoncé ce crime ? Pire encore, pourquoi avait-il choisi d'en tirer profit ? Pourquoi avait-il, de son plein gré, activé l'étau qui le broyait lentement... Ce matin de mai, lorsqu'il avait aperçu les frères Lavessières, Portal et les mômes mettre un cadavre dans le coffre d'une bagnole, son premier réflexe avait été de prévenir les gendarmes. Il ne pouvait pas deviner que c'était Laure, il l'avait compris alors qu'il était déjà trop tard.

Mais Laure ou quelqu'un d'autre, ça changeait quoi ?

En train de réaliser un film sur le Parc, il avait pris une vidéo de la scène avec son caméscope. Pourtant, arrivé devant la caserne, il avait hésité.

Finalement, il n'avait prévenu personne. Et ne comprenait pas aujourd'hui encore, la ou les raisons de ce silence complice.

Souvent, face au miroir, il s'était répété qu'il aurait été inhumain d'envoyer deux garçons aussi jeunes à l'ombre, alors qu'il ne s'agissait probablement que d'un accident.

Mais ce matin, c'en était fini des fausses excuses.

Plutôt que d'expédier le clan Lavessières en taule, ce qui l'aurait exposé à l'hostilité des habitants et l'aurait contraint à quitter la vallée, il avait préféré se taire et leur soutirer une montagne de fric.

Pour que Ghislaine reste avec lui, alors qu'elle était déjà en train de lui échapper.

Pour qu'il puisse enfin réaliser certains de ses rêves ; au prix d'un perpétuel cauchemar.

Pour d'autres raisons qu'il valait mieux ne pas s'avouer ; parce qu'il était Julien Mansoni, qu'il était sans doute pourri jusqu'à la moelle. Pourri et lâche, de surcroît. Il ne voyait pas d'autre explication à la lueur de cette aube meurtrière.

La voix de Sébastien lui fit l'effet d'un électrochoc qui le sauva momentanément de ses questions.

— Et ton fils, Vertoli ? Pourquoi il vient pas nous aider, hein ?

— Ne mêle pas Nicolas à toute cette merde ! rétorqua l'adjudant.

— Il est déjà mouillé jusqu'au cou ! rappela le jeune Lavessières. Si je plonge, il plonge avec moi...

— Ferme-la ! enjoignit son père. De toute façon, il ne nous servirait à rien. On n'a pas besoin d'une lopette !

Vertoli ne répondit pas. À quoi bon ? Il avait l'impression que tout cela n'était pas réel, comme un mauvais film se jouant sous ses yeux exténués ; un mauvais film qu'il n'avait aucun moyen d'arrêter.

André organisa alors la traque, en général préparant la bataille.

— Bon, ils n'ont que deux solutions : emprunter les gorges ou passer par l'Orgéas et redescendre sur Ondres...

— Ils peuvent aussi passer par en haut, rappela Guintoli en désignant une falaise derrière lui.

— Impossible, rétorqua le maire. Le guide pourrait y arriver, mais pas la fille… C'est trop acrobatique. Non, ils redescendront par ici ou par l'Orgéas, aucune autre issue.

— Ils sont peut-être déjà à Ondres, souligna Hervé.

— Non, ils n'ont pas eu le temps, affirma André. Le guide est salement amoché, j'te rappelle… Ils n'ont même pas de lampe ! Ils doivent se terrer dans un coin en attendant le lever du jour… Alors on va faire comme pour la battue : on va former deux équipes. Une qui couvre le secteur des gorges et l'autre qui part du côté d'Ondres. On aura un clébard et une radio par groupe.

Il distribua précisément les rôles, personne ne songea à le contredire.

Chaque homme ici présent était coupable. D'avoir tué ou gardé le silence.

Un secret déterré par erreur et qu'il fallait à tout prix remettre en bière.

Les hommes partirent pour une chasse qui ne connaîtrait pas de pitié. En essayant d'ignorer la question qui taraudait leur esprit ; essentielle pourtant. Ma liberté vaut-elle la vie de deux innocents ?

La réponse s'imposait à eux. Il était un peu tard pour faire demi-tour, pour renoncer.

Et puis, au fond de lui, chacun espérait encore ne pas avoir à se salir les mains.

Ce n'est pas moi qui vais appuyer sur la détente. Ce sera l'autre. Et je fermerai les yeux, comme je l'ai toujours fait. Je tournerai la tête de l'autre côté, je regarderai ailleurs.

La lâcheté a quelque chose de fascinant. Peut-être parce qu'elle ne connaît pas de limites, contrairement au courage.

Et cela, André Lavessières l'avait compris depuis longtemps.

*
* *

Servane se mit à trembler, Vincent remonta la couverture sur ses épaules. Elle poussa un bref gémissement avant de se rendormir. Le jour n'allait plus tarder à se lever, maintenant. Le froid était à son apogée. Heureusement qu'ils étaient deux pour se tenir chaud. Cette fameuse chaleur animale que rien ne remplace. Il caressa doucement ses cheveux blonds, emmêlés et souffrants, parsemés de brindilles.

Sauver Servane.

Il murmurait sans cesse ces deux mots pour ne pas céder au sommeil. Il devait rester éveillé pour qu'elle puisse dormir en toute sécurité. Guetter l'arrivée des chasseurs, rester en alerte. Il n'échouerait pas une deuxième fois, ne laisserait pas mourir la femme qu'il aimait. Il allait la sauver, il en était capable.

Simple question de volonté. Et sa volonté était toujours d'acier.

Alors pourquoi avait-il pleuré toute la nuit ? Comme cette nuit ancienne dont il se souvenait à peine. Lorsqu'il s'était enfui pour échapper à la violence de son père. Petit garçon perdu dans les bois, dans les bras d'une forêt inconnue qui l'avait accueilli sans poser de questions. Peut-être la nuit où il avait compris que la montagne serait son refuge. Son ultime refuge.

Servane recommença à bouger, à gémir. Elle faisait sans doute un cauchemar et il embrassa son front. Lèvres glacées sur peau glacée. Elle ne se réveilla pas et il continua son voyage. Long retour en arrière.

Sa vie, comme un livre écrit sur le ciel, entre le jour et la nuit.

Les plus beaux moments, avec Laure, avec Pierre. Avec Servane, aussi.

Et les plus durs, les plus laids. Ceux qu'il aurait voulu pouvoir effacer d'un coup de baguette magique. Mais il y avait bien longtemps qu'il ne croyait plus aux contes de fées.

Depuis qu'un homme avait brisé son enfance, volé son enfance, piétiné son enfance. L'obligeant à devenir un meurtrier alors que ses copains jouaient encore avec insouciance dans les cours de récré.

Il avait basculé dans l'âge adulte en même temps que dans l'horreur.

Mais il s'en était bien sorti.

Simple question de volonté. Et sa volonté...

Servane se réveilla brusquement et leva les yeux vers lui. Il se força à lui sourire, elle ne vit pas ses larmes. Il avait eu le temps de les chasser du revers de la main.

Elle se redressa, épiant les alentours avec appréhension. Jusqu'à ce qu'elle retombe sur le visage de Vincent. Blessé mais rassurant.

Elle se pelotonna contre lui, il frictionna son dos pour la réchauffer.

— Je vais faire du thé avec l'eau qu'il nous reste, murmura-t-il.

— Oui... J'ai froid. Et j'ai faim...

— Je m'en doute ! Je vais essayer de te trouver quelque chose à manger...

— Ici ?

— Non, prépare-moi la liste, je descends vite fait au supermarché du coin !

À son tour, elle s'obligea à sourire.

— Tu as dormi ? demanda-t-elle.

— Non.

— Merci d'avoir veillé sur moi… Merci beaucoup.

Elle approcha ses lèvres des siennes, les frôla doucement. Puis elle caressa son visage abîmé par la folie meurtrière des hommes. Abîmé par une nuit d'errance. Une vie d'errance.

Ils étaient allongés, l'un sur l'autre, et Vincent aurait voulu que les circonstances soient différentes. Il aurait voulu être ailleurs, avoir le temps. Le temps de prolonger ce petit matin où il la sentait prête à franchir le pas. Prête à l'aimer, même s'il n'était qu'un homme.

Mais le danger rôdait et il leur fallait repartir. Fuir à nouveau.

Il prépara le thé et cueillit deux poignées de framboises pour le petit déjeuner. Quelques grammes de sucre pour lui instiller la force de repartir. Il regroupa les affaires, veillant à ne laisser aucune trace de leur bivouac.

Les premiers pas furent atroces pour Servane. Corps gelé, ankylosé ; muscles de pierre et ligaments de bois.

Elle s'accrochait à la main de Vincent qui l'encourageait doucement à le suivre. Jusqu'à Ondres, ce ne serait quasiment que de la descente.

À peine 6 h 30 du matin, le soleil n'était pas encore sorti de sa tanière. Mais sa promesse envahissait déjà l'espace, ressuscitant les oiseaux et les arbres, exhortant les dernières fleurs d'automne à déplier leur corolle.

— J'ai mal aux pieds ! gémit Servane d'une voix enrouée.

Elle boitait de plus en plus, alors ils s'arrêtèrent.

— Vire tes godasses, dit Vincent. Je vais jeter un œil...

Elle s'assit sur un rocher, ôta ses chaussures. Elle avait d'énormes ampoules derrière les talons et il utilisa un mouchoir en papier pour lui confectionner un pansement de fortune.

— Ça va mieux ? vérifia-t-il après quelques pas.

— Oui, merci. Tu es vraiment un ange...

Un ange... Vincent Lapaz, un ange ! Cette idée le fit sourire. On l'avait si souvent comparé au diable. Il avait fait tant de mal à tant de gens. À tant de femmes, surtout. Il eut une pensée furtive pour l'adorable Myriam... Mais c'était terminé, maintenant. Il avait changé. Il prenait conscience ce matin qu'il avait passé cinq ans à se venger d'une femme qui jamais n'avait cessé de l'aimer. Qui jamais ne l'avait trahi.

— Où on va ? demanda Servane.

— On descend sur le village d'Ondres et de là, on rejoindra la route principale qui mène à Colmars. Dès qu'on pose un pied sur le goudron, on est sortis d'affaire...

— C'est encore loin, Ondres ?

— Une heure et demie, pas plus.

— C'est tout ? Mais... Pourquoi on n'a pas fait ça cette nuit, alors ? On serait déjà à l'abri !

— Tu n'étais pas en état de continuer, expliqua-t-il. Tu avais besoin de te reposer et de te réchauffer.

— J'aurais tenu le coup !

— Non, Servane. Tu serais... morte.

Elle se souvint alors de cette étrange sensation ; ce voyage en terre inconnue quand le froid avait pris possession de son corps puis de son cerveau.

— J'ai déliré cette nuit, non ? s'inquiéta-t-elle.

— Tu étais en hypothermie, c'est pour ça.

— Tu crois qu'ils sont où ?

— J'espère qu'ils nous cherchent de l'autre côté... Ils ne sont que quatre, de toute façon. Et avant Ondres, on quittera le sentier. Vaut mieux se planquer au maximum.

Le soleil apparut enfin ; et même s'ils évitèrent de se confier l'un à l'autre, les deux rescapés se posèrent la même question : si c'était la dernière fois que je le voyais se lever ?

Ses premiers rayons, encore frileux, produisirent tout de même une réconfortante sensation de chaleur. Servane marchait mieux, désormais. Ses muscles s'étaient assouplis, elle avait pris le rythme.

Elle ne lâchait pas la main de Vincent.

Il lui sembla d'ailleurs qu'elle ne la lâcherait plus jamais. Que cette aube marquait le début d'une nouvelle vie. Tout en marchant à une allure soutenue, elle laissait ses pensées naviguer sur les cimes, divaguer sur les prairies verdoyantes et les roches rassurantes. Elle pensait à l'avenir pour occulter la menace présente ; la terreur qui gangrenait ses entrailles.

Cet avenir qui avait soudain un visage familier. Des yeux noirs, immenses ; une voix chaude et calme. Cet avenir qui avait le visage de Vincent.

Non, impossible. Une erreur sans doute. Encore un tour joué par la peur.

Pourtant, il lui fallut se rendre à l'évidence : elle ne pourrait plus jamais s'éloigner de lui.

Ils cheminaient maintenant en lisière de forêt. À découvert. Deux êtres de chair et de sang au milieu d'un chaos de pierres.

Cibles parfaites.

Plus loin, ils rentreraient à nouveau dans la forêt. Sécurisante parce qu'elle pouvait dissimuler leur fuite.

Pourquoi des innocents devaient-ils fuir, d'ailleurs ?

— Il faudrait installer des cabines téléphoniques en montagne, songea-t-elle tout haut.

Vincent la considéra avec un sourire tendre.

— Il y a le téléphone à Ondres ?

— Il n'y a rien du tout à Ondres ! répondit Lapaz. Quelques vieilles pierres abandonnées, une fontaine et une église…

— Une église ? C'est bon signe.

Elle croyait encore en Dieu. Cela avait quelque chose de surprenant, de rassurant. Après une nuit d'épouvante, elle n'avait pas perdu ses repères. Et Lapaz se posa soudain la question. Si elle avait raison ? S'Il existait vraiment ? Elle devait Le ressentir, Le percevoir dans ce tumulte.

Mais non, ce n'était qu'une création de l'esprit. Lui n'avait ni Dieu ni foi et n'en aurait jamais. Il y avait définitivement renoncé.

Le sentier entra à nouveau dans la forêt, un chamois détala devant eux, surpris de cette rencontre matinale. Il disparut rapidement dans le ravin en déclenchant un petit éboulement de pierres. Il y avait de la vie partout, dans chaque arbre, dans chaque recoin de l'espace.

Vincent s'arrêta un instant pour montrer quelque chose à Servane. Au loin, le hameau d'Ondres se reposait au creux de la montagne. Quelques toits de tôle rouillés qui prenaient soudain une importance capitale.

Ils allaient y arriver. Ils approchaient du but et se remirent en marche.

La forêt, les pierres. Puis la forêt encore.

Un pied devant l'autre, aussi vite que possible. Un sentier difficile, glissant. La cheville qui se tord sur les cailloux, le pied qui glisse sur la terre friable et les aiguilles de pin séchées. L'effort qui fait battre les cœurs. Et cette peur sournoise, vicieuse.

Mais Servane avait une main pour la guider. Et une certitude, désormais. Une certitude qui devenait plus forte à chaque pas.

Il fallait qu'il sache.

— Vincent ?

— Oui ?

— Je voulais te dire… Je…

Il ne s'arrêta pas de marcher mais elle sentit qu'il l'écoutait. De tout son être.

— Je… Il faut que je te dise quelque chose…

— Je t'écoute, Servane.

— C'est pas facile ! s'excusa-t-elle.

— N'aie pas peur ! Personne à part moi ne peut t'entendre !

— Ça tombe bien ! C'est à toi et à toi seul que je veux le dire…

Il sentit son cœur accélérer encore. Il croyait deviner ce qu'elle avait tant de mal à lui avouer.

— Dire quoi ?

— Ben… Je crois que je suis…

Vincent s'arrêta net, Servane percuta son épaule. Elle mit quelques secondes à discerner ce qu'il avait vu juste avant elle. Quatre personnes montaient à leur rencontre.

Pourvu que ce ne soit pas…

— Non ! murmura Vincent.

Un non désespéré. Un non qui implorait.

Il eut juste le temps de la prendre dans ses bras pour la pousser vers le ravin. Une détonation qui fait trembler le ciel, la balle qui siffle juste au-dessus de leurs têtes. Servane hurla et continua à dévaler la pente abrupte juste derrière lui. Accrochée à sa main comme à la vie. Ils s'arrêtèrent enfin de descendre et Vincent tourna la tête vers la droite : il devina la silhouette du chasseur qui ajustait son tir au travers de la lunette. Il se jeta sur Servane et la plaqua au sol au moment même où la deuxième déflagration déchirait leurs tympans.

Trop tard.

Il poussa un cri et ils se mirent à dégringoler cet ubac de terre et de pierres. Écorchant leur peau, écrasant leur chair. Des mètres et des mètres de descente au purgatoire. Jusqu'à ce qu'un bosquet d'arbustes stoppe enfin leur chute. Avec une brutalité inouïe.

Servane mit quelques instants à reprendre ses esprits. Son corps était en feu, en miettes. Mais elle n'était pas morte. Incroyable pourtant d'avoir survécu à une telle chute.

Elle se redressa légèrement et aperçut le guide sur sa gauche. Elle l'appela doucement.

— Vincent ?

Il ne répondit pas, alors elle se traîna péniblement jusqu'à lui.

Et là, le monde termina de s'écrouler. Une énorme tache rouge sur son épaule droite. Trou noir et béant laissant échapper la vie et entrer la mort.

Elle le secoua violemment, désespérément.

— Vincent ! Réponds-moi !

Il était vivant ; elle le sentait plus qu'elle ne le voyait. Chaque fois que sa poitrine se soulevait, du sang giclait de sa blessure. Elle n'avait jamais eu aussi mal de sa vie et pourtant, elle trouva le courage de réagir. Elle renversa le contenu de la gourde sur le visage du guide. Elle levait sans cesse les yeux vers les hauteurs, craignant de voir surgir les chasseurs.

Vincent rouvrit enfin les paupières mais il semblait aveugle. Il gémissait de douleur et elle lui releva la tête avant de l'obliger à boire l'eau qui restait.

— Debout ! ordonna-t-elle. Allez, Vincent ! Lève-toi, il faut partir !

Avec une force étonnante, elle le remit d'aplomb. Plusieurs fois. Jusqu'à ce qu'il tienne debout. Sans trop savoir comment. Et ils continuèrent à descendre, à s'éloigner de la mort. Elle le soutenait comme elle pouvait et ils chutèrent à de nombreuses reprises. Servane sentait une douleur violente remonter dans son bras gauche. Elle s'était cassé le poignet en tombant. Elle s'était ouvert la jambe, aussi. Pourtant, elle ne s'arrêta pas.

Sauver Vincent.

Sauver leur amour encore vierge.

Ils quittèrent enfin la pente rocailleuse pour atterrir sur une petite sente incertaine qui surplombait le torrent. Vincent tenait sur ses jambes comme par miracle. Deux mots lui revinrent à l'esprit.

Sauver Servane.

Il serra à nouveau sa main dans la sienne et ils quittèrent ce sentier pour se réfugier dans la forêt. Hors d'haleine, ils couraient au milieu des arbres, fuyant leur destin pourtant déjà tracé. Refusant la mort comme une évidence.

Avec leur chute vertigineuse, ils avaient momentanément semé les tueurs. Personne ne pouvait descendre à cette vitesse de son plein gré.

Mais Vincent finit par s'écrouler, ayant dépassé depuis longtemps l'épuisement. Servane tomba avec lui, suivant sa main.

Elle se releva aussitôt, tenta de l'attirer vers elle.

— Allez, Vincent, debout ! Me laisse pas... ! Vincent !

Elle n'avait plus assez d'énergie pour le remettre sur ses jambes, il la regardait avec désespoir. Elle s'agenouilla près de lui, prit son visage entre ses mains.

— Continue sur la droite, murmura-t-il. Tu... Tu passeras près du village et... Et ensuite... Toujours tout droit... Jusqu'à la route...

— Je ne continuerai pas sans toi !

— Servane, va-t'en, je t'en prie...

— Non ! Je veux pas te laisser ! Je veux vivre avec toi, je veux plus jamais te quitter !

Enfin elle arrivait à lui dire. Tout d'un seul coup.

Juste un peu trop tard, sans doute.

— Je t'aime... Tu m'entends ? Je t'aime, Vincent... Alors lève-toi ! Lève-toi, nom de Dieu !

— Je peux plus...

Il trouva encore la force de hisser sa main pour effleurer son visage.

— Servane... Sauve-toi...

— Non !

Sa main retomba sur son ventre, il ferma les yeux sur sa douleur. Il toussa, cracha un peu de sang.

Et puis, plus rien.

Servane n'arrivait plus à respirer, étouffée par ses sanglots ; elle ne voyait plus rien, aveuglée par ses larmes.

Elle tenta de retrouver son sang-froid.

Calme-toi, putain… Calme-toi !

D'abord, stopper l'hémorragie.

Elle vira le bandana qu'elle portait autour du cou, le pressa sur la blessure. Puis elle posa son visage sur sa poitrine, rassurée d'entendre son cœur battre encore au milieu de ses pleurs.

Elle resta ainsi de longues minutes, ne pouvant se détacher de ces pulsations régulières.

Elle n'irait nulle part sans lui.

Elle entendit un bruit, se retourna et poussa un hurlement.

Le Stregone se tenait à côté d'elle, immense. À cet instant, elle crut que la mort venait les faucher. Le géant se pencha vers Vincent, tâta sa gorge. Constatant que le guide était encore en vie, il l'empoigna à bras-le-corps et le chargea sur son épaule. Il se tourna ensuite vers Servane, lui fit un petit signe de la tête.

— Viene…

Elle le suivit, traînant sa jambe lacérée.

Un miracle. L'envoyé de Dieu.

Jamais elle n'aurait pu porter Vincent comme il le faisait à présent. Cet homme dont elle avait eu si peur était en train de leur sauver la vie. À moins que…

Elle s'arrêta, appuyée contre un tronc d'arbre.

— Hé ! cria-t-elle.

Il fit volte-face, posa un doigt sur ses lèvres pour lui ordonner de se taire.

— Vous êtes avec eux, n'est-ce pas ? accusa-t-elle avec colère.

— Viene…

— Non ! Vous êtes leur complice !

Il planta son imposante carcasse devant elle.

— Vous voulez qu'il meure ? demanda-t-il avec un étrange accent.

— Mais... Non !

— Alors suivez-moi. Je peux vous cacher.

Ayant senti la sincérité percer dans sa voix comme dans son regard, Servane lui emboîta le pas.

Ils cheminèrent en dehors des sentiers, dissimulés par la forêt, et arrivèrent en dessous du village d'Ondres. Ils remontèrent jusqu'à une porte, située à l'arrière d'une maison. Une porte si petite que le colosse dut se plier en deux pour entrer. Il déposa Vincent sur une paillasse, sorte de vieux matelas en laine, puis alluma une lampe à pétrole. Ils étaient dans une cave en pierre. Ils étaient chez lui.

Le Stregone referma la porte tandis que Servane se précipitait au chevet du blessé. Il n'avait pas repris connaissance et elle recommença à pleurer. Mario la bouscula doucement et déshabilla le guide. En mettant sa peau à nu, la blessure apparut dans toute sa monstruosité. Épaule déchiquetée par l'impact.

— Je reviens, fit simplement le berger.

Servane avait pris la main de Vincent dans la sienne, lui parlait doucement, évitant de regarder l'impact de la balle. Évitant de regarder la mort en face.

Mario fut de retour quelques minutes plus tard avec des linges et une bassine. Il nettoya la plaie avec de l'eau, posa dessus un morceau de tissu et une bande, pour ralentir l'hémorragie.

— Voilà, dit-il en se relevant. Il peut tenir un peu...

— Un peu ? répéta Servane avec frayeur.

— Il faut le docteur, l'hôpital...

Soudain, ils entendirent des pas tout près de la maison. Servane retint sa respiration. Peut-être les avaient-ils vus entrer ici ?

Mais les chasseurs passèrent leur chemin et elle reprit une profonde inspiration.

— Où est votre téléphone ?

— Pas de téléphone, répondit le berger.

— Alors je vais descendre au village, dit-elle.

— Ils vont vous voir et vous tuer, augura calmement le Stregone.

Il s'assit sur un tabouret, alluma une maïs.

— Mais je ne vais pas le laisser mourir ! chuchota Servane en l'implorant du regard.

— Comme vous voulez...

— À moins que... Vous pourriez y aller, vous !

— Non.

Sans appel.

— Mais pourquoi ? s'emporta Servane.

— Ils ne me croiront pas... Ils ne m'écouteront pas. Ils ne m'écoutent jamais. Ils ne veulent même pas que je les approche.

Servane ferma les yeux. Il avait fallu qu'elle tombe sur le seul ermite de la vallée, ne possédant ni téléphone ni voiture, incapable d'aller chercher du secours.

— OK, fit-elle. Je vais descendre moi, alors. Mais promettez-moi de veiller sur Vincent !

Il hocha simplement la tête.

Elle s'approcha à nouveau du lit improvisé, plia les genoux dans un gémissement pathétique. Elle effleura le front de Vincent, il ouvrit soudain les yeux. Il essaya de lever la tête mais n'y parvint pas.

— Où... Où on est ?

— Chez le Stregone.

En entendant son surnom dans la bouche de la jeune femme, le berger esquissa un sourire.

— Je vais aller chercher du secours pendant qu'il s'occupe de toi, continua-t-elle d'un ton qu'elle aurait voulu rassurant.

— J'ai mal, j'arrive plus à... à bouger...

— Ne bouge surtout pas ! implora-t-elle en pétrissant sa main dans la sienne.

— Reste ici, c'est plus... prudent...

— Ne t'inquiète pas, je vais m'en tirer. Et je remonte avec des renforts et un toubib, d'accord ?

Elle l'embrassa et il referma les yeux sur le goût de ses lèvres. Comme pour s'en souvenir à jamais.

— Servane ? C'était vrai... Ce que tu... as dit, tout à l'heure... Que tu voulais vivre avec moi ?

— Oui. C'était vrai... Ce sera vrai. Dès que j'aurai mis ces fumiers en taule ! Si tu le veux, bien sûr !

— Je ne... rêve que de ça...

Elle sourit un peu béatement.

— Alors, attends-moi, Vincent. Je serai de retour avec mes collègues dans moins de deux heures, je te le promets !

Ils s'embrassèrent encore puis Servane se releva.

Après avoir inspecté les environs, le Stregone décréta que la voie était libre.

Un dernier regard, un dernier sourire et la jeune femme quitta la planque. Si dur de s'éloigner de lui ; une déchirure gigantesque.

Dehors, elle endossa à nouveau le rôle du gibier. Sans la main de Vincent pour tenir la sienne.

Pourtant, elle avait l'impression qu'il la guidait à distance.

Elle rasa l'arrière des maisons abandonnées, frôla l'église à la taille démesurée pour ce minuscule hameau fantôme.

C'est alors qu'elle entendit des pas derrière elle ; en faisant volte-face, elle tomba nez à nez avec Mario.

— Qu'est-ce que vous foutez là ? Retournez auprès de Vincent ! ordonna-t-elle.

— Lui, il dit que je reste près de vous. Il a peur pour vous.

— Mais…

— Il a raison. Je vous montre le chemin, je vous mène jusqu'à la route.

Il passa devant, sans attendre sa réponse, et elle fit un signe de croix en regardant le clocher de l'église. Puis elle s'accrocha au sillage du berger italien, l'esprit tendu vers celui qui luttait pour la vie. Pour leur vie.

Vrai que sans le Stregone, elle n'aurait peut-être pas retrouvé le chemin.

Ils traversèrent un petit morceau de forêt avant de rencontrer la piste qui descendait vers la route. Mais ils la quittèrent aussitôt pour s'engager dans un champ, longeant de vieilles haies délaissées.

Se faire le plus discrets possible, se fondre dans le paysage.

Servane peinait à avancer, attaquée de toutes parts. Sa peau écorchée jusque sur le visage, sa jambe tailladée, sa fracture au poignet. Fatigue inhumaine, abominable peur.

Peur de finir ici, de succomber sous les balles des chasseurs.

Peur d'arriver trop tard pour sauver Vincent.

Elle faillit s'évanouir à plusieurs reprises mais le Stregone lui proposa son aide. Soutenue, elle continua à marcher.

Leur chemin croisa à nouveau la piste et Servane aperçut la route au loin, juste derrière le Verdon. Et le pont d'Ondres qui allait les relier à la civilisation.

Ils y étaient presque.

Encore un effort... Un dernier effort. Vincent sera fier de moi.

Ils continuaient à descendre et retombèrent une fois encore sur le large chemin.

Là, le Stregone s'immobilisa.

En face d'eux, une rangée de fusils.

Servane poussa un cri étouffé et voulut s'enfuir. Mais le berger la retint par la main ; inutile de courir, les balles la rattraperaient si vite...

Elle fixa avec désespoir les chasseurs qui les cernaient. Les deux frères Lavessières, Sébastien et Vertoli. Ils avaient attendu en contrebas, barrant toute chance de fuite.

Les tueurs s'avancèrent, Servane s'accrocha au bras de Mario.

— Alors, le Stregone ! Tu aides les demoiselles en détresse, maintenant ? balança Hervé.

L'Italien demeura muet. Son visage n'exprimait rien de précis. Ni haine, ni connivence. Il s'écarta lentement de la jeune femme et Hervé s'empara d'elle pour la traîner de force jusqu'à son frère.

— Où est Lapaz ? interrogea le maire.

Servane n'eut pas le temps de répondre, il lui asséna une violente gifle. Ses jambes la trahirent, elle s'affaissa dans la poussière. Elle resta par terre, exténuée, regardant tour à tour ses bourreaux.

Tout était fini, désormais.

Tandis que Sébastien tenait le Stregone en respect, André revint à la charge. Il posa le canon de son fusil contre le front de Servane, elle ferma les yeux.

— Où est Lapaz ? répéta-t-il.

Pour toute réponse, elle se remit à pleurer. Vertoli tourna la tête ; trop dur d'affronter la scène.

— Où est le guide ? s'acharna André. Réponds...

— Il est mort ! cracha-t-elle avec violence. Vous l'avez tué !

— Je savais que j'l'avais eu ce salaud ! fit Hervé.

— Où est son corps ?

— Je sais pas... Là-haut, au-dessus du village... Je sais plus...

— Bon, on ira le récupérer tout à l'heure, conclut André.

Il la délaissa alors pour s'intéresser à Mario.

— C'est vrai, ce qu'elle dit ?

— Je sais pas... Elle était toute seule dans le village quand je l'ai trouvée.

— Si tu veux pas mourir, t'as rien vu. C'est bien clair ?

Il hocha la tête en signe d'acquiescement mais Hervé crut bon de remettre une couche.

— Tu nous as jamais vus ici, compris, le Rital ?

— Si...

— Parfait... C'est bien, tu piges vite pour un demeuré... !

Le Stregone resta impassible. Et lorsque les hommes entraînèrent Servane vers la mort, il ne bougea pas. Pas même un battement de cils.

Hervé était furieux. Maintenant, ils allaient devoir s'occuper du berger. Un cadavre de plus à faire disparaître. La liste s'allongeait. Démesurément.

Mais chaque chose en son temps. Pour le moment, il tirait Servane par le bras et elle ne pouvait que le suivre. En gardant l'espoir que Vincent lui survivrait. Dernière lueur dans ce déluge de souffrance.

Elle n'avait plus la moindre force. Elle était allée au bout, et même bien au-delà de ce que son corps pouvait endurer. Elle tomba plusieurs fois, Hervé la releva sans ménagement. Jusqu'à ce qu'ils arrivent au bord d'un précipice à quelques dizaines de mètres de la piste.

Au bord de sa tombe.

Hervé la lâcha et scruta le ravin, cherchant le meilleur endroit pour se débarrasser de cet encombrant témoin. Il ne manquerait plus qu'elle survive à la chute !

Servane vacilla quelques secondes avant de s'écrouler à nouveau. Elle sentait le vide derrière elle, la mort qui effleurait son corps en une ignoble caresse.

Soudain frigorifiée, elle se mit à claquer des dents. Elle chercha une once de pitié sur ces visages, au plus profond de ces hommes qui la considéraient tous avec une inattendue compassion. Ils ne bougeaient plus ; ils la regardaient, simplement. Même Hervé restait soudain à distance.

Elle croisa le regard de Vertoli, ce type qu'elle avait eu la faiblesse d'admirer. Un soupçon de colère lui redonna un semblant d'énergie. Elle se remit maladroitement sur ses jambes, continuant à les fixer. Jusqu'au bout, ils affronteraient ses yeux. Y verraient leur lâcheté s'y refléter.

C'était insupportable, alors André ajusta son fusil dans sa direction.

— Recule ! ordonna-t-il.

— Non...

— Recule !

— Non ! Je dirai rien, je vous le jure... Ne me tuez pas !

Vertoli mit une main devant sa bouche. Serpents venimeux à la place des tripes, fulgurante envie de vomir. Il frôlait le malaise.

Quant à André, il se surprit soudain à hésiter. Sébastien ou cette fille.

Comment pouvait-il se poser la question ?

Il suffisait de la pousser avec la crosse du fusil, c'était simple.

Si simple.

Pourtant, il n'y parvenait pas. Quelque chose le paralysait.

Il se tourna alors vers le gendarme.

— Fous-la dans le ravin !

Vertoli recula de deux pas.

— À toi de te salir les mains ! renchérit Hervé. Moi, j'ai descendu le guide. La fille, on te la laisse...

Comment avouer que lui non plus n'y parviendrait pas... ?

Le Stregone, à cinquante mètres de là, n'avait pas bronché. Il attendait le moment opportun pour prendre la tangente, ayant compris qu'il serait le prochain.

Servane essaya subitement de s'enfuir ; tentative pitoyable qui se résuma à quelques pas avant qu'Hervé la saisisse au vol et la jette dans les bras de Vertoli.

Elle s'entendit alors les supplier encore ; elle aurait tant voulu les maudire.

C'en était trop pour l'adjudant. Il fallait stopper ces hurlements, il fallait que cela finisse. Qu'elle se taise avant qu'il ne devienne fou.

Il attira la jeune femme vers le bord de la falaise mais elle commença à se débattre, dernier réflexe avant l'échafaud. Elle distribuait des coups à l'aveuglette. Puis elle se laissa tomber à terre, pour ralentir encore la progression du meurtrier. Elle s'accrochait à tout ce qu'elle rencontrait. À chaque pierre, chaque racine. À chaque espoir.

À chaque seconde grappillée sur la mort.

Mais le précipice se présenta bien vite.

Servane, écorchée vive dans la poussière, sentit l'appel du vide. Ses jambes basculèrent dans le ravin, elle s'amarra à Vertoli, prête à l'entraîner avec elle dans ce dernier voyage.

Au milieu du chaos et de ses propres cris, elle perçut des voix, des clameurs. Des bruits étranges.

Puis elle plongea dans un abîme sans fond.

*
* *

Ses yeux s'ouvrirent, il ne vit que pénombre.

— Servane ?

Le silence s'abattit sur lui en un mauvais présage.

Vincent avait perdu la notion du temps. Était-elle partie depuis longtemps ? Une minute, une heure, un jour… ? Lui avait-elle dit qu'elle l'aimait ou avait-il déliré ?…

Oui, elle lui avait dit. Enfin.

Je t'aime, tu m'entends ? Je t'aime, Vincent…

Et si elle était tombée entre leurs mains ?

Ils me l'ont peut-être tuée, comme ils m'ont tué Laure…

La peur l'étouffa, il crispa sa main gauche sur le matelas.

Sauver Servane.

Il voulut se lever, prêt à affronter des armées entières pour lui porter secours. Mais il parvint tout juste à décoller son crâne du matelas, à remuer les jambes ; la douleur le percuta avec tant de violence qu'il retomba lourdement sur son lit de fortune.

Respire, Vincent... Respire. Voilà, comme ça, c'est bien...

Non, Servane n'est pas morte ! Elle est vivante, je le sens, je le sais... Elle va revenir, elle ne m'abandonnera pas... Dans un instant, elle sera là.

Il imagina la suite, inventa des images pour masquer l'immonde réalité.

Son futur simple, sans Laure, mais avec Servane.

C'était bien la première fois qu'il concevait un avenir qui n'avait pas un goût de cauchemar.

Oui, Servane serait là, près de lui. Il pourrait enfin la toucher. L'aimer au point de la consumer.

La douleur l'empêcha à nouveau de respirer, il se concentra pour ramener un peu d'air dans ses poumons. Simple filet d'oxygène, suffisant pour continuer à irriguer son cerveau et ses rêves.

Je veux vivre avec toi, je veux plus jamais te quitter... Je serai de retour dans moins de deux heures... Je te le promets... Alors attends-moi...

— Oui, je t'attends, Servane... Je t'attendais depuis si longtemps...

*

* *

Ses paupières se levèrent lentement. Lourdes, si lourdes. Trop lourdes pour ne pas retomber... Un brouillard épais où se dessinait une tache claire. Des sons confus, lointains, étouffés dans un fracas intérieur.

— Réveille-toi ! Allez, je t'en prie...

Enfin, la brume se désagrégea lentement. Laissant place à un visage familier.

Servane hurla en même temps qu'elle ouvrait les yeux.

— C'est moi, Matthieu ! dit le gendarme en caressant sa joue ensanglantée. C'est fini, tout va bien...

Servane pataugea encore un moment dans une sorte de marécage nauséabond. Jusqu'à ce que le voile se déchire complètement.

— Vincent, articula la jeune femme. Vincent...

— Où est-il ? demanda Matthieu.

Elle tenta de se redresser, le gendarme l'aida à s'asseoir. Elle vit autour d'elle un bien étrange spectacle. Des hommes en uniforme encerclaient les tueurs.

Ses collègues. Encore un miracle.

— Où est Vincent ? répéta Christian Lebrun qui s'était approché à son tour.

— Il...

Elle n'avait même plus la force de parler. Sa bouche était un désert aride et brûlé ; son corps, une boule de douleur en fusion. Et sa tête, pleine de verre pilé...

— Il est chez moi, expliqua alors le Stregone. Il est blessé. C'est grave.

Il avait rejoint les gendarmes et considérait la miraculée avec stupeur. Comme s'il n'arrivait pas à croire qu'elle soit encore en vie.

— On va y aller, décida Matthieu.

— Je… Je viens avec vous, dit Servane en essayant vainement de se lever.

— Hors de question, répondit le jeune homme. On te conduit à l'hôpital…

— Non ! hurla-t-elle.

Matthieu se résigna à la remettre sur ses jambes et le maréchal des logis distribua les ordres.

— Embarquez-moi ces salauds et appelez l'hélico pour récupérer Vincent… On y va !

En passant devant Vertoli, Christian s'arrêta quelques secondes.

— C'est Nicolas qui nous a tout raconté, dit-il comme s'il lui crachait à la figure.

L'adjudant le regarda fixement ; dans ses yeux, un soulagement intense. Enfin, le cauchemar prenait fin.

Lebrun lui arracha brutalement ses galons.

— Vous êtes en état d'arrestation, Vertoli.

Puis il se tourna vers ses hommes.

— Matthieu et moi, on monte chercher Lapaz. Vous, vous conduisez ces fumiers à la gendarmerie. Exécution !

Matthieu porta Servane jusqu'à une Jeep garée en contrebas sur la piste. Puis avec les deux gendarmes et le Stregone, elle refit le chemin en sens inverse.

Elle ne pensait plus qu'à Vincent. Rien d'autre ne comptait.

Elle avait réussi, elle souriait.

Fin du calvaire.

— Qu'est-ce qu'il a, Lapaz ? s'inquiéta soudain Matthieu.

— Il a pris une balle dans l'épaule, expliqua-t-elle.

— L'hélico est en route, annonça Lebrun en raccrochant la radio. Il sera là dans quelques minutes…

Ils abandonnèrent la voiture à cinquante mètres de la masure du Stregone. Servane avait l'impression d'avoir retrouvé ses forces. Pourtant, Matthieu dut la soutenir pour franchir les quelques pas qui la séparaient encore de Vincent.

Du bonheur.

Ils pénétrèrent dans la cave, elle se dégagea de l'emprise de son collègue pour rejoindre Vincent. Dans cette brusque pénombre, elle devinait juste son corps. Elle s'effondra près de lui, prit son visage entre ses mains.

— Vincent, je suis là ! C'est fini... Ils ont été arrêtés !

Matthieu contourna la paillasse, se pencha à son tour sur le blessé.

— On va t'emmener à l'hosto, continua la jeune femme. L'hélicoptère arrive...

Elle broya sa main dans la sienne.

— Vincent, tout va bien, maintenant... On a réussi.

Elle admira son visage ; tendre et apaisé. Il souriait légèrement. Ce sourire si énigmatique ; celui qui avait su la séduire. Bientôt, elle entendrait à nouveau son rire. Le son grave et sensuel de sa voix.

— On est sauvés, mon amour...

Elle comprimait toujours ses doigts ; sa main était chaude, ses lèvres aussi.

Matthieu ferma les yeux, le Stregone fit le signe de croix avant de quitter la cave.

Épilogue

Servane sortit sur la terrasse ; un frisson la secoua de la tête aux pieds. Octobre prenait ses aises et les sommets les plus hauts avaient pâli aux premières averses de poudreuse. Sherlock revenait de son petit tour matinal et salua sa maîtresse en aboyant. Elle le souleva de terre, le serra contre elle.

Un beau matin d'automne auquel il ne manquait que le plus important.

Elle rentra à l'intérieur du chalet, enfila un pull. Elle prit les clefs du pick-up, enfin réparé, et fit monter Sherlock à l'arrière. Elle quitta l'Ancolie ; royaume de Vincent qui était devenu le sien par ses dernières volontés. Un testament rédigé quelques jours seulement avant…

Elle s'était installée là, n'avait rien touché, laissant le décor intact.

Comme si Vincent allait rentrer d'une minute à l'autre.

Elle ne savait pas encore comment elle s'acquitterait des droits de succession, mais cela n'avait guère d'importance. Elle trouverait un moyen de garder cette maison puisque Vincent la lui avait confiée, comme une ultime marque de confiance et d'amour.

D'ailleurs, elle savait que les habitants des deux villages étaient en train de se cotiser pour l'aider, à l'initiative de Baptiste Estachi.

Elle essuya ses larmes, se concentra sur la piste de l'Herbe Blanche.

Vincent lui avait donné l'Ancolie mais aussi la voiture. Tout ce qu'il possédait à part un petit studio en Ubaye, revenu à Nadia.

Elle frotta son poignet encore douloureux et alluma l'autoradio. Elle commençait à aimer la musique classique, finalement.

En passant devant l'église d'Allos, elle jeta un œil au petit cimetière.

Vincent reposait là, tout près de Pierre.

Après avoir parcouru ensemble les sommets, ils parcouraient ensemble l'éternité.

Encore des larmes. Chaque jour des larmes.

Elle descendit la grand-route du Verdon et s'arrêta à la caserne de Colmars.

— Sherlock, tu restes là ! ordonna-t-elle.

Elle n'avait pas encore repris le travail, venant à peine de se débarrasser de son plâtre. Blessure superficielle comparée aux autres.

Plus profondes. Indélébiles, sans doute.

Elle embrassa Matthieu, coincé à l'accueil, et se rendit directement dans le bureau de Christian Lebrun qui assurait l'intérim jusqu'à ce qu'un nouvel officier supérieur soit nommé à la tête de la caserne.

Le chef l'invita à s'asseoir, la couvant d'un regard affectueux. Elle était devenue une sorte d'héroïne en ces lieux.

— Comment allez-vous, Servane ?

— Bien, je vous remercie.

— Et votre bras ?

— Ça fait encore un peu mal, mais ça s'arrange.

— Vous vouliez me parler ? demanda-t-il.

— Oui... Je voulais vous dire que... Que j'ai bien réfléchi et que je vais quitter la gendarmerie... Pas tout de suite, mais dès que possible.

Il masqua sa déception derrière un sourire forcé.

— Vous allez remonter chez vous, en Alsace ? présuma-t-il.

— Non, je vais rester à l'Ancolie.

— Ah... Et que comptez-vous faire ?

— Je vais essayer de passer mon brevet d'accompagnatrice en montagne.

— C'est formidable ! Si vous aimez vraiment la montagne...

— Je ne vis plus que pour elle.

Il baissa les yeux. Sa souffrance était tellement visible, tellement insupportable. Et ces hurlements insoutenables qui le poursuivaient encore jusque dans ses rêves...

Ils avaient dû l'arracher de force au corps sans vie du guide. Avaient dû encaisser ses cris.

Toujours le même mot : non.

Toujours le même prénom : Vincent.

— Bien... Je respecte votre choix et je vous souhaite bonne chance. Je... Je suis heureux que vous restiez dans la vallée, parmi nous.

— Merci, chef.

Il contourna le bureau pour lui serrer la main. Finalement, elle eut droit à une chaleureuse accolade et se raidit à ce contact.

— Vous ferez un excellent guide, dit-il.

— Merci, Christian. Merci beaucoup.

Elle quitta bien vite la caserne.

Aujourd'hui, elle avait quelque chose de difficile mais d'important à accomplir.

Elle accéléra sur la grande ligne droite en bordure du Verdon et le pont d'Ondres ne tarda pas à apparaître sur sa gauche. Elle s'y engagea lentement.

Au fur et à mesure qu'elle gravissait la piste, qu'elle approchait du hameau, son cœur se tordait de douleur.

Mais elle devait le faire. Besoin de revoir Mario autant que l'endroit où…

Elle coupa le contact à l'entrée du village, franchit les derniers mètres à pied. Elle ne boitait presque plus, maintenant.

Elle trouva le Stregone assis sur le pas de sa porte, en plein soleil. Comme s'il attendait sa visite.

— Bonjour, dit-elle.

Il enleva son chapeau, sans doute en guise de salut.

— Je… Je peux m'asseoir ?

Il lui désigna la marche en pierre avec la main ; elle s'installa à côté de lui et ils gardèrent un moment le silence. Elle luttait contre ses larmes alors que pourtant il ne la regardait pas.

— Je voulais vous dire merci, murmura-t-elle soudain. Merci de nous avoir aidés…

Il fit un simple signe de tête. Façon pudique de témoigner son émotion.

— Je ne sais pas si vous êtes au courant, mais ils ont tous été mis en détention préventive à Digne, reprit-elle. En prison, quoi. En attendant d'être jugés…

— Ils méritent la mort.

Elle fut presque surprise d'entendre le son rocailleux de sa voix. Elle ne pensa pas à le contredire.

— Ils ont tout avoué, continua la jeune femme. À part Mansoni qui nie toujours le meurtre de Pierre Cristiani. Mais les autres l'ont balancé.

Le Stregone tourna enfin la tête vers elle et la considéra bizarrement.

— Le meurtre de Cristiani ? répéta-t-il.

— Oui… C'est Julien qui l'a tué… Parce qu'il allait tout dire et…

— Non.

Servane cessa de respirer.

— Qu'est-ce que… Qu'est-ce que vous dites ? Vous savez qui a tué Pierre ?

Il ne répondit pas, elle continua à l'interroger du regard. À l'implorer de livrer son secret.

Enfin, il consentit à parler.

— J'étais là quand le garde est mort, confessa-t-il. Je descendais vers le torrent du Bouchier…

Elle retenait toujours sa respiration. Mais il s'était à nouveau retranché dans son silence, alors elle l'encouragea.

— Qui a tué Pierre ?

— La montagne.

— La montagne ? Mais…

— Il était en face de moi, sur le sentier. Et puis il a fait tomber un truc dans la pente.

— Un truc ?

Il posa son doigt sur le portable qui dépassait de la poche du blouson de Servane.

— Ça…

— Son téléphone ? demanda-t-elle. Il a fait tomber son téléphone ?

— Oui. Il a voulu le récupérer, il a glissé... Il est tombé presque jusqu'au fond. J'ai traversé et j'ai vu qu'il était mort. Alors je suis parti.

Servane ferma les yeux.

Un accident.

Un stupide accident !

Un putain d'accident...

Tout défila dans sa tête. Si Pierre n'avait pas perdu son portable, il ne serait pas mort. Et s'il n'était pas mort, Vincent...

Elle resta un moment sonnée. Puis enfin, elle se leva et lui posa une dernière question.

— Le soir où vous étiez près de l'Ancolie... Lorsque vous avez mis la main sur mon front et que vous avez dit des choses bizarres... Pourquoi ? Pourquoi vous avez fait ça ?

Il semblait brusquement mal à l'aise. Un éclair de mélancolie lénifia son visage de pierre.

— Pour vous protéger du mauvais sort... Du *iettatura*, comme on dit chez nous...

— Mais pourquoi ? Pourquoi moi ?

— J'avais rêvé de vous. De votre mort. Je voulais juste vous protéger.

Servane sentit sa gorge se serrer. Ses yeux brillaient dans la douce lumière d'octobre.

Elle lui serra la main, un peu trop fort.

— Au revoir, Mario.

— Addio...

Il la regarda s'éloigner. Elle ressemblait tant à cette jeune femme qu'il avait aimée. Aimée à la folie.

Aimée jusqu'à tuer.

Cette jeune femme et ce crime qu'il tentait d'oublier depuis bientôt trente-cinq ans d'un exil volontaire.

Il poussa la porte de sa pauvre maison, regagnant sa solitude tandis que Servane rejoignait la sienne.

Une fois dans la voiture, elle songea naturellement à repasser par la gendarmerie pour révéler l'innocence de Mansoni. Mais elle se ravisa. Il était coupable, de toute façon.

Qu'il se démerde pour prouver son innocence. Qu'il aille au diable…

En jetant un dernier regard sur Ondres, elle croisa le clocher de l'église.

Elle avait fini de croire en Dieu. Il est des trahisons qui ne se pardonnent pas.

Elle tourna la clef et repartit en direction de Colmars.

Elle avait une voie, désormais. Une passion qui coulait dans ses veines. Au travers de ses larmes, la montagne se dressait, majestueuse et rassurante. Pleine de promesses.

Un beau matin d'automne qu'elle aurait aimé partager.

Avec celui qui lui avait appris à regarder.

Regarder. Ça s'apprend. Comme marcher ou parler…

Sur le bord de la grand-route, une jeune femme se promenait, seule.

Servane la trouva jolie.

Et au rythme des *Quatre Saisons* de Vivaldi, *L'Hiver* était sa préférée, elle reprit le chemin de l'Ancolie.